Кристофер Фрейлинг

ВАМПИРЫ

происхождение и воскрешение

от фольклора до графа Дракулы

Москва
ЭКСМО
2024

УДК 82.091
ББК 83.3(0)
Ф86

Christopher Frayling
Vampyres: Genesis to Resurrection from Count Dracula to Vampirella

Перевод с английского *Екатерины Шатской*

Литературная редактура *Влада Чарного*

Макет *Олега Лёвкина*

Идея оформления переплёта *Константина Гусарева*,
иллюстрация на форзаце *Елизаветы Надеждиной*

Фрейлинг, Кристофер.

Ф86 Вампиры. Происхождение и воскрешение. От фольклора до графа Дракулы / Кристофер Фрейлинг ; [перевод с английского Е. Шатской]. — Москва : Эксмо, 2024. — 480 с. : ил. — (Подарочное издание. Знаменитая классика с иллюстрациями).

ISBN 978-5-04-165850-2

История вампиров уходит корнями в восточноевропейские деревни XVIII века, когда слухи о телах, восстающих из мёртвых, прокатывались по Европе и вызывали массовую истерию.

От первых историй о вампиризме Кристофер Фрейлинг исследует, как и почему вампиры стали одной из самых устойчивых фигур в истории массовой культуры. Как вампиры-крестьяне, описанные Джозефом Питтоном де Турнефором и Домом Огюстеном Кальме, то есть фольклорные вампиры, нападавшие на овец и коров, стали аристократическими героями-злодеями романтиков. Он прослеживает родословную литературного вампира с 1816 года: история современных вампиров родилась — в надлежащей устной форме — на арендованной на праздники вилле с видом на Женевское озеро в ночь на 17 июня 1816 года, когда погода была необычайно сырой, а атмосфера, необычайно накаленной. В тот день на вилле Диодати собрались лорд Байрон, Джон Полидори, Перси Шелли, Мэри Шелли, чтобы рассказывать выдуманные истории о привидениях, но в результате в тот вечер появились литературный вампир и Франкенштейн. Далее автор рассказывает о художественных произведениях, которые были написаны между «Вампиром» Дж. Полидори (1819) и, пожалуй, самым известным вампиром всех времён — «Дракулой» Б. Стокера (1897).

Автор книги сэр Кристофер Фрейлинг — историк культуры, автор многочисленных публикаций на различные темы, от синофобии до вестернов. Также он был ректором Королевского колледжа искусств в Лондоне с 1996 по 2009 год, где он остается почётным профессором истории культуры и поныне.

УДК 82.091
ББК 83.3(0)

ISBN 978-5-04-165850-2

Содержание

Посвящается доктору Джону Полидори,
который подошел к вампиру слишком близко

«28 мая. Отправился в Женеву. Вошел в залу, где было человек восемь; среди них две дамы. Звучало лишь имя лорда Байрона; мое, как звезда в лунном ореоле, — оставалось незамеченным...»

Дневник Полидори

Предисловие к новому изданию

Упоминания о кровососах различных видов восходят к античным временам, а в некоторых мифологических циклах — к Райскому саду. Но литературный вампир родился двести лет назад, в июне 1816 года, на вилле с видом на Женевское озеро. Это было худшее лето за всю историю наблюдений — дождь и не думал прекращаться. Лорд Байрон, Перси Шелли, Мэри Годвин и Джон Полидори оказались заперты в четырех стенах и в качестве развлечения рассказывали по ночам истории о привидениях. Было заключено пари, чья история окажется самой страшной. После того как Мэри Годвин зачитала сцену создания Франкенштейна, лорд Байрон рассказал об аристократе голубой крови, который умирает на турецком кладбище — и обещает вернуться. Некоторые из участников пари знали о вампирах из фольклора и слышали споры об эпидемиях вампиризма, которые, как говорили, распространились по крестьянским обществам в Восточной Европе и Греции в начале XVIII века. История, рассказанная лордом Байроном в ту июньскую ночь, была впоследствии доработана и дополнена доктором Джоном Полидори, лечившим Байрона летом в Женеве, и опубликована без разрешения в 1819 году под названием «Вампир». Байрон был в ярости. Но уже ничего нельзя было поделать: «Вампир» мгновенно стал бестселлером, его многократно копировали и даже адаптировали для сцены. Мало того, что на некоторых изданиях на титульном листе рассказа стояли провокационные инициалы «Л.Б.», но и сам Гёте — не меньше — считал его «лучшим произведением английского поэта». Аристократический литературный вампир громко и с апломбом вышел в свет.

Эта книга — исследование родословной литературного вампира с 1816 года. Первые рассказы, распространенные в эпоху Просвещения, были тесно связаны с сельскохозяйственной сферой. Следующее столетие между «Вампиром» Полидори (1819) и самым знаменитым романом о вампире по сей день — «Дракулой» Брэма Стокера (1897) вызвало большой всплеск популярности вампирской тематики и породило множество романов, повестей, стихотворений и низкопробных жанровых рассказов о кровососах. Обычно, по крайней мере в художественной литературе, нежить, как правило, была аристократичного происхождения, иногда мужского пола (в чьих чертах явно читался суровый, угрюмый и величавый образ Байрона), иногда женского пола — более персонализированная форма сексуального хищника с «клубничным ртом», зародившаяся в богемных кругах Парижа. Во времена повального увлечения вампирами в Викторианскую эпоху искусствовед Уолтер Патер увидел намек на кровопийцу даже в самом известном портрете женщины в западном искусстве — «Моне Лизе» Леонардо да Винчи: «Подобно вампиру, она умирала множество раз и познала тайны могилы».

По ходу столетия в литературную формулу добавлялись новые элементы, исследовались новые места, изобретались новые характеристики, испытывались новые средства защиты. К моменту публикации «Дракулы» были опробованы большинство дофрейдистских вариаций на тему, что стало одним из самых первых примеров того, как цели «высокой культуры» распространились на культуру массового потребления, жадную до печатных изданий — особый эффект, длившийся большую часть XIX века. В журнале The Bookman появилась статья, в которой говорилось, что давно пора отойти от лесов, замков, распятий и декадентов обоих полов, которым нравилось, чтобы подаваемые им напитки были температуры тела: «Нам нужны ужасы, которые выдержат современную сантехнику и яркий электрический свет».

Впервые в кинематографе вампиры появились в «Носферату» (1922) и «Дракуле» (1930), до сих пор возглавляющих списки самых популярных фильмов. В печатных же изданиях вампиры появлялись в самых разнообразных формах и образах: в дешевых журналах, распространенных в межвоенные годы, в научно-фантастических изданиях 1950-х годов, в грубо-чувственных рассказах 1960-х и ранних 1970-х, в «Жребии Салема» Стивена Кинга (1975), действие которого происходит в маленьком американском городке, и, наконец, в «Интервью с вампиром» Энн Райс (1976) с рассказчиком-вампиром, вспоминающим былые времена, в качестве главного действующего лица. И настало время для «Баффи — истребительницы вампиров» на телевидении и феноменально успешной саги «Сумерки», в которой бледный привлекательный вампир играет на желаниях — и сдерживании чувств — своей подростковой аудитории, он настолько же травояден, насколько и плотояден.

Стабильный интерес к готической моде и распространенность хорроров как в литературе, так и в кинематографе для всех возрастов создают впечатление, что вампир прочно и надежно вошел в нашу жизнь. Как зомби и оборотни. Переработки «Дракулы» есть на каждом книжном прилавке. В академическом мире нежить становится все более популярной темой готических исследований — отчасти благодаря оригинальной версии этой книги. Поэтому я решил, что сейчас самое подходящее время, чтобы вернуться к моему исследованию вампиров, пересмотреть и обновить его, добавить новый материал, основанный на последних исследованиях, и снабдить наглядными эссе, которые идут параллельно основным темам текста.

Кристофер Фрейлинг

Часть I

История литературы

От лорда Байрона к графу Дракуле

«Если лорд Джордж Селвин вернется, непременно впустите его. Если я все еще буду жив, я буду рад видеть его; если нет, он будет рад видеть меня».

Лорд Холланд на смертном одре, как сообщает Хорас Уолпол

«Сырое, холодное лето...»

История современных вампиров родилась — в надлежащей устной форме — на арендованной на праздники вилле с видом на Женевское озеро в ночь на 17 июня 1816 года, когда погода была необычайно сырой, а атмосфера необычайно накаленной. Рождение вампира совпало с рождением Франкенштейна, и их путям будет суждено неоднократно пересекаться в течение следующих двух столетий. Пришедший в этот мир современный вампир — это одетый по последней моде бледный аристократ с соблазнительным голосом, искривленными в усмешке губами, голубой кровью и с дурным, капризным и величественным характером.

За месяц до ночи его рождения, 13 мая 1816 года, Перси Шелли, восемнадцатилетняя Мэри Уолстонкрафт-Годвин, их пятимесячный сын Уильям и сводная сестра Мэри Клэр Клермонт (которая была на восемь месяцев младше Мэри) заселились в фешенебельный отель мсье Дежана «Англетер» с видом на Альпы на северном берегу озера неподалеку от Женевы. Они вымотались. Большую часть десятидневного путешествия из Лондона через Париж Мэри мучила морская болезнь и тошнота от укачиваний.

Отель «Англетер», большое трехэтажное каменное здание, располагался в стороне от озера, на его территории был парк, выходящий к дороге из Женевы в Лозанну. Отель был излюбленным местом остановки для зажиточных англичан, отправляющихся в грандиозные европейские туры. Это был первый постоялый двор на выезде из сурового города-крепости, ворота которого закрывались ровно в 10 часов вечера.

Неделю спустя лорд Байрон и его личный врач и попутчик доктор Джон Полидори в сопровождении камердинера, двух слуг и двух кучеров прибыли в отель в Сешероне. Перед тем как покинуть Англию в конце апреля, Байрон дал Клэр Клермонт (известной как Клара, или Джейн, для своей семьи) свой адрес: «Милорду Байрону, до востребования, Женева», и именно поэтому ей удалось убедить Перси Шелли и Мэри Годвин поехать в Женеву. В апреле 1816 года Клэр ненадолго — характерным для нее импульсивным порывом, который, как она позже писала, подарил ей десять минут удовольствия и целую жизнь боли, — стала любовницей Байрона.

Втайне от своего благородного работодателя, двадцатилетний доктор Полидори, недавно окончивший медицинский факультет Эдинбургского университета и защитивший диссертацию по лунатизму, довольно подробно описал передвижения Байрона в дневнике — за это ему предложили 500 гиней. Это единственный сохранившийся дневник от июня 1816 года, написанный в том месте и в то время, пусть даже и опубликованный с «пикантными пассажами», уничтоженными престарелой тетей Полидори Шарлоттой. Записи за тот значимый месяц в дневнике Мэри Годвин исчезли, уцелело лишь несколько ее писем, имеющих отношение к делу. Полидори был, по словам его знакомой Гарриет Мартино, «красивым, беспечным молодым человеком». Также у него были болезненные амбиции быть поэтом, а не медиком, — и чрезмерная чувствительность. Но, как убедительно демонстрирует это его дневник, следует сказать, что он не был очень одарен в плане писательства:

> *26 мая.* Отправился в дом за Колоньи, принадлежащий Диодати. Просят двадцать пять луидоров в месяц... Из этого дома открывается прекрасный вид; красивое озеро; на краю озера находится Женева. Вернулся назад...

> *27 мая.* ... Л. Б. встретил М. Уолстонкрафт-Годвин, ее сестру [сводную] и Перси Шелли. Я вывел лодку на середину озера Леман, и там вытянулся во весь рост, позволив лодке плыть своим чередом... Пообедал; пришел П. Ш., автор [поэмы] «Королева Маб»; робкий, застенчивый, болезненный; двадцати шести [на самом деле всего двадцати четырех] лет; разошелся с женой, содержит двух дочерей Годвина, которые исповедуют его теории [об эмансипации женщин и свободном браке; о чем, очевидно, сплетничал Байрон]; одна из них — [любовница] лорда Байрона [Клэр Клермонт]...

Несколько дней спустя семья Шелли — теперь уже с няней из Женевы по имени Луиза Дювийяр, больше известной как Элиза — переехала на другой берег озера в меньший из двух уединенных особняков, принадлежащих некоему месье Жакобу Шапюи, ниже виллы Диодати на пологом берегу Женевского озера по адресу «Дом Шапюи, Монталегр», но Мэри Годвин называла его Шапюи. Каменный и квадратный двухэтажный коттедж располагался среди виноградников рядом с извилистой дорогой, ведшей к небольшой озерной гавани, принадлежавшей Шапюи. Мэри Годвин писала своей сводной сестре о погоде 1 июня из «Деревни С, близ Колиньи»:

> К сожалению, мы больше не наслаждаемся тем сияющим небом, которое приветствовало нас, когда мы впервые прибыли в эти края. Практически непрекращающийся дождь вынуждает нас сидеть дома; но когда появляется солнце, оно сияет с яркостью и жаром, каких никогда не бывало в Англии. Грозы, которые здесь бывают, грандиозны и ужасны — я никогда прежде такого не видела. Мы наблюдаем за ними, когда они приближаются с противоположной стороны озера, следим за игрой молний среди облаков в небесах, и тем, как их изломанные линии пронзают поросшие соснами вершины гор Юра, под сенью нависших облаков...»

Мэри Годвин начинала разделять «наслаждение» Шелли бурями, хотя она по-прежнему предпочитала «солнечный свет и нежный бриз» тем крайностям возвышенного, которые он выбирал. Байрон тоже был занят изучением влияния экстремальных погодных условий на его эмоции. В третьей песне (строфа 92) «Паломничества Чайльд Гарольда», которую он написал в это время, он описал сильную бурю, которую пережил 13 июня:

> Как небо изменилося! И буря
> Во мраке рвет на небе облака.
> И в бешенстве своем, в разгуле негодуя,
> Она, как женкий взгляд, смиренна и легка![1]

Впоследствии 1816 год стал известен как «год без лета» — метеорологическая аномалия в Европе, приведшая к массовым неурожаям и даже голоду.

Лорд Байрон переехал на виллу Диодати 10 июня. Первоначально она называлась Villa Belle Rive. Эта вилла, принадлежавшая семье с тех пор, как Габриэль Диодати руководил ее строительством в 1710 году, не была заселена: Эдвард Диодати и его родственники жили в доме поменьше недалеко от деревни Колоньи, а главный дом сдавали в аренду приезжим. Это была двухэтажная вилла из серого камня с солидным цокольным этажом, окруженная с трех сторон — на уровне первого этажа — большим балконом с искусно выполненной железной балюстрадой. У Байрона и его окружения сложилось впечатление, что когда-то здесь останавливался Джон Мильтон. Но он не мог этого сделать по той простой причине, что вилла была построена не при его жизни. Возможно, упоминание имени Мильтона было частью коммерческого предложения. Между Диодати и Джоном Мильтоном действительно существовали

[1] Перевод О. Лёвкина.

какие-то семейные связи. Безусловно, Сатана из «Потерянного рая» (1667) в середине того июня чувствовал бы себя на вилле как дома. Вилла находилась в нескольких минутах ходьбы от дома Шапюи, и по вечерам семья Шелли поднималась по склону, чтобы присоединиться к лорду Байрону.

Ранее в том же месяце Клэр Клермонт обнаружила, что беременна, но подождала некоторое время, прежде чем сообщить Байрону эту новость. Его ответ был таким: «Это отродье мое?» Тем временем он продолжал заниматься сексом с «этой чудаковатой девчонкой» («если восемнадцатилетняя девушка скачет к тебе в любое время ночи — есть только один путь»). И он использовал ее для переписки третьей песни из «Паломничества Чайльд Гарольда» (которую он закончил к 27 июня) для отправки своему издателю в Лондон.

Мэри Годвин тоже переписывала стихи — эта работа ей нравилась, поскольку она также явно испытывала влечение к Байрону (хотя и не всегда из-за его поведения) и была впечатлена его ошеломляющей «интеллектуальной энергией». Когда Байрон позже объявил Клэр Клэрмонт и Перси Шелли, что его отношения с Клэр закончились, он специально попросил, чтобы Мэри не присутствовала при объявлении этой новости. Это смутило, но не удивило ее, поскольку после их встречи 27 мая Байрон предельно ясно дал понять, что предпочитает вести разговоры о важных вещах с мужчинами, а не с женщинами. Как вспоминала Мэри в октябре 1822 года:

> Я не думаю, что чей-либо голос обладает такой же силой пробуждения во мне меланхолии, как у [Байрона] — я привыкла, едва заслышав его, лишь слушать и мало говорить — другой голос, не мой, отвечал ему... Поскольку некомпетентность и робость всегда не давали мне участвовать в ночных беседах у Диодати — они были будто бы тет-а-тет между моим Шелли и [Байроном]...

Из дневника Полидори также становится ясно, что Байрон предпочитал обедать и разговаривать с Шелли наедине — «Обедал с Ш.», «Затем повидаться с Шелли...», «Оттуда к Шелли...», «К Шелли на лодке...» — и что леди должны были предаваться более подходящим им занятиями. Быть исключенной из этих интимных тет-а-тет стало для Мэри Годвин новым и, возможно, тяжелым опытом. С момента ее первых бесед с Перси Шелли в июне 1814 года — у могилы ее матери Мэри Уолстонкрафт на кладбище Сент-Панкрас — она ожидала, что ее отношения с ним будут общением равных, встречей единомышленников, которые добровольно выбрали жить вместе вне условностей общества. Она была дочерью двух любимых политических философов Шелли — «дитя любви и света», как он ее называл, — и самой впечатляюще образованной женщиной из всех, которых он когда-либо встречал.

В своем дневнике за октябрь 1822 года Мэри написала, что Перси раскрыл в ней все лучшее : «Я думала, насколько это превосходный дар — оказаться рядом с тем, кому я могла открыться и кто мог понять меня». Он был единственным человеком, который смог достичь этого: она, как правило, чувствовала себя гораздо менее «естественной» с его друзьями и знакомыми и иногда расстраивалась, когда он обсуждал с ними их интимные дела. Другими словами, ее жизнь стала резко сосредоточена на нем. Поэтому, когда она обнаружила, что ее исключили из «ночных бесед Диодати», это, по всей видимости, стало для нее потрясением. Это многое сказало ей о лорде Байроне, и, возможно, немного о Перси Шелли. А доктор Полидори был предметом неустанных насмешек и покровительства лорда Байрона с того момента, как они прибыли в Остенде 25 апреля. Как писал Байрон:

> Ни одно человеческое проявление не вызывало у меня большего отвращения, чем постоянные бессмысленные поступки, заботы, пустота, дурное настроение и тщеславие этого молодого человека; он был именно тем, кому, если бы он

> упал за борт, можно было бы протянуть соломинку, чтобы узнать, права ли поговорка насчет того, что обаятельные мужчины хватаются за соломинку.

Судя по всему, Полидори выступал в качестве бухгалтера Байрона, а также его лечащего врача и компаньона, возможно, по просьбе издателя Джона Мюррея. Если это так, то эта роль вряд ли бы вызвала расположение его работодателя.

Самое раннее опубликованное упоминание об обстоятельствах рождения современного вампира — и Франкенштейна — появилось в предисловии Перси Шелли к первому (анонимному) изданию «Франкенштейна», датированного сентябрем 1817 года. Мэри представила это «как будто бы», но на самом деле это слегка умаляло ее усилия (по сравнению с усилиями двух ее более известных друзей, Байрона и Шелли):

> ... эта история началась в местах грандиозных, где в основном и происходило действие, и в обществе, о котором нельзя не сожалеть до сих пор. Лето 1816 года я провел в окрестностях Женевы. Погода была холодной и дождливой, по вечерам мы теснились у пылающего дровяного камина и время от времени забавлялись какими-нибудь немецкими историями о привидениях, которые случайно попадали в наши руки. Эти истории пробудили в нас игривое желание подражания. Два других друга (рассказ одного из которых был гораздо более воспринят публикой, чем любая вещь, которую я когда-либо еще напишу) и я сам согласился написать такую историю, основанную на каком-нибудь сверхъестественном происшествии. Погода, однако, внезапно прояснилась, двое моих друзей оставили меня в этом путешествии по Альпам и потеряли среди великолепных сцен, которые они сочиняли, все впечатления о своих призрачных видениях. Этот рассказ — единственный, который был завершен.

Но более полный и гораздо более известный рассказ о тех днях появился в написанном Мэри Шелли введении к популярному изданию «Франкенштейна» 1831 года, вышедшего примерно через четырнадцать лет после того, как это описал Шелли и через пятнадцать лет после событий, которые оно якобы описывало. С тех пор этот рассказ неоднократно пересказывался и приукрашивался.

> Лето было сырым и холодным, беспрестанный дождь целыми днями не выпускал нас из дому. В наши руки попало несколько томов историй о привидениях, переведенных с немецкого на французский. Среди них была и «История Непостоянного Влюбленного», который, когда он думал обнять невесту, которой он принес свои обеты в верности, оказался в объятиях бледного призрака той, которую он бросил. Еще среди них была история о грешном основателе своего рода, чьей жалкой судьбой было даровать поцелуй смерти всем младшим сыновьям своего обреченного дома в тот момент, когда они достигли подходящего возраста... С тех пор я не встречала этих историй, но их эпизоды так свежи в моей памяти, как будто я прочитала их вчера.
>
> «Каждый из нас напишет историю о привидениях», — сказал лорд Байрон, и его предложение было принято. Нас было четверо. Прославленный автор начал рассказ, фрагмент которого он напечатал в конце своей поэмы «Мазепа» [1819]. Шелли, более склонный воплощать идеи и чувства с помощью ярких образов и музыки мелодичного стиха, украшающего наш язык, вместо того чтобы сосредоточиться на структуре рассказа, начал повествование, основанное на опыте его ранней жизни. У бедняги Полидори была какая-то ужасная идея о даме с головой-черепом, которая обрела ее в наказание за то, что подглядывала в замочную скважину — за чем именно, я забыла — разумеется, за чем-то весьма возмутительным и порочным... Прославленные поэты, раздраженные

пошлостью прозы, быстро отказались от этой неприятной задачи.

Я занялась обдумыванием истории — истории, способной соперничать с теми, которые вдохновили меня на это дело... Я думала и размышляла — все тщетно. Я испытывала ту полную неспособность к сочинительству, которая является величайшим несчастьем для автора, когда безжизненное *Ничто* отвечает на наши тревожные призывы. «Вы придумали рассказ?» — спрашивали меня каждое утро, и каждое утро я была вынуждена отвечать унизительным отрицанием...

Лорд Байрон и Шелли постоянно вели долгие беседы, которые я внимательно, но молча, слушала. Во время одной из них они обсуждали различные философские доктрины, в том числе суть принципа жизни и вероятность того, что он когда-либо будет открыт и передан другим. Они говорили об экспериментах доктора [Эразма] Дарвина (я говорю не о том, что Доктор *на самом деле* сделал или сказал, но, что более соответствует моей цели, о том, что обсуждали касательно его), который хранил кусочек вермишели в стеклянной капсуле до тех пор, пока каким-то необычным образом тот не начал произвольно двигаться. В конце концов, жизнь дается не так. Возможно, труп был бы реанимирован; гальванизм свидетельствовал о таких вещах; возможно, отдельные части тела существа можно было бы изготовить, собрать вместе и наделить жизненным теплом. После этого разговора наступила ночь, даже полночь миновала, прежде чем мы отправились на покой. Когда моя голова коснулась подушки, я не смогла заснуть... Назавтра я объявила, что придумала рассказ. Я начала тот день со слов «Однажды ненастной ноябрьской ночью...», фиксируя мрачные ужасы моего сна наяву.

Сначала я подумывала написать короткий рассказ на несколько страниц, но Шелли убедил меня подробнее развить эту идею. Конечно, я не обязана своему мужу ни поворотами

> в сюжете, ни любовными линиями, и все же, если бы не его поощрение, «Франкенштейн» никогда бы не принял тот вид, в каком был представлен миру. Исключение — предисловие, насколько я помню, его целиком написал Шелли.
>
> И теперь я вновь желаю моему отвратительному порождению развиваться и процветать...

Считается, что важные события начались с двухтомника рассказов о привидениях «Фантасмагориана, или Собрание историй о привидениях, духах, явившихся с того света и проч.», переведенного на французский язык с немецкого оригинала Жаном-Батистом Бенуа-Эйриесом. Экземпляр книги был найден в Женеве, и лорд Байрон читал его вслух, пока они сидели у богато украшенного камина, и — взяв пример со второго рассказа в сборнике «Семейные портреты», в шутку предложил попробовать каждому написать свою историю ужасов: «Каждый должен рассказать историю о призраках или о чем-то подобном, — сказал персонаж «Семейных портретов», — среди нас принято, что никто не будет искать происходящему никакого объяснения, даже если оно будет иметь смысл, поскольку объяснения лишат удовольствия, вызываемого жуткими историями».

Если сравнить дневник Полидори, который он вел в то время, с версией Мэри Шелли, то обнаружатся значительные различия в их рассказах о том, что произошло дальше. Заметки Мэри читаются гораздо лучше. Они вызывают интерес к книге, для которой послужили предисловием, умело манипулируют готическими клише (суровые погодные условия, истории о привидениях, беседа после полуночи, кошмар) и содержат захватывающую открытую концовку («Вы придумали рассказ?»), но описанные события, вероятно, происходили совершенно иначе.

По ее словам, в «Фантасмагориане» была «История Неверного Любовника»... [и] история о грешном основателе своего рода, чьей жалкой судьбой было даровать поцелуй смерти...» — на самом деле эти рассказы назывались «Смерть невесты» и «Портреты семьи», и Мэри описывает их не очень точно. Интересен, однако, тот факт, что она запомнила их как рассказы об: а) человеке, которого преследует призрак покинутой жены; б) семье, «младшие сыновья» которой обречены на смерть. Вероятно, на них сделан акцент из-за того, что ее тревожила судьба Гарриет Уэстбрук Шелли — брошенной жены Перси, которая утопится в реке Серпентайн в конце того же 1816 года, также Мэри на личном опыте знала, каково это — потерять ребенка (в марте 1815 года). Очевидно, эти печальные происшествия, которые были «так свежи в моей памяти, как будто я прочитала их вчера», перекликались с ее собственными глубочайшими тревогами и впоследствии, возможно, смешались в ее сознании с сюжетами из сборника историй о привидениях.

«Нас было четверо» — в действительности же присутствовало пять человек, Мэри, как обычно, опускает в своих воспоминаниях Клэр Клермонт.

«У бедняги Полидори была какая-то ужасная идея о даме с головой-черепом...» На самом деле доктор рассказал сюжет, который впоследствии лег в основу «Эрнеста Берхтольда» (1819) — истории любви между швейцарским патриотом и женщиной, которая оказалась его сестрой. При публикации он назвал эту историю «той, что я начал в Колоньи, когда создавался Франкенштейн», быть может, тема инцеста показалась участникам слишком непристойной, учитывая (возможно), что в Англии в то время ходили злоумышленные слухи об отношениях Байрона с его сводной сестрой. Упоминаемую Мэри историю о женщине, которая подглядывала в замочную скважину и увидела то, что не должна была видеть, возможно, рассказала Клэр. В сочинении Полидори не было ничего пугающего. Как он довольно помпезно писал: «Я согласился написать историю о необъяснимом, а это не вполне сочетается с житейской историей». Он понимал все в буквальном смысле слова...

«Прославленные поэты... быстро отказались от этой неприятной задачи» — на самом деле лорду Байрону и Перси Шелли потребовалось гораздо больше времени, прежде чем им наскучила эта игра. Мэри также предполагает, что им не нравилась перспектива сидеть дома и предаваться болтовне, вместо того чтобы плыть на лодке и исследовать места Жан-Жака Руссо: в третьей песни (98-я строфа) «Чайльд Гарольда» (которая была завершена примерно через десять дней после сеанса историй о привидениях) Байрон говорит о том, что «заключение» могло бы благотворно сказаться на них всех: «Здесь пищу и простор для созерцанья / Найду я близ твоих лазурных вод, / Вникая мыслью в то, что нам покой дает.» Согласно «Письмам и дневникам лорда Байрона» (1830) Томаса Мура, Байрон сказал Мэри: «Мы с тобой опубликуем наши рассказы вместе».

Слова Мэри о том, что происходило: «Лорд Байрон и Шелли постоянно вели долгие беседы, которые я внимательно, но молча слушала» — также могли быть не совсем точными: разговор, о котором идет речь, вероятно, происходил между Полидори и Шелли.

Запись в дневнике врача от 15 июня описывает беседу с Шелли о «принципах — следует ли считать человека просто инструментом», предмете, в котором Полидори был в некотором роде экспертом: он не только защитил свою диссертацию о лунатизме и гипнотических трансах в прошлом году, но и совсем недавно, 12 июня, обсуждал эти и связанные с ними вопросы с еще одним выпускником Эдинбургского университета доктором Одье, который по счастливой случайности жил неподалеку. Возможно, конечно, что разговор Полидори с Шелли подтолкнул к еще одному позже вечером с участием Байрона, Шелли и Мэри Годвин, когда врача уже не было в комнате. Но вполне вероятно, что разговор, касающийся «различных философских доктрин», о «природе принципа жизни» и о том, обладают ли люди свободой воли, велся с доктором Полидори.

Семейная игра с историями о привидениях, похоже, была гораздо менее добродушной и забавной, чем следует из рассказов Мэри. Полидори был претенциозен и раним. Клэр только что объявила, что беременна. Байрон, чувствуя соперничество и чувствительный к малейшей критике, все более явно выражал свое отношение к сильным и интеллектуально развитым женщинам. Перси был взвинчен. В ночь на 18 июня все эти факторы стали причиной тому, что встреча вышла из-под контроля и разговоры о призраках превратились в неожиданную схватку: «очарованье ужаса и пытки[1]», как назвал это Шелли в своем стихотворении «Медуза Леонардо да Винчи, находящаяся во Флорентийской галерее» (1819). Полидори отметил:

> *18 июня...* Шелли и все остальные здесь... Начал свой рассказ о привидениях после чая. В двенадцать часов разговор принял действительно призрачный поворот. Л.Б. зачитал несколько строк из «Кристабель» Кольриджа о груди ведьмы, наступила тишина, и Шелли внезапно вскрикнул, схватился руками за голову и выбежал из комнаты со свечой. Плеснули ему в лицо водой, а после дали эфир. Он смотрел на миссис Ш. и вдруг подумал о женщине, о которой слышал, что у нее были глаза вместо сосков и это, завладев его разумом, привело его в ужас. Он женился, и его другу понравилась его жена, он старался сделать так, чтобы и она полюбила того в ответ. Он окружен друзьями, которые питаются за его счет и воспринимают его как личного банкира. Однажды, при аренде дома, его хотели заставить заплатить больше и пытались запугать, а в конце концов бросили вызов. Шелли отказался и был сбит с ног, хладнокровно сказал, что это не принесет успеха, и снова был сбит с ног...

Вот строки из «Кристабели» Кольриджа (1797), которые довели Шелли до крайности и заставили его с воплем выбежать из комнаты:

[1] Перевод К. Бальмонта.

Потом, вздохнув, дрожа, она
Под грудью пояс развязала.
К ногам упали с плеч шелка,
Одежда легкая упала.
Смотри! Стоит перед тобой —
Бледна, уродлива, горбата,
Кошмар, пришедший изо сна,
И за грехи твои расплата.
С тобою рядом ляжет вскоре…
Да, Кристабель, тебе на горе! [1]

Ужасающий образ из драматической поэмы о любви между женщинами, смешавшийся с фантазией, которая уже была в его голове, Перси Шелли спроецировал на «миссис Ш.» (Мэри Годвин).

В прошлом году Мэри сообщила ему, что концепция Кольриджа об «отвратительной, деформированной» груди изначально была более конкретной: «два глаза на груди». Образ, очевидно, «закрепился», как и следовало ожидать. И тогда Шелли схватился руками за голову, думая, наверно, что он сошел с ума, а затем закричал и выбежал из комнаты. Представить Мэри в образе гарпии — «отвратительной, уродливой и бледноликой» — было для него невыносимо. Что сама Мэри думала о подобной ассоциации, ни она сама, ни Полидори не записали. И почему Шелли вдруг вообразил ее «зрелищем, о котором можно мечтать, а не рассказывать», остается загадкой.

И все это произошло в тот самый вечер, когда, о чем без прикрас упоминает Мэри, «Шелли… начал [рассказ], основанный на опыте его ранней жизни». Запутанный рассказ Полидори о том, как «Он женился, и его другу понравилась его жена…» связан с инцидентом с участием друга Шелли Томаса Джефферсона Хогга и первой жены поэта Гарриет. Упоминание «друзей, которые кормятся за его счет»,

[1] Перевод О. Лёвкина.

возможно, касалось Уильяма Годвина, отца Мэри, и Чарльза Клермонта, брата Клэр. Если это так, то позже Мэри решила не упоминать о своем отце как о своего рода финансовом кровопийце.

Во время всех вечеров, когда рассказывали страшные истории, Полидори, судя по всему, также был занят тем, что давал эфир или настойку опия Шелли (от его головных болей и гиперактивности) и «Черную каплю» — популярный препарат, содержащий опиум, — Байрону. Они не считались стимуляторами — стимуляции и так было более чем достаточно; это были транквилизаторы.

Во введении к своей книге Мэри Годвин выражает эту необычайную напряженность в виде сценических эффектов готической мелодрамы. Незадолго до описания событий июня 1816 года она признается в том же очерке, что чувствует себя гораздо более комфортно с «воздушными полетами моего воображения», чем с попытками описать повседневную жизнь и людей: «Обычная жизнь казалась мне слишком заурядным занятием». Вместо того чтобы превращать жизненный опыт в прозу, она предпочла, по ее словам, «строить воздушные замки — предаваться мечтам наяву... Мои мечты были одновременно фантастичными и приятными ...»

Это может объяснить, почему она переписала свой рассказ о том, что произошло во время сеанса рассказов о привидениях. Ей приходилось бороться с представлениями о женском литературном приличии — читатели «Франкенштейна» были бы по-настоящему шокированы, если бы она оказалась чем-то большим, чем «набожной, но почти безмолвной слушателельницей» в такой августейшей мужской компании. Было бы неприлично копаться в их сокровенных фантазиях и писать об этом. Внешний облик готики, где сексуальность стала вопросом разводных мостов, рвов и замков, был приемлем, но жизненный опыт — нет. Ей также не хватало уверенности в том, что касалось писательства, и, возможно, она даже согласилась с Шелли в том, что повесть, вышедшая из-под пера лорда Байрона, «была бы гораздо лучше воспринята публикой, чем любая вещь, которую я когда-либо еще напишу».

Хотя, как следует из ее вступления, возможно, было бы лучше, если бы она сказала это сама, а не признала это публично в «предисловии... полностью написанном им».

Поэтому, скорее всего, ключевая фраза звучит так: «С моей точки зрения, жизнь казалась мне слишком банальным делом». Очевидно, это не было обычным явлением в отношении Байрона и Шелли. Но она не могла об этом написать. Для нее это не было чем-то обычным, но по разным личным и социальным причинам ей так казалось.

Ничто из этого не объясняет, почему она вычеркнула Клэр Клермонт и Джона Полидори из сеансов с рассказами о привидениях, если не считать фразы: «мои читатели не должны иметь к ним никакого отношения». Возможно, она считала себя одной из хранительниц огня посмертной славы Шелли и Байрона: все мужчины, участвовавшие в сеансе историй о привидениях, на тот момент, когда она писала свое введение, были мертвы; Клэр умерла в 1879 году. Но есть еще одна важная причина, по которой она переписала события — не считая цели представить недорогое издание «Франкенштейна» и продать свою работу новому поколению читателей, ведь это было ее заработком — Мэри нужно было публично заявить, что она и только она — создательница монстра Франкенштейна.

Первое издание «Франкенштейна» было анонимным. Перси Шелли помог со стилем написания второго основного черновика романа (и сделал его слог более витиеватым — к лучшему или к худшему), выступил в качестве редактора и корректора. Однако некоторые читатели первого издания подумали, что автором «Франкенштейна» был Перси Шелли: этот факт привлек внимание общественности и роман восприняли гораздо лучше, чем все, что поэт писал до этого. Поэтому Мэри совершенно справедливо решила, что должна громко и ясно заявить во вступлении, что автор — именно она.

Она ясно дает понять, что давление на нее в той достопочтенной компании было сильным. Шелли и Байрон соревновались. Байрон и столь ярко запомнившийся ей сон, должно быть, был либо в ночь на 15, либо на 16 число — скорее всего, 16 числа, когда Шелли ночевали на вилле Диодати. В таком случае сеанс историй о сверхъестественном состоялся 17 и 18 июня (когда Полидори представил свой рассказ, а Шелли потерял над собой контроль). Незаконченный рассказ Байрона, позже опубликованный вместе с его «Мазепой» (1819), действительно датирован 17 июня 1816 года. И когда Мэри описывала то, что окружало ее во время кошмара — «темный паркет, закрытые ставни... зеркальное озеро и высокие белые Альпы» — она, вероятно, имела в виду свою комнату на вилле Диодати, а не в доме Шапюи. Описание подходит. Итак, сцена «сотворения» Франкенштейна была рассказана 17 июня. Байрон тоже представил свой рассказ. У Полидори, как и следовало ожидать, возникли проблемы с ответом на вопрос «Вы придумали рассказ?»

С точки зрения истории литературы прискорбно, что Мэри Годвин окружила события 17 и 18 июня 1816 года готическими сценическими эффектами и низкосортными историями о черепоголовых дамах, потому что впоследствии Франкенштейн и вампиры стали ассоциироваться с бандитами и некромантами, которые были в моде с конца XVIII века и которых высмеяла Джейн Остен в своем романе «Нортенгерское аббатство», опубликованном всего за три месяца до «Франкенштейна», а не с будущим литературы ужасов, научной фантастикой и расцветом популярной культуры. И это несмотря на то, что Перси Шелли писал, что роман его жены — нечто большее, чем «просто повествование о призраках и волшебстве». В нем поднимались более интересные вопросы, и он был основан на жизненном опыте Мэри. Кроме того, потребовалось много времени, чтобы привидевшийся кошмар превратился в полноценный роман. Доктор Полидори, похоже, записал «набросок» сочинения Мэри, равно как и рассказ Байрона и свой собственный — и стал своего рода светской знаменитостью на званых обедах в Женеве, где до конца лета пересказывал все эти истории. Черновик истории, рассказанной «мисс М. У. Годвин», попал к редактору New Monthly Magazine вместе с «Вампиром» Полидори, во многом основанном на рассказе Байрона. Вероятно, письмо было отправлено одним из хозяев званого ужина, на котором был Полидори, личность которого остается загадкой. Но этот черновик исчез. Очевидно, события, происходившие на вилле Диодати в середине июня 1816 года вызвали ажиотаж среди благородных молодых англичан и чопорных гостей, приглашенных на званые ужины в Женеве и ее окрестностях.

После того как Мэри Годвин приснился тот кошмар, на противоположном берегу озера в отеле «Англетер» в Сешероне среди английских туристов начали распространяться слухи о странных событиях на вилле Диодати. Метрдотель месье Дежан начал сдавать в аренду телескопы, чтобы его гости могли увидеть всё сами. Один из туристов, Сильвестр Дуглас лорд Гленберви, стал свидетелем нескольких пикантных событий, ужиная в Сешероне 3 июля. Он записал в своем дневнике:

> Среди более чем шестидесяти здешних английских путешественников есть лорд Байрон, которого все обожают. У Дежана рассказывают о его странной авантюре. Сейчас он живет на вилле на савойском берегу озера с женщиной, которая, судя по всему, является миссис Шелли, женой владельца кофейни «Маунт».

Это дает некоторое представление о том, какие сплетни ходили среди тех «шестидесяти английских путешественников». Каждая деталь в последнем предложении до смешного ошибочна. Конечно, Байрон не жил ни с какой «миссис Шелли», которая в то время еще была Мэри Годвин. Владельцем кофейни «Маунт» был Джон Уэстбрук, отец Гарриет Уэстбрук, первой (и единственной в 1816 году) жены Шелли. Лорду Гленберви удалось перепутать Мэри Годвин с Клэр Клермонт и Гарриет Уэстбрук, Перси Шелли — с отцом Гарриет, а Шелли — с лордом Байроном. Впрочем, не важно — очевидно, что на вилле творилось нечто вопиющее, вероятно групповой секс или инцест с участием Перси, Мэри, Джорджа и Клэр. Когда на балконе увидели сохнущие скатерти, пошли слухи, что это были дамские панталоны.

Одной из причин, по которой сплетни впоследствии дошли от английских туристов до жителей Женевы, было то, что поведение жильцов виллы Диодати привлекло внимание местной полиции. В протоколах женевской полиции (среди государственных архивов) я нашел достаточно доказательств того, что имена лорда Байрона и доктора Полидори были известны местной полиции.

Как-то раз Байрон сообщил, что из гавани недалеко от дома Шапюи украли якорь его лодки, а также некоторые приспособления и оборудование, и решил собственноручно вершить закон, громко угрожая некоторым совершенно невинным местным жителям. В другом случае Полидори избил местного аптекаря, разбил его очки и швырнул шляпу в канаву за то, что тот снабдил его (или, скорее, лорда Байрона) некачественными лекарствами: вдобавок ко всем прочим произошедшим с ним трудностям аптекаря арестовали. Но самым интересным случаем была неудачная попытка взлома и проникновения на виллу Диодати, в результате которой, согласно рапорту полиции, лейтенант предложил установить наблюдение за соседними кабаре, чтобы проверить, не ошиваются ли поблизости какие-либо 'étrangers et gens suspects' (иностранцы или незнакомцы подозрительного вида): женевцы, похоже, не слишком-то жаловали чужаков; лейтенанту и в голову не пришло, что преступниками могут быть горожане.

Судя по документам, летом 1816 года в Женеве было множество английских туристов-аристократов. Некоторые из них были связаны с войсками союзников, недавно разгромившими Наполеона, другие останавливались во время своих гран-туров, третьи приезжали, чтобы увидеть то, что воспевали романтики, — великолепные Альпы. В конце концов, впервые за пятнадцать лет туристы могли свободно путешествовать по континенту. Туризм и Швейцария стали так же неотделимы друг от друга, как лорд Байрон и скандал.

Благодаря предисловию Мэри Шелли и последующему успеху ее романа, особенно в сокращенной версии 1831 года, тот год без лета ассоциируется исключительно с «Франкенштейном». Встреча с рассказами о привидениях давным-давно вошла в литературную мифологию, став сюжетом нескольких художественных фильмов (только в 1980-х годах сняли целых три) и бесчисленное число раз упоминалась в художественной литературе. Многим эта встреча известна куда лучше, нежели роман, который зародился во время её. И все же не менее значимая ассоциация — если не более значимая, в свете последующих событий в истории культуры — была связана с рождением литературного вампира, отличного от его фольклорного предка. Сразу после того как Мэри Годвин начала свой роман, лорд Байрон приступил к рассказу об аристократе голубых кровей из древнего рода Дарвелл, который сопровождает молодого человека в поездке в Турцию и умирает там на кладбище, пообещав восстать из мертвых через месяц. Опубликованная версия этого рассказа, «Погребение», заканчивается этим обещанием:

> Когда он сел [на турецком кладбище], очевидно ослабев еще больше, неподалеку от нас на один из могильных камней опустился аист со змеею в клюве и, не пожирая добычу, устремил на нас взгляд своих глаз. Не знаю, что побудило меня прогнать его, но моя попытка оказалась тщетной; совершив несколько кругов в воздухе, аист возвратился на то же самое место. Дарвелл улыбнулся, указал на птицу и сказал — не знаю, мне ли или самому себе:
>
> — Славно!
>
> — Что вы хотите сказать?
>
> — Ничего. Сегодня вечером похороните меня здесь, на том самом месте, где сейчас сидит эта птица. Остальные мои желания вам известны.

Потом он начал рассказывать мне о различных способах, как лучше всего скрыть его смерть, и под конец воскликнул:

— Видите эту птицу?

— Вижу.

— И змею, извивающуюся у нее в клюве?

— Вижу; тут нет ничего удивительного, ведь это ее обычная добыча. Но странно, что аист не съедает змею.

Судорожная улыбка мелькнула на его лице, и слабым голосом он сказал:

— Еще не время!

Между тем аист улетел.

В предисловии Мэри Шелли утверждает, что «благородный автор [Байрон] начал рассказ, фрагмент которого он опубликовал в конце своей поэмы о Мазепе», отсюда следует вывод, что Байрон рассказал только начало своей истории и всегда намеревался опубликовать ее. По сути, он добавил «Погребение» в «Мазепу» с целью самозащиты после пиратской публикации «Вампира», рассказа, в основе которого лежит идея Байрона, но полностью написанного — без разрешения — Полидори. Судя по краткому изложению рассказанной Байроном 17 июня 1816 года истории, записанной Полидори, Байрон рассказал куда больше, чем вспомнила Мэри Шелли. «Интересны обстоятельства, при которых оба друга покинули Англию, один умер в Греции, а другой по возвращении обнаружил его живым и занялся любовью с его сестрой». В опубликованном «Погребении» упоминаются лишь «два друга, покинувших Англию, один из которых умирал в Греции». Полидори, должно быть, запомнил и остальную часть истории Байрона (ту часть, в которой упоминались вампиры), возможно, Байрон исключил из своего «Погребения» упоминания о вампирах, чтобы рассказанная им история казалась как можно меньше похожей на «Вампира».

Полидори переписал и дополнил рассказ Байрона за «два или три праздных утра», чтобы скоротать время летом 1816 года, пока

Байрон и Шелли были заняты другими делами. Он оставил свою рукопись в Женеве и больше о ней не думал. Впоследствии он утверждал, что кто-то отправил ее издателю в Лондон без его согласия. Хоть он и переписал рассказ и дал ему название «Вампир», он не нес ответственности за его публикацию. Издателем был Генри Колберн, недавно опубликовавший вызвавший фурор роман леди Кэролайн Лэм «Гленарвон». Он выпустил «Вампира» с новым предисловием о благородном лорде, который «никогда не ложился спать без пары пистолетов и кинжала под боком» и который привел «в свой дом двух сестер для участия в его гулянках» (как утверждалось в предисловии, слух, «совершенно лишенный правды»). Три года спустя, в апреле 1819 года, «Вампир» воскрес в Лондоне точно так же, как и лорд Рутвен, вампир Полидори, с «мертвенным взглядом серых глаз» и «мертвенной бледностью лица», возвратившийся из Турции, чтобы завладеть вниманием лондонского общества. Рассказ начинается так:

> Однажды, в пору зимних увеселений, в лондонских кругах законодателей моды появился дворянин, примечательный своей странностью более даже, чем знатностью рода. На окружающее веселье он взирал так, как если бы сам не мог разделять его. Несомненно, легкомысленный смех красавиц привлекал его внимание лишь потому, что он мог одним взглядом заставить его умолкнуть, вселив страх в сердца, где только что царила беспечность. Те, кому довелось испытать это жуткое чувство, не могли объяснить, откуда оно происходит: иные приписывали это мертвенному взгляду его серых глаз, который падал на лицо собеседника, не проникая в душу и не постигая сокровенных движений сердца, но давил свинцовой тяжестью. Благодаря своей необычности дворянин стал желанным гостем в каждом доме…

Рассказ заканчивается не змеей в клюве аиста, а свадьбой лорда Рутвена и сестры рассказчика, браком, который заключается со слезами, потому что рассказчик, связанный клятвой, не может никому рассказать о преступной тайне Рутвена: «Опекуны поторопились вослед мисс Обри, желая защитить ее, но было уже слишком поздно. Лорд Рутвен исчез; сестра Обри утолила жажду ВАМПИРА!»

Этот небольшой томик мгновенно стал бестселлером, отчасти потому, что все думали, что он написан самим Байроном. На титульном листе некоторых изданий красовались дразнящие инициалы «Л. Б.», и хотя большинство из них были анонимными, Гёте назвал этот рассказ «лучшим произведением английского поэта». На самом деле он был целиком написан Полидори, а не его работодателем. Поэтому он начал ходатайствовать о выплате авторского гонорара. Ему не понравилось приписывание Байрону и Полидори не написал нового введения, но, если рассказ будет публиковаться, он, по понятным причинам, хотел бы получить какое-то признание. Так или иначе он получил 30 фунтов за свои старания — 30 фунтов за небольшую книжку, вызвавшую тысячи подражаний.

Даже после того как вопрос авторства был прояснен, издатели произведений Байрона не хотели исключать «Вампира»: в Париже было так много жалоб от читателей из-за того, что рассказ убрали из второго издания произведений Байрона 1820 года («мы не хотели спекулировать именем английского лорда»), что в третьем издании сочинений несколько лет спустя появилась исправленная и переработанная версия рассказа Полидори («мы решили уступить давлению многочисленных подписчиков, вернув «Вампира»).

По иронии судьбы, как сказал один литературный критик того времени, потребовалась «абсурдная история, написанная даже не им», чтобы окончательно утвердить репутацию лорда Байрона на европейском континенте. Тем временем Байрон был в ярости: «Испытываю личную неприязнь к вампирам, — писал он, — и почти с ними не знаком». Он призывал издателя Джона Мюррея как можно быстрее опубликовать его «Погребение» (как часть поэмы

«Мазепа») в целях самозащиты. «Черт бы побрал этого вампира! Что я знаю о вампирах?»

Полидори был опозорен и умер два года спустя — в возрасте двадцати пяти лет — от черепно-мозговой травмы в результате дорожного происшествия. Некоторые, в том числе и Байрон, распространяли слух о том, что доктор покончил жизнь самоубийством. Даже после смерти заслуги доктора Полидори не были оценены по достоинству. Байрон уволил его в конце женевского лета. После этого Полидори опубликовал эссе «Об источнике положительного удовольствия» (1818), в котором обличал ранг, богатство и власть как пустые иллюзии.

В течение первых тридцати лет своей литературной жизни, примерно с 1820 по 1850 год, вампир был неизгладимо связан с публичным образом лорда Байрона. Эта ассоциация ограничивала возможности развития персонажа в рамках жанра, но помогла укрепить зловонную репутацию британской аристократии на континенте. Чарльз Роберт Мэтьюрин начал свой готический роман «Мельмот Скиталец» (1820) с крика испанской старухи: «Англичанина, ни за что! Матерь Божья, защити нас! Отыди, Сатана!», что наводит на мысль, что скитающиеся по Европе поклонники Байрона имели такую же репутацию, как и некоторые сегодняшние готы и татуированные байкеры.

Вампир-аристократ начал свое шествие по миру.

Красное море

Вампир стар как мир. У крови вкус моря — из которого мы все родом. Хотя мы обычно связываем этот миф с Восточной Европой или Грецией, вероятно, из-за эпидемий, которые произошли в этих землях в XVIII веке, следы вампиризма можно найти в большинстве культур. Кровь, пролитая Ламиями, посланницами Трехликой богини Гекаты; кровь, выпитая Лилит, первой женой Адама; кровь, пролитая по мертвому Аттису и оплакивающая Кибелу, Великую мать; кровь как табу (Книга Бытия предостерегает нас не есть «плоти с душею ее, с кровию ее»); кровь для исцеления, для плодородия, для омоложения; кровь как что-то нечистое; кровавые жертвоприношения непальскому богу смерти или монгольскому богу-вампиру. Пеликан кормит своих детенышей кровью из собственной груди. Выпейте все это в память обо мне…

Попытки отследить происхождение и развитие мифа о вампирах редко оказывались успешными, возможно потому, что большинство легенд созданы искусственно. Монтегю Саммерс в двух важных книгах «Вампир и вся его родня» (1928) и «Вампиры в верованиях и легендах» (1929) попытался написать историю о вампиризме с древнейших времен до наших дней, но преуспел лишь в том, что показал, насколько сложно определить характеристики, присущие исключительно вампиру. Тщательный анализ, содержащийся в этих книгах, сильно отклоняется от темы (этому не способствовал тот факт, что Саммерс верил в вампиризм буквально), а источники были приукрашены до неузнаваемости (однажды он ошибочно принял популярную дешевую статью за научную диссертацию). В итоге все повествование Саммерса свелось к серии до разной степени пугающих историй с парой серьезных отступлений к полному собранию сочинений Шекспира и его любимому театру эпохи Реставрации. «За последние годы, — заключил он, — историй о вампирах в Англии, пожалуй, немного, но не столько потому, что они не происходят, сколько потому, что их тщательно замалчивают». Как человек, который заявлял, что «не является поклонником кинематографа», он, вероятно, счел бы нынешний всемирный интерес к вампиризму совершенно непонятным.

Но генеалогическое древо главного вампира современной европейской литературы — величественного аристократа, в котором сочетаются красота Сатаны Мильтона и надменность рокового человека Байрона, — в отличие от зарождения самого вампирского мифа, более доступно и понятно. Некоторые из ранних романтиков, такие как Гёте, Готфрид Август Бюргер и Джон Китс, основывали свои представления о вампирах на классических греческих и римских представлениях. Зачастую рассказы и поэмы о вампирах в XIX веке (когда жанр развивался в двух различных направлениях, представленных в этой книге: «Лорд Рутвен и его клан» и «Очарованье ужаса и пытки») были основаны на народных сказках и рассказах очевидцев о «посмертной магии» в крестьянских общинах периода 1680–1760 годов. Каким-то образом невнятные вампиры-крестьяне, описанные Джозефом Питтоном де Турнефором и Домом Огюстеном Кальме, то есть фольклорные вампиры, нападавшие на овец и коров так же часто, как и на своих родственников, стали аристократическими героями-злодеями (подобно Сатане Мильтона, им достались все хорошие реплики) романтиков. По свидетельствам очевидцев, у упитанных вампиров, как правило, был багровый цвет лица, как будто они слишком много выпили, опухшие тела, обвисшая кожа, широко открытые рты, полные крови, и неприятный запах изо рта. В романтической литературе они были по-модному бледными и чисто выбритыми, с соблазнительными голосами и пухлыми губами — всегда сексуально привлекательны. Фольклорный вампир бросался на грудь или руку жертвы, чтобы задушить или высосать кровь. В художественной литературе предпочтительной эрогенной зоной неизменно была шея. Это была настоящая трансформация: особый эффект, который продолжался большую часть столетия.

Благородный лорд

Некоторые специалисты объясняют восходящую социальную популярность вампира мифами, окружающими некоторых представителей британской аристократии в Европе эпохи Просвещения, особенно во Франции. Этот стереотип восходит к различным источникам: анекдотам о лорде Рочестере и дворе периода Реставрации (Байрон называл пьесы Томаса Отуэя одним из ключевых факторов, повлиявших на образ, который он решил создать); рассказам о Джордже Августе Селвине, члене парламента, чьим хобби, по-видимому, было («по-любительски» и скорее «для наслаждения», чем для «удовольствия») наблюдать за ужасными казнями и пытками; или о банкире сэре Джоне Ламберте, который, как говорили, имел странный вкус на женщин, похожих на трупы («он мог любить только чудовищно худых девушек… и у него была частная коллекция мумифицированных дам»), он мог прочесать революционный Париж в поисках подходящего экземпляра. Поведение этих людей могло бы, с некоторой натяжкой, быть объяснено философским принципом Эдмунда Бёрка, согласно которому «страсти, которые пробуждают чувство самосохранения, порождают боль и опасность; они восхитительны, когда мы представляем себе боль и опасность, не находясь в действительности в таких обстоятельствах… Все, что вызывает этот восторг, я называю возвышенным».

Более важным, чем все эти примеры, был публичный образ самого лорда Байрона (продуманный образ, воплощающий принцип, согласно которому к жизни можно относиться как к театру, дополненный жестоким угрюмым взглядом, который, по его признанию, был заимствован у готических злодеев миссис Рэдклифф). В Париже, в то время когда «Вампир» Полидори был впервые опубликован, бульварные сплетники невольно способствовали росту продаж книги, распространяя слух о том, что английский лорд убил свою любовницу и «с удовольствием пил ее кровь из чаши, сделанной из ее черепа». Известно, что Гёте высказал предположение, что «в прошлом этого человека, вероятно, были один или два трупа». Феноменальные продажи в Париже романа леди Кэролайн Лэм «Гленарвон» («ее месть», после получившего широкую огласку неудавшегося романа с Байроном), с предисловием, в котором подчеркивалась связь между сатанинским Кларенсом де Рутвеном лордом Гленарвоном и лордом Байроном («Горе тем, кто когда-либо любил Гленарвона!»), лишь подкрепляли подобные слухи. Равно как и издание «Бесед леди Блессингтон с лордом Байроном» (1834), в которых утверждалось, что Байрон сказал: «Знаете ли вы, что когда я смотрю на лицо, которое люблю, воображение часто рисует изменения, которые однажды произведет в нем смерть, — червь, бродящий на улыбающихся губах, признаки жизни и здоровья, сменившиеся мертвенно-бледными и отвратительными оттенками гниения... это одно из удовольствий моего воображения». Когда Петер Шлемиль в новелле Адельберта фон Шамиссо 1814 года отдал свою тень дьяволу, никого не удивило, что это произошло на вечеринке, устроенной представителем английской аристократии.

«Гленарвон» Лэм был опубликован в Англии 9 мая 1816 года, вскоре после того как Байрон уехал в Женеву. В течение лета 1816 года Байрон (у которого не было доступа к изданию) все больше беспокоился о том, что именно она написала об их романе: 23 июня он спросил: «Кто такой, черт возьми, этот Гленарвон?» 22 июля добавил: «Я даже не догадываюсь о содержании — за исключением туманных сообщений, что я слышал, — и я знаю, что женщины могут сказать по делу в таких случаях и ради их же блага им лучше держать это при себе — что, кстати, им очень редко удается.» Особенно его беспокоил эпиграф, который она, по-видимому, выбрала для своего романа (вдохновленный его поэмой «Корсар» 1814 года):

> Он оставил имя для всех последующих времен,
> Совершил одну добродетель и тысячу преступлений.

«Если это эпиграф, — писал он, — то каким должен быть роман?»

К началу августа 1816 года он прочитал эту книгу и незамедлительно счел себя «оклеветанным ее ненавистью». Но к декабрю того же года он достаточно дистанцировался от всей этой истории и даже смог выразить удивление: «Мне кажется, что, если бы автор написала правду и ничего кроме правды — всю правду целиком, — роман был бы не только романтичным, но и более занимательным. Что же касается сходства, — добавил он довольно безжалостно, — изображенное нельзя назвать достойным». Очевидно, что характер Кларенса де Рутвена лорда Гленарвона часто обсуждался в течение того необыкновенного лета, и в кои-то веки Байрон забеспокоился о том, что общественность может подумать о его образе. Связь между Рутвеном Гленарвоном и Сатаной в книге не обозначена (по крайней мере, не в английском издании), но, заставив своего героя-злодея заплатить за тысячу преступлений (в конце его преследует корабль-призрак), Лэм, как и опасался Байрон, насладилась своей местью:

> …сердце распутника железное, оно смягчается, когда нагревается в огне похоти, но внутри оно холодное и твердое…
>
> Это было одно из тех лиц, которые, увидев однажды, мы никогда впоследствии не забываем. Казалось, что в каждой

> черте была запечатлена душа страсти. Глаза излучали жизнь, когда он устремлял свой темный, пылкий взгляд, почти вдохновенный, в то время как гордый изгиб верхней губы выражал надменность и горькое презрение; однако, даже в сочетании с этими характерными для него яростными чувствами, атмосфера меланхолии и уныния оттеняла и смягчала любое более суровое выражение.
>
> *Гленарвон*

Он, как и все остальные злодеи с их «изможденными лицами» и «пронзительным взглядом», олицетворявшие метаморфозы Сатаны в готическом романе, является прототипом байроновского вампира. Когда Полидори писал «Вампира», он просто изменил описание, чтобы оно соответствовало его «лорду Рутвену» (история не сохранила сведений о том, что думал по этому поводу Джеймс, реальный пятый барон Рутвен). Прототипом леди Мерсер в «Вампире», похоже, была Кэролайн Лэм, а нестабильные отношения между Обри и Рутвеном во время и после их большого турне (восхищение, разочарование, отвращение) точно отражают то, что чувствовал Полидори по поводу обращения с ним лорда Байрона летом 1816 года. Возможно, он также запомнил одну из историй «Фантасмагорианы» — «Мертвая невеста», в которой фигурировал итальянский маркиз-злодей: «В его вытянутом и бледном лице, в его пронзительном взгляде было так мало привлекательного, что все, несомненно, избегали бы его, не рассказывай он занимательных историй.» Как и Рутвен, итальянский маркиз из «Истории о привидениях» специализировался на уничтожении простых смертных за игровым столом.

Вклад этого образа во всех его различных воплощениях — от злодеев миссис Рэдклифф до байроновского героя, от Джорджа Селвина до самого лорда Байрона — в популярность вампирской темы в Париже и Лондоне 1820-х годов, несомненно, был решающим и задавал тон более легкомысленным произведениям в этом жанре. Например, таким как двухтомник Кипьена Берара «Лорд Рутвен, или Вампиры» (Париж, 1820), в котором рассказывалось о приключениях «вампирского дона Жуана» (или, как выразился один современный критик, «ловеласа из гробниц») во время грандиозного кровавого турне по Венеции, Флоренции, Неаполю, Модене, Тиролю, Польше, Моравии, Афинам, Бенаресу (Варанаси) и Багдаду. В каждом из этих мест порочный милорд имел шанс восстать из мертвых, чтобы развратить очередную застенчивую невесту, прежде чем перейти к следующей. Роман заканчивался угрозой: «Возможно, мы могли бы опубликовать «Историю моей первой жизни» лорда Рутвена, если нас вдохновит на это успех этого издания». В постскриптуме упоминался «Вампир» как «без сомнения, самое необычное произведение лорда Байрона — необычное скорее в его идее, нежели в исполнении, в котором мы не узнали его почерка». Излишне говорить, что эта история об «изысканном разврате» имела лишь самое отдаленное отношение к «безумному суеверию вампиризма, расстройству воображения невежественных людей, которое, возможно, является лишь результатом еще не изученной болезни». Это заявление было повторено в рецензии лондонского журнала на книгу Сент-Джона Дорсета «Вампир: трагедия в пяти действиях» (апрель 1821-го, действие происходит в Древнем Египте), которая, по мнение анонимного критика, имела мало общего и с фольклорным вампиром, и с «отвратительным эгоизмом, который пронизывает каждую страницу произведений лорда Байрона». «Невозможно было представить, чтобы такие произведения, подобные тому, что сочиняет лорд Байрон, сохраняли свою популярность, — заключил критик. — Это плоды больного воображения, которые появились на свет, неся в себе семена разложения». Он ошибался.

Вампирский жанр развивался в XIX веке в двух разных, но взаимосвязанных направлениях, и оба оказались очень плодотворными. Один во многом обязан «Вампиру» Полидори (то есть байронической легенде, просочившейся в бульварные сплетни), другой — «очарованью ужаса и пытки» Шелли (то есть той психосексуальной травме, которую вызвал образ архетипической роковой женщины, когда Байрон читал «Кристабель»).

Типаж, созданный Полидори, фигурировал во французских и английских мелодрамах 1820-х, огромном количестве дешевых ужасов в 1840-х, воплотился в облике графа Аццо фон Клатки в «Таинственном незнакомце» Карла фон Вахсмана (1844, издан на английском в 1854) и, в итоге, в самом графе Дракуле. Типаж Шелли встречался в произведениях Э. Т. А. Гофмана, Теофиля Готье, декадентов Шарля Бодлера и Лотреамона и, в итоге, у Брэма Стокера. «Дракула», как мы увидим, представляет собой синтез двух основных направлений и многого другого помимо этого.

Эдмунд Бёрк писал: «Чтобы создать что-то действительно ужасное, необходимы двусмысленность и неясность». Художник Генрих Фюссли пошел еще дальше, в 1802 году определив разницу между допустимым и неприемлемым изображением ужасного: «Мы не можем сочувствовать тому, что мы ненавидим или презираем и мы не испытываем жалости к тому, перед чем содрогаемся или что вызывает у нас отвращение… нанесение увечий заразительно и переносит отвращение от палача к жертве». Вампир Полидори, Байрона и Рутвена должен был показать, что «нанесение увечий» не обязательно отвратительно (это даже может быть весело), хотя возможности его развития были ограниченны и его слишком легко можно было пародировать. «Кристабель» и вампиры Шелли и Готье показали, что, возможно, Бёрк и Фузели были правы.

До событий 1816 года в литературе встречались отдельные упоминания о вампирах и вампиризме — например, о семи дочерях Людоеда, у которых был прекрасный цвет лица и «рты огромные, с длинными зубами, очень острыми и посаженными весьма редко» в сказке Шарля Перро «Мальчик-с-пальчик» (1697); о затерянной расе людей в ядре Земли в протокосмосе, которые питаются кровью своих супругов в «Икозамероне» Джакомо Казановы (1788); о бароне Ольнице, который верит (буквально) что «любовь — это бешенство» в садистском романе Жака-Антуана де Реверони Сен-Сира «Паулиска» (1798); о тучном графе де Жернанде из замка близ Дижона, который приходит в возбуждение только при виде крови и постоянно пускает ее своей жене в романе маркиза де Сада «Жюстина, или Несчастная судьба добродетели» (1791); о гуле из «Ночей 945–98» в «Тысяче и одной ночи», которого уничтожают способом, который, насколько мне известно, в литературе больше не встречался — резким ударом в пах. Ранние немецкие романтики предпринимали множество попыток обращения к классическим вариациям мифа. Но тем, кто был причастен к тому «сырому, холодному лету», впервые удалось объединить различные элементы вампиризма в единый литературный жанр. Долгосрочные последствия этого можно увидеть и сегодня в любую ночь, особенно в «ведьмин час» в западном мире.

Осветите нашу тьму

Коллекция рассказов о призраках Эйриеса «Фантасмагориана» не могла, конечно, извлечь из ниоткуда тему «поцелуя смерти» из «Семейных портретов» — рассказа, который послужил источником вдохновения для состязания в историях о призраках на вилле Диодати. Готические романисты иногда упоминали тему вампиризма вскользь, но не разрабатывали эту идею до конца. Так что источник, как признал Эйриес, был из более раннего периода, предшествующего расцвету готического романа — времени, когда философы эпохи Просвещения во Франции, Германии и Италии пытались разобраться с широко известными эпидемиями вампиризма, особенно исходящими из Восточной Европы. В предисловии к «Фантасмагориане» особо упоминается работа Дома Огюстена Кальме и его критиков, а также «Философский словарь» Вольтера (1764) и более достоверные работы ученых-эксцентриков, датируемые более поздним временем Просвещения. В анонимном введении к «Вампиру» Полидори (написано для New Monthly Magazine, апрель 1819) также упоминается «великий труд» Кальме по этой теме, но в список источников добавляется и «правдивый отчет Турнефора о его путешествиях по Леванту». Нет данных о том, что летом 1816 года обсуждались эти книги (хотя обсуждался Роберт Саути, который упоминал как рассказ французского ботаника Турнефора, так и анекдот от Кальме в своем вампирском стихотворении «Талаба-разрушитель» около пятнадцати лет назад), но «эпидемии», которые они анализировали, должны быть рассмотрены как важные стимулы для успеха жанра вампиров в XIX веке.

В своем «Инфернальном словаре», опубликованном в 1820-х годах, Жак Коллен де Планси пришел к ироничному выводу о вампирских эпидемиях начала XVIII века:

> Самым поразительным в этих рассказах о вампиризме было то, что они удостоились внимания наряду с нашими величайшими философами восемнадцатого века. Они наводили ужас в Пруссии, Силезии, Богемии и всей Северной Европе именно в тот момент, когда мудрые люди в Англии и Франции с полной уверенностью боролись с суевериями и распространенными заблуждениями.

Эти эпидемии имели место в глубинах Истрийского полуострова (1672 г.); на востоке Пруссии у берегов Балтийского моря (1710 и 1721 гг.); в Венгрии, вдоль Карпатского бассейна (1725–1730 гг.); в Габсбургском королевстве Сербия (1725–1732 гг.); снова в Восточной Пруссии (1750 г.); в прусской провинции Силезия (1755 г.); в Османской Валахии (1756 г.) и в России (1772 г.). Но «мудрые люди» проявляли интерес только к тем случаям, которые касались конкретных лиц или тем, о которых составлялись официальные правительственные доклады, «должным образом заверенные» — к случаям Гиуре Грандо (в Кхринге/Кринге, Истрия); Петра Плогойовича/Петара Благоевича (в Кисилове, возможно современном Кисильево, в австрийской Сербии); Арнольда/Арнода/Арнаута Паола (в Медвегии/Медвегне, также в австрийской Сербии); и вампиров Олмюца/Оломоуца в Габсбургском маркграфстве Моравии. Из них наибольший интерес привлек случай Арнольда Паоле — бывшего ополченца из Сербии — в 1731–1732 годах. Уолпол писал о ганноверском монархе своей постоянной собеседнице Энн Фитцпатрик леди Оссори: «Я знаю, что наш покойный король, хотя и не склонный верить в них больше чем его соседи, не сомневался в существовании вампиров и их пиршествах».

На такую степень серьезности поднялись доклады о массовой истерии из деревни Медвегия, расположенной недалеко от Белграда в австрийской Сербии, что австрийское правительство «почувствовало обязанность вмешаться». Части Сербии были переданы Австрии сравнительно недавно, в 1718 году по Пассаровицкому миру. Император инициировал два публичных расследования — первое в декабре 1731 года под руководством специалиста по инфекционным болезням Глазера, второе в январе 1732 года под наблюдением полевого врача пехотного полка, Иоганнеса Флюккингера. Австрийцы контролировали значительные территории как Сербии, так и Валахии, и они явно стремились узнать больше о странных местных обычаях вблизи своих гарнизонных городов, особенно если эти обычаи приводили к нарушению общественного порядка. Непосредственное участие австрийских властей придало этим «эпидемиям» международную известность. Результаты публичного расследования часто преувеличивали до неузнаваемости (различными периодическими изданиями в восемнадцатом веке, доктором Гербертом Майо в его «Письмах о правде, содержащейся в популярных суевериях», 1847 год, а также Дадли Райтом и Монтегю Саммерсом в XX веке), но сам документ, опубликованный в Белграде и Нюрнберге в 1732 году под названием «Увиденное и обнаруженное», не требует таких приукрашиваний.

> Услышав из разных источников о том, что... так называемые вампиры высосали кровь и стали причиной смерти нескольких человек, мне было поручено местным Почетным Верховным Командующим пролить свет на этот вопрос... Доклад был составлен при помощи капитана компании Сталлатских гайдуков[1], знаменосца и других наиболее уважаемых

[1] Гайдук (или хайдук) изначально был разбойником или бандитом, или, в более современных терминах, социальным бандитом. В то время этот термин

гайдуков округа. После многочисленных допросов эти гайдуки единогласно заявили, что около пяти лет назад гайдук по имени Арнольд Паоле сломал шею, упав с вагона с сеном. Упомянутый Арнольд Паоле в течение предыдущих лет рассказывал разным людям, что его преследовал вампир, недалеко от Госсовы в турецкой Сербии.

(а) Поэтому он сам ел землю, взятую из могилы вампира, и мазал себя кровью вампира (как это принято), чтобы очиститься от его проклятого влияния. Однако через двадцать или тридцать дней после его смерти несколько человек пожаловались, что упомянутый Арнольд Паоле вернулся, чтобы мучить их, и что он стал причиной смерти четверых. Чтобы положить конец этой опасности, их аднак — который присутствовал на подобных событиях ранее — предложил вскрыть могилу вампира: это было должным образом сделано через сорок дней после его смерти, и было обнаружено, что тело прекрасно сохранилось. Его плоть не разложилась, его глаза были полны свежей крови, которая также текла из его носа,

---

все еще использовался в таком смысле в некоторых частях Сербии, но в Венгрии и австрийской Сербии слово «ейдук» стало означать подразделение пехотных солдат (которым предоставлялись некоторый социальный статус и контроль над участком земли в обмен на оказанные услуги). В Польше термин означал личных слуг дворянства. Здесь, кажется, гайдук имеет венгерское значение (отсюда «капитан компании гайдуков»). Паоле, будучи гайдуком, переехал в деревню из той части Сербии, которая находилась под контролем Турции, «где его укусили». В более позднем рассказе (как мы увидим) его обвинили в том, что он был «инструментом министерства». Интересная двусмысленность термина (в аннексированной и «свободной» Сербии) может иметь отношение к проецированию вампирических характеристик на многих гайдуков сербскими крестьянами («вампир» равно «соучастник», возможно). Или это связано с путаницей в национальной идентичности.

Правописание (и местоположение) Госсовы варьируется во всех рассказах. Иногда это «Кассова в турецкой Сервии», иногда «Кашоу на границе турецкой Сервии». Я оставил правописание и местоположение такими, как в одном из первоисточников. Возможно, это сегодняшнее Косово.

рта и ушей, пачкая его рубашку и похоронное покрывало. Его ногти на руках и ногах отпали, как и его кожа, а на их месте выросли новые, из чего было сделано заключение, что он был настоящим вампиром. Таким образом, в соответствии с обычаем тех мест, в его сердце был вонзен кол. Но в момент, когда это происходило:

(b) Он издал громкий крик, и из его тела брызнуло огромное количество крови. Тело было сожжено в тот же день, а прах выброшен в его могилу. Но люди в этих местах утверждают, что все, кто был замучен и убит вампиром, становятся вампирами после смерти. Вот почему было решено откопать и казнить четыре упомянутых выше трупа таким же образом. Дело зашло еще дальше: убедительно было доказано, что упомянутый Арнольд Паоле атаковал не только людей, но и скот, высасывая их кровь.

(c) Те, кто, как говорилось, ели мясо этих зараженных зверей и умерли в результате, считались вампирами; в течение трех месяцев семнадцать человек разного возраста умерли в течение двух-трех дней, некоторые из них без каких-либо сопровождающих болезней.

(d) Гайдук по имени Джовиза [или Джобира] сообщил, что его невестка [или падчерица] Станацка [или Станьойка], которая легла спать две недели назад в полном здравии, внезапно проснулась в полночь, ужасно крича; в ужасе она заявила, что ее кто-то укусил в шею, и этот человек умер более девяти недель назад, сын гайдука по имени Милло [или Миллое]. С того момента она становилась все слабее и слабее из-за болей в груди и умерла на третий день. Вот почему в тот же день после допроса различных свидетелей мы отправились на кладбище в сопровождении деревенских гайдуков, чтобы открыть подозрительные могилы и осмотреть трупы внутри. Этот осмотр и вскрытие выявили следующие факты:

> (1) Женщина по имени Стана, умершая три месяца назад во время родов, в возрасте двадцати лет, заявила, что омывалась кровью вампира, чтобы очистить себя от всех возможных загрязнений. В противном случае и она, и ее ребенок — который умер сразу после рождения и из-за небрежного захоронения был частично съеден собаками — также стали бы вампирами. Ее тело прекрасно сохранилось. Разрезав ее тело, мы обнаружили много свежей крови... ее кишечник, легкие, печень, желудок и селезенка были так же свежи, как у здорового живого человека. Ее сосуды не были заполнены свернувшейся кровью, как обычно... недавно выросла свежая и живая кожа, также как и ногти на пальцах рук и ног.
>
> (2) Женщина по имени Милиза [или Милица], умершая в возрасте шестидесяти лет после трехмесячной болезни и похороненная около девяноста дней назад, все еще имела много жидкой крови в груди, а другие внутренние органы были, как упоминалось выше, в свежем состоянии. Во время вскрытия присутствующие гайдуки были поражены увидеть, что ее тело стало гораздо пышнее с момента ее смерти, и были единодушны в утверждении, зная ее с молодости, что при жизни она была чрезвычайно худой... Они также подтвердили, что на этот раз именно она положила начало распространению вампиров, так как ранее съела баранину, зараженную вампирами.
>
> (3) Восьмидневный ребенок, погребенный девяносто дней назад, также имел признаки вампиризма.

И так далее, с аналогичными описаниями еще одиннадцати трупов, включая восемнадцатидневного ребенка и его мать Рушу [или Ружицу], сына гайдука Милло [или Миллое] и жертву сына Станацку [или Станьойку]. Из этих одиннадцати восемь были «признаны вампирами»; остальные разложились, хотя у некоторых «земля и могилы были в том же состоянии, что и у вампиров рядом». На

Станацке все еще были видны следы ее ночного посетителя: «Под ее правым ухом мы ясно разглядели синий шрам длиной в палец».

> После проведения осмотров мы приказали местным цыганам отрубить головы всем этим вампирам, сжечь их тела и рассыпать прах в реке Морава, в то время как трупы, находящиеся в состоянии разложения, были возвращены в их могилы. Я утверждаю — вместе с помощниками врачей, направленными ко мне, — что все эти события произошли именно так, как мы сообщили об этом в Медвегии, в Сербии, 7 января 1732 года.
>
> Подписано: Иоганнес Флюкингер, полковой полевой врач (и четверо других)[1].

Как и предполагалось, этот необычайно подробный отчет вызвал сенсацию. На ежегодной Лейпцигской ярмарке в 1732 году дешевая версия истории Арнольда Паоле стала мгновенным бестселлером. 3 марта Dutch Gleaner (который пользовался большой популярностью в дворцовых кругах Версаля) опубликовал подробный и должным образом украшенный рассказ. Это вызвало оживленный поток писем, поэтому журнал опубликовал через две недели еще одну статью, в которой были обобщены разные высказанные мнения. (Некоторые английские периодические издания, включая London Journal, Gentleman's Magazine, Applebee's Journal и The Craftsman собрали переводы или адаптации, которые были опубликованы между 11 марта и 27 мая 1732 года.) Обе статьи из Dutch Gleaner были перепечатаны в Mercure Historique et Politique

---

[1] Этот отчет был составлен по приказам местного австрийского верховного главнокомандующего, действующего от имени императора. Возможно, имеет значение — как было указано позже, — что все «подозреваемые» гайдуки и их семьи были славянами, принадлежащими к Православной Церкви, в то время как отчет инициировала имперская держава, которая, конечно же, была римско-католической.

за октябрь 1736 года. Дом Огюстен Кальме, аббат-бенедиктинец аббатства Сенон, включил большинство этих статей в свой полномасштабный «Трактат о Явлениях Ангелов, Демонов и Духов, а также о Привидениях и Вампирах в Венгрии, Моравии, Богемии и Силезии» (Париж, 1746), который позже стал известен в Англии как «Мир призраков». Эта книга стала весьма популярной у любящих поболтать слоев общества. В конечном итоге король Людовик XV (всегда следивший за изменениями в моде) проявил личный интерес и попросил герцога де Ришелье узнать как можно больше об «этих вампирах» и о том, что стоит за австрийскими докладами. Это также могло иметь политическую подоплеку. В 1750 году, через четыре года после первой публикации трактата Кальме, в Париже произошли серьезные беспорядки, начавшиеся из-за слухов о том, почему так много детей недавно пропали без вести: ходили слухи, что на самом деле Людовик XV похищал их, чтобы пить их кровь — рецепт сохранения его молодости и здоровья, предложенный королевскими врачами. В такой социальной атмосфере для короля было важно точно выяснить, что послужило причиной таких слухов.

Модные журналы в Лондоне также некоторое время активно обсуждали историю Арнольда Паоле. Когда поэт Александр Поуп писал в феврале 1740 года доктору Уильяму Оливеру из Бата (известному благодаря печенью Bath Oliver) о недавней болезни и различных улучшениях, которые он вносил в дизайн своего грота в Твикенхэме, казалось, что ему просто необходимо упомянуть деятельность вампиров Восточной Европы. В письме болезнь Поупа превратилась в его «смерть», грот — в его «могилу», а просьбы к своим друзьям (таким как доктор Оливер) — за «мрамором и минералами» и другими материалами для грота — в его «чуму»:

> С тех пор как он был похоронен (в Твитнэме), его иногда видели в шахтах и пещерах, и он сильно беспокоил тех, кто добывал мрамор и минералы. Если бы он когда-либо

> появлялся на поверхности земли, то, как вампиры в Германии, он был столь ужасен для всех трезвых и невинных людей, что многие желали, чтобы ему вонзили кол и он упокоился в своей могиле.

Но интерес, вызванный в интеллектуальных кругах этим типичным примером «крестьянского суеверия», сохранялся гораздо дольше. С конца 1720-х до 1760-х годов научные эссе на темы, связанные с суевериями, были довольно распространены среди европейских философов, которые были приверженцами идеи прогресса и с удовольствием собирали доказательства того, что они называли «примитивными» или «темными областями». Доклады 1731–32 гг. стали причиной создания по крайней мере двенадцати трактатов и четырех диссертаций; в разное время в дебаты были вовлечены такие ведущие деятели Просвещения, как маркиз д'Аржан, Вольтер, Дени Дидро, Жан-Жак Руссо, Герхард ван Свитен (личный врач и советник императрицы Марии-Терезии) и шевалье де Жокур (плодовитый автор Энциклопедии Дидро и Д'Аламбера). Эпоха, известная в учебниках как Век Разума и рассматриваемая многими историками как истоки современного светского мышления, была глубоко озадачена вопросом вампиризма.

Из серьезных работ, опубликованных сразу после докладов 1732 года, некоторые искали происхождение вампирических явлений в «работе Сатаны», предполагая, что вампиры оживляются самим дьяволом. Другие приняли более редукционистский или натуралистический подход, подчеркивая, что должно быть какое-то естественное объяснение (то есть с точки зрения медицины) состояния трупов, суеверий и реакции местного населения. Один анонимный врач предположил, что «дьявол овладевал этими трупами и использовал их для сверхъестественных целей»; Михаэль Ранфт, скучный немецкий богослов, высказал мнение, что мертвецы могут иногда влиять на живых, но никогда не могут принимать форму воскрешенных трупов (в книге с бессмертным названием

«Что мертвецы жуют в своих гробах», 1729/1734). Памфлетист из Лейпцига предпочел верить, что это простой случай пищевого отравления («которое могло быть заразным»), а немецкий философ свалил все на действие опиума («и других наркотиков»), который, как предполагалось, мог вызывать массовые кошмары, особенно в Турции.

Жан-Батист де Бойер (маркиз д'Аржан), в своих «Еврейских письмах» (1738) попытался объяснить симптомы вампиризма у трупов («систематически», как он выразился) доказательством того, что свежая кровь, которая якобы была найдена в гробницах вампиров, на самом деле была не таковой: «Соки в мертвом теле под действием азотистых и сернистых частиц, ферментируя с ними, могут образовать жидкость, похожую на кровь». Д'Аржан считал, что его выводы о «физических причинах всего этого» подтверждаются простым экспериментом, рецепт которого он любезно включил: возьмите огнеупорное блюдо и смешайте одну часть молока с двумя частями масла винного камня; доведите до кипения; жидкость изменит цвет с белого на красный, поскольку соли в масле винного камня начнут растворять жирные вещества в молоке и содержимое блюда в конечном итоге превратится в «некий вид крови» (по крайней мере, консистенция и цвет будут похожи на кровь). Таким образом, по аналогии, вполне возможно, что соки в мертвом теле могли превратиться в жидкость, «очень похожую на кровь», поскольку тепло солнца вызывало брожение азотистых частиц в почве могилы и одновременно заставляло эти азотистые частицы проникать в труп. Эта реакция или ферментация могли растворить продукты коагуляции, вызванные смертью, и постепенно превратить их в жидкость в венах. Позже Кальме повторил эксперимент. Эмпирический аргумент д'Аржана был направлен на доказательство того, что для избавления от веры в вампиров не обязательно отрицать все факты, содержащиеся в «подтвержденных» сертификатах — возможно одновременное признание документации (ведь отчеты были подписаны видными людьми) и отказ от «сверхъестественного» объяснения. Эти отчеты действительно описывали то, что представители власти видели своими глазами — просто они не знали, как интерпретировать или объяснить явления, которые могли быть естественными. Они приписывали их внешней оживляющей силе.

Другие объяснения феномена Паоле (и менее известных вампиров) на протяжении многих лет охватывали весь спектр «разумных» аргументов (и, между прочим, задавали тон будущим обсуждениям этой темы вплоть до наших дней). К ним относились:

преждевременное погребение — считалось, что признаки вампиризма могут быть свидетельством последних попыток тех, кого мы бы сейчас назвали каталептиками, освободиться из своих преждевременных могил;

необычайно хорошо сохранившиеся трупы — возможно, результат состояния почвы или отсутствия воздуха, которые могли замедлить разложение, «чудовищный вопль», который издавался во время ритуала вонзания кола, мог быть просто взрывом газа, скопившегося в теле; считалось, что худые люди разлагаются медленнее других.

рост ногтей и кожи после смерти, а также сохранение плоти от разложения в определенных обстоятельствах — например, после внезапной смерти без болезни; отслоение ногтей и кожи воспринималось как рост новых ногтей и кожи;

чума — симптомы жертвы — бледность, апатия, лихорадка, кошмары — считались признаками чумы. Передача «проклятия вампира» от хищника жертве, которая в свою очередь становилась хищником, была наглядным способом объяснения быстрого распространения бактерий чумы. Вампиры и крысы в европейском фольклоре с ранних времен часто стояли в одном ряду, и в Восточной Пруссии в 1710 году была эпидемия чумы. Носитель чумы мог стать козлом отпущения для необъяснимых с медицинской точки зрения явлений;

бешенству, в частности, суждено было стать более поздней разновидностью этой темы: были хорошо задокументированы эпидемии бешенства в Венгрии (1721–1728), Саксонии (1725–1726) и Пруссии (1785–1789), и аналогии между двумя типами заражения — укусами, за которыми следовало животное поведение и неутолимая жажда — стали предметом значительных исследований в XX веке;

теологическая путаница, например в тех землях, где Греческая православная церковь вторгалась на территорию римского католицизма и церковное учение о разложении тела стало неоднозначным; или где старинные фольклорные традиции конфликтовали с христианской Церковью. Вера в вампиризм предшествовала христианству, но христианство добавило множество элементов к мифам и ритуалам;

ересь в форме сатирического переворота римско-католического Таинства, с вампиром как адской пародией на Христа (позже Энциклопедия Дидро расширила это применение в своей знаменитой статье «Каннибализм: см. Евхаристию»);

разновидность «общественного суеверия» о каком-то прошлом инциденте, который проявлялся во времена национального поражения или иностранной оккупации. Как мы знаем, Медвегия была аннексирована Австрией в 1718 году, и в некоторых отчетах Арнольд Паоле, подобно Семи спящим из Эфеса или Рипу ван Винклю, просыпается, чтобы обнаружить себя в новом состоянии.

продажные священники — например, Папа Бенедикт XIV, Просперо Ламбертини, якобы был убежден, что настоящим источником проблем являются «те священники, которые верят в такие истории, чтобы побуждать простых людей платить им за экзорцизмы и мессы». Ламбертини включил упоминание о споре Паоле во второе издание текста, который он написал о канонизации, опубликованном в Венеции в 1766 году. В оригинальном издании (Болонья, 1734) упоминания о вампирах нет, поэтому можно предположить, что Папа Бенедикт впервые узнал о них, прочитав в промежутке работы Дома Кальме по этой теме. В главе 21 «О канонизации» (возвращение мертвых к жизни) Ламбертини резюмирует историю Арнольда Паоле и делает вывод:

> Идет ли речь о телах, найденных в нетленном состоянии, или о крови, вытекающей из них, или о росте волос и ногтей после смерти, или об обезглавливании вампиров или сожжении их тел с рассеиванием их праха в воде, все, кажется, зависит от того, насколько мы верим или доверяем тем, кто был свидетелем событий.

Эти «так называемые вампиры» могут на самом деле быть просто результатом чрезмерно активного воображения или слепого ужаса перед чем-то другим — чем-то более осязаемым, например перед чумой. Для Папы проблема заключалась не столько в интерпретации, сколько в фактах, описанных в отчетах. В «Жизни папы Бенедикта XIV» Луи-Антуана де Караччиоли (Париж, 1783 г.) говорится, что Ламбертини сказал архиепископу Греческой православной церкви, что настоящим источником проблемы были некоторые беспринципные священники в отдаленных сельских районах. «Папа, — добавляет Караччиоли, — слишком просвещен, чтобы не понимать, что вампиризм — это произведение невежества и суеверий, и поспешил ответить в подобных выражениях». Однако некоторые ученые XX века поставили под сомнение эту попытку представить папу Бенедикта как яркого представителя Просвещения и доказательства, на которых это основано.

Стоит добавить, что самые последние анализы свидетельских показаний 1731–1732 годов, проведенные профессиональными фольклористами и специалистами по «вампирской судебной медицине», пришли к выводу, что «проявления» представляют собой попытки дописьменных сообществ понять то, что мы сегодня называем «заражением», «разложением», «погребальными обычаями» и «апотропеями» (способами отвращения зла), чтобы осмыслить нормальные процессы, связанные со смертью и разложением, такие как вздутие трупов, соскальзывание кожи, отслоение ногтей и кожи, временный характер трупного окоченения, выделение крови изо рта и носа, а также разложение с различной скоростью. Но, как добавляют такие анализы, прежде чем мы отмахнемся от этих дописьменных попыток установить причину и следствие — которые склонны подчеркивать «кто это сделал», а не «как это могло произойти» — возможно, с просвещенным недоумением начала XXI века, стоит учесть первоначальные реакции постграмотных обществ на что-то вроде эпидемии СПИДа или Эболы. Сходства могут быть поразительными.

В то время ходило так много таких «объяснений», что в статье под названием «Политические вампиры», перепечатанной из The Craftsman в лондонском Gentleman's Magazine (май 1732 г.), здравомысленно изложены все объяснения с несколькими новыми идеями:

> Этот рассказ о вампирах, как вы заметите, исходит из восточной части света, всегда отличающейся своим аллегорическим стилем. Государства Венгрии находятся в подчинении турок и немцев и управляются довольно жесткой рукой; это заставляет их облекать все свои жалобы в образы. Эта история, кажется, относится к тому же роду.
>
> Говорят, что эти вампиры мучают и убивают живых, высасывая из них всю кровь; и алчный правитель в этой части света сравнивается с пиявкой или кровососом, и своими угнетениями простирает свое влияние за границы могилы, предвосхищая государственные доходы и налагая вечные налоги, которые постепенно истощают политическое тело от его крови и духа. Таким же образом, люди, страдающие от бремени такого правителя, продавая или заложив свои имения, мучают свое несчастное потомство и становятся вампирами после смерти. Арнольд Паоле, который называется гайдуком, был

> лишь инструментом правительства, поскольку, как говорят, убил всего четырех человек; в противном случае, если бы он был вампиром какого-либо высокого положения, мы, вероятно, услышали бы о десятках тысяч... Что касается вонзания кола в сердце Арнольда, при котором он издал ужасный стон, это кажется аргументом в пользу того, что вся история — вымысел, используемый для того, чтобы выразить сатирический укор в адрес какого-то живого угнетателя... Кровь, которую потерял Арнольд, может символизировать возвращение им коррумпированных средств, которые он высосал из вен своих соотечественников. История, особенно наша, предоставляет нам столько примеров вампиров в этом смысле, что на перечисление их ушли бы тома... Частные лица могут быть вампирами или кровососами, то есть аферистами, ростовщиками и биржевыми спекулянтами, несправедливыми управляющими и жадными наследниками больших состояний, но только сила казначейства может породить полноценного вампира.

Странно, но доктор Джонсон кое-что упустил, когда не включил вампиров в свой словарь (1755 год). (Слово впервые появилось в английском языке в печати в 1734 году — вероятно, как прямой результат падения Арнольда Паоле с телеги с сеном.) Но эта сатирическая линия мысли продолжала развиваться. Например, в октябре 1785 года в Universal Register был опубликован короткий рассказ, в котором рассказчик, стремящийся быстро разбогатеть, описывает, как его прибыль украли воры, которых он называет «вампирами». Слово все еще требовало сноски, в которой Западная Европа могла выразить свое превосходство над Восточной:

> В Польше и в некоторых других странах существует представление, что некоторые люди после смерти и захоронения обладают способностью высасывать жизнь из других, пока те не умрут, и таких людей называют «вампирами».

Во введении к своему кровавому стихотворению «Вампир» (1810) Джон Стэгг предположил, что «если бы не удачная идея духовенства, которое изобретательно рекомендовало вбивать им кол в грудь при погребении, к настоящему времени у нас бы было гораздо больше кровопийц, невзирая на их нынешнюю многочисленность».

Даже в 1746 году, когда Дом Огюстен Кальме впервые опубликовал свой знаменитый трактат, оригинальную антологию о вампирах, его критиковали (в том числе) собратья из Бенедиктинского ордена за попытки подтвердить или опровергнуть страшные сказки на ночь. Кальме был, вероятно, самым уважаемым теологом XVIII века во Франции, известным своими попытками популяризировать экзегетику Писания — он также составил сорок девять томов исследования Библии — и многие считали, что время и усилия, которые он посвятил сбору анекдотов о вампирах, свидетельствуют о старческой деменции (ему было семьдесят четыре года), интеллектуальном упадке или и том и другом одновременно. Эта реакция (которая никак не помешала различным изданиям его Трактата стать бестселлерами) в сочетании с позднейшими замечаниями Вольтера создала образ Кальме как неуклюжего, легковерного и чересчур буквального чудака. На самом деле трактат полностью учитывал текущие «объяснения» (преждевременное погребение, условия почвы, крысы и мыши, грызущие погребальные саваны, нормальный рост волос и ногтей после смерти, различные степени разложения трупов, местные суеверия и т. д.) и его выводы остаются нарочито открытыми:

> Слава богу, мы отнюдь не легковерны. Мы признаем, что весь свет знаний, который может бросить на этот факт наука, не открывает ни одной из его причин. Тем не менее мы не можем отказаться верить в то, что правдиво, что юридически засвидетельствовано честными людьми...
>
> Но рассказы об этих явлениях и все страдания, причиненные этими предполагаемыми вампирами, полностью лишены твердых доказательств. Меня не удивляет, что Сорбонна

> осудила кровавую и жестокую расправу над этими трупами; однако удивительно, что магистраты и светские органы не использовали свою власть и законную силу, чтобы положить этому конец.
>
> Это загадочный и сложный вопрос, и я предоставляю решать его более смелым и опытным умам.

Кальме осуждал истерию, которая сопровождала вспышки вампиризма, поскольку всегда существовала возможность обезглавливания или вонзания кола в сердце живого человека за непреднамеренное распространение чумы. Он также указывает, что даже в первоначальном отчете 1732 года есть определенные подсказки, которые предоставляют аргументы для «разумного» анализа: Паоле рассказывал разным людям перед смертью, что он, как ему казалось, находится в опасности стать вампиром; события тесно связаны с вспышкой «животной болезни»; и в рассказе есть внутренние несоответствия. Однако большинство других суждений Кальме позже были признаны слишком открытыми. Его аргумент заключался в том, что или вампиры существуют — в таком случае должны быть «твердые доказательства», и, как добавил Кальме, какое-то упоминание в Священном Писании, которое могло бы поместить эти доказательства в столь же солидный теологический контекст — или их нет — и в этом случае вообще не было смысла их изучать. Трактат Кальме, как и большинство громоздких теологических и философских тезисов, вошедших в его антологию, предполагал беспроблемную взаимосвязь между предметом (проявлениями вампиризма) и доказательствами (свидетельскими показаниями и придания им легитимности путем записи). Он не видел разницы между «подтвержденными» фактами и их интерпретацией.

В конце концов он сказал: «Мы должны хранить молчание по этому вопросу, поскольку Бог не пожелал открыть нам ни степень силы демона, ни способы, которыми такие вещи могут происходить». А затем добавил: «Если предположить, что явления вампиров имеют под собой реальную основу, то кому их приписать — Богу, ангелам, духам этих призраков или дьяволу?» Тела святых, так же как и вампиров, не разлагались.

Тем не менее при первой публикации Трактат представлял собой осторожный шаг в сторону критического метода, который немного позже в том же веке стал более обыденным; к моменту публикации великой «Энциклопедии» осторожность и осмотрительность Кальме казались устаревшими, а его предмет исследования не заслуживал внимания такого «опытного ума». В разделе «Вампир» («История суеверий») Луи де Жокур писал: «Отец Кальме написал абсурдную книгу по этой теме, книгу, о которой бы никто не подумал, что он способен такое написать. Это лишь показывает, насколько человеческий ум подвержен суевериям». А в своем «Историческом трактате о явлениях» (Париж, 1751) Николя Ленгле Дюфренуа подверг критике изложение Кальме анекдотов из вторых рук («правдивое, сомнительное и ложное смешаны вместе без какого-либо последовательного принципа для их различения») и выразил обеспокоенность по поводу некоторых теологических суждений Кальме (например, его положение о «воскрешении неверующих»). Дюфренуа заключил, что Кальме следовало больше подумать о возможном воздействии некоторых его странных анекдотов на «слабые умы, количество которых значительно превышает количество одаренных».

Однако, в то время как споры вокруг Кальме были на пике, была зарегистрирована новая волна вампиризма, на этот раз на силезской границе. Императрица Мария-Терезия была настолько потрясена тем, что произошло еще одно «варварское судилище над бедными мертвецами», и «глубоко возмущена» «мрачным, взбудораженным воображением простого народа», что она отправила своего личного врача и советника Герхарда ван Свитена подготовить отчет на тему «посмертной магии». Этот медицинский отчет, написанный в 1755 году, занимал позицию, далекую от оборонительной, содержавшейся в отчете 1732 года. Позже он был опубликован под названием «Вампиризмус».

> Постсмертная магия встречается там, где царит невежество, и, очень вероятно, является делом рук греческих раскольников... Один из «казненных» вампиров, как говорили, был переполнен кровью, поскольку палач, безусловно надежный человек в вопросах своего ремесла, утверждал, что когда он разрезал тела, приговоренные к сожжению, из них хлынул поток крови. Тем не менее позже он скромно признал, что этот большой объем составлял всего лишь ложку — а это совершенно разные вещи... Только невежественный шарлатан мог бы найти доказательства сверхъестественного исключительно в тех фактах, которые на самом деле весьма обыденны... Было совершено святотатство, нарушена святость гробниц, запятнана репутация умерших и их семей, тела умерших невинных детей были предоставлены в руки палача... Где законы, разрешающие подобное непотребство? Какая трагедия! Это так меня разозлило, что, видимо, мне стоит закончить на этом, чтобы не поддаться чувствам.

Непосредственным результатом этого отчета стала серия решительных законодательных мер, предпринятых Марией-Терезией для борьбы с распространением «так называемых вампиров и посмертной магии» (март 1755) и «суеверия и магии» (август 1756). Эти меры лишили приходских священников, инквизиторов и местные власти всех полномочий по делам предполагаемых вампиров. В будущем с такими проявлениями должны были заниматься представители органов государственной власти — особенно если они казались угрозой общественному порядку. Долгосрочным результатом стало возрождение философских дебатов по этой теме в Германии, Франции и Италии. Один итальянский толкователь назвал причиной «вампиризма» в «определенную заразную болезнь». Другой, Джузеппе Даванцати, архиепископ Трани и друг Просперо Ламбертини, спросил: «Почему этот демон предпочитает низкорожденных плебеев? Почему его жертвы — всегда крестьяне, возчики, сапожники и трактирщики? Почему демон никогда не принимал форму человека знатного, ученого, философа, теолога, землевладельца или епископа? Я скажу вам почему. Потому что образованные люди и люди знатные не так легко обманываются, как дураки и люди низкого происхождения, и поэтому не так легко позволяют одурачить себя внешним видом». Образованным и просвещенным (таким, как архиепископ) предстояло заменить невежественных, легковерных приходских священников в качестве «примеров для тупых и невежественных». В конечном итоге этот тип элитизма был перевернут с ног на голову характерным вкладом Вольтера в дополнение к его «Философскому словарю»:

> Что! Вампиры в нашем XVIII веке? Да... в Польше, Венгрии, Силезии, Моравии, Австрии и Лотарингии — о вампирах не говорили в Лондоне или даже в Париже. Признаю, что в этих двух городах были спекулянты, налоговые инспекторы и дельцы, которые днем высасывали кровь у народа, но они не были мертвы (хотя были достаточно растленны). Эти настоящие кровопийцы не жили на кладбищах: они предпочитали красивые места... Короли, строго говоря, не вампиры. Настоящие вампиры — это церковники, которые едят за счет как короля, так и народа.

В Салоне 1767 года Дидро критиковал «паразитов, которые поедают и разрушают наших вампиров, выливая — капля за каплей — кровь, которую они высосали из нас».

Но на фоне бесстрастной критики д'Аржана, де Жокура, ван Свитена, Вольтера, Дидро и других только Жан-Жак Руссо продолжал серьезно относиться к антологии Кальме. Его (в отличие от других) меньше интересовали «объяснения» крестьянских суеверий сдержанно, натуралистически, или педантичность церковников (сколько вампиров может уместиться на головке булавки); его беспокоило то, как Кальме аргументировал свою точку зрения.

В каком-то смысле, безусловно, можно было не сомневаться в существовании вампиров — то есть в умах тех армейских офицеров, государственных служащих и священников, которые торжественно клялись после изучения результатов вскрытия, что они стали свидетелями их присутствия. «Если в этом мире есть история, которая была подтверждена, то это именно история вампиров», — написал Руссо в своем открытом письме к Кристофу де Бомону, архиепископу Парижа (1762). «В доказательствах нет недостатка — показания, свидетельства знатных людей, хирургов, священников и магистратов. Юридическое доказательство абсолютно бесспорно... Тем не менее, — он продолжал, — кто на самом деле верит в вампиров? Будем ли мы все каяться за неверие в них?» В неопубликованной заметке о «подтвержденном вампиризме», которую он подготовил после письма к Бомону (готовясь к дальнейшим атакам со стороны духовенства), Руссо повторил эту мысль и сослался на статью в Gazette des Gazettes от 1 ноября 1765 года для дополнительного подтверждения.

Эта статья дополнила довольно стандартный (и довольно неточный) отчет о вампирских эпидемиях — в частности, истории Арнольда Паоле и Петра Плогойовича — критическим комментарием к доказательствам, который вновь поднял вопрос о том, как такие доказательства могут быть оценены или подтверждены. Анонимный берлинский корреспондент в Gazette заключил:

> Это мнение — что эпидемии произошли именно так, как сообщалось, — как ни странно, подтверждается таким множеством фактов, что никто не может разумно сомневаться в их достоверности, учитывая качество свидетелей, подтвердивших подлинность этих фактов... [я] далек от слепой веры; но мне кажется, что нельзя отказаться верить в то, что стало общеизвестным, подтверждено с должной юридической формальностью и честными людьми — особенно учитывая, что было так много примеров или повторений, в равной степени поддержанных свидетелями.

Статья в Gazette завершилась следующим вызовом: «Философам предстоит искать причины, которые могут породить события, так мало соответствующие природе». Для Руссо сомнения в существовании вампиров сохранялись не из-за недостатка свидетелей (даже если «надлежащая формальность» иногда осуществлялась через пять лет после события), а из-за отсутствия каких-либо правдоподобных и доступных объяснений утверждаемых фактов. Он не принял вызов, предложенный Gazette, возможно потому, что его основная цель обращения к этой теме шла далеко за рамки установления того, что составляло рациональное объяснение ее причин или происхождения. Из немногих прямых ссылок в его работах на явление вампиризма ясно, что вопрос о существовании вампиров не имел для него особого значения. Они могли быть реальными существами; а могли и не быть. Но было тщетно, утверждал он в черновике четвертой книги «Эмиля» (его трактата об образовании, написанного в 1758–1759 гг.), предполагать, что их реальность может быть подтверждена аргументами, аналогичными тем, которые используются, например, в дискуссиях о чудесах.

> Уже некоторое время публичные новости заботятся только о вампирах; никогда не было факта, более полно доказанного в суде, чем их существование, тем не менее, несмотря на это, покажите мне хотя бы одного разумного человека в Европе, который верит в вампиров или даже соизволил бы потрудиться проверить точность фактов… Кто осмелится сказать мне, сколько именно очевидцев нужно, чтобы сделать явление правдоподобным?

Он продолжил, задав вопросы о чудесах и вампирах: «Какой толк от чудес как доказательства вашей доктрины, если сами чудеса требуют стольких доказательств?» Более интересным вопросом было, почему вампир (или чудо) вообще стал таким важным предметом народных верований. Свидетельства очевидцев были неубедительными, не потому что они были несомненно ложными или иллюзорными — как предполагали философы, — но потому что до сих пор не было предложено никакого рационального объяснения существования этих монстров. Подобно Кальме, хотя и по совершенно другим причинам, Руссо сохранял открытость мышления относительно статуса свидетельств о вампирских эпидемиях. Суть в том, что ни толкование Священного Писания, ни попытки рационалистов объяснить паранормальные явления на самом деле не могли научить нас чему-либо о природе вампиров или о явных кошмарах, которые эти существа представляли для нас.

Для Руссо, очевидно, такие популярные убеждения — так часто отвергаемые философами — имели самое большое значение. Он указывал на то, что, как бы мало так называемые «подтвержденные истории» ни рассказывали нам о статусе вампиров, они многое раскрывали о природе власти в цивилизованном обществе. В откровенном письме к Бомону Руссо заметил, что вампиры были чудесными явлениями, для объяснения которых требовались мракобесные догмы, просто потому что на данный момент здравого смысла было недостаточно. Чудеса остаются необычной особенностью наших страхов и надежд на мир только до тех пор, пока особое место в сообществе доверяется их толкователям; в то же время власть, которая осуществляется над нами этими толкователями Писания, зависит от нашей веры в их способность понять суть чудес лучше, чем можем мы сами. Таким образом, вампиры являются еще одним проявлением мрачной и зловещей тирании мнения, осуществляемой священниками над умами людей. В письме Руссо описал чудеса как «ученые тонкости в христианстве», которые требуют прежде всего, чтобы стадо верующих подчинялось принципам, которые они не могут постичь разумом и чувствами. Чудеса являются инструментом для обеспечения выполнения обязанностей, используемым распространителями Евангелия, непостижимого для обычных людей, и в этом контексте он, возможно в этот редкий случай, согласился бы с Вольтером в том, что настоящие вампиры — это церковники. Для Руссо как священная, так и светская власть черпают свою силу из народных суеверий, и страх перед чудовищем, таким как вампир, помогает поддерживать уважение и покорность к мирским посредникам всемогущего Бога. Таким образом, страшная сверхъестественная сила вампиров превращает божественность Бога в жалкую практику послушания его земным служителям, и вампиры — будь они реальными или вымышленными существами — обладают зловещей властью над людьми, что вполне очевидно. Если от людей ожидают веры в чудеса, то почему нас удивляет, что они также верят в вампиров?

Второй, связанный с этим пункт Руссо о вампирах черпает свою силу из контекста, в который он поместил свои замечания о них. Дело в том, что отношения между вампирами и их жертвами являются чрезвычайно мощным символом для характеристики даже обычных связей зависимости, которые связывают людей в цивилизованном обществе. Не только временные правители, но и их подданные, по мнению Руссо, вели себя так, как ведут себя вампиры, потому что «зависимость от людей», как он писал во второй книге «Эмиля», «является ненормальной, порождает всякого рода пороки, и через это хозяин и раб взаимно развращаются». Современный человек является одновременно хищником и добычей для других членов своего вида в войне каждого против каждого, которая тем более ужасна, что противоречит его природе. Для каждого из нас, «вампир — это другой». Анатомические особенности наших зубов и желудочно-кишечного тракта показали, что изначально мы, должно быть, были травоядными, подобно лошадям, овцам и кроликам, но цивилизация превратила нас в хищников с аппетитом не только к пище, но и к завоеванию и крови. Руссо считал, что этому развитию способствовали две причины: с одной стороны, искусственное возделывание земли, которое медленно истощало природные ресурсы Земли и неизбежно приводило людей в конфликт из-за оставшейся растительности; с другой стороны, институт частной собственности, который превращал незнакомцев в врагов и делал каждого из нас хищником не только из-за ограниченных земных плодов, но и деградировавшей человечности наших соседей. Таким образом, с появлением собственности и развитием сельского хозяйства мы превратили себя в хозяев и рабов по очереди, каждым двигали презрение к личности и жажда благ другого человека, так что в конечном итоге мы превратились в вид животных, который способен на саморазрушение. Как и Карла Маркса впоследствии, Руссо, возможно, привлек образ вампира, потому что он предложил яркий способ символизации взаимозависимости в обществе, которая не была безобидной — как утверждали многие их современные социальные теоретики — а мрачной, паразитической и гротескной — диалектика хозяина и раба, но с зубами.

Независимо от того, существовало ли в реальности демоническое существо из наших худших кошмаров, если бы мы только заглянули в себя — и в наше общество, — мы бы уже обнаружили его там. В зоологии род vampiricus уже был идентифицирован, обработан, систематизирован и помечен. Карл Линней на самом деле по ошибке применил эту метку к безвредной фруктовой летучей мыши в издании 1758 года своей «Системы природы» — что, должно быть, подарило жителям Южной Франции несколько интересных кошмаров, — но по крайней мере это означало, что вампиры стали частью системы. Метка «ложная вампирская летучая мышь Линнея» до сих пор используется! Для понимания их значения и объяснения их привлекательности был нужен совершенно другой тип науки.

Взгляды Руссо, безусловно, пропали даром для популярных французских газет: к 1770-м годам они просто заменили легковерное освещение событий 1730-х и 1740-х годов на постпросветительское чувство парижского превосходства над примитивными сельскими общинами Восточной Европы. В Gazette Francaise от 26 октября 1770 года содержалась типичная статья:

> Безумие вампиров, которое вызвало такой ажиотаж в Венгрии много лет назад, снова вспыхнуло в маленьком

> городке на границе Молдавии, сопровождаемое событиями, которые столь же ужасны, сколь и странны. Чума, проникшая в город, заставила нескольких мошенников убедить некоторых из низших классов, что верный способ контролировать заразу — вырвать зубы у зараженных чумой трупов и высасывать кровь из десен. Эта отвратительная практика привела к гибели многих людей, несмотря на старания полиции предотвратить ее. Этот факт — каким бы невероятным он ни казался — подтверждается очень надежными свидетелями».

Смысл заключался в том, что поведение местных жителей требовало столько же веры, сколько и первоначальное «безумие вампиров».

Однако в десятилетие, непосредственно предшествующее Французской революции, передовое мышление во Франции — по крайней мере среди некоторых фракций второго поколения философов, чьей главной целью было стать такими же знаменитыми, как и первое поколение — приняло несколько иное направление. Именно в 1780-е годы культ Руссо вырос среди верующих в месмеризм, спиритуализм, физиогномику и животный магнетизм, и более уравновешенные заявления женевского философа обычно отбрасывались в пользу тех аспектов его мысли, которые считались «романтическими». Как выразился один из членов ложи месмеристов в Париже: «Царство Вольтера и энциклопедистов рушится. Наконец-то люди устают от холодного разума. Нам нужны более живые, более изысканные удовольствия. Немного возвышенного, непостижимого, сверхъестественного». Интерес к вампирологии — как часть широкой заинтересованности в экзотическом и оккультном — стал модным в таких кругах, а некоторые парижские газеты использовали этот интерес, публикуя отчеты о вампироподобных монстрах, которые якобы были «замечены» в Южной Америке.

Например, Courier de l'Europe в октябре 1784 года приветствовал поимку чилийского существа — на треть человека, на треть летучей мыши, на треть льва — и торжественно заявил, что это только подтверждает правдивость древних басен о вампирах, гарпиях и сиренах («ранее считавшихся легендарными»); «прекрасная возможность для натуралистов Нового и Старого Света». Хотя попытка поймать самку этого вида и таким образом разводить вампиров во французских зоологических садах потерпела неудачу (им не удалось найти другую особь), истории такого рода, по-видимому, были довольно широко использованы в определенных издательских кругах, и в них даже верили. На самом деле, они не казались такими абсурдными в то время, как заметил историк Роберт Дарнтон, когда овисты, преформационисты и панспермисты соревновались друг с другом в спекуляциях о половом размножении, когда Оноре граф Мирабо, позже герой революции, утверждал, что «Фридрих Великий производил кентавров и сатиров» в контролируемых экспериментах с его придворными и разнообразными животными; когда Жак-Пьер Бриссо, позже ставший другим революционным лидером, опасался, что зоофилия исказит человеческую расу, отмечая, что «все слышали о ребенке-теленке и ребенке-волке»; когда в уважаемой лаборатории в Париже в ослином семени под микроскопом видели полностью сформировавшихся лягающихся ослов; когда труды Линнея все еще печатались, включая иллюстрации семяизвержения из пыльцевого зерна, которое он наблюдал через микроскоп; и когда юридический словарь позволял себе сомнения в случае оспаривания отцовства, когда женщина утверждала, что зачала ребенка во сне от своего мужа, которого не видела четыре года. Если все слышали о ребенке-теленке и ребенке-волке, почему бы не существовать человеку — летучей мыши? Действительно, почему бы и нет! В свете теорий XVIII века о половом размножении и скрещивании видов, этот вопрос не кажется таким идиотским, как может показаться сейчас. Несомненно, эти дебаты способствовали продажам художественных изображений чилийского вампира, которые были доступны в киосках на улицах Парижа. В эпоху Калиостро и де Сада в такие «подтвержденные» истории можно было верить, объяснять и прославлять. К тому же, образ гигантской чилийской гарпии-вампира мог быть адаптирован для изображения ужасной австрийской эрцгерцогини Марии-Антуанетты — возможно, в народной памяти о слухах, которые заставили роптать Париж еще в 1750 году. В конечном счете, Чарльзу Дарвину удалось прояснить ситуацию: у вампирской летучей мыши не было человеческого лица, она обитала в Центральной и Южной Америке, а не на юге Франции, и была крошечной — настолько крошечной, что сношение с человеком представляло бы собой некоторую техническую проблему.

Как выяснил Дарнтон, ученые, работающие над скрещиванием видов в дореволюционном Париже, должны были полагаться на свое воображение, чтобы понять и даже увидеть данные, которые открывались с помощью их все более совершенных микроскопов, телескопов и анатомических исследований. То, что они видели, отличалось от того, что мы видим сегодня, и они интерпретировали это как могли — с помощью уймы теорий об устройстве мира, многие из которых были унаследованы от их предшественников. В 1780-х годах новейшим направлением в высокой моде стало не циничное объяснение «подтвержденных» фактов и отношение данных о вампирах к ряду рационалистических установок; скорее, это был сбор информации об общей науке тератологии или монстрах и использование лабораторных исследований для расширения границ «естественного», чтобы включить как можно больше приятных «паранормальных» явлений. И это включало вампиров…

Лорд Рутвен и его клан

Роберт Саути переписал как историю Арнольда Паоле, так и приключения Жозефа Питтона де Турнефора на острове Миконос в примечании к своей поэме «Талаба-разрушитель» (1801). Во введении к повести «Вампир» Полидори также сослался на эти источники. Предисловие к «Фантасмагориане» Эйриеса включило краткий обзор философской полемики, заканчивая цитатой Вольтера: «Человек с живым воображением часто представляет себе то, чего на самом деле никогда не существовало». Еще до лета 1816 года Байрон воспользовался темой вампиров при написании эпизода проклятий в своей поэме «Гяур» (1813). А Шелли, как известно, обсуждал (также до 1816 г.) «мнение турок о том, что в похороненных людях теплится жизнь». Так, вампирский жанр поначалу не только сдерживался ассоциацией с образом Рутвена/Байрона, кроме того, до конца XIX века он основывался на очень ограниченной модели, определяемой критической полемикой вокруг работ Кальме во Франции, а также и искажением этой полемики в предромантической атмосфере Парижа 1780-х годов.

Все разнообразные пьесы, стихи, рассказы и оперы, в которых использовался коммерческий потенциал «Вампира» Полидори (таких авторов, как Шарль Нодье, Джеймс Планше, Джеймс Малкольм

Раймер, Александр Дюма и Дайон Бусико), просто перерабатывали сюжет Рутвена или использовали «исторический фон», содержащийся в анонимном введении (которое, возможно, было написано издателем Полидори). В 1872 году в Лондонском Королевском театре на улице Стрэнд состоялась премьера бурлеска, переосмысливавшего вампирский жанр. По словам автора, постановка была основана на «немецкой легенде, рассказе лорда Байрона и драме Дайона Бусико», а центральным персонажем был плагиатор, который питался чужими идеями. История рассказывала о неудачных попытках одного неумелого вампира украсть записные книжки двух романистов-романтиков, чтобы использовать их идеи для следующего еженедельного выпуска своего грошового романа-ужастика. В Германии и Франции Э. Т. А. Гофман, Проспер Мериме и Теофиль Готье быстрее преодолели ограничения, наложенные этим растиражированным образом, но в Лондоне и на парижских бульварах лорд Рутвен был настолько популярен, что не собирался уходить в тень.

Если вдруг театральная публика начинала находить его приключения слишком предсказуемыми, он всегда мог объединиться со своим собратом-монстром из июня 1816 года, чтобы продолжать собирать полные кассы. Например, в 1826 году в Лондонский оперный театр заехал немецкий принц в поисках чего-то характерного для данного региона:

> Однако, — как он позже с удивлением вспоминал, — там не было оперы. Вместо этого нам показали несколько страшных историй. Сначала «Франкенштейн», где человек создается с помощью магии, без женского участия, — создание это оказалось весьма неудачным; а затем «Вампир» по мотивам известного рассказа, ложно приписываемого лорду Байрону. Главные роли в обоих спектаклях исполнил мистер Т. П. Кук, отличающийся привлекательной внешностью, умелой игрой и величественной, благородной манерой. Игра

действительно была превосходной, но пьесы такие глупые и чудовищные, что невозможно было высидеть спектакль до конца».

Очень ранний пример двойного ужастика с одной и той же звездой — и предположительно с теми же декорациями и спецэффектами — в обеих частях. Одни авторы последовали этому примеру. Другие же импортировали европейские версии, такие как «Не тревожь мертвых» Эрнста Раупаха (1822, перевод 1823-го), которые адаптировали для лондонской сцены. К осени 1826 года оперы в жанре ужасов были настолько популярны, что журнал «Opera Glass» опубликовал стихотворение под названием «Дьявол среди актеров», в котором описывалось, как даже лучшие певцы оказались одержимыми «Вампиром», «Франкенштейном» и «Фаустом».

В 1846 году Knights Penny Magazine (поставщик «полезной умственной пищи») обрушился с критикой на «дешевые еженедельные издания», которые навязывали непотребные истории и пресыщенные вампирские рассказы «рабочему люду, особенно молодежи»: «Менее осведомленные читатели, больше всех нуждающиеся в глубоких знаниях, читают такие произведения, как «Призрак в зале» или «Пиршество крови». Но моралисты вынуждены были признать поражение и, следуя принципу «Не можешь победить толпу — возглавь ее», использовать для своих благородных целей очевидный коммерческий потенциал вампирского мифа. Памфлеты о трезвости («Вампир» от «жены доктора», где трактир «Вампир» засасывает неосмотрительных алкоголиков до смерти), об опасностях перенаселения огромных новых столичных кладбищ («Кладбище», где «земля отдает назад своих изувеченных мертвецов непрожеванными»), об ужасах преждевременного погребения (составленные сторонниками кремации), о зле азартных игр («Вы, вампиры» от «Призрака»), о распространении христианских знаний («Вампир» от А. Л. Дж.), или просто о преимуществах чистых мыслей (экстраординарная «Современный вампиризм: его опасности и как их избежать» от А. Осборна Ивса), все они, появившиеся после периода наибольшего успеха Рутвена, делали свою полемику более доступной для «менее осведомленных», используя формулу «пиршества крови». Уравнение «вампир равно плагиатор» хорошо отражает популярные аспекты жанра во Франции и Англии XIX века.

«Вампир Варни» Джеймса Малькольма Раймера (1845–1847), книга из 868 страниц двойной колонки, представляет собой отражение инфляционных процессов, действовавших в период пикового производства вампирской индустрии. Она имела подзаголовок «Пиршество крови» (и, как мы видели, была особо отмечена моралистами того же года). Сюжет «Варни» (заимствованный прямо из Полидори и его подражателей) содержит три основные составляющие: попытки сэра Фрэнсиса Варни соблазнить невинную героиню; осознание местными жителями, что Варни — вампир, и организация массового сопротивления; и сцена свадьбы, где сэр Фрэнсис разоблачается в последний момент и изгоняется из родных мест. Эта крайне простая история переписывается по крайней мере пять раз в течение книги. После того как его прогоняют, сэр Фрэнсис появляется в новом образе в ином месте, и от читателя (предположительно) ожидается, что он угадает, кем является данный персонаж в определенном эпизоде. Поскольку привычки сэра Фрэнсиса включают «шипение», частое посещение гробниц и кладбищ, и нападение на молодых девушек, не нужно быть гением, чтобы понять, кто это. В конце концов, в сцене, заимствованной из мелодраматизации «Франкенштейна», сэр Фрэнсис Варни, истощенный своими неудачными попытками и разочарованный в бездушном мире, прыгает в Везувий и больше о нем никто никогда не слышал.

Раймер не только эффективно заимствует у Полидори, он также изобретает новые вариации на эту тему, которые будут переработаны позднейшими писателями, включая Брэма Стокера. «Варни» включает оригинальный побочный сюжет о венгерском графе-вампире (первый в английской литературе); комический элемент (сцена из музыкального зала) в неугомонном дуэте адмирала Бэлла и матроса первого класса Джека Прингла; и целую серию сцен, происходивших на сельских кладбищах, склепах, костницах и лавках гробовщиков, атмосферные детали которых явно основаны на тщательных наблюдениях за ранневикторианскими похоронными обычаями. Более значимо то, что, в отличие от Августа Дарвелла Байрона («значительного состояния и древнего рода») и лорда Рутвена Полидори (с его «холодным серым взглядом» и «мертвенной бледностью»), сэр Фрэнсис Варни из Рэтфорд Холла — это непредсказуемый герой-злодей: его вампирическое помешательство при свете луны больше похоже на зависимость, чем на врожденную черту характера. С этого момента начинается «Интервью с вампиром» Энн Райс (1976). В одном эпизоде он даже просит прощения у своей предполагаемой жертвы заранее, зная, что в любой момент жажда крови овладеет им и он не сможет себя контролировать. Впервые вампир-аристократ не является модной фигурой в высшем свете: сэр Фрэнсис — это неряшливый, нескладный, непонятый, грязный старик; семья Баннервортов (его главные жертвы) смущается, когда ее видят рядом с ним, даже когда его кровавая зависимость подавлена.

Раймер мог бы воскресить лорда Рутвена (в частности, идея о том, что вампира можно оживить лучами луны, восходит к интересу Мэри Шелли к гальванизму как способу оживления мертвых конечностей), но в процессе расширения двадцатистраничного рассказа Полидори до более чем 850 страниц, он также вдохнул новую жизнь в жанр и позволил ему (в конечном итоге) избавиться от ограничивающих характеристик, которые Рутвен оставил в наследство. И он даже умудрился высмеять традицию, которую использовал: один из самых забавных побочных сюжетов в «Варни» касается венецианского дворянина по имени «граф Полидори», а сам сэр Фрэнсис «убивается» так часто, что интерес становится чисто технологическим — как это будет сделано на этот раз? Эти «остановочные» пункты, похоже, были частью первоначального замысла Раймера. «Пиршество крови» имело такой успех, что пьеса на его основе была быстро поставлена на лондонской сцене, еще до выхода заключительных частей: в ней первый цикл сюжета был расширен и занимал весь вечер.

Почти пятьдесят лет спустя Рутвен (или, скорее, сэр Фрэнсис) снова воскрес из мертвых. Ибо, как ни удивительно, кажется, что Брэм Стокер многим обязан «Вампиру Варни». «Дракула» может быть далек от ужасающего комического натурализма шедевра Раймера, но среди сюжетных мотивов, которые Стокер позаимствовал (и переосмыслил) из «Варни» — ни один из которых не появлялся так явно в «Вампире» Полидори — такие:

1. Инициация героини через контакт с вампиром.

2. Намек на сексуальное влечение, за которым следует отвращение, а затем вновь влечение между женщиной-жертвой и мучающим ее вампиром.

3. Несоответствие центральноевропейского народного мифа с английскими сельскими декорациями.
4. Уважение охотника к тому, на кого ведется охота.

5. Методичный, научный подход семьи Баннервортов к борьбе с вампиром. Это предвосхищает трактовку Брэма Стокера голландским охотником на вампиров профессором ван Хелсингом, «доктор медицины, доктор философии, доктор литературы и т. д. и т. п.» — единственное, доктор литературы из Оксфорда кажется немного натянутым, учитывая его слабое владение английским языком, — который готов использовать все, от переливания крови до более традиционных священных облаток и крестов, и даже некоторые пережитки старой религии, в своем интеллектуальном поединке с графом

(который также оказывается довольно изобретательным, используя фольклор, а не науку). Этот аспект как «Варни», так и «Дракулы» может, возможно, представлять собой конфликт между викторианским научным позитивизмом (или «экспертизой») и силами неизвестного — новое дополнение к жанру.

6. Некоторые более конкретные мотивы, включая ночное дежурство у гробницы предполагаемого вампира (с участием жениха жертвы), превращение вампира в волка, прибытие покинутого корабля и преследование до вампирского логова.

Дополнительное свидетельство того, что Брэм Стокер читал «Варни», может содержаться в имени, которое он выбрал для жениха Люси. В «Варни» одна из жертв сэра Фрэнсиса, Клара Крофтон, помолвлена с мужчиной по имени Рингвуд; в «Дракуле» Люси Вестенра (еще одна жертва) помолвлена с мужчиной по имени Голмвуд, который живет в семейном доме под названием Ринг. Среди различных кандидатов на происхождение имени «Голмвуд» это остается наиболее убедительным.

Однако такие связи — некоторые тривиальные или сомнительные, другие, возможно, более значительные — показывают только, где Стокер нашел своих литературных предшественников. Как сказал теоретик и писатель Леонард Вулф: «В «Варни» нет ничего, что могло бы звучать как аккорды темного понимания, которые звучат на странице за страницей «Дракулы» Стокера. Прежде чем исследовать эти «аккорды темного понимания» (и предположить, как бывший госслужащий из Дублина пришел к ним), стоит остановиться, чтобы взглянуть на вампирскую мозаику, которая была собрана на протяжении XIX века с большим или меньшим успехом и которую «Дракула» каким-то образом сумел завершить.

«ВАМПИРСКАЯ МОЗАИКА»

Вампиры в фольклоре, прозе и поэзии, 1689–1913

Дата/Вампир	Источник	Предпочтения
1689 Юре Грандо: мужчина-крестьянин, Кринга, Истрия (1672).	Янез Вайкард Вальвазор. «Слава герцогства Карниола».	Родственники — мужчины или женщины.
1728/1732 Петр Плогойович, мужчина-крестьянин, Кисилова, Австрийская Сербия (1725).	Михаэль Ранфт. «Что мертвецы жуют в своих гробах».	Знакомые — мужчины или женщины.
1732 *Арнольд Паоле, мужчина-гайдук, Медвегия, австрийская Сербия (1731).	Иоганнес Фликкингер. «Увиденное и обнаруженное».	Знакомые — мужчины, женщины и дети. Также овцы и крупный рогатый скот.
Между 117 и 138 годами нашей эры, 1797. *Филиния, женщина, «Невеста из Амфиполиса», Коринф.	Флегон из Тралл. «Удивительные истории», Иоганн Вольфганг Гёте. «Коринфская невеста».	Махатес, молодой человек.

Вампиры, вызывающие особенный интерес, отмечены звездочкой.

Отличительные особенности	Мера воздействия	Комментарии
Любит, когда его приглашают переступить порог, предварительно постучав в дверь.	Обезглавливание (без вонзания кола).	«Характеристика местности».
Ложится сверху на своих жертв и либо душит их, либо кусает в грудь.	Вонзание кола и сожжение.	Первый случай, вызвавший любопытство официальных (австрийских) лиц.
Укушен вампиром (возможно, в Турции) незадолго до смерти от несчастного случая.	Вонзание кола и сожжение.	Тема правительственных отчетов и причина длительных философских споров.
Появляется через шесть месяцев после погребения, чтобы ночью переспать с юношей.	Потревоженная своими родителями, превращается в труп. Чтобы предотвратить ее возвращение, труп сжигают за городской стеной и приносят жертвы богам.	Косвенное влияние на Гёте (1797), который первым ввел вампира в литературу в качестве достойного персонажа. В версии Гёте девушка умирает от горя, потому что ее родители отказались позволить ей выйти замуж за мужчину, которого она любит. Она возвращается — «Все еще для того, чтобы любить жениха, которого я потеряла, И пить кровь из его сердца», — обретая сексуальную разрядку только тогда, когда смерть освобождает ее от контроля родителей. В оригинале Махатес никогда прежде не встречал эту девушку. Готье использовал этот мотив в «Аррии Марцелле».

Дата/Вампир	Источник	Предпочтения
Между 200 и 245 годами нашей эры; 1797, 1820. *Эмпуза, женщина, «Коринфская невеста», «Ламия».	Филострат. «Жизнь Аполлония Тианского», Гёте «Коринфская невеста», Джон Китс «Ламия».	Менипп, молодой человек «с прекрасными пропорциями тела».
1805 Граф Ф. … русский граф, Северная Италия.	Генрих фон Клейст. «Маркиза д'О».	Маркиза.
1819 *Лорд Рутвен, английский лорд, Афины и Лондон.	Джон Уильям Полидори. «Вампир».	Впечатлительные светские дамы и невинные девушки.

Отличительные особенности	Мера воздействия	Комментарии
«Финикийка», которая хочет «насытить» молодого мужчину удовольствиями, а затем «поглотить его молодое и красивое тело».	Аполлоний — представитель греческого рационализма — раскрывает ее истинное лицо перед свадьбой и говорит гостям, что все, имеющее к ней отношение — иллюзия и на самом деле не существует. В этот момент Ламия, ее дом и утварь исчезают в мгновение ока.	В версии Филострата интеллект Аполлония преодолевает барьер иллюзии. В версии Китса «суровый взгляд» Аполлония и «спокойные шаги» трактуются менее одобрительно, а мотивы Ламии по отношению к Луцию (Мениппу) так и не раскрываются; после того, как «отвратительный сон» рассеялся, Ликий умирает. Еще одно влияние на Гёте (и Гофмана). Эти две истории — основные классические рассказы о вампиризме, а мотив свадьбы впоследствии повторялся во многих произведениях о Рутвене (и несколько раз в «Варни»).
«Маркизе он показался (поначалу) ангелом, ниспосланным с небес». «Он был прекрасный, как молодой бог, хотя немного побледневший». По слухам, он вернулся после смерти. После того , как он признался , что она забеременела от него, «что он не показался бы ей тогда дьяволом, если бы при первом своем появлении не представился ей ангелом». Ее первой реакцией было облить его святой водой.	Признавать друг в друге нормальных людей, со своими недостатками.	Гофман считал, что Клейсту не нужно было «поднимать вампира из могилы», чтобы добиться желаемого эффекта. Для Эрнеста Джонса 100 лет спустя «Маркиза» из-за сильной ассоциации с любовью и смертью и четкой отсылкой к инкубу стала архетипической историей о вампирах (особенно учитывая повторяющийся интерес Клейста — например, в пьесе «Пентесилея», 1808, где вампирша до смерти кусает своего возлюбленного).
«Мертвенный взгляд серых глаз», «мертвенная бледность лица».	Нет.	Первый вампир байронического типа, основатель жанра.

Дата/Вампир	Источник	Предпочтения
1819-1820 *Аврелия, баронесса «из самой прекрасной страны, какую можно представить».	Э. Т. А.Гофман, история из «Серапионовых братьев».	Мужчины, включая ее мужа.
1820 *Лорд Рутвен, английский сеньор, Италия, Греция, Индия и Восточная Европа.	Кипьен Берар. «Лорд Рутвен, или Вампиры».	Молодые невесты. Одна из них, Беттина, становится благодетельным вампиром.
1820 Оскар Монкальм, демонический вампир, принявший облик покойного лорда Рутвена, графа Марсдена, в момент смерти аристократа, чтобы добиться расположения леди Маргарет. Все это описано «в шотландских анналах».	Дж. Р. Планше, повесть «Невеста с островов» (автор лорд Байрон).	В каждый День Всех Святых он должен «законно жениться по всей надлежащей форме» на целомудренной девственнице до «захода луны», чтобы продлить свое бессмертное существование еще на год: затем он должен убить ее и выпить кровь из ее «сердца». Вампир может вселяться во множество разных тел, но за раз только в одно тело.

Отличительные особенности	Мера воздействия	Комментарии
«Необычайно очаровательная и красивая». «Мрачный огонь в ее глазах и мертвенная бледность».	Нет.	Ее вампиризм связан как с ее матерью, так и с дьявольским «незнакомцем». Для подкрепления сил она обычно ходит на кладбище. И классический сюжет, и попытка исследовать связь между «манией» и принципом «серапионизма».
Выдает себя за «лорда Сеймура», премьер-министра Модены, и утверждает, что «служил в армии Шотландии».	Раскаленный железный кол в сердце, а также в глаза.	Двухтомная вариация на тему Рутвена (первый роман о вампирах) с длинными подзаголовками, которые воспринимаются как грандиозное кровавое турне. Обри (из «Вампира») присоединяется к нему. Ходили слухи, что автором был Шарль Нодье (который отрицал это и написал весомую пьесу «Вампир» в отместку).
«Язык, очаровывающий своих жертв, и взгляд, подобный чарам василиска»; «бледный цвет лица — неизменный признак вампира, у них нет крови»; лицо — «образ самой смерти». Носит килт и «не ест соль со своего подноса».	Помешать вампиру завершить брачную церемонию (как это происходит в истории трижды); но не бросать его витое золотое кольцо в колодец в пещере Фингала, так как он переживет даже это.	Дополнение к пьесе «Невеста с островов». Поскольку король-вампир обладает выдающимися сверхъестественными способностями и таким же количеством жизней, как у «полосатой кошки ведьмы из Эндора», хотя и в других телесных формах, возможности для продолжений были богатыми. «Невеста» «основана на популярном суеверии, все еще сохранившемся на южных островах Шотландии». Кельтская версия «Вампира».

Дата/Вампир	Источник	Предпочтения
1821 *Смарра (или Ночной кошмар), связан с фантазиями о женщине, Фессалия, Греция.	Шарль Нодье. «Смарра, или Демоны ночи».	Рассказчик, молодой человек по имени Луций (или Лукиан), рассказывает о сне своего друга Полемона, скифского воина.

Отличительные особенности	Мера воздействия	Комментарии
«Меро, прекраснейшая из всех красавиц Фессалии, сняла свое кольцо с бирюзой и нажала на него пальцем, чтобы достать заколдованный камень, и существо — бесцветное и бесформенное, зарычало и прильнуло к груди колдуньи. «Иди, — закричала она, — призрак любви, иди и мучь жертву, которую я выбрала для тебя... Если ты сделаешь это, верный раб любви, то, возможно, когда время грез закончится, вернешься в объятия королевы ночных кошмаров»... С этими словами она выпустила чудовище из своей пылающей руки, и оно начало расправлять свои странного цвета крылья: оно было похоже на уродливого смеющегося карлика, чьи руки были вооружены тончайшим металлом, который мог врезаться в кожу, не разрывая ее, и оно начало пить мою кровь. Вонзившись мне в сердце, он увеличился в размерах, поднял свою огромную голову и рассмеялся».	Проснуться после множества других фантазий и вернуться к реальности.	Одна из самых причудливых выдумок Нодье, в общих чертах основанная на произведениях Апулея Карфагенского (ок. 114-91 гг. н.э.), особенно на «Золотом осле», но также во многом обязанная, по словам автора, «Гомеру, Вергилию, Катуллу, Данте, Шекспиру («Буря»), Мильтону и др.». Рассказчик засыпает, когда едет верхом по заколдованному лесу близ Фессалии, и во сне ему кажется, что он наблюдает за чужим кошмаром, но он не в состоянии пошевелиться или вмешаться. Сам «кошмар» — это вампирская версия картины Фюссли (и когда Тони Йоханнот иллюстрировал историю Нодье, он использовал в качестве иллюстрации инкуба Фюссли). За исключением центрального эпизода (с участием Меро, Смарры и другой жертвы, Полемона), история, похоже, была для Нодье чем-то вроде академического упражнения, и из-за большого количества ссылок на других авторов, за прологом, заключением, эпопеей и эпилогом чрезвычайно трудно уследить. Когда рассказ был впервые опубликован, Нодье добавил несколько заметок о вампиризме и рассказ о путешествиях аббата Фортиса по Далмации. Он также поддержал идею Рутвена, написав самую успешную французскую мелодраматизацию.

Дата/Вампир	Источник	Предпочтения
1822 (переведено в 1823) *Брюнхильда, благородная дама, Бургундия, Франция.	Эрнст Раупах. «Не тревожь мертвых»/«Не будите мертвецов».	Дети («источники молодости»). В конечном счете и ее муж.
1827 Бей Мойна, мужчина-аристократ, Иллирия.	Проспер Мериме. «Гусли».	Его невеста, красавица София.
1827 «Проклятый венецианец», мужчина-аристократ, Иллирия.	Проспер Мериме. «Гусли».	Иллирийские фермеры и гайдуки.
1828 Берта Куртель, красивая крестьянка, воскрешенная из мертвых графом Рудольфом, который заключил договор с дьяволом и живет в замке Равенсбург близ Гейдельберга; каждую ночь он превращается в «скелет без плоти» в обмен на «почти вечную жизнь».	Элизабет Кэролайн Грей. «Граф скелетов, или Повелительница вампиров».	Бывшие подруги Берты Минна Клаус («маленькая девочка») и Тереза Дельмар («прекрасная девушка»). По словам отца Амвросия, «обычно они нападают на женщин и детей».

Отличительные особенности	Мера воздействия	Комментарии
«Струившиеся по ее плечам локоны были чернее ночи, оттеняя сияющий блеск ее изящной фигуры». Может превращаться в змею.	Убийство — но осталась память.	Возвращенная к жизни с помощью колдовства, Брюнхильда представляет собой первый пример в прозе «вампира как сексуальной аллегории».
Ледяной на ощупь.	Нет.	Повлиял на самоубийство возлюбленного Софи. Политическая аллегория в форме народной сказки.
Голубые глаза, «улыбаются окровавленные губы, словно у спящего человека, мучимого нечистой страстью».	Нет.	Также политическая аллегория в форме народной сказки. «Проклятый венецианец» убит за сожжение собственности гайдуков и «развращение» местной девушки, но возвращается, чтобы отомстить иллирийцам. Байронические нотки.
«Ангельское лицо» с длинными черными волосами и «диким и невозмутимым взглядом»; воздерживается от еды; после того, как была застрелена и упала в Рейн, оживает в лучах полной луны.	Либо поджечь, либо «вбить кол»; разъяренные жители деревни замуровывают ее в пустой гроб и протыкают колом живот.	Эксперимент по воскрешению «наделяет ее природой вампира». Эта ужасная «история о графе-скелете и его любовнице-вампирше» объединяет Франкенштейна с Вампиром, как это уже происходило в двойном прокате на сцене. Тетя Элизабет Грей действительно появилась в «Невесте с островов». Тетя Элизабет Грей появлялась в «Невесте с островов».

Дата/Вампир	Источник	Предпочтения
1833 *Береника, женщина-аристократка «с родовым поместьем в Арнгейме».	Эдгар Аллан По. «Береника».	Эгей, ее двоюродный брат.
1835 * Без имени: дочь сотника из сельской местности под Киевом.	Николай Гоголь. «Вий».	Мужчины, особенно философ Хома Брут.
1836 *Кларимонда, женщина, королевская куртизанка, приход недалеко от дворца Кончини (недалеко от Венеции).	Теофиль Готье. «Любовь мертвой красавицы».	Ее любовники и особенно Ромуальд, «простой» сельский священник.
Начало 1840-х *Горча и Зденка, крестьянин и крестьянка, деревня в Молдавии.	Алексей Константинович Толстой. «Семья вурдалака».	Родственники — мужчины, женщины и дети.

Отличительные особенности	Мера воздействия	Комментарии
Когда-то «беззаботно порхающая по жизни», она становится истощенной из-за болезни: «глаза были неживые, погасшие и, казалось, без зрачков… истончившиеся, увядшие губы».	Удалить зубы, чтобы избавить от одержимости.	Характерные для Эдгара По темы преждевременных похорон, чувства вины из-за смерти любовницы и инцеста здесь переплетаются с навязчивой идеей вампиризма.
Появляется в образе ведьмы на призрачном коне; превращается в красавицу, у которой были «ресницы, упавшие стрелами на щеки, пылавшие жаром тайных желаний».	Экзорцизм временно держит ее в страхе.	Обладает властью над нечистой силой, но сама находится под контролем Вия, повелителя подземных духов. В подсюжете рассказывается о собаке, которая превращается в красивую девушку, похищающую младенцев и превращающую их в вампиров. Народная сказка с тонким политическим подтекстом.
«Красота, превосходящая божественный портрет мадонны». «Глаза цвета морской волны и великолепные жемчужные зубы».	Святая вода.	Способность вытеснять из сознания в состоянии сна. Впервые появившись во время посвящения в сан «простого» священника, она постепенно раскрывает ту сторону его личности, которая напоминает «распутного, надменного молодого лорда».
Горча: «восковые черты лица», прижатого к окну; «трупный вид». Зденка: наивная и невинная, становится дерзкой и распутной.	Вонзание кольев; топтание лошадиными копытами.	В это время Толстой написал еще несколько фольклорных рассказов о сверхъестественном, в том числе «Вампир» («Упырь»), действие которого происходит в московском «обществе того времени». Роман между герцогиней де Грамон и распутником д'Юрфе (о котором упоминают в «Семье») стал сюжетом другой фантастической повести «Встреча через триста лет".

Дата/Вампир	Источник	Предпочтения
1844 (переведено в 1854). *Граф Аццо фон Клатка, аристократ, Карпатские горы.	Карл фон Вахсман. «Таинственный незнакомец».	Женщины, особенно Франциска фон Фаненберг, «ослепительная красавица».
1845-1847 *Сэр Фрэнсис Варни: английский лорд, Рэтфорд-Холл (Йоркшир), Лондон и Италия.	Джеймс Малкольм Раймер. «Вампир Варни».	Невинные молодые девушки.
1848-1851 (переведено в 1910) Костаки: мужчина-аристократ («привыкший командовать»), Карпатские горы, Молдавия.	Александр Дюма. «Бледнолицая леди».	Женщины, особенно невеста его брата, Ядвига.

Отличительные особенности	Мера воздействия	Комментарии
«Это был мужчина лет сорока, высокий и чрезвычайно худой… В холодных серых глазах читались презрение и сарказм, взгляд которых, однако, временами был таким пронзительным, что никто не мог долго его выдерживать».	Вбить три длинных железных гвоздя в крышку его гроба (с графом внутри). После укуса жертва должна промыть свою рану кровью вампира.	Обстановка и поведение графа намекают на то, что это прямой (хотя и довольно «невинный») предшественник «Дракулы». Аццо даже обладал властью управлять волками.
«Высокая, изможденная фигура» с мертвенно-бледными чертами лица, часто скребет ногтями по оконному стеклу.	Повешение, расстрел, утопление и вонзание кола не помогли, поэтому викарий предлагает: «А вы не пробовали молиться?» В конце концов Варни покончил с собой, прыгнув в Везувий.	Возрожден лунным светом (наследие Мэри Шелли о гальванизме). Приступы жажды крови возникают внезапно (сам Варни удивляется, когда обнаруживает свой недуг). Ближе к концу он становится все более похожим на животное и больше не подавляет свое желание. Когда домовладелец спрашивает, чего бы ему хотелось утром, он отвечает: «Крови».
«Бледный как смерть; его длинные черные волосы, рассыпавшиеся по плечам, были мокрыми от крови … Только его глаза, эти страшные глаза, были живыми!»	Защита: освященная веточка самшита, смоченная святой водой. После укуса жертва должна втереть в рану плесень, пропитанную кровью вампира. Уничтожение: освященный меч, используемый в качестве кола.	Подробности молдавской жизни придали приключенческому рассказу колорит (в стиле «Корсиканских братьев»). Вампир, как и следовало ожидать, связан с проклятием: «Род Бранкован уже проклят, потому что Бранкован убил священника».

Дата/Вампир	Источник	Предпочтения
1853 Этериал Софтдаун, дочь сапожника, Новая Англия и Нью-Йорк.	Чарльз Уилкинс Уэббер «Духовный вампиризм».	Энергичные мужчины, особенно мужья.
1857 *«Женщина с пунцовыми губами», француженка.	Шарль Бодлер. «Превращения вампира».	Поэт, который высоко ценит этот опыт.

Отличительные особенности	Мера воздействия	Комментарии
«Похожая на дурочку особа с голодным взглядом, который заставлял людей съеживаться».	Побеждена более могущественной личностью, Хьюмилити (Скелетом) Стаутом, фанатичным пуританином, желающим править миром «силой ханжества».	С диссертацией о месмеризме в качестве вступления, этот странный роман (первый, в котором рассказывается о «психологической губке») содержит много сатиры на различные религиозные секты того периода. «Вампиризм, — говорится в заключении, — это, несомненно, заболевание нервной системы». Чтобы доказать это, Этериал высасывает жизненную силу из всех, кто ее окружает, посредством «каннибализма души». «А что будет с жертвой, если она доведет его до идиотизма?» — добавляет Уэббер. «Так ему и надо!»
«Ее вздымалась грудь, в плену одежд шелковых, И, корчась как змея на медленном огне...»	Превращается из прекрасного вампира в «труп омерзительный, сочивший липкий гной», в «скелет, разбитый и скрипящий».	Архетипическое воплощение роковой женщины (из «Цветов зла"), чей укус повергает поэта в экстаз агонии: «Когда весь мозг костей моих уж иссосала /Она, и повернул я к ней свой взор усталый, / Чтоб страстный поцелуй вернуть...»

Дата/Вампир	Источник	Предпочтения
1859 * «Нечто»: (мужчина?), Нью-Йорк.	Фитц Джеймс О'Брайен. «Что это было?».	Те, кто спит в определенной комнате, особенно мужчины.
1865 Елизавета (или Эржебет) Батори, аристократка (кровный родственник членов королевской семьи), предгорья Карпат; низменности Венгрии.	Преподобный Сабин Бэринг-Гулд. «Книга оборотней».	650 юных девственниц (в основном крестьянки).

Отличительные особенности	Мера воздействия	Комментарии
«У него был рот; круглая, гладкая голова без волос; нос, немного возвышающийся над щеками; а руки и ноги походили на руки и ноги мальчика».	Морить голодом по крови.	Короткий рассказ, сюжет которого перекликается с картиной Фюссли «Ночной кошмар» (и книжными иллюстрациями Тони Йоханнота на ту же тему, написанными в 1820-х годах). Временами очень напоминает Эдгара По, но в реалистичной «домашней» обстановке (богемный мир нью-йоркских писателей). Как и Ле Фаню и Стокер, О'Брайен был ирландцем. В отличие от них, он был католиком.
«Однажды камеристка указала на какой-то недостаток в ее головном уборе и в качестве награды за внимательность получила такую оплеуху, что у нее из носа хлынула кровь и обрызгала лицо госпоже. Когда с лица госпожи была смыта кровь, оказалось, что кожа стала белее и прозрачнее в тех местах, куда попала кровь».	Соучастников Елизаветы казнили, а сама она была приговорена к пожизненному заключению.	«Данный случай демонстрирует, по какому пустяковому поводу жажда крови может возникнуть и превзойти все мыслимые пределы..» С помощью «двух старух» кровавая графиня получает садистское удовольствие, мучая юных девственниц и купаясь в крови: «Она, словно дикий зверь, укусила девушку, подошедшую слишком близко к постели». Первый полный отчет о деятельности Батори был опубликован (на латыни) в 1729 году. Книга Бэринга-Гулда была первым крупным изложением на английском языке — но не слишком добросовестным.

Дата/Вампир	Источник	Предпочтения
1865 *Мария Стюарт: королева Шотландии.	Алджернон Чарльз Суинберн. «Шателяр».	Самые близкие ей мужчины — среди них Дарнли и Шателяр.
1867 Тереза Биффи, дочь фермера, которая возвращается как «леди Тереза».	Уильям Гилберт. «Последние владетели Гардонеля».	Барон Конрад, феодал Энгадина, который приказал сжечь ее семью — и случайно ее саму — заживо.

Отличительные особенности	Мера воздействия	Комментарии
«Несмотря на все деяния Христа, эта Венера не подавлена, / Красен ее рот от крови людей, / Высосанной сквозь мелкие зубы из вен…»	История позаботилась об этом конкретном воплощении.	Мария не может плакать, но наслаждается зрелищем страданий. Шателяр ничего так не жаждет, как стать ее жертвой и внести свой вклад в ее красоту: «Его сердце пьянеет, когда он думает, что ее сладкие губы и жизнь будут пахнуть его пролитой кровью». Суинберн в то время читал произведения де Сада, хотя это подействовало лишь как катализатор. В «Жюльетте» и особенно в «Жюстине» де Сад исследовал связь между кровью и сексуальностью (добавив кровь к своему и без того обширному списку афродизиаков и стимуляторов для мужчин).
«Отвратительное лицо трупа, который некоторое время пролежал в могиле»; «она зажала липкой рукой рот своей жертвы и со всей силы швырнула его на пол».	Когда она отомстила, «после этого о ней никто ничего не слышал».	Место действия — Швейцария и Северная Италия во времена Реформации, когда местные крестьяне кажутся глубоко сбитыми с толку, — необычно. Автор был отцом У. Ш. Гилберта.

Дата/Вампир	Источник	Предпочтения
1870 Байтал, вампир, вурдалак или злой дух, оживляющий трупы; мужчина (?), Бенарес, Индия.	Ричард Бёртон. «Викрам и вампир» (датируется началом христианской эры).	Любит сбивать с толку раджу Викрама.

Отличительные особенности	Мера воздействия	Комментарии
Его широко открытые глаза были зеленовато-карими и никогда не моргали; волосы были каштановыми, а лицо смуглым. Тело было худым и с торчащими ребрами, как у скелета; крови в нем, казалось, и вовсе не было».	Разгадать одну из загадок Байтала.	Хроника различных попыток раджи Викрама и его сына привести разговорчивого Байтала (существо, похожее на летучую мышь, которое любит висеть вверх ногами на дереве) к джоги (волшебнику), который находится на расстоянии в четыре мили. Различные приключения из этого сборника (в которых Байтал пытается, в целом успешно, отвлечь раджу) имеют мало отношения к вампиризму, несмотря на название (даже Байтал, скорее, напоминает гигантскую фруктовую летучую мышь). Но есть упоминания об индуистских преданных, «находящихся в состоянии гипнотической каталепсии». Сам Бёртон позже утверждал, что Викрам стал главным стимулом к созданию литературы о вампирах.

Дата/Вампир	Источник	Предпочтения
1872 *Кармилла Карнштейн (также «Милларка» и «Миркалла»), аристократка «из очень древнего и благородного рода», Штирия.	Шеридан Ле Фаню. «Кармилла».	Чувствительные молодые девушки, в особенности рассказчица.
1872 *Фанни Кэмпбелл, «английская роза», подозреваемая.	Элиза Линн Линтон. «Судьба мадам Кабанель».	Племянник экономки Адольф, который в действительности умирает от чумы.

Отличительные особенности	Мера воздействия	Комментарии
«Очень томная — чересчур томная, подчас даже вялая, хоть с виду вовсе не больная. Румяным и свежим было ее точеное личико, большие темные глаза сверкали; а когда она распускала по плечам свои длинные густые волосы, мягкие и шелковистые, темно-каштановые с золотистым отливом, я, бывало, взвешивала их на руке и смеялась от изумления».	Вонзание кола, обезглавливание и сожжение останков.	Шедевр Ле Фаню посвящен странным и очень красивым лесбийским отношениям между Кармиллой и рассказчицей; сверхъестественные элементы играют второстепенную роль. Хотя Кармилла осознаёт, что эти отношения разрушительны (в конечном счете они разрушат и ее саму), она проявляет сочувствие к своей жертве: «не думай, что я жестокая оттого, что повинуюсь непреложным законам силы моей и слабости… Изнемогая от страстного самоунижения, я погружаюсь в твою теплую жизнь, и ты умрешь, так сладостно умрешь, слившись со мною. Что будет, то будет… »
«Округлые формы, высокий рост и свежий цвет лица англичанки», в отличие от «смуглых, плохо питающихся» жителей бретонской деревни.	Отвели в «старый овраг» за деревней и воткнули кол в ее тело.	Интересное исследование насилия толпы и мелочной ревности, действие которого происходит на севере Франции. «Вампирские» черты проецируются на невинную иностранку, чтобы «объяснить» ее поведение.

Дата/Вампир	Источник	Предпочтения
1887 *Орля («посетитель»): встречен в «доме предков» на берегу Сены, недалеко от Руана.	Ги де Мопассан. «Орля».	Убеждает рассказчика (мужчину) в том, что «мой разум стал рабом какого-то другого существа».
1887 Кровопийца Веспертилия, похоронена в склепе со времен Римской империи.	Энн Кроуфорд. «Таинственное происшествие в Кампанье».	Впечатлительные молодые люди, остановившиеся в Винья Марциали.

Отличительные особенности	Мера воздействия	Комментарии
При первом появлении невидимого Орли «становится коленями мне на грудь... пьет мою жизнь из моих губ».	Одержимый рассказчик ставит железные ставни на окна и железную дверь, затем решает избавиться от «нового хозяина человека» и поджигает дом (по ужасной ошибке, вместе со слугами). После того, как поджог терпит неудачу, «мне ничего не остается, кроме как покончить с собой».	Странное сочетание «Что это было?» О'Брайена и «Записок сумасшедшего» Гоголя, в этом рассказе говорится о «том ужасном бессилии, которое парализует нас во сне». Подсюжеты рассказывают о сеансе гипноза и посещении спектакля по пьесе Александра Дюма во Французском театре (чтобы отвлечь рассказчика от неприятных мыслей — хорошая шутка). Ошибка рассказчика заключается в том, что он путает то, что происходит внутри его сознания, с тем, что происходит вне его.
Живет в саркофаге, завернутая в саван, «ее алые губы, кажется, становятся еще краснее», а «в голубых венах этой божественной и совершенной груди течет живая кровь».	Заостренный кол, сделанный из рукоятки садовой кирки.	Вампир становится метафорой творческого процесса — молодая жертва пытается сочинить оперу, а рассказчик — закончить картину. Автор приходилась сестрой Ф. Мэрион Кроуфорд.

Дата/Вампир	Источник	Предпочтения
1887 Этелинда Фионгуала, «белоплечая» 300-летняя невеста-вампир, обитающая на кладбище в графстве Корк.	Джулиан Готорн. «Могила Этелинды Фионгуала».	Обладатели «волшебного кольца Керна» с ярким воображением, как, например, легко поддающийся внушению художник Керрингейл.
1890 Ариадна Бруннелл, чьи ночные посещения спальни вызывают сексуальные мечты о полете, «ее длинные волосы окутывают нас обоих, как черное облако», заставляет испытывать «смутное удовольствие» и эротическую истому.	Хьюм Нисбет. «Девушка-вампир».	Юные романтики, посещающие уединенный каменный коттедж на вересковой пустоши на побережье Уэстморленда. Овдовевшая мать вампирши, хозяйка дома, подготавливает наркотическое снотворное для облегчения процесса.

Отличительные особенности	Мера воздействия	Комментарии
«...в ее облике и манере держаться было что-то знакомое среди непривычности, как смысл песни, услышанной давным-давно», она носит украшенное драгоценностями свадебное платье, издевательски смеется и позволяет своим жертвам склонять головы на ее белые плечи.	Не проходить ночью мимо дома Керн из Кверина, не петь и не наигрывать традиционную мелодию под решетчатыми окнами и, главное, не целовать ее холодные губы. Ибо, если вы это сделаете, она проживет еще 100 лет. Избегайте сельских кладбищ на Хеллоуин.	История из ирландского фольклора, рассказанная сыном Натаниэля Готорна — в то время знакомого с Оскаром Уайльдом. Хотя несколько авторов о вампирах были ирландцами, место действия рассказа «Недалеко от Баллимачина») необычно. Ирландско-американская атмосфера. Вампиризм, как говорят, является малоизвестной, но «заметной среди бед Ирландии».
«...ее волосы и глаза казались слишком черными на фоне удивительно белой кожи, а алость ее губ была бы уместна разве что в декадентских гармониях Обри Бёрдслея».	Сбежать из коттеджа, пока не стало слишком поздно, после пробуждения, когда «охваченная жаждой, вампирша укусила меня чуть сильнее, чем прежде», прервав мрачный кошмар с «мертвыми телами юношей, лежавших в ряду на полу».	Ариадна кусает руку, а не шею; во снах она предстает как «чудовищная летучая мышь»; создает у жертвы впечатление, что «она моя», хотя на самом деле «я принадлежу ей». Она не очень хороший собеседник...

Дата/Вампир	Источник	Предпочтения
1891 Жиль де Рэ, аристократ мужского пола («самый богатый барон Франции»), замки Тиффож и Машкуль, Франция.	Жорис-Карл Гюисманс. «Без дна».	Более 150 детей.
1893 *Кэтрин Ларю (урожденная Фрейзер), состоятельная светская дама из долины Напа, недалеко от Сан-Франциско.	Амброз Бирс. «Смерть Альпина Фрейзера».	Ее сын, Альпин Фрейзер.

Отличительные особенности	Мера воздействия	Комментарии
«Крепкий, активный мужчина поразительной красоты и редкой элегантности». Историк и главный герой Дюрталь живет «в совершенном согласии и озорной дружелюбности» с объектом своего исследования.	Казнен «в состоянии благодати».	Гюисманс не принимал современность (как в социальном, так и литературном планах), и отсюда вытекает его влечение к «душе Средневековья в ее великолепии». «Вы отказываетесь от вечного треугольника и других устаревших сюжетов современных романистов, — говорят историку, — чтобы написать историю Жиля де Рэ». Дюрталь (то есть Гюисманс) принимает раскаяние Жиля (под руководством католической Церкви) за искреннее. Преступления Жиля описаны с почти чувственным восхищением деталями. Во время своих исследований Дюрталь заводит разрушительный роман с Гиацинтой Шантелув, холодной, властной дамой (и практикующей сатанисткой), которая может возбудиться только тогда, «когда постель усыпана фрагментами благословенного тела Христова».
Обиженная мать-собственница, уничтожает мечтательного Халпина, приняв облик «существа его мечты».	Ничего не осталось от «низкого, осторожного, бездушного смеха». Но, похоже, ее единственная цель — полное обладание сыном — достигнута.	Кэтрин Фрейзер убита своим вторым мужем. Муж (Бранском) навещает ее ночью на старом кладбище. Возможно, мертвая женщина ошибается в выборе жертвы; более вероятно, фантазия Альпина о навязчивой матери (которая уничтожает его) являет собой вампирский вариант Эдипова комплекса. Очень напоминает По.

Дата/Вампир	Источник	Предпочтения
1893 *Исаак Лебеденко, весьма обеспеченный мужчина (который перевоплощается в женщину-вампира), Константинополь и Карпатские горы, Молдавия.	«Х.Л.» (Джулиан Осгуд Филд). «Поцелуй Иуды».	На тех, кто нанес глубокую обиду (в этой жизни), в отместку нападает некое воплощение «Детей Иуды». Жертвой конкретно этого воплощения является полковник «Хиппи» Роуэн, добродушный светский англичанин.
1894 Граф Вардалек, венгерский аристократ из Штирии («истории о вампирах обычно происходят здесь; моя — не исключение»).	Эрик Стенбок. «Правдивая история вампира».	Молодые люди, похожие на газелей.
1895 Прекрасная девушка в малиновом одеянии, изодранном по краям, которая работает за ткацким станком из слоновой кости во дворце, охраняемом «собаками и свиньями с человеческими конечностями», — там она ткет нити человеческих жизней, а затем надевает их.	Р. Мюррей Гилкрист. «Алая пряха».	Зрелые мужчины в поисках романтики, у которых есть воспоминания о любви, которые она может разжечь вновь.

Отличительные особенности	Мера воздействия	Комментарии
«У него глаза сумасшедшего, и, очевидно, с его лицом случилось что-то ужасное». «Его необычайно свирепые глаза сверкали из-под красных век, а украшенная бриллиантами рука, похожая на клешню, судорожно вцепилась в грязный белый шарф». Затем он воскресает (после самоубийства) как «странная дама с лицом Мадонны» («с сияющими фиалковыми глазами»). Поцелуй Иуды может быть поцелуем бешенства, холеры или влечения. В данном случае это влечение.	Пули бесполезны — она исчезает (лишь двое мужчин ее видели). Но ее/его единственная цель достигнута.	Странное сочетание «клубных» приключений, увлечения роковой женщиной в экзотической обстановке (Бёрдслея проиллюстрировал оригинальную версию в Pall Mall Magazine) и истории о вампирах в новом (и изобретательном) ключе. «Клубного героя» (что нехарактерно) критикуют за его поведение через историю о вампирах. Джулиан Осгуд Филд, похоже, имел некоторый контакт с политическим «миром» лондонского общества. Один из немногих по-настоящему творческих примеров популярного жанра 1890-х годов.
«Он был высоким мужчиной, с красивыми вьющимися волосами, обрамлявшими его женственно округлое лицо и ниспадавшими на плечи. В фигуре чувствовалось нечто змеиное».	Нет, «он навсегда исчезает».	Рассказчица этой истории — пожилая полька, которая в память о своем давно умершем брате (вегетарианце и жертве вампира), открывает приют для бродячих кошек и собак в Вестбернском парке.
Мертвенно-белая кожа, губы, «искаженные болью», походка павлина, лапы и когти большого стервятника — все это скрыто под ее великолепным одеянием.	Как-то устоять перед ее чарами; поцеловав однажды, она уже никогда не уйдет.	Написан для «Желтой книги» в блестящем стиле неосредневековья и кельтского возрождения «старинных романов», представляет собой любопытную смесь Джона Рескина и Оскара Уайльда, переносит вампира в царство эстетизма.

Дата/Вампир	Источник	Предпочтения
1896 Леди Аделина Дакейн, пожилая аристократка, зимующая в Кап-Феррино, Италия.	Мэри Элизабет Брэддон. «Добрая леди Дакейн».	Белла Ролстон, ее компаньонка, «молодая девушка, здоровье которой не причинит никаких хлопот».
1897 *Граф Дракула, аристократ (из правящей военной династии), Карпатские горы; Йоркшир; Лондон.	Брэм Стокер. «Дракула».	Женщины — особенно чопорные английские леди. (Жертвы женского пола, в свою очередь, становятся вампирами.)

Отличительные особенности	Мера воздействия	Комментарии
«Крошечная ветхая фигурка», «скрюченные, как птичьи когти, пальцы», «морщинистое личико». Она пользуется услугами некоего доктора Паравичини, чтобы получать столь необходимую ей молодую кровь, поскольку она «родилась в тот день, когда обезглавили Людовика XVI».	Осознать, что раны на руке жертвы на самом деле являются не комариными укусами, и убраться восвояси.	Вампирская метка наносится шприцем, используемым для введения пациенту хлороформа; история о переливании крови, рассказанная другом Стокеров.
Смотрите описание ниже в этой книге. «Сильнее всего поражала необыкновенная бледность лица».	Распятия, чеснок, тело Христово и орудие современной науки (например, переливание крови) — все это помогает в «поисках», но Дракула погибает (несмотря на все последующие экранизации) от гуркхского ножа Харкера (в горле) и охотничьего ножа (вонзенного в сердце, как кол). Дракула рассыпается в прах.	Синтез трех основных вампирских направлений: байронического лорда, роковой женщины и фольклорного вампира. Брэм Стокер никогда не писал ничего подобного; должно быть, его мечта была совершенно особенной…

Дата/Вампир	Источник	Предпочтения
1898 Ожившая леди Присцилла Марвин, которая при жизни убила злого сэра Руперта.	Г. Б. Мэрриот Уотсон. «Каменный склеп».	Те, кто осмелится спать в каменном склепе в Марвинском аббатстве, Аттерборн, Девоншир с его «грубыми старинными фресками», с помощью подземного туннеля соединенного с фамильным склепом. Среди них — богатый молодой человек Уоррингтон, рассказчик Нед Хейвуд и очаровательная Мэрион Босанкет.
1899 Испанская роковая женщина, Аннетт, с тонкими губами, выступающим подбородком и манящими глазами, которые блестят, как у индийской кобры; очаровательные манеры.	Дик Донован. «Женщина с манящими глазами».	Джек Редкар, хороший, честный инженер и «потрясающий малый».
1899 Три «огромных черных» и изнывающих от жажды летучих мыши-вампира.	Сидни Бертрам. «С вампирами».	Чарльз Грант, безудержный исследователь.

Отличительные особенности	Мера воздействия	Комментарии
При пробуждении превращается в «омерзительное существо», летучую мышь с «отвратительной мордой, глядящую на нас черными узкими глазками». После укуса жертва постепенно меняется как личность — становится угрюмой, неуравновешенной и ведет себя «непристойно».	Не спать в каменном склепе, поджечь фамильный склеп Марвинов.	Эта история, написанная, очевидно, по мотивам «Дракулы», интересна тем, что жертва хочет восстановить разрушенное аббатство — в качестве объекта недвижимости — и рассматривает склеп как часть «старого мира». Все улики указывают на то, что вампиром был сэр Руперт Марвин — «зачинщик ужасного преступления» — вплоть до финальной сцены.
Посещает курортные города Германии и деревню Потес в Астурийских Пиренеях; наслаждается разрушением счастливых традиционных браков.	«Нарвалась на острый утес» во время каменного оползня.	По-видимому, основан на «традиции, распространенной в Пиренеях», хотя также упоминается «Викрам и вампир» сэра Ричарда Бёртона. История начинается в 1857 году, в год «Индийского мятежа».
Они живут в пещере недалеко от Амазонки, в неделе езды от Гватевары; их «острые резцы» ранят левую ногу Гранта, а тела «прожорливых паразитов» раздуваются, когда они наедаются.	Спасение двумя попутчиками: три летучие мыши стали слишком тяжелы, чтобы лететь, но они «плывут в глубины тьмы».	Необычный рассказ, действие которого разворачивается в мире реальных летучих мышей-вампиров, вдали от европейских графов и графинь.

Дата/Вампир	Источник	Предпочтения
1900 Графиня Сара, последняя из Кеньонов, английская аристократка с запада страны	Ф. Дж. Лоринг. «Гробница Сары».	Любой, кто нарушит ее покой.
1900 «Молодая женщина неопределенного возраста» на холсте, заключенном в старую раму.	Хьюм Нисбет. «Старинный портрет».	Нетерпеливый реставратор, который захотел узнать, что скрывалось под написанной поверх другой картиной.
1902 *Луэлла Миллер, «хрупкое, податливое создание», бывшая школьница с вьющимися золотыми волосами и розовой кожей, «похожей на цветок», которая убеждает других делать за нее всю домашнюю работу и истощает их жизненные силы в деревне Новой Англии в середине XIX века.	Мэри Э. Уилкинс-Фримен. «Луэлла Миллер».	Ее помощники (обоих полов) — два ассистента преподавателя, ее муж и невестка, ее тетя, врач и двое соседей: все, кто попадается на ее пути. Она уничтожает их всех.

Отличительные особенности	Мера воздействия	Комментарии
«Она все еще выглядела худой и изможденной, ее лицо было смертельно бледным, а ярко-красные губы походили на ужасную щель между бледными щеками. В сумраке церкви глаза графини светились, как два раскаленных угля».	Магический круг держит ее на расстоянии, равно как чеснок и розы. Кол завершает начатое.	Место действия и атмосфера этого рассказа напоминают мир М. Р. Джеймса. Сам Джеймс позже написал историю о вампирах (менее «локальную», чем эта, но тоже с атмосферой учености и страсти к древностям) — «Граф Магнус» (1905).
«Решительное лицо с… бескровными губами и глазами, напоминавшими темные впадины без малейших проблесков света…» в рамке, сделанной из «змееподобных червей, извивавшихся среди могильных костей».	Выбросить образ из головы, разрезать холст и бросить его в газовый камин.	Сочетание «Овального портрета» Эдгара По и «Портрета Дориана Грея» Уайльда с эпизодом «поцелуев» из «Дракулы».
Луэлла, «казалось, заставляла трепетать сердце» своими манерами «куколки», персиково-кремовой внешностью и неспособностью сделать что-либо практичное. Она — зло, или она «как ребенок с ножницами в руках, режущий всех подряд, не ведающий, что творит»?	Противостоять ее лени, не обращать внимания на ее расчетливую истерику, пытаться отговорить людей с благими намерениями поддерживать ее.	Рассказана Лидией Андерсон, «далеко за восемьдесят», которая сохранила эту историю, но, возможно, является ненадежным рассказчиком. Эта выдающаяся история в стиле Генри Джеймса также связывает вампиризм со «страхом перед предками» и с «временами колдовства» среди сельских жителей.

Дата/Вампир	Источник	Предпочтения
1903 Гламр, гигантский оживший исландский пастух, переработка скандинавской саги о Греттире.	Фрэнк Норрис. «Греттир в Торхолл-Стед».	Сначала овцы и лошади, затем другой пастух Торгаут и, наконец, Торхолл со своей семьей на их ферме в Долине Теней.
1905 (первый рассказ, вдохновленный «Дракулой») Кристина, цыганка, убита сицилийскими грабителями в заливе Поликастро, на западном побережье Калабрии, Италия.	Ф. Марион Кроуфорд. «Ибо кровь есть жизнь».	Анджело, единственный сын и наследник местного скряги Аларио, который умер от лихорадки и был ограблен.

Отличительные особенности	Мера воздействия	Комментарии
При жизни Гламр — неверующий, угрюмый, задиристый человек; после смерти — в рождественскую ночь — его тело становится крупнее, конечности удлиняются. Он возвращается «в образе монстра»: «зрачки его глаз были белыми, волосы спутанными и густыми». Обладает сверхчеловеческой силой, но слеп.	Герой Греттир вступает с ним в схватку, попутно громит семейный дом и отрубает ему руку мечом, затем сжигает его тело и хоронит в овечьем загоне. Но вампир Гламр проклинает его, а проклятия имеют обыкновение сбываться.	Написанная в искусственно архаичном стиле саги, эта история повествует о фольклорном вампире на фоне унылого, бесплодного ландшафта. «Во всей Исландии никогда не было такой битвы, как эта». Гламр, строго говоря, «пришелец с того света», а не вампир, и предпочитает ломать хребты, а не пить кровь.
Бродит по собственной могиле на склоне холма, где зарыто сокровище, и хватается за прохожих «взглядом неистового и неутоленного физического голода, которым горели ее глаза».	Проследили до ее могилы и вонзили «острый кол, выточенный из старой плотной древесины», в это время священник громко читал молитвы и выкрикивал заклинания, чтобы заглушить «пронзительный женский крик, потусторонний крик женщины, которая не была ни живой, ни мертвой, но погребенной много дней назад».	Написано — очень хорошо — знатоком санскрита, вероятно, в Сорренто, и опубликовано посмертно. Название отсылает как к Святому Причастию, так и к истории о Ренфилде в «Дракуле».

Дата/Вампир	Источник	Предпочтения
1907 *Реджинальд Кларк, успешный писатель, Нью-Йорк.	Джордж Сильвестр Вирек. «Дом вампира».	Артистичная молодежь, у которой есть талант и идеи, особенно Эрнест Филдинг.
1912 Ожившая миссис Джулия Стоун, которая покончила с собой в комнате, где висит ее дьявольский автопортрет в натуральную величину, и вернувшаяся в своих погребальных одеждах, чтобы нападать на посетителей.	Э. Ф. Бенсон. «Комната в башне».	Рассказчик, который в течение пятнадцати лет видит повторяющийся кошмарный сон о том, как ему предлагают комнату на ночь в старой башне рядом с тихим темным домом. Кошмар становится явью недалеко от Эшдаунского леса в Восточном Сассексе.

Отличительные особенности	Мера воздействия	Комментарии
«Едва заметная седина в темной шевелюре лишь придавала благородства его внешности… Не требовалось особого воображения, чтобы представить его в образе римского кардинала времен Борджиа».	Филдинг пытается разбить стул о голову Кларка, но сталкивается лицом к лицу с существом, которое было «одним лишь мозгом». Это существо поглощает его, и в итоге он становится «полным идиотом».	Кларк — «похититель разума». Он утверждает, что на самом деле не крадет разум; а впитывает его. Всякий раз, когда Филдингу приходит в голову оригинальная идея, «чья-то грубая рука разрывает паутину моих мыслей». В конце концов Кларк предстает перед Филдингом огромной мозговой губкой. Хотя это и не история XIX века, в этом необычном произведении много сатиры на 1890-е: в Кларке явно угадывается Оскар Уайльд; в Филдинге — Бози. Вирек, очевидно, был очень огорчен поведением Уайльда и тем влиянием, которое он оказывал на других.
От нее «пахнет трупным разложением», ее автопортрет истекает кровью, когда его перемещают, он всегда возвращается в комнату; персидскую кошку привлекает ее могила, в то время как ирландский терьер приходит от нее в ужас. Миссис Стоун ждала пятнадцать лет…	«Тяжелое дыхание коснулось моей шеи, и страх, парализовавший меня, уступил место инстинкту самосохранения», затем рассказчик устремляется к двери и захлопывает ее за собой. Вампир перезахоронен.	Сны рассказчика обычно не были «загадочными и не имели отношения к области психологии». Это был расцвет психических исследований.

Дата/Вампир	Источник	Предпочтения
1913 Кровопийца: дочь Главы Старейшин Китая.	Жорж Сулье (перев.) «Странные истории из ложи досуга» (китайские народные сказки середины XVIII века).	Те, кто нарушает ее покой, в данном случае группа путешествующих торговцев.

Отличительные особенности	Мера воздействия	Комментарии
Торговец Ванг Фу («Счастье королей») просыпается и видит «глаза, из которых сверкало красное пламя, и острые зубы, наполовину обнаженные в свирепой улыбке, которые поочередно смыкались и размыкались на горле спящего» (второго торговца).	После погони за своей жертвой молодую женщину находят обернутой вокруг огромного каштана, «ее ногти зарыты в землю» в коре: изо рта у нее текла струйка крови, запачкавшая ее белый шелковый жакет». Ее жертва (Ванг Фу) лежит на земле. Она снова превратилась в труп.	Кровопийца — девушка, которая умерла шесть месяцев назад, ее гроб был помещен в сарай в ожидании погребения в благоприятный день, который определят астрологи. Торговцы проводят ночь в этом сарае. Рассказчик заключает: «Труп молодой женщины, очевидно, не утратил своей низшей души, жизненного дыхания. Как и все существа, лишенные совести и разума, ее свирепость жаждала крови». Низшая душа отказалась покидать тело и, не имея высшей души, способной контролировать ее, вынудила тело охотиться на живых. В отличие от своего европейского аналога, китайский вампир не заставляет своих жертв становиться вампирами по очереди. Незадолго до публикации сборника Сулье Ян де Гроот включил несколько китайских историй о вампирах в свою «Религиозную систему Китая» (том V, 1907). Пьющий кровь Сулье представляет собой увлекательный фольклорный вариант (в аристократической обстановке), который появился сразу после европейских «эпидемий» и берет свое начало в провинции Чантунг.

Конечно, в XIX веке и на рубеже XX века существовало множество других вариаций на тему вампиров, включая разнообразные вампирские растения (такие, как «Человекоядное Дерево в Нубийском лесу» Фила Робинсона, 1881 г., и «Странная орхидея» Г. Уэллса, 1895 г.), психические приемы (например, «Паразит» Артура Конан Дойля, 1891 г., и «Луэлла Миллер» Мэри Э. Уилкинс-Фримен, 1903 г.), вампирские дома и портреты (такие, как в «Желаниях мужчин» Л. Т. Мида, 1899 г.), злые ученые, выдающие себя за вампиров, чтобы отпугивать крестьян (например, в «Карпатском замке» Жюля Верна, 1892) и даже «крылатый кенгуру с шеей питона» («Последний из вампиров» Фила Робинсона, 1893 г.). Важно отметить, что большинство этих странных вариаций датируются 1890-ми годами, когда жанру приходилось либо саморазрушаться, либо повторяться. И моя схема «Вампирская мозаика» не включает детальные ссылки на «Пентесилею» Генриха фон Клейста (1808), где дикая царица амазонок вгрызается в живую плоть своей жертвы и любовника Ахилла, или на странное пиротехническое шоу вампирских образов в Песне первой из «Песен Мальдорора» Лотреамона (1868-й), или на изысканную повесть Ивана Тургенева о вампире Эллис, которая путешествует с рассказчиком по небу и в конечном итоге исчезает в лучах солнца после встречи со смертоносным змееподобным существом («тем более ужасным, что оно не имело формы») — «Призраки», также 1868-й — в основном потому, что эти три произведения не поддаются категоризации. Также не рассматривается вампирское значение «Сказания о старом мореходе» Кольриджа, сборщика пиявок Вордсворта, «Призрака блохи» Блейка, «Манфреда» Байрона, «Ченчи» Шелли, «Ламии» Китса, Хитклиффа Эмили Бронте и Берты Рочестер Шарлотты Бронте. (Эти произведения были тщательно изучены на предмет следов заражения вирусом вампиризма Джеймсом Твитчеллом, который интерпретирует тему как любой пример в романтической литературе, где можно найти смешение «желания и отвращения» Кольриджа.) Но «Вампирская мозаика» включает все ключевые этапы развития жанра — согласно последним исследованиям специалистов в этой области.

По сути, в художественной литературе XIX века было четыре архетипических вампира: дьявольский аристократ (Полидори и подражатели), Роковая Женщина (Раупах, Гофман, Готье, Бодлер, Суинберн, Ле Фаню, Нисбет, Гилкрист, Уотсон и Донован), Невидимая Сила (О'Брайен, де Мопассан) и Фольклорный Вампир (Мериме, Гоголь, Толстой, Тургенев, Линтон, Готорн, Бертон и Норрис). Можно также добавить собирательный образ вампира (Стенбок, Вирек и, возможно, Раймер), хотя он паразитирует — в общем смысле — на всех остальных. Также появляются и вампиры — летучие мыши из Южной Америки. Время от времени встречается и вампир, как своеобразная метафора творческого процесса (будь то писательство, живопись или сочинение музыки).

Очевидно, что «Вампир» Полидори породил полноценный литературный жанр с четко определенными правилами и серией сюжетных формул, которые можно было адаптировать к вкусам публики в любой момент между 1820 и 1850 годами. Местоположение могло изменяться (Рутвен был реинкарнирован в Греции, Италии, на Балканах, в сельской Англии и Шотландии — на севере он появился не из-за каких-либо ассоциаций с Байроном, а потому что у английской оперы оставался большой запас неиспользованных килтов), но сюжет оставался более или менее неизменным. Феномен Рутвена (возможно, первая литературная формула в истории, возникшая в высококультурной среде и в итоге проникшая в литературу для рабочего класса) прекрасно иллюстрирует то, что историк литературы Цветан Тодоров определил как жанр (в своем вступлении к «Фантастической литературе», 1970): «тексты, которые не представляют значительных сдвигов в представлениях, существующих в данное время о типе литературы» и «которые обычно не квалифицируются для включения в историю литературы, и таким образом переходят в другую категорию — известную как «популярная» или «массовая» литература», кажутся особенно подходящими примерами для анализа жанра или формулы. С другой стороны, добавляет Тодоров, представления о жанре или формуле меньше говорят нам о текстах, которые действительно представляют такой «значительный сдвиг» и, следовательно, квалифицируются для включения в основную литературную историю («личные произведения» в отличие от «механических стереотипов»); с этими текстами критик может обнаружить, что исключительно тематический (или жанровый) подход недостаточен — могут потребоваться вопросы об «определяющих характеристиках фантастического дискурса в любое данное время» или, другими словами, о том, как достигаются эффекты писателя и на каком уровне они действуют.

Хотя основное внимание в моей схеме очевидно уделяется повторяющимся мотивам и формулам, она тем не менее ясно показывает, как различия между дьявольским аристократом и Роковой Женщиной в XIX веке олицетворяют различие, отмеченное Тодоровым. Возможно, существуют правила, регулирующие последний тип (Роковая Женщина, как правило, аристократического происхождения, и, как утверждал Марио Прац, она становится «неоспоримым клише» в период эстетизма во Франции), но критик, игнорирующий модификации вида, которые представляют некоторые личные произведения в рамках этого типа (как это делал Прац), предоставляет только частичный анализ. Медуза не стала «механическим стереотипом» до гораздо более позднего периода в XIX веке.

Из моей схемы возникают некоторые довольно очевидные обобщения. Фольклорный вампир, популярный среди русских писателей, обычно ассоциируется с крестьянством и имеет самые сильные политические коннотации. Невидимая Сила (и психический вампиризм, который, по-видимому, впервые появился с духовным вампиризмом), популярная среди американских писателей, во многом обязана По, и предпочитает действовать в буржуазном мире «богемных писателей»; местоположение варьируется в течение фазы Рутвена, но, особенно в популярной литературе, закрепляется где-то вблизи Карпатских гор около 1844 года, становясь клише (и объектом насмешек) задолго до «Дракулы» в «Настоящей истории» Стенбока. В течение века вампирская тематика постепенно «одомашнивается»; параллельно жанр (который становился респектабельным в связи со средневековыми или классическими легендами) все больше и больше начинает разворачиваться в «настоящем» (с существенным перерывом между 1865 и 1887 годами, когда исторические исследования злодейства стали модными). Только в Англии и Франции вампир (во всех его воплощениях) соответствовал вкусам массового читателя; однако ни один вампир в художественной литературе XIX века не может быть назван представителем рабочего класса — я подчеркиваю художественную литературу, потому что два французских некрофила, которые добились некоторой известности в XIX веке (и которые по какой-то странной причине всегда назывались «вампирами» в популярной прессе, хотя это слово означает почти противоположное), сержант Франсуа Бертран (конец 1840-х) и Виктор Ардиссон (1890-е), оба были представителями рабочего класса. Их деяния воспевались во французской бульварной литературе и даже в мюзик-холльных песнях (таких, как «Le Vampire De Muy ou le violeur de cadavres», Chanson Complainte Жана Бала, 1901, об Ардиссоне), но для целей этого обсуждения они не вносят существенного вклада в жанр. Кстати, более интересное упоминание о вампире в культуре рабочего класса (в данном случае, викторианской Англии) встречается в журнале Чарльза Диккенса «Household Words» от 10 мая 1851 года, в статье писателя и спиритуалиста Уильяма Хоувита, протестующего против предложенного закрытия Эппингского леса; в статье упоминается «старая вампирская песня», которая, по-видимому, гласит: «Когда мертвец учится вынимать гвоздь / Он скоро разломает железный прут пополам». Вероятно, это отсылка к восстанию из мертвых (или вытаскиванию гвоздей из гроба) и пригвождению (железным прутом), выраженная на языке ремесленников.

Одной из примечательных особенностей схемы является то, что она демонстрирует ценный вклад ирландских и англо-ирландских писателей (Фитц Джеймс О'Брайен в 1859 году, Шеридан Ле Фаню в 1872 году, Брэм Стокер в 1897 году) в продолжающуюся историю о вампирах в ключевые моменты. К этому списку можно, возможно, добавить «Портрет Дориана Грея» Оскара Уайльда (1891): один критик называл Дориана «одним из источников мифа о Дракуле». О'Брайен выделяется в этой группе, так как он был римско-католическим выпускником Дублинского университета и самозваным «литературным солдатом удачи», который эмигрировал в Америку вскоре после Всемирной выставки 1851 года (о которой он редактировал журнал), став регулярным автором журналов издательства Harper's. Остальные члены группы были не только из схожих протестантских кругов — интеллектуальной, культурной и административной элиты дублинского общества; они также были социально связаны. Авраам Стокер, отец Брэма, работал третьеклассным клерком в канцелярии главного секретаря Дублинского замка в то же время, когда Уильям Ричард Ле Фаню, брат Шеридана, был комиссаром общественных работ. Томас Филлип Ле Фаню, сын Уильяма Ричарда, стал первоклассным клерком в канцелярии главного секретаря в то же время, когда Брэм Стокер работал в суде малых сессий. И первые опубликованные работы Стокера появились в Dublin Evening Mail, газете, которой владел и редактировал Шеридан Ле Фаню. Возможно, именно ощущение Брэма Стокера, что его душат бюрократией на мишурном дворе вице-короля — его дневная работа в Дублине — дало ему особое чувство сродства с жертвами графа Дракулы. Даже можно предположить, что расстояние между Дублинским замком и замком Дракулы — на символическом уровне — не было столь велико, как показывают карты. Безусловно, как родовое поместье Карнштайнов в «Кармилле» Ле Фаню (1872), так и владение Дракулы в земле за лесом представляют собой превосходные метафоры двора вице-короля в конце XIX века; возможно, это плоды бюрократии и воображения.

Но англо-ирландские связи уходят глубже. Известно, что молодой Брэм Стокер был регулярным посетителем вечеров, организованных родителями Оскара Уайльда, сэром Уильямом и леди Франческой Уайльд, на Меррион-сквер, 1 (в то время, когда Оскар только поступил в Тринити-колледж, Дублин). Мы знаем, что Стокер знал ирландские народные сказки, унаследовав интерес к ним от своей матери, уроженки Слайго, Шарлотты, и вполне возможно, что леди Уайльд, которая редактировала и публиковала легенды и сказания, собранные ее мужем от его пациентов с заболеваниями органов слуха и зрения, обсуждала их взаимный интерес. Безусловно, персонажи некоторых сказок леди Уайльд — например, демоническая невеста, которая, как говорили, обитала на кладбище в графстве Монахан и высасывала жизненные силы у прохожих — имеют некоторое сходство с невестами Вампира. По таким связям опубликовано много исследований. Именно Брэм Стокер успешно выдвинул кандидатуру Оскара Уайльда в Философское общество Тринити-колледжа и в декабре 1878 года женился на «исключительно красивой» Флоренс Балкомб — возлюбленной Уайльда на протяжении последних трех лет. Для завершения картины, Джулиан Готорн — сын американского писателя Натаниэля Готорна — был современником и другом Уайльда в Оксфорде и часто бывал личным гостем Брэма Стокера в театре Лицеум. Если вампиры любят восставать из мертвых на закате, то есть удивительное количество свидетельств, что кельтский закат был особенно благоприятным для них.

С середины до конца 1980-х годов — и с ростом академического интереса к исследованиям ирландской культуры и вопросам диаспор, истоков, идентичности — стало модным трактовать «Дракулу» как в некотором смысле ирландский роман, так же как работы других блудных сынов и дочерей, таких как Фрэнсис Бэкон, Эйлин Грей и, конечно, Оскар Уайльд, были возвращены в культурное наследие Ирландии. Точнее говоря, это означает попытку понять «Дракулу» в ирландском контексте. Так, страхи Стокера, воплощенные в его самой известной книге, интерпретировались как метафора упадка и падения феодализма в Ирландии; как выражение страха угнетенной протестантской элиты после 1870-х годов; как образ англо-ирландского помещика, у которого закончилась пригодная для использования земля и который уносит свою землю с собой; на более низком социальном уровне — как образ ростовщика, обирающего крестьян; как образ корабля-гроба; как воплощение харизматичного политика Чарльза Стюарта Парнелла в роли графа; как память о далеком предке Стокера, Манусе «Великолепном» О'Доннелле, лидере воинственного клана, восставшего против короля Генриха VII; как воспоминания о том, как мать Стокера, уроженка Слайго, рассказывала ему народные сказки в детстве, когда он был болезненным ребенком, или как воспоминания о рассказах, которые он слышал во время своих путешествий по Ирландии в качестве инспектора по судам малых сессий в возрасте около двадцати лет, или как воспоминания о салоне леди Уайльд. И — что, возможно, более правдоподобно — как образ протестантского ирландского готического романа, находящегося в диалоге с произведениями Чарльза Роберта Мэтьюрина и Шеридана Ле Фаню, завидующего католической магии, с его разрушенными большими домами и замками, эксцентричными аристократами, бодрствующими всю ночь; с его наследием, чувством вины и оккультизмом.

Предсказуемо, что некоторые из этих более упрощенных «объяснений» недавно были пересмотрены: играло ли для творчества Брэма Стокера англо-ирландское происхождение решающую роль? Он, безусловно, не был землевладельцем-аристократом: он был средним классом, протестантом, дублинским чиновником. Как может Дракула быть одновременно помещиком, ростовщиком и прибывать в Англию на корабле-гробе? Был ли утрирован мотив неуверенности и вины? И если да, то почему? Потребуют ли исследования Бернарда Шоу, Уайльда или Джойса столь же настойчиво утверждать ирландскость своих героев? Я думаю, что нет, потому что их работы более уверенно вписываются в литературный канон, потому что ирландскость их работ почти не требует доказательств. Очевидно, что исследования Брэма Стокера содержат нечто большее, чем просто вопросы национальной идентичности... А что насчет вклада ирландских католиков в готику? И разве не раздражает читать снова и снова, насколько мы умны и насколько заблуждались поздние викторианцы? Были ли некоторые из этих идей слишком упрощенными, учитывая, что это культура, которая, по словам историка Роберта Фостера, была «очень сложным интеллектуальным и культурным феноменом»? Был ли Дракула вообще о магии — или скорее о пишущих машинках, фонографах, скоростных поездах, передовом вооружении, камерах и переливаниях крови — своего рода поздневикторианская технофантастика, где технологии не всегда работают? Измышления Стокера полны увлечения современной технологией. Дело в том, что нет никаких реальных доказательств ни для одного из них. Все, что мы действительно знаем наверняка, это то, что в единственном романе Брэма Стокера, действие которого происходит в Ирландии — на западном побережье, у моря, — «Змеиный перевал», опубликованном в ноябре 1890 года, он проявил мало интереса к ирландской сельской местности, ее народным сказкам или ее политике; и хотя в какой-то момент своей жизни, в Англии, он, кажется, поддерживал гомруль в рамках Британской империи (он однажды назвал себя «философским гомрулером» и наслаждался случайными беседами с Уильямом Гладстоном об ирландской политике), это не было основным его интересом. По крайней мере, на сознательном уровне. Возможно, это было, а может и нет. Мы действительно не знаем. Мы знаем только то, что миф о Дракуле неизмеримо глубок.

В общем, дьявольский аристократ был популярен (с точки зрения кассовых сборов) до 1847 года, когда он объелся до смерти в романе Раймера «Вампир Варни». Роковая Женщина делала робкие появления в Германии и Франции в начале периода романтизма, но по-настоящему проявила себя в 1840–1880 годах, когда писатели-мужчины были увлечены экзотикой, эстетикой и декадансом; в отношении массовой популярности формула Медузы стала по-настоящему успешной только в 1880-х и 1890-х годах, оказавшись в раннем кино с «вампами» задолго до дьявольского аристократа. Гёте, «Монах» Мэтью Льюиса, Эрнст Раупах и (менее непосредственно) Генрих фон Клейст эксплуатировали эту тему в то время, когда, по словам Марио Праца, «не существовало установленного типа Роковой Женщины, подобно установленному типу байронического героя». Те, кто внес вклад в этот поджанр позднее, (подобно Теофилю Готье) использовали «Коринфскую невесту» Гёте (и, следовательно, классическую тему любви за гранью могилы) и «Монаха» Льюиса в качестве моделей, но отсутствие «установленного типа» в фазе господства Рутвена лучше символизируется работой Проспера Мериме. «Гусли» (1827), которые маскировались под сборник иллирийских народных сказок, почти исключительно посвящены вампирам байронического типа: «проклятый венецианец» характерно саморазрушителен, в то время как Бей Мойна столь же характерно является мощной политической фигурой, которая игнорирует чувства менее значительных смертных. Однако всего десятилетие спустя цыганка Кармен Мериме стала прообразом архетипа экзотической испанской роковой женщины, пленительной чародейки. Примечательно, что когда Марио Прац перечисляет атрибуты Роковой Женщины на этом этапе, он не цитирует Кармен; вместо этого он цитирует «Гусли», повторно применяя описание рокового героя к одной из (более поздних) черных вдов Готье: «Его взгляда был достаточно, чтобы заставить тебя развеять прах твоего отца по четырем ветрам, топтать святые изображения богов и, как Прометей, украсть огонь с небес…». Ведь только в 1836 году, с Кларимондой Готье в «Любви мертвой красавицы», «красавица без милосердия» стала «неоспоримым клише», чьи «типичные черты» можно было впервые выделить из широкого спектра литературных источников. Прац описывает их следующим образом: «Любовник обычно молод, и занимает пассивную позицию; он неизвестен и уступает либо по положению, либо по физической привлекательности женщине, которая находится с ним в таком же отношении, как и самка паука с самцом: сексуальный каннибализм является ее монополией…» Фантазия мужчины середины XIX века.

Очарованье ужаса и пытки

Представление Кларимонды о хорошем времени — это введение неизвестного деревенского священника, Ромуальда, в мир снов, где он станет рабом страстей, «так долго подавляемых»; воспоминание о ее «морских зеленых глазах» и «восточных жемчугах зубов» легко стирает даже божественный портрет Мадонны. Когда она умирает, после возрождения «ужасных оргий Клеопатры в течение восьми дней и восьми ночей», она все еще оказывает навязчивое влияние на этого слугу Господа. Как и у аббата Муре Эмиля Золя, у него нет ни малейшего шанса:

> Ночью, с того момента, как я закрывал глаза, я становился молодым дворянином, знатоком женщин, собак и лошадей, заядлым игроком, пьяницей, богохульником; и когда я просыпался на рассвете, казалось, что я засыпал и мечтал, что я священник… Она могла бы разбудить даже самую пресыщенную душу и сделать непостоянство постоянным. Владеть Кларимондой — это владеть двадцатью любовницами, это владеть всеми женщинами мира, такая она была изменчивая, такая непостоянная, такая не похожая на саму себя; настоящий хамелеон!

Ирония заключается в том, что Ромуальд ни на мгновение не владеет ею. Рассказ Готье выходит далеко за пределы установленных рамок вампирской фантастики, в мир подростковых снов и архетипических фантазий. В этом мире снов он исследует отношения между Ромуальдом (как ребенком), Кларимондой (как матерью и наставницей) и аббатом Серапионом (как «беспощадным» отцом, чья «жестокая и дикая ревность» в объяснении того, почему Кларимонда должна быть уничтожена навсегда, «придавали ему вид скорее демона, чем апостола или ангела»).

Как и Клеопатра французских эстетов (с которой ее сравнивают), Кларимонда, в своей бесконечной изменчивости, разрушает мужчин, которых она любит — и чем более «безвестными» или «низкими» они являются, тем лучше. Другое определение femme fatale от Марио Праца заключает сравнения в том же духе:

> Очарование красивых женщин, уже мертвых, особенно если они были великими куртизанками, распутными королевами или знаменитыми грешницами, внушало романтикам, вероятно под влиянием легенды о вампирах, образ Роковой Женщины, которая последовательно воплощалась во все времена и во всех странах, архетип, который объединял в себе все формы соблазна, все пороки и все наслаждения.

Но только в 1850-х и 1860-х годах влияние того, что Прац называет «этими клише» — «зеленоглазая хищница» и «красивые уже мертвые женщины» — изменило все направление вампирской легенды. Этот тематический сдвиг был, что весьма примечательно, связан с новым образом английского высшего класса на континенте. Общественный идеал Байрона отразился в образе злобного, угрюмого и великолепного милорда — доминирующего, влекущего женщин, как пламя — мотыльков. Напротив, образ, созданный Алджерноном Чарльзом Суинберном, по словам Ги де Мопассана, был декадентским эстетом с нервным тиком и проблемами с алкоголем, настолько безвольным, что «фигура, которую он изображал, не казалась принадлежащей его полу». Джордж Селвин, воплощая «le cool», поехал во Францию, чтобы смотреть и наслаждаться, пока другие отворачивались; Суинберн предпочитал быть принимающей стороной, в некоторой степени предаваясь садомазохизму, когда в садах пыток Лондона заканчивались идеи.

По крайней мере, таков был общественный образ. Он имел примерно такое же отношение к реальному Суинберну, как Гленарвон к Байрону, но в обоих случаях в их печатных работах было достаточно указателей, чтобы поощрять самые дикие слухи. Бодлер мог описывать себя, испытывающим экстазы, когда женщина с губами, подобными землянике, «высасывала мозг из моих костей», но в «Шателяре» (1865) Суинберн, казалось, на шаг опередил его. Для него (продолжая то, что писал де Сад за семьдесят пять лет до этого), «сама природа всеми своими порами жаждет кровопролития, питая свежей кровью бесчисленные ненасытные рты, сосущие ее бесплодную грудь». Его femme fatale — одна из «распутных королев» истории, Мария Стюарт — не должна подталкивать Шателяра становиться мучеником своего увлечения: уже его единственная амбиция (как и у самого Суинберна в поэме «Satia Te Sanguine») — быть «беспомощной жертвой яростной ярости красивой женщины». Экстаз Бодлера был менее френетическим и помпезным, возможно, потому что он фантазировал меньше. Суинберн, кажется, просто использует слова там, где Бодлер создает образы. Его мир вошел в массовую литературу через дешевую порнографию в Англии — такую, как «Жемчужина» (1879), в которой регулярно появлялись приключения в Академии мисс Флейбам[1].

Как и Клеопатра, Лукреция Борджиа, Елизавета Батори или любые другие члены чудовищной армии женщин, которые «высасывали маленькими зубками сок вен» у согласных взрослых в этот

---

[1] Флейбам (игра слов, буквально «выпоротая задница») Lady Termagant Flaybum — персонаж бульварного романа о женской флагелляции Sublime of Flagellation, or Letters from Lady Termagant Flaybum to Lady Harriet Tickletail, of Bumfiddle Hall (ок. 1777–1785), позднее появлялась на страницах схожих романов и порнографических журналов XIX века).

период, Мария Стюарт Суинберна была предназначена показать, как «несмотря на весь труд Христа, эта Венера не укрощена». Викторианский критик и эстет Уолтер Патер даже видел что-то из этого в Моне Лизе.

> Все теории и практики мира выгравированы и воплощены в них, в том, что у них есть способность облагораживать и делать выразительной внешнюю форму: животный инстинкт Греции, развращенность Рима, мистицизм Средних веков с их духовными исканиями и воображаемыми любовями, возвращение языческого мира, грехи Борджиа. Она старше скал, среди которых сидит; как вампир, она много раз была мертва и узнала тайны могилы; и ныряла в глубокие моря, и сохранила их упавший день вокруг себя…

Вот почему, вероятно, она улыбалась. Чтобы скрыть свои зубы…

Граф Дракула

Дань байроновскому вампиру очевидна: внешность графа — несмотря на его солидный возраст в 466 лет — выдает схожесть («Его глаза метали молнии. Красный отсвет сделался еще ярче, будто в них и вправду вспыхнуло адское пламя»), также к этому отсылают его отношения с дебютанткой, похожей на Люси Вестенра, невесту лорда Годалминга. Имя более практичной подруги Люси — Мина (и настоящей героини книги), возможно, было позаимствовано из вдохновленной Гофманом страшной истории, рассказанной «Монахом» Льюисом тем же летом 1816 года. Об оккультных интересах поэтов-романтиков Стокер рассказал в своей более поздней книге «Сокровище семи звезд» (1903). Не совсем ясно, на основании чего Стокер включил в своего «Дракулу» два других аспекта вампирского жанра — Роковую Женщину и фольклорного вампира. Одна из подсказок кроется в хорошо известной и приукрашенной байке из «Воспоминаний о Данте Габриэле Россетти» (1882) Холла Кейна. Россетти похоронил маленькую книжечку любовных стихов («главным образом вдохновленных и адресованных ей») в могиле Элизабет Сиддал в Хайгейте («он говорил с ней так, будто она слышала… она должна забрать слова с собой»):

> Но, подобно своим друзьям — Суинберну и прочим —
> и став известным, начал страстно желать поэтической славы

> и с сожалением и болью размышлять о скрытых плодах своих усилий... После бесконечных диалогов с самим собой он решил вскрыть могилу и извлечь книгу... Итак, однажды ночью, через семь с половиной лет после похорон, рядом с могилой был разведен костер, а затем подняли и открыли гроб. Свет скользнул по телу — оно было совершенным.

Когда книгу изъяли, — добавил Кейн позже, — обнаружилось, что исчезла прядь прекрасных золотых волос, вложенная Россетти». Данте Габриэль Россетти был племянником доктора Джона Полидори (автора «Вампира»), брат Данте Габриэля, Уильям Майкл, опубликовал в 1911 году «Дневник» Полидори, и вся семья Россетти получила доступ к его сокращенной версии, переписанной тетей Шарлоттой, сестрой Полидори в летах. Элизабет Сиддал, бывшая женой Данте всего два года, олицетворяла собой тот тип печальной и хрупкой красоты, певцами которой был Россетти и прерафаэлиты: «кажется, что он находится в призрачном ореоле, — пишет Прац, — этот ореол окружал и некоторые эпизоды его жизни, в частности брак, который будто сошел со страниц рассказов Эдгара По». Этот призрачный ореол, по-видимому, заменял Россетти серьезные отношения с Элизабет в реальной жизни, и после ее смерти он достиг другого уровня понимания.

Воспоминания Холла Кейна были попыткой установить истинное положение дел в жизни Россетти «с любовью к его памяти» — независимо от того, насколько все его анекдоты были строго правдивыми. «Дракула» Стокера был посвящен писателю «Человека с острова Мэн», так как Холл Кейн был одним из ближайших друзей Стокера и его доверенным лицом (было даже высказано предположение, что он должен был принять участие в написании «Дракулы»). Стокер консультировался с Кейном раньше, и, по-видимому, в 1891 году во время визита в Шотландию актер Генри Ирвинг, Холл Кейн и менеджер Ирвинга Брэм Стокер обсуждали «странные темы» вместе (см. с. 151–152). В 1896 году, к концу написания

«Дракулы», Стокер одолжил деньги у Кейна — он испытывал финансовый кризис — и надеялся, что доходы от его предстоящего романа помогут вернуть долг. Когда Брэм и его жена Флоренс переехали на Чейн-Уок, 27, Челси, в 1881 году, они обнаружили, что Данте Габриэль Россетти был их «близким соседом» с домом под номером 16. Связи между работой Кейна и персонажем Люси Вестенра (в ее «воплощении Лилит») в окрестностях Хэмпстеда и Хайгейта кажутся очевидными; когда Ван Хелсинг идет навестить ее в гробнице почти через неделю после ее смерти, она кажется «если это возможно, еще более ослепительно прекрасной, чем когда-либо».

Но, возможно, были и другие, более прямые связи между «Дракулой» и Роковой Женщиной. Сейчас мы знаем, что во время своих исследований Брэм Стокер читал книгу Сабин Баринг-Гоулда «Книга оборотней» (1865). В этом странном сборнике ужасных историй он мог прочитать об одной из архетипических «прекрасных женщин, уже мертвых», которые так завораживали декадентов, — Елизавете Батори, кровавой графине Венгрии, чьи специфические представления о личной гигиене, как утверждается, привели к гибели примерно 650 юных девственниц. Он мог прочитать, но достоверно мы не знаем, читал ли он об этом. Еще одна связь с Роковой Женщиной связана с рассказом «Гость Дракулы» (опубликован в 1914 году), вероятно, собранным из рабочих бумаг Стокера для «Дракулы» и опубликованным посмертно, который рассказывает о близком столкновении Джонатана Харкера с давно умершей «графиней Долинген де Грац»; Стокер удалил все упоминания об этом из окончательного варианта, возможно, потому, что это было слишком похоже на «Кармиллу» Шеридана Ле Фаню. Помимо того что он обнаружил сходство в имени своего бесстрашного истребителя вампиров и с персонажем доктором Хесселиусом из «Кармиллы», Стокер, по-видимому, был сильно впечатлен странными и прекрасными отношениями между вампиром и жертвой в «Кармилле». Люси и невесты Дракулы преследуют свою добычу такими способами, которые во многом обязаны неживой роковой женщине

Ле Фаню, и чрезвычайно пассивная реакция жертв (которым «кажется, что архетипический образ хищника встречался им раньше, в связи с каким-то мечтательным страхом») — если я полежу спокойно и полуприкрою глаза, я не буду виновна — помещает части книги Стокера на подобный психологический уровень. В «Призраках» Ивана Тургенева (1868) рассказчик также поражен ощущением, что прекрасная вампирша Эллис «была женщиной, которую я знал когда-то, и я прилагал огромные усилия, чтобы вспомнить, где я ее видел ... В мгновение все снова растаяло, как сон». Возможно, именно история Ле Фаню навела Стокера на мысль написать роман о вампирах. Фантастические сны «Кармиллы» о сексуально опытных и доминирующих женщинах — которые одновременно привлекают и отталкивают — казалось, глубоко запали в психику двух на первый взгляд прозаических, не столь выдающихся викторианских мужчин: Брэма Стокера и его вымышленного двойника Джонатана Харкера. В «Дракуле» это было «некое вожделение и в то же время некий смертельный страх».

Фольклорный вампир прослеживается в книге благодаря множеству подробностей о топографии и цыганских преданиях, которые Стокер смог включить из исследовательских источников, таких разнообразных, как мемуары охотника о жизни в Трансильвании, обзор местных «суеверий» жены офицера австро-венгерской армии и более приземленного путеводителя по Южной Германии и Австро-Венгрии Бедекера (см. «Создание Дракулы», с. 367). Их доступность в печати в 1890-х годах свидетельствует о моде на романтические и обычно покровительственные рассказы путешественников о Восточной Европе — написанные отставными британскими чиновниками или иногда их женами — в последние два десятилетия века. Работы «Э.Д. Жерар», в частности, наиболее близки по тону к миру «Дракулы» с их ощущением «покидания Запада и входа на Восток», как выражается Харкер в начале романа. Две сестры, использовавшие этот псевдоним (Эмили и Доротея), написали серию книг, статей и романов, которые восхваляли фольклор Карпат: они полны цыганских суеверий, древних верований, основанных на смене сезонов года, и волшебных мест. Обе жили в странах, которые они описывали, и обе были замужем за офицерами (один — венгр, другой — поляк). Две книги, которые Джонатан Харкер, вероятно, читал в библиотеке Британского музея, — это «Воды Геркулеса» (1886) и «Земля за лесом» (1888). Из «Вод Геркулеса» он мог узнать о «Гауре Дракулы» (или «Дьявольской яме»), скрытой яме в глуши Валахии, окруженной экзотической растительностью («красивая маска уродливой вещи»), которая не раз «заманивала жертву в свою пасть» и, по словам местных крестьян, была населена призраками — вратах в иной мир, месте для уплаты долга Дьяволу (или «Дракуле»). В «Земле за лесом» (о которой Стокер точно знал) он нашел бы множество деталей о фольклоре Трансильвании, и особенно о «носферату, или вампире, в которого каждый румынский крестьянин верит так же твердо, как в небо или ад...» Многие из легенд в «Дракуле» взяты из главы этой книги, первоначально опубликованной в виде статьи в 1885 году, иногда почти дословно. В ней не так много говорилось о вампирах, но Стокер полностью использовал находившиеся там упоминания. Он не был опытным писателем художественной литературы, когда впервые начал работать над своим шедевром весной 1890 года (он еще не опубликовал свой первый полноценный роман), и исследовательские источники, которые он использовал — их фразы, их информация, их идеи — были слишком очевидно перенесены в готовый текст. Только когда он писал о своем собственном опыте и о местах, которые знал хорошо, он смог освободиться от своих исследований.

Книги Э.Д. Жерар были популярны в середине-конце 1880-х гг, и «Дракула» был опубликован в то время, когда на рынке все еще присутствовали различные производные работы, что способствовало успеху Брэма Стокера. Среди них были «Побратим, славянский роман» (1895) профессора П. Джонса (в котором есть длинная глава о черногорском вампире), «Золтан Карпати» (1894) Мора

Йокаи (переведенный с венгерского, напоминающий работы Э. Д. Жерар и повествующий о темных делах вокруг «Градины Дракулы» («Gradina Dracului») или «Садов Дьявола») и «Нехоженных троп в Румынии» («Untrodden Paths in Roumania») (1888) миссис Мэри Уокер (которая содержит много материала о Владе Дракуле — Цепеше — и его «невообразимых жестокостях»).

Еще один основной путь, по которому фольклорный вампир попал в «Дракулу» (помимо возможного интереса Стокера к аспектам ирландского и шотландского фольклора), представлен на моей схеме свободной адаптацией сэром Ричардом Бёртоном части санскритских сказок «Викрам и вампир» (1870, переиздано в 1893 г.). Эти сказки датируются XI веком, если не раньше. Несмотря на название, сама книга, вероятно, мало интересовала Стокера, хотя — характерно — позже Бёртон приписывал рост «шутливой, фэнтезийной литературы» о вампирах вдохновению от его «Викрама». Каждая история в коллекции рассказывает о попытках раджи Викрама поймать хитрого Веталу, или Байталу, который висит на дереве как фруктовая летучая мышь, оживляет трупы и хорошо разгадывает загадки. Однако, когда Стокер был представлен сэру Ричарду Бёртону (Генри Ирвингом) в январе 1879 года и позже имел возможность побеседовать с ним о его различных приключениях «среди старых гробниц» близ Дамаска, он написал: «Этот человек захватил мое внимание». «...Лицо Бёртона, казалось, удлинялось, когда он смеялся; верхняя губа поднималась инстинктивно, показывая правый клык. Это всегда было характерной чертой его наслаждения». И когда они снова встретились в 1886 году, Стокер снова отметил, что когда «сильный, глубокий, резонансный голос» сэра Ричарда доминировал в разговоре, «верхняя губа поднималась, и его клык показывал всю свою длину, как блеск кинжала». Возможно, эта ассоциация между «старыми гробницами», «клыком» и очевидной безжалостностью Бёртона запомнилась Стокеру, даже если «Викрам» не запомнился. Когда дело касалось философских дебатов XVIII века о вампирах в фольклоре, Стокер проявлял осведомленность, например, когда его интервьюировала журналистка по имени Джейн Стоддард в 1897 году, вскоре после первой публикации «Дракулы».

Она спросила его: «Есть ли какая-то историческая основа для [легенды о вампире]?»

Он ответил: «Я полагаю, это основывалось на каком-то подобном случае. Человек мог впасть в состояние, похожее на смерть, и быть похоронен раньше срока. Позже тело могли выкопать и найти живым, и из этого возник ужас, охвативший людей, и в их невежестве они вообразили, что перед ними вампир ...» Однако сам граф Дракула, конечно, не является фигурой, полностью или даже в значительной степени, взятой из фольклора. Его отдаленные литературные предки уже были упомянуты, но у Брэма Стокера было еще два более свежих литературных «образца» в его распоряжении. «Таинственный незнакомец» Карла фон Вахсмана, немецкая повесть, датируемая примерно 1844 годом и переведенная в 1854 году для «Хранилища Чемберса», возможно, заложила основы для самого знаменитого (и чаще всего экранизированного) отрывка «Дракулы», действие которого происходит в графском замке в Карпатах, где граф Аццо фон Клатка ведет себя по отношению к своим жертвам таким образом, который заслуживает сравнения с его более известным последователем.

Однако образ Дракулы явно произошел из другого литературного источника, датируемого 1860 годом: «Женщины в белом» Уилки Коллинза, успешной попытки возродить тогда не модную эпистолярную новеллу. Стокер особенно впечатлился техникой представления записей, «которые определенно являются современными», а также массой материала с различных точек зрения. Персонаж изящного и гротескного злодея, графа Фоско (самый популярный из изобретений Коллинза, включенный в рассказ, потому что «преступление было слишком изощренным для английского злодея»), также мог оказать влияние на воображение Стокера. Внешний вид Фоско — он похож на Орсона Уэллса — и его странные привычки (включая разговор с «маленькими пернатыми детьми», своими любимыми птицами в клетках) вряд ли напоминают образ графа Дракулы, но его педантичный способ говорить, его несколько «форсированный» шарм («магнетическое личное влияние, которое я оказываю на своих собратьев по человеческому роду») и, прежде всего, удовольствие, которое он получает от разрушительных отношений (жертва чувствует «странное, наполовину сознательное, наполовину неосознанное уважение к графу»), кажутся ближе к характеристике, данной Стокером. Мы никогда не получаем прямого портрета графа Фоско; как и граф Дракула, он предстает перед нами (с великолепным чувством формы) через свое воздействие на различных повествователей, которые могут быть надежными или нет.

В 1887 году Уилки Коллинз опубликовал еще один рассказ, который мог повлиять на Стокера — на этот раз короткий рассказ в его серии «маленьких романов» под названием «Мисс Мина и Жених». Полное имя героини — Вильгельмина. «Я ношу христианское имя моей немецкой матери», — говорит она. «... все мои друзья, в те дни, когда у меня были друзья, называли меня Мина». Этот рассказ, очевидно предназначенный для неприхотливых читателей железнодорожных романов, повествует о том, как Мина попадает под чары простого слуги, что заставляет ее ощущать себя «новой женщиной». Возможно, Стокер нашел имя своей героини у Уилки Коллинза, а не у «Монаха» Льюиса. Если так, то и вампир, и жертва могли быть вдохновлены одним и тем же литературным воображением — Уилки Коллинза. По какой-то причине многие героини Стокера имеют имена, начинающиеся с буквы «М».

Тем не менее, несмотря на все эти связи, граф Дракула был чем-то большим, нежели синтетическим литературным созданием. Брэм Стокер жил им. Независимо от того, откуда произошло христианское имя Мины, ее фамилия была заимствована у Джозефа Харкера, одного из команды художников-декораторов, нанятых актером-антрепренером Генри Ирвингом в театре Лицеум. Харкер позже вспоминал, что Стокер «присвоил мою фамилию для одного из своих персонажей». Театральная легенда гласит, что идея «Дракулы» была впервые предложена Стокеру во время долгих обсуждений подходящих ролей для Ирвинга, проводимых в Клубе бифштексов за театром Лицеум. Ирвинг, Стокер и Холл Кейн регулярно встречались там после представления, чтобы попробовать — за отбивной или двумя — адаптировать пьесы или рассказы к уникальным талантам Ирвинга: редко какая пьеса выходила на сцену Лицеума без изменений.

В один знаменательный день, 30 апреля 1890 года — месяц спустя после того, как Стокер впервые начал свои рабочие заметки для «Дракулы» — к ним присоединился Арминиус (Арминий или Герман) Вамбери, выдающийся венгерский ориенталист из Будапештского университета. Многие темы для обсуждения на этих встречах касались сверхъестественного — например, Вечный Жид, Летучий Голландец, Демон-любовник, — но Ирвинг уже сыграл их всех в той или иной форме. Стокер, как напоминает нам его последний (и лучший) биограф Джеффри Ричардс, был «пропитан атмосферой сверхъестественного таких постановок, как «Корсиканские братья», «Фауст» и «Колокола»». В 1894 году, например, Ирвинг приобрел сценическую адаптацию «Странной истории доктора Джекила и мистера Хайда», но никогда не исполнял эти роли.

Как позже вспоминал Холл Кейн: «Правда в том, что в личности великого актера, каким был Ирвинг, доминирующим элементом на протяжении многих лет был сдерживающий фактор». По словам Стокера, обсуждаемые ими роли часто были «слишком молодыми ... слишком грубыми ... [или] слишком высокими»; тем не менее они упорно продолжали, и «разговор склонялся к странным темам ... Ирвинг всегда говорил, что Кейн когда-нибудь напишет великое произведение о странностях». К сожалению, нет доказательств того, что Стокер обсуждал какие-либо аспекты вампирской легенды или даже Трансильванию с Вамбери, который никогда не публиковал ничего на эту тему.

Однако вполне возможно, что на одном этапе Брэм Стокер рассматривал возможность создать персонаж графа Дракулы специально для Ирвинга, в специально написанной драматической версии: в память о ночи 30 апреля 1890 года Вамбери делает мимолетное появление в «Дракуле» как «друг Арминиус» Ван Хельсинга, мировой авторитет по воеводе или князю Дракуле и вампирам (которым он не был — и не считал свой вклад в историю, если таковой был, достаточно важным, чтобы упоминать в своей автобиографии). Возможно, Вамбери упомянул мимоходом какой-то разговор, который он вел с И. Богданом, своим коллегой из Будапешта, в то время готовившим первую большую биографию Влада Цепеша.

В итоге Ирвингу так и не довелось сыграть роль графа. Когда Стокер организовал чтение книги в сокращенной версии, чтобы защитить авторские права на театральную постановку в мае 1897 г, по семейной традиции Ирвинг счел эту небрежную постановку «ужасной». Почему Ирвинг был так бестактен, неясно; возможно, это было потому, что вокальные трюки графа-вампира, а также некоторые черты его характера и физические манеры (особенно его мелодраматическая привычка держать женщин на расстоянии вытянутой руки и кричать на них) напоминали Ирвингу его выступления в последние годы работы в Лицеуме. (По словам одного критика того времени, «шипящий и ужасный голос» Ирвинга стал слишком хорош; Шоу называл его представления по Шекспиру «Бардоцидом»!) Если это так, то отношения между Джонатаном Харкером (часто рупором Стокера) и графом могут рассказать нам больше о деловых отношениях директора-распорядителя с его работодателем, чем о личных воспоминаниях Стокера о Генри Ирвинге, опубликованных в 1906 году вскоре после смерти Ирвинга. «Личные воспоминания» в основном состоят из 757 страниц поклонения герою, смешанного с восхищением. Холл Кейн в своем некрологе о Стокере написал: «Никогда не видел, никогда не ожидаю увидеть такой поглощенности жизни одного человека жизнью другого». Или, возможно, Кейн просто шутил...

Отношения начались очень странно. Стокер, тогда молодой дублинский государственный служащий и внештатный театральный критик, был настолько вдохновлен исполнением Ирвингом «Сна Евгения Арама» Томаса Гуда (1831), и особенно чувством его доминирования, что, когда Ирвинг «рухнул, почти лишившись чувств» в конце, Стокер испытал приступ «чего-то вроде истерики». Этот инцидент, по-видимому, помог убедить его, что он должен оставить свою карьеру в Дублине, и в конечном итоге он присоединился к Генри Ирвингу, в Лондоне как «его верный и преданный слуга» — занимаясь счетами, организовывая туры и удерживая «выдающихся зрителей» в фойе, когда они делали Ирвинга «депрессивным и нервным». Но к тому времени, когда был написан «Дракула», Лицеум находился в бедственном положении и Ирвингу становилось все труднее работать. Стокер начинал понимать, что удовлетворение его гигантского эго стало для него постоянной работой. В 1898 году произошел пожар на складе, за которым последовал финансовый крах в 1902 году.

Замечания директора-распорядителя в этот период (обычно касающиеся финансов, но иногда и репертуара — он даже помогал с некоторыми текстами) характерно принимались снисходительно, если не с полным пренебрежением. Мы видели, как Ирвинг любил представлять Стокера известным зрителям, таким как сэр Ричард Бёртон или Арминиус Вамбери, после шоу, и «преданный слуга» продолжал наслаждаться этим аспектом своей работы с восторженными глазами и никогда не покидавшим его энтузиазмом охотника за скальпами. «Личные воспоминания» полны списков имен знаменитых людей, некоторые из которых занимают несколько страниц. Но по мере того, как Ирвинг становился более капризным, он также, парадоксальным образом, становился более зависимым. Один из авторов сборника «Мы видели, как он играл» (1939) об искусстве Ирвинга вспоминает случай, когда актер-антрепренер потерял самообладание перед публикой: «Пожалуйста, остановитесь. Я не могу для вас декламировать — или сказать пару слов для вас — или назвать себя. Эй, Брэм, Брэм, сюда...». Из-за этого Стокер больше не мог быть уверен в своем уважении к Ирвингу — это было для него очень значимо. Странная смесь поклонения и благоговения, пронизывающая «Личные воспоминания» (о двадцати восьми годах службы), вероятно, была наследием этого периода. Возможно, что для Стокера, как и для Полидори, вампир как требовательный работодатель был ключевым уравнением. Но наиболее вероятная связь между Ирвингом и Дракулой заключается в том, что манеры графа были вдохновлены выступлениями актера на сцене Лицеума, а не его личностью.

Дракула отличается от предыдущих литературных графов-вампиров не только потому, что он старый актер, переживающий свой расцвет, но и потому, что он также военный деятель, который периодически вспоминает о своих военных успехах в далеком прошлом, в кампаниях по изгнанию турок с его территории. И здесь исторические исследования Брэма Стокера становятся интересными. Дракула мало чем обязан Турнефору, Кальме и другим источникам, которые были разграблены в период Рутвена; но мы знаем, что Стокер нашел имя «Дракула» в книге, которую он читал, «Описание княжеств Валахии и Молдавии» Уильяма Уилкинсона (1820), в библиотеке музея Уитби, подписной библиотеке и купальне 19 августа 1890 года. Как Джонатан Харкер в романе, он мог затем получить дополнительную информацию в Британском музее. Недавние книги о жизни и временах Влада Цепеша предполагают, что Стокер проявил исследовательский интерес к этой теме, но один взгляд на его позднюю книгу «Знаменитые обманщики» (1910) ясно показывает, насколько небрежно Стокер относился к своим источникам — и это, когда он пытался написать серьезный роман. В этот раз он еще меньше интересовался исторической точностью; в лучшем случае, он искал имя (которое в конце концов стало названием), прошлое (некоторые воспоминания) и, возможно, физическое описание. Исследования, которые он проводил, всегда были направлены на написание романа.

Брэм Стокер наделил своего Дракулу титулом графа, происхождением от секеев, домом в Трансильвании и замком у перевала Борго. На самом деле Влад Дракула имел титул воеводы или князя, секеи происходили из Венгрии, а не из Трансильвании, его дом находился в Валахии, а замок в Поэнари, далеко от границы Трансильвании и Буковины. Другими словами, Брэм Стокер был больше заинтересован в сказочном антураже (Трансильвания, земля «ведьм и гоблинов», согласно одному из его источников), готическом злодее с трехсложным именем (они, как правило, были «графами», членами угасающей аристократии и почему-то часто венграми) и атмосфере экзотики. Как он написал в начале «Дракулы», его основной целью было создать «историю, почти противоречащую возможностям современных убеждений». Так что граф, отдаленно связанный с вождем гуннов Аттилой и живущий в землях за лесами, вполне для него подходил. Когда позже американский журналист спросил его, знает ли он что-нибудь о Трансильвании, Стокер откровенно ответил: «Деревья — это деревья, горы — в общем, горы, независимо от того, в какой стране вы их найдете, и одно описание подходит всем».

В любом случае, из множества источников о правлении Влада, которые впоследствии были обнаружены (включая шесть памфлетов, написанных в разное время и для разных целей), только четыре были в каталоге Британского музея, когда Стокер готовил свой роман: отчет о зверствах Влада, опубликованный в Бамберге в 1491 году, с гравюрой на обложке, которая имеет определенное сходство с чертами лица графа Дракулы; английский перевод (1574) «Космографии» Себастьяна Мюнстера, который содержит краткий отчет о правлении Влада; «Общая история турок» Ричарда Ноллса (1603), где рассказывается о пристрастии Влада к «острым кольям»; и запись об аресте Влада, заказанная Папой в 1462 году. Но нет никаких доказательств того, что Стокер их читал, и ему гораздо больше нравилось придумывать историю (из обрывков и кусочков) по ходу дела. «Описание княжеств Валахии и Молдавии» Уилкинсона, книгу, которую Стокер читал и аннотировал в Уитби, заметно запутана в вопросах истории — какой Дракула был каким — и никогда не упоминает имя Влад.

Влад IV, или Влад Цепеш, был воеводой Валахии в 1448 году, с 1456 по 1462 год и в 1476 году. Влад III, предыдущий воевода, был известен как «Дракул», или «Дракон», — вероятно, потому что он был членом Ордена Дракона, обещавшего сражаться с турками. Когда Влад Цепеш унаследовал имя, «Дракул» также стало означать «Дьявол» — в том числе из-за зверств, которые он совершал (насаживание на кол, сжигание, обезглавливание и т. д.) в боях с турками, которые заключили его в тюрьму в молодости и научили его ценности тактики террора. «Драк» означало дракон, «ул» означало принадлежность чего-либо, а «а» означало «сын», так что «Дракула» означало «сын дракона».

Различные легенды, связанные с Дракулой, появились благодаря памфлетистам, которые использовали эту историю для различных целей (ни одна из них, кстати, не была связана с вампиризмом, и очень немногие касались Трансильвании). Памфлет 1491 года из Бамберга, который Стокер мог бы прочитать — если бы смог справиться с верхненемецким языком: он бы увидел картину — описывает его различные зверства с явным удовольствием, а затем рассказывает о переходе Влада в римско-католическую веру. В России времен Ивана Грозного Влад стал известен как «суровый, но справедливый правитель своего народа». В некоторых памфлетах Влад представлялся как бывший и будущий князь, подобно Артуру, Карлу Великому или спящему Барбароссе, который восстанет из мертвых, когда нация окажется под угрозой, — репутация, которая сохранилась до наших дней. Я хорошо помню, когда я был в Румынии в середине 1970-х годов, когда обсуждались официальные коммунистические партийные мероприятия по случаю пятисотлетия со дня смерти Влада: должна была быть выпущена специальная почтовая марка, покойный президент Николае Чаушеску произнес важную речь о Владе как национальном герое (под «турками» подразумевались «Советы» и «Запад»), и много говорилось о том, как румыны предпочитают думать о воеводе Валахии как о «Цепеше», а не как о «Дракуле». Мне торжественно сообщили, что вампирскую связь подчеркивают и распространяют с заранее обдуманным злым умыслом «Запад», и, что еще хуже, скорее всего, она берет начало в Венгрии!

В других памфлетах раннего Нового времени Влад представлялся как гротескная фигура, подобная Ричарду III Английскому и Ивану III Московскому, чтобы в будущем режиме его могли презирать в политических целях, обычно для укрепления их собственной позиции. Существовала даже легенда о предыдущем воеводе, Владе Драконе, который якобы вставал из могилы на закате, чтобы присматривать за своей территорией. В легендах о Владе (или даже о его зверствах, которые обычно приписывались сборщикам налогов того времени) не было ничего уникального — даже его имя. Автор «Дракулы» успешно перепутал двух Владов, отца и сына, но вряд ли он был особенно заинтересован во всем этом; у него были другие вещи на уме.

Критик Людовик Флоу написал о творчестве Стокера, и в частности о «Дракуле»:

> Он является мастером банального стиля, в котором клише текут, как будто их толкает тот же напор, что и гениальность. Я не говорю это легкомысленно. В его интенсивном владении посредственностью есть полугероическое, всечеловеческое качество — как будто обыденность нашла чемпиона, который может носить ее цвета со всей торжественностью величия. Когда такой человек хотя бы один раз по-настоящему пугается, маскарад прекращается и вы получаете «Дракулу».

Литературные и исторические источники могут рассказать нам многое, но не всё. Когда сорокадвухлетний Брэм Стокер впервые задумал роман, у него на уме были не только книги. Флоренс Стокер, его вдова, вспоминала в 1927 году: «Когда он работал над «Дракулой», мы все его боялись… казалось, он был одержим духом этого произведения». Был ли он, как Джонатан Харкер, покорной жертвой соблазнительного вампира, которого, как ему казалось, он видел раньше? Был ли он, как граф Дракула, могучим, животноподобным существом инстинктов, который думал, что может раскрыть скрытую сексуальность даже у самой сдержанной английской девушки? Нуждался ли он в ком-то вроде графа, чтобы держать свои сексуальные порывы в узде — «этот человек принадлежит мне»? Или он, объятый ужасом, наблюдал за происходящим? Большинство объяснений кровосексуальной травмы Стокера (в виде его кошмара о принадлежности этому человеку) заставляют его казаться банальной версией одного из более печальных случаев психиатра Рихарда фон Крафт-Эбинга, с грубыми отрывками, написанными на латыни. Говорят, что это было связано с детским опытом кровопускания в больнице Дублина и страхом перед врачами; или с детской болезнью и подсознательным желанием съесть своих младших братьев; или потому, что он заразился третичным сифилисом в 1890 году (или это было в 1897-м); или потому, что холодность его жены заставила его обратиться к проституткам (так что он чувствовал себя виноватым и разочарованным одновременно); или потому, что он был одержим менструацией. Для всего этого пока нет ни малейшего устойчивого доказательства.

Сам Брэм Стокер, кажется, считал «Дракулу» простой приключенческой историей, которая также была христианской аллегорией — одиннадцать школьников против сил тьмы. Смысл романа явно гораздо глубже, чем он осознавал (в противном случае, помимо всего прочего, как можно объяснить ее непреходящее очарование), но насколько? Травму невозможно полностью восстановить, но если придерживаться книги, то многочисленные связи, установленные между кровью и сексуальным посвящением (связи, которые, разумеется, никогда не исследуются явно), предоставляют некоторые интересные указания. Одно возможное (если не особенно оригинальное) прочтение выглядит следующим образом. Когда Дракула кусает Люси, становится ясно, что она впревые прошла «инициацию». Однако вампир пьет не только ее кровь, ведь мужчины, которые ее любят, также переливали свою кровь в ее вены (Ван Хельсинг усмехается при мысли, что они все на самом деле стали «мужьями»); когда она теряет свою жизненную силу, они тоже теряют свою. Дракула также говорит Мине, что она стала «плотью от моей плоти [...] родственной душой» через половое сношение с вампиром, но Ван Хельсинг не будет доволен, пока Люси Вестенра и Мина Харкер не станут снова теми скромными молодыми леди, какими они были раньше, поэтому он объясняет другим «мужьям» (которые также находятся в опасности, но иного рода), почему так важно не поддаваться вере в то, что желания плоти так же приятны, какими кажутся. Люси спасти уже слишком поздно (она «умерла» и восстала в новой, крайне соблазнительной инкарнации), но «та замечательная мадам Мина», у которой «разум мужчины ... и сердце женщины» (сочетание, которое Стокер сам, кажется, находил почти столь же привлекательным, как и восхитительную Люси, бродящую по кладбищу), все еще может быть спасена, чтобы стать хорошей женой для Джонатана и хорошей матерью для их ребенка. Проблема в том, что в каждом из нас есть что-то от Дракулы. «Это зло пустило глубокие корни во всем хорошем, — говорит Ван Хельсинг, — в почве, лишенной святых воспоминаний, оно не может покоиться».

Как и падший ангел у Мильтона, Дракула может быть метафорой выбора, который мы все должны сделать. Однако в этом случае христианские средства недостаточны, поэтому Ван Хельсинг использует как оружие фольклора, так и оружие современной науки. Современная наука, например в форме переливаний крови, прямо связана с подавлением сексуального влечения — одной из неизбежных неудовлетворенностей цивилизации. Если это толкование верно, то «Дракула» является манифестом подавления влечения. Что бы ни снилось Брэму Стокеру, это должно было его очень сильно пугать.

Травма, конечно, могла касаться «неведомого страха» совершенно другого рода. Николай Гоголь, Алексей Константинович Толстой и Иван Тургенев написали свои фольклорные произведения о вампирах в те времена, когда царская цензура была особенно строга, и, представляя их как крестьянские сказки, смогли провести явную аналогию между вампиризмом и казаками или помещиками. Очевидно, тема вампира очень хорошо подходит для исследования отношений, связанных с проявлением власти — политической и социальной, а также психологической, как указал Жан-Жак Руссо. Диалектика господина и раба могла бы быть переписана как вампирские отношения, которые одинаково унижают обе стороны. Реакции на крестьянских вампиров XVIII века могут быть связаны с шатким положением и влиянием Римско-католической Церкви в тех областях, где укоренилось греческое православие или дохристианская магия (вампир как сатирическая проекция, своего рода зеркальное отображение преосуществления). Экзистенциалисты сегодня могут интерпретировать силу толпы как вампирическую (вампир — это другие люди). Два основных развития в жанре вампиров XIX века были связаны (на массовом уровне, особенно во Франции) с образом милорда Росбифа в Европе. Независимо от

Портрет Джорджа Гордона, лорда Байрона, стоящего на скалистом берегу со слугой, который держит лодку, кисти шотландского художника Джорджа Сандерса. Многочисленные гравюры, сделанные с этой картины в 1807–1810 гг., сильно повлияли на восприятие Байрона в обществе.

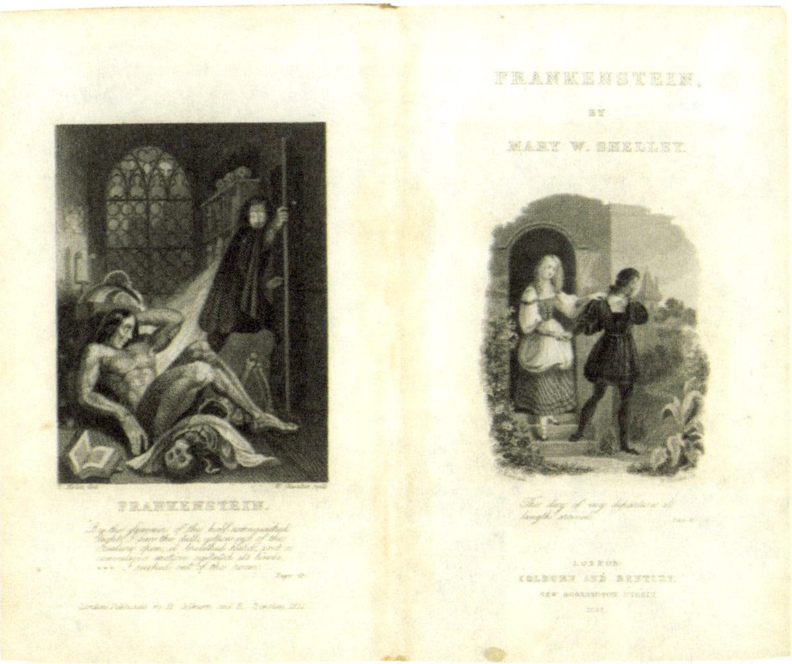

Сверху:
Гравюры Теодора фон Холста, изображающие сцену сотворения мира и уход Виктора из дома, для первого издания «Франкенштейна» Мэри Шелли (1831).
Внизу:
Вилла Диодати с видом на Женевское озеро, гравюра из «Иллюстраций жизни и творчества лорда Байрона» Финдена (1833).

Портрет маслом Мэри Уолстонкрафт Шелли кисти Ричарда Ротвелла, впервые выставленный в 1840 году.

Сверху:
Портрет маслом красивого и тщеславного доктора Джона Уильяма Полидори кисти Ф. Г. Гейнсфорда, написанный в год женевского лета, 1816.

Справа:
Обложка дешевого «народного издания» «Вампира» Полидори 1884 года, до сих пор ошибочно приписываемого лорду Байрону.

CELEBRATED WORKS.

PEOPLE'S EDITION.

THE VAMPYRE.

BY LORD BYRON.

LONDON: JOHN DICKS, 313, STRAND.

Price One Penny.

16.

Сверху:

Дешевая театральная брошюра «Персонажи Уэста в „Вампире“, выпущенная в марте 1824 года ради заработка на феноменальном успехе пьесы.

Справа:

Двойная театральная афиша 1826 года, рекламирующая спектакли «Вампир» и «Презумпция, или Судьба Франкенштейна» в Английской национальной опере. Томас Поттер Кук исполнил обе главные роли: и вампира и монстра.

POSITIVELY THE LAST NIGHT

Of the Company's Performing this Season.

Mr. T. P. COOKE

This Evening, as **The Vampire;** also as

The Monster, in **PRESUMPTION;** or, the **FATE OF FRANKENSTEIN.**

Theatre Royal, English Opera House, Strand.

This Evening, THURSDAY, OCTOBER 5th, 1826,

Will be presented *(Third Time this Season)* the popular *Romantick Melo-Drama*, in Three Parts, founded on the celebrated Tale, called

THE VAMPIRE:

Or, THE BRIDE OF THE ISLES.

The MUSICK of the INCANTATION composed by Mr. M. MOSS.

CHARACTERS IN THE INTRODUCTORY VISION.

The Vampire, Mr. T. P. COOKE,
Lady Margaret, Miss CARR,
Unda, *(Spirit of the Flood)* Miss BODEN, Ariel, *(Spirit of the Air)* Miss SOUTHWELL.

CHARACTERS IN THE DRAMA.

Ruthven, *(Earl of Marsden)* Mr. T. P. COOKE, Ronald, *(Baron of the Isles)* Mr. BARTLEY,
Robert, *(a Retainer of the Baron)* Mr. THORNE, Mc. Swill, *(Henchman to the Baron)* Mr. W. CHAPMAN,
Andrew, Mr. MINTON, Father Francis, Mr. SHAW.
Lady Margaret, *(Daughter to Lord Ronald)* Miss CARR,
Bridget, *(Housekeeper to Lord Ronald)* Mrs. TAYLEURE, Effie, Miss GOWARD.

After which, BY PARTICULAR DESIRE, *(Fourth Time this Season)*

GRETNA GREEN.

The MUSICK principally composed by Mr. REEVE.

Lord Lovewell, Mr. J. BLAND, Mr. Jenkins, Mr. WRENCH,
Mr. Tomkins, Mr. W. BENNETT, Larder, Mr. POWER,
Waiters, Postillions, &c. Messrs. Coad, East, Lodge, &c.
Emily, Miss BODEN,
Betty Finnikin, Miss KELLY.

In the course of the Evening, Mr. BARTLEY will deliver the

FAREWELL ADDRESS

On the Close of the Season, in the Character of

SIR WILLIAM BUFFER.

To conclude with *(Thirteenth Time this Season)* a *Romance* of a peculiar interest, entitled

PRESUMPTION!

Or, THE FATE OF FRANKENSTEIN!

Frankenstein, Mr. BAKER,
De Lacey, *(a banished Gentleman)* Mr. W. BENNETT, Felix De Lacey, *(his Son)* Mr. THORNE,
Fritz, Mr. W. CHAPMAN, Clerval, Mr. J. BLAND, William, Master BODEN,
Hammerpan, Mr. SALTER, Tanskin, Mr. MINTON, Guide, Mr. J. COOPER, Gypsey, Mr. J. O. ATKINS,
(- - - - - -) Mr. T. P. COOKE.
Elizabeth, *(Sister of Frankenstein)* Miss BODEN, Agatha De Lacey, Miss HAMILTON,
Safie, *(an Arabian Girl)* Miss GOWARD, Madame Ninon, *(Wife of Fritz)* Mrs. BRYAN.

WITH AN ENTIRELY NEW LAST SCENE,

Conformably to the termination in the original Story, representing

A SCHOONER IN A VIOLENT STORM!

In which FRANKENSTEIN and THE MONSTER are destroyed.

Stage Manager, Mr. BARTLEY.——Musical Director, Mr. HAWES.——Leader of the Band, Mr. WAGSTAFF.

BOXES 5s. Second Price 3s. PIT 3s. Second Price 1s.6d. LOWER GALLERY 2s. Second Price 1s. UPPER GALLERY 1s. Second Price 6d.
Boxes, Places, Private and Family Boxes, to be taken at the Box-Office, Strand Entrance, from 10 till 4.
Doors open at half-past 6, begin at 7. No Money returned. Vivat Rex! Lowndes, Printer, Marquis Court, Drury Lane.

VARNEY, THE VAMPYRE;

OR,

THE FEAST OF BLOOD.

CHAPTER I.

MIDNIGHT.—THE HAIL-STORM.—THE DREADFUL VISITOR.—THE VAMPYRE.

The solemn tones of an old cathedral clock have announced midnight—the hour when all the superstitious fear with which humanity, even in a partially educated state, is pervaded; and the hour when the feathery leaf falling from the ripe tree in autumn will produce an undefined fear—when the merest trifle will send the mind wandering in the land of spirits and of dreams—the air is thick and heavy, a strange, death-like stillness pervades all nature. Like the ominous calm which precedes some more than usually terrific outbreak of the elements, they seem to have paused even in their ordinary fluctuations, to gather a terrific strength for the great effort. A faint peal of thunder now comes from far off. Like a signal gun for the battle of the winds to begin, it appeared to awaken them from their lethargy, and one awful, warring hurricane swept over a whole city, producing more devastation in the four or five minutes it lasted, than would a half century of ordinary phenomena.

It was as if some giant had blown upon a toy town, and scattered the buildings before the hot blast of his terrific anger with

No. 1.

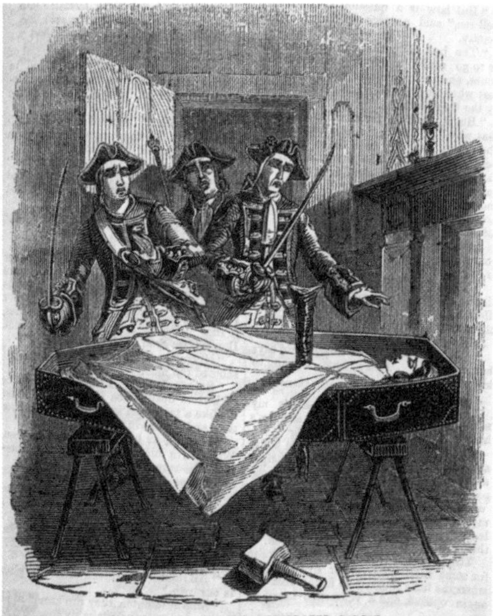

THE DISCOVERY OF THE DESECRATED CORPSE.

THE VAMPYRE'S MIDNIGHT VISIT.

FLORA ENCOUNTERS VARNEY IN THE SUMMER-HOUSE.

Четыре страницы из книжного сериала «грошовых ужасов» «Вампир Варни, или Кровавый пир» (1845–1847) шотландского инженера-строителя Джеймса Малкольма Раймера.

того, был ли дьявольский аристократ доминирующим и саморазрушительным или подчиненным и саморазрушительным, литературный (в отличие от фольклорного) вампир, которого он представлял, мог иметь какое-то отношение к английскому империализму.

Форма, а также содержание, которые принял «Дракула» в эпоху высокого империализма, казалось бы, подтверждают это последнее предположение. Форма представляет собой серию (в основном напечатанных на машинке) документов, собранных в коллаж, все они представляют точки зрения «посвященных» и все касаются одного персонажа, который не вносит ни одного документа сам («ненужные вещи были исключены ... все записи точно современны, даны с точки зрения и в пределах знаний тех, кто их создавал»). Стокер мог даже отказаться от начального «Мюнхенского раздела» романа — из своих рабочих заметок, позже переработанных в «Гостя Дракулы», — частично потому, что он содержит письмо от самого графа. «Точки зрения» персонажей Стокера — старого (и довольно бестактного) профессора, глубокомыслящего врача (у которого есть странное убеждение, происходящее от Ницше, что «он от рождения может обладать исключительным разумом»), молодого адвоката, английского лорда, девушки из высшего среднего класса (от которой не ожидается, что она будет работать) и невероятно компетентной девушки из среднего класса (которая научилась зарабатывать на жизнь) — таким образом встроены в форму книги.

Образ общества, который постепенно вырисовывается через эту форму, можно выразить в терминах убеждений, разделяемых всеми «посвященными». Рабочий класс ассоциируется с такими аспектами, как мюзик-холл, пьянство, алчность и трогательная покорность вышестоящим; женщины, как правило, считаются легкомысленными и покорными (большинство проблем во второй половине книги возникает из-за того, что Мину Харкер держат в неведении другие «посвященные», и все выражают удивление по поводу ее «компетентности») или, после замужества, потенциальными дикими животными (как в песнях мюзик-холла) — даже Дракуле приходится «жениться», чтобы это понять; цыган презирают (и обычно ассоциируются с другими друзьями Дракулы — крысами и волками); все, что связано с Востоком, по умолчанию не вызывает доверия, и «поиск» «посвященных» направлен на предотвращение колонизации Англии графом (его поведение представляет собой обратное отражение того, что объединяет американских, голландских и английских «посвященных»). Хотя они могут использовать новейшие достижения науки и техники, «посвященные» ведут оборонительный бой в пользу «мира, который мы вот-вот потеряем», и травма выражается, что достаточно характерно, как христианский крестовый поход. Год выхода «Дракулы» — 1897-й, год Бриллиантового юбилея королевы Виктории, — был выбран Лениным для обозначения апогея империализма, высшей стадии капитализма. В целом протестантское христианство Стокера было недооценено недавними критиками, которые вместо этого сосредоточились на эпизодах в книге, поддерживающих их тезисы о гендере и идентичности. Это был также год, когда Зигмунд Фрейд начал свои психоаналитические исследования. Сначала рациональный читатель думает, что «посвященные» совершенно безумны, но постепенно, с доктором Сьюардом, он или она начинают понимать, что поведение сумасшедших действительно «является индикатором прихода и ухода графа». И, поддерживая их действия, читатель принимает их убеждения. Не зря такие квесты часто ассоциировались со святым Георгием, бесстрашным защитником Непорочной Девы и убийцей крылатого «Дракула» — дракона, дьявола или вампира.

Одним из экспертов, с которым консультировался Брэм Стокер (с ним он переписывался с середины 1880-х годов), был оксфордский специалист по восточным языкам и член колледжа Всех Душ, профессор Макс Мюллер. Действительно, исследовательские заметки Стокера предполагают, что идея сделать графа Дракулу «секеем» и кровным родичем вождя гуннов Аттилы пришла ему после прочтения цитаты из работы Мюллера о мадьярском языке. Цитата подразумевала, что гунны контактировали с секейскими племенами в V веке, и это было преобразовано в романе в утверждение Дракулы, что «в наших венах течет кровь многих храбрых рас, которые сражались как львы за господство... какой дьявол или какая ведьма были так велики, как Аттила, чья кровь течет в этих венах? ... Разве удивительно, что мы были народом завоевателей; что мы были гордыми? ... [Но] воинственные дни закончились. Кровь слишком ценна в эти дни бесчестного мира; и слава великих народов подобна сказанию минувших дней». Предполагалось, что профессор Мюллер (родившийся в Дессау) мог быть одним из прототипов для профессора Ван Хельсинга (из Амстердама). Стокер и Мюллер встречались как минимум дважды, один раз в Лицеуме, один раз в Оксфорде. Также возможно, что в сознании Стокера, скрытая под крестовым походом против империи носферату, лежала некая вселенская расовая борьба — между представителями современного англосаксонского народа, с добавлением американского, и представителем 1400-летней линии Аттилы, вождя гуннов. Если это так, интересно, что в то время, когда Стокер начал переписку с Максом Мюллером, профессор исследовал происхождение древнего символа свастики как «универсального солнечного символа» и участвовал в англо-германских дебатах о том, принадлежит ли этот «универсальный символ» к истории «арийских народов». В заметках Стокера Ван Хельсинг начинал как «немецкий профессор истории» по имени Макс. Он тоже должен был быть заинтересован в вырождении народа.

Вскоре после публикации «Дракулы» Брэм Стокер помог организовать благотворительное представление в честь Бриллиантового юбилея в Лицеуме 25 июня 1897 года для индийских и колониальных войск, собравшихся в Лондоне. Его комментарии по этому поводу в данном контексте поучительны: «Войска, — писал он, — представляли каждый цвет и этническое разнообразие человеческой расы, от угольно-черного до желтого и коричневого и вплоть до светлого типа англосаксонца, вновь выращенного в новых землях за морем». Он добавил, что последующее благотворительное мероприятие, на этот раз в честь коронации Эдуарда VII в 1902 году, собрало 1000 гостей «из всех уголков мира и всех рас под солнцем. По типу и цвету они могли бы иллюстрировать лекцию по этнологии или краниологии. Некоторые были из центра самой дикой части Африки, недавно попавшей под господство Британии ... один из них был королем, чья чернота кожи была за гранью мыслимого». Это было лебединой песней Лицеум-театра. Оба события Стокер противопоставил в первом томе своих «Личных воспоминаний о Генри Ирвинге» визиту на военный корабль США «Чикаго» 3 июня 1894 года по приглашению адмирала Эрбена:

> Если приветствие было теплым, то прощание было трогательным. Мы уже сели в лодку и только что отчалили от судна, махая шляпами тем, кто остался на борту, как вдруг раздался восторженный крик, который, казалось, разорвал воздух, как гром. Он разнесся над водой в это тихое воскресное послеобеденное время и встревожил безмятежных людей на побережье в Грейвзенде. Крик за криком звучали громко и сердечно, заставляя кровь вскипать. Ведь нет такого звука в мире, как этот громогласных англосаксонский клич, идущий от сердца, — этот вдохновляющий, решительный, целенаправленный крик, который, благодаря памяти о 10 000 побед и бесчисленных моментах напряжения и отваги, стал наследием народа.

Ссылаясь на изречение адмирала, Стокер заключил — без малейшего намека на иронию, — что визит «Чикаго» иллюстрирует известную фразу «Кровь гуще воды». Вышло так, что это краткий итог «Дракулы»...

Карл Маркс любил читать страшные рассказы Гофмана и Дюма-отца, чтобы отдохнуть перед сном. Когда он искал убедительный образ для характеристики атрибутов капитала, в главе X «Капитала» (1867, перевод 1887-го, о рабочем дне), он выбрал целую серию фантастических образов, объединяющей темой которых была кровь. «Капитал — это мертвый труд, — писал он, — который, подобно вампиру, живет, только высасывая живой труд, и живет тем больше, чем больше труда высасывает». Он упоминал «оборотня, жаждущего прибавочного труда» и тот факт, что «продление рабочего дня утоляет вампирскую жажду живой крови труда лишь в незначительной степени». Капиталистический процесс «поглощает неоплаченный труд». Какой образ способен лучше послужить иллюстрацией теории о том, что чем больше неоплаченного труда капиталист может извлечь из рабочего, тем больше его прибыль? «Красное море» рынка труда таким образом можно увидеть как питающее, казалось бы, вечную жизнь. Но Маркс пошел дальше. Когда (в той же главе) он искал сравнение между исторической эволюцией английской фабричной системы и набором экономических отношений (через историю), он обратился к господско-крестьянским отношениям в дунайских княжествах и охарактеризовал это образом «валахского боярина». Кем был этот «валахский боярин», требовавший, чтобы значительная часть времени крестьян была посвящена его владетельному имению? Источник, который цитирует Маркс (Elias Regnault's Histoire des Principautés Danubiennes, 1855), дает ответ и, возможно, объясняет, почему этот образ запомнился ему. «Валахский боярин» был не кем иным, как Владом Цепешем, Владом Дракулой, чья история «показывает, как он относился к богатым и могущественным, и показывает также, как он относился к смиренным»:

> Однажды он приказал бросить в огонь 400 миссионеров из Трансильвании и велел насадить на кол 500 цыган — затем он разграбил их богатства. В конце концов жители Тырговиште попросили султана вмешаться. Влад узнал об этом и сразу же бросился в Тырговиште, застал людей во время празднования Пасхи, велел насадить на кол 300 из них вокруг городской стены и отправил их жен и детей работать в рабских условиях

> на строительстве своей крепости… В эти варварские времена права абсолютной власти, как и права войны, осуществлялись с такой жестокостью, которая показывает, что в этом отношении христианские князья не могли справедливо жаловаться на варварство турок.

Английский перевод «Капитала» был впервые опубликован в 1887 году. «Валахский боярин» Карла Маркса таким образом стал первой ссылкой на Дракулу как символического персонажа (а не исторического) на английском языке.

Брэму Стокеру было о чем помечтать…

Часть II

Антология

1. Осветите нашу тьму

«Частные лица могут оказаться Вампирами или Кровопийцами, то есть Жуликами, Ростовщиками и Спекулянтами, неправедными Управляющими и няньками Больших Поместий, но не что иное, как Власть Сокровища, может воспитать полноценного Вампира».

Gentleman's Magazine, май 1732 г.

Путешествие в Левант

Жозеф Питтон де Турнефор

В то время когда Жозеф Питтон де Турнефор (1656–1708) описывал свое путешествие, он был ботаником короля Франции Людовика XIV. Согласно Вольтеру (исторический труд «Эпоха Людовика XIV»), «в 1700 году Турнефор был отправлен в Левант, целью его путешествия был сбор растений для королевского сада, которым до сих пор пренебрегали...» Но знаменитому ботанику удалось обнаружить гораздо больше, чем он рассчитывал. В его «Путешествии в Левант» (1702) содержится необычный отчет о массовой истерии, охватившей остров Миконос во время эпидемии вампиров. Отец-иезуит Франсуа Ришар, побывавший в этом регионе в середине XVII века, также сообщал о «демонах, которые оживляют человеческие тела и оберегают их от разложения», и был удивлен, обнаружив, что «то ли из-за своей слабой веры, то ли из-за упрямства демона греческие священники не преуспели в изгнании этой нечистой силы». (Турнефор ссылается на сообщение Ришара с некоторым презрением.) Несмотря на отстраненную иронию, с которой он описывает этот момент, очевидно, что Турнефор был достаточно напуган и запомнил каждую деталь.

Отрывок из «Путешествия» особенно интересен по двум причинам. Во-первых, это относится к теологической путанице, которую, начиная с середины XVII века, отчаянно пыталась разрешить Греческая Православная Церковь: в прошлом они провозглашали, что обряд отлучения от церкви предотвращает разложение трупов, обрекая еретиков на постоянное состояние «пассивной растительности» и они становятся Вриколакасами, но теперь, когда Вриколакасы стали все больше отождествляться со своими более активными славянскими собратьями — вампирами, стала существовать опасность, что ответственность за это будет возложена на Церковь. Набожный австрийский католик Герхард ван Свитен позднее стал объяснять большую часть «невежества», связанного с предполагаемыми эпидемиями вампиров, учениями «греческих раскольников», которые так запутали этот вопрос; с другой стороны, католики тоже внесли свой вклад, отказавшись хоронить самоубийц в освященной земле. Во-вторых, этот отрывок оказал огромное влияние во время возрождения интереса к вампиризму в период раннего романтизма. Роберт Саути использовал большую часть этого текста в примечаниях к своей поэме о вампирах «Талаба-разрушитель», о нем упоминалось в «Фантасмагориане», вдохновившей участников сеанса историй о привидениях в июне 1816 года, как и в анонимном введении к «Вампиру» Полидори (1819). Вероятно, лорд Байрон прочитал «Путешествие» Турнефора задолго до лета 1816 года. Этот отрывок взят из раннего перевода.

Мы стали свидетелями совсем другой ситуации, очень варварской, на том же острове Миконосе, которая произошла из-за одного из тех трупов[1], которые, как они думают, оживают после погребения. Человек, историю которого мы собираемся рассказать, был миконским крестьянином, по природе своей злобным и сварливым; это важное обстоятельство, на которое следует обратить внимание, так как он был убит в поле неизвестно кем и как. Спустя два дня после того, как его похоронили в городской часовне, появился слух, что его видели по ночам, ходящим в большой спешке, что он ворошил чужие вещи, тушил лампы, хватал людей сзади и совершал еще тысячу других проказ. Сначала эта история была встречена со смехом; но дело показалось серьезным, когда на него начали жаловаться более состоятельные люди; сами священники отдавали должное этому факту и, несомненно, имели на то свои причины; для верности нужно было отслужить литургию: но при всем этом крестьяне занимались своим обычным ремеслом и не обращали внимания на то, что они могли сделать. После многих

[1] Вриколасы — мертвое тело, одержимое демоном. Некоторые думают, что Вриколасы — это мертвые, похороненные не по христианским обычаям.

собраний знатных людей города, священников и монахов было заключено, что необходимо подождать девять дней после погребения.

На десятый день они отслужили литургию в часовне, где похоронено тело, чтобы изгнать демона, который, как они думали, вселился в него. После литургии подняли тело и приготовили все для извлечения сердца. Городской мясник, старый неуклюжий мужик, сначала вскрыл живот, а не грудь: он долго шарил во внутренностях, но не мог найти того, что искал; наконец кто-то сказал ему, что следует разрезать диафрагму. К восхищению всех зрителей, сердце было извлечено. При этом труп вонял настолько отвратительно, что пришлось жечь ладан; но дым, смешиваясь с испарениями трупа, только усиливал вонь и начинал путать сознание людей. Их воображение, пораженное предшествующим зрелищем, наполнилось видениями. Им пришло в голову, что из тела поднимается густой дым; мы не осмелились сказать, что то был дым от благовоний. В часовне и на площади перед ней они непрерывно выкрикивали «Вриколакас»: так они называют этих предполагаемых призраков. Шум разносился по улицам, и казалось, что это слово специально придумано для того, чтобы сорвать крышу часовни. Некоторые из присутствовавших утверждали, что кровь несчастного была необычайно красной: мясник клялся, что тело было все еще теплым, из чего они заключили, что покойник был очень болен из-за того, что не был мертв, или, проще говоря, из-за того, что позволил старине Нику[1] реанимировать себя; таково было их представление о Вриколакасе. Затем они оглушительно громко выкрикивали это слово. Как раз в это время появилась толпа протестующих людей, которые четко видели, что, когда тело несли с поля в церковь, оно не было окоченевшим, из чего следовало, что это был настоящий Вриколакас.

Я не сомневаюсь, что они поклялись бы, что там не воняло, если бы мы сами там не были; так были поражены бедные люди этим

[1] Дьявол *(прим. ред.)*.

бедствием и так увлечены идеей о воскрешении мертвых. Что же касается нас, подобравшихся как можно ближе к трупу, чтобы быть более точными в своих наблюдениях, то мы чуть не отравились нестерпимой вонью, исходившей от него. Когда они спросили нас, что мы думаем об этом теле, мы ответили им, что считаем его совершенно мертвым. Но, поскольку мы хотели их успокоить или, по крайней мере, не бередить их предвзятое воображение, мы объяснили, что нет ничего удивительного в том, что мясник чувствовал немного тепла, когда рылся в гниющих внутренностях, и в том, что от тела исходил пар, тоже нет ничего необычного, поскольку с навозом, поднятым из навозной кучи, будет происходить то же самое, что же касается чрезмерной красноты крови, то в руках мясника это все равно выглядело не чем иным, как отвратительным вонючим месивом.

После всех наших доводов они пришли к выводу, что разумнее всего было бы сжечь сердце мертвеца на берегу моря; но эта казнь ничуть не сделала его более сговорчивым; он продолжал шуметь еще яростнее прежнего: его обвиняли в том, что он избивал людей по ночам, ломал двери и даже крыши домов, бил стекла, рвал одежду, опустошал бутылки и сосуды. Это был сам жаждущий дьявол! Я думаю, он не пощадил никого, кроме консула, в доме которого мы остановились. Трудно было представить что-то более плачевное, чем состояние этого острова; все жители, казалось, были напуганы до полусмерти: даже самые мудрые из них были поражены так же, как и остальные, это была эпидемическая болезнь мозга, такая же опасная и заразная, как собачье бешенство. Целые семьи покидали свои дома и переносили свои походные кровати из самых отдаленных районов города в общественное место, чтобы провести там ночь. Они ежеминутно жаловались на какое-нибудь новое нападение, с наступлением ночи не было слышно ничего, кроме вздохов и стонов: лучшие люди уехали за город.

Когда предвзятость стала настолько всеобщей, мы решили, что нам лучше бы попридержать язык. Если бы мы выступили против, нас сочли бы не только нелепыми болванами, но и атеистами и неверными. Как можно было противостоять безумию целого народа? Те, кто считал, что мы сомневаемся в истинности этого факта, приходили и упрекали нас в нашем неверии и стремились доказать существование таких существ, как Вриколакасы, цитатами из «Щита веры», написанного отцом Ришаром, миссионером-иезуитом. Он был католиком, говорили они, и, следовательно, надо отдать ему должное. Мы бы ничего не добились, отрицая справедливость этого заключения: каждое утро мы словно смотрели комедию, слушая о новых безумствах, совершаемых этим полуночником, — они обвиняли его в самых отвратительных грехах.

Некоторые жители, наиболее ревностно заботившиеся о благе общества, сочли, что им не хватило самой существенной части церемонии. Они считали, что были не правы, отслужив литургию до того, как вырвали сердце несчастного: если бы мы предусмотрели это, говорили они, мы бы ранили самого дьявола, будто выстрелом из пистолета; его бы повесили прежде, чем он снова пришел бы туда. А получилось так, что хитрая собака убежала на некоторое время и вернулась снова, когда опасность миновала.

Несмотря на эти мудрые размышления, они оставались в таком же недоумении, как и в первый день: они встречались ночью и утром, они спорили, они устроили крестный ход на три дня и три ночи; они заставляли священников поститься; можно было увидеть, как они бегают от дома к дому со святой водой, разбрызгивая ее повсюду и омывая ею двери; более того, они влили ее в рот этому бедному Вриколакасу.

Мы так часто повторяли городским властям, что в христианском мире мы должны в таких случаях соблюдать строжайшую бдительность по ночам, чтобы наблюдать за тем, что будет происходить в городе, что в конце концов они поймали нескольких бродяг, которые, несомненно, приложили руку к этим беспорядкам; но либо не они были главными зачинщиками, либо их отпустили слишком рано. В течение двух дней после этого, дабы возместить ущерб за

Великий пост, который они соблюдали в тюрьме, они снова набросились на бочки с вином тех, кто был настолько глуп, что оставлял свои дома пустыми ночью: люди были вынуждены снова вернуться к своим молитвам.

Однажды, когда они усердно молились, воткнув бесчисленное множество обнаженных мечей над могилой этого трупа, которого они выкапывали по три или четыре раза в день по прихоти любого, албанец, случайно оказавшийся на Миконосе, взял на себя смелость заявить авторитетным тоном, что в высшей степени нелепо использовать мечи христиан в подобном случае. «Неужели вы, слепцы, не можете понять, — говорил он, — что рукояти этих мечей, сделанные в виде креста, препятствуют выходу дьявола из тела? Почему бы вам лучше не взять турецкие сабли?» Совет этого ученого человека не возымел никакого действия: Вриколакас был неисправим, и все жители пребывали в странном смятении. Теперь они не знали, к какому еще святому обратиться, как вдруг в один голос, словно намекнув друг другу, они начали кричать на весь город, что больше ждать невыносимо; что единственный оставшийся выход — сжечь Вриколакаса целиком; что после этого пусть дьявол скрывается в нем, если сможет; что лучше прибегнуть к этой крайности, чем оставить остров полностью безлюдным: и действительно, целые семьи начали собираться, чтобы уехать на Сиру или Тинос. Поэтому городские власти приказали перевезти Вриколакаса на мыс острова Святого Георгия, где они приготовили большой погребальный костер из смолы и дегтя, опасаясь, что дерево, каким бы сухим оно ни было, сгорит недостаточно быстро. То, что осталось от этого жалкого трупа, было брошено в огонь и сгорело за короткое время: это было первого января 1701 года. Мы видели пламя, когда возвращались с Делоса: его можно было бы назвать праздничным костром, поскольку после этого больше не было слышно жалоб на Вриколакаса, они говорили, что дьявол теперь встретил свою пару, и было сочинено несколько баллад, высмеивающих его.

На всем архипелаге убеждены, что у греков, придерживающихся греческого церковного устава, дьявол может оживлять трупы: жители острова Санторини ужасно боятся этих оборотней. Жители Миконоса, после того как их видения явно рассеялись, начали в равной степени опасаться преследований со стороны турок и епископа Тиноса. Ни один священник не присутствовал в день Георгия Победоносца, когда сжигали тело, из опасения, что епископ потребует с них определенную сумму денег за то, что они выкопали и сожгли труп без его разрешения. Что касается турок, то во время своего следующего визита они заставили общину Миконоса дорого заплатить за свою жестокость по отношению к бедному разбойнику, который стал предметом отвращения и ужаса для своих соотечественников. После такого примера глупости можем ли мы отказаться признать, что нынешние греки — не чета великим грекам и что среди них нет ничего, кроме невежества и суеверий?

Трактат о... вампирах Венгрии [и прилегающих регионов]

Дом Огюстен Кальме

Дом Огюстен Кальме, аббат-бенедиктинец аббатства Сенон с 1729 года, был самым известным библеистом Франции XVIII века, прославившимся своими попытками популяризировать «буквальное» толкование Библии. Его «Трактат о... вампирах Венгрии [и прилегающих регионов]» (из которого я взял эти выдержки) стал первой вампирской антологией: это сборник официальных отчетов, газетных статей, свидетельств очевидцев и критических статей о различных эпидемиях вампиризма, который, как говорили, захлестнул Восточную Европу и Грецию в конце XVII и начале XVIII веков. (Например, в «Трактат» Кальме вошли отрывки из «Путешествия» Турнефора.) Позже непредвзятость Кальме в отношении таких «страшилок на ночь» часто подвергалась насмешкам: его чрезмерно умозрительная критика различных источников больше не считалась интеллектуально значимой. Несмотря на это (или, возможно, благодаря этому), «Трактат» Кальме, впервые опубликованный в Париже в 1746 году и в Лондоне в 1759 году, стал бестселлером по меркам того времени (три полных французских издания за столько же лет) и остается наиболее полным из сохранившихся описаний «посмертной магии» за весь XVIII век. Английский перевод был переиздан в 1850 г. под названием «Призрачный мир» под редакцией преподобного Генри Кристмаса и дополнен эксцентричным написанием географических названий.

«Дело о вампирах, — писал Кальме, — наделало столько шума в мире, что неудивительно, что на его основе сформировалось множество учений». Приведенные отрывки призваны показать проблемы и способы их разрешения, которые Кальме ставил перед собой. Если истории о вампирах были неправдой, тогда Кальме не видел особого смысла в их изучении (у него было мало времени на то, что мы сейчас назвали бы «социологическими» объяснениями); если же они были правдой, то они должны были быть объяснены в рамках римско-католической ортодоксии. Я выбрал отрывки из современных или почти современных Кальме историй, чтобы показать критерии, которыми он руководствовался для установления «истины»; а также версию легенды о Флегоне из Траллеса, поскольку она оказала сильное влияние (через Гёте и Китса) на воображение романтиков. Контекст обсуждения Кальме и второй официальный отчет о самом известном появлении вампира того времени (Арнольд Паоле) рассматриваются в моем вступительном разделе «От лорда Байрона к графу Дракуле».

В каждом веке, у каждого народа и у каждой страны есть свои предрассудки, свои болезни, свои обычаи, свои склонности, которые характеризуют ее и которые проходят и сменяют друг друга; часто то, что в одно время казалось восхитительным, в другое становится жалким и смешным. В наше время перед нашими глазами предстает новое явление, которое вот уже около шестидесяти лет наблюдается в Венгрии, Моравии, Силезии и Польше. Говорят, что люди, умершие несколько месяцев назад, возвращаются, разговаривают, ходят, наводняют деревни, дурно обращаются как с людьми, так и с животными, высасывают кровь из своих близких родственников, разрушают их здоровье и, наконец, становятся причиной их смерти; так что люди могут спастись от их опасных посещений и явлений, только эксгумируя их, сажая на кол, отрезая головы, вырывая сердца или сжигая их. Их называют упырями или вампирами, то есть кровопийцами; и о них сообщаются настолько необычные, подробные и сопровождаемые такими правдоподобными обстоятельствами и такими юридическими сведениями подробности, что едва ли нельзя не поверить распространенному в этих странах утверждению, что они поднялись из своих могил и творят все те вещи, которые так активно обсуждаются.

Я берусь рассказать здесь об этих вампирах, рискуя подвергнуться критике, как бы я ни обсуждал это: те, кто верит в их существование, обвинят меня в опрометчивости и самонадеянности за то, что я высказал сомнение по этому вопросу или даже в том, что я отрицал их существование; другие обвинят меня в том, что я потратил свое время на обсуждение этого вопроса, который многие здравомыслящие люди считают легкомысленным и бесполезным. Что бы об этом ни думали, я буду доволен собой за то, что озвучил вопрос, который показался мне важным с религиозной точки зрения. Ибо, если вампиры реальны, важно отстаивать и доказывать это; а если они нереальны, то в интересах религии важно разуверить тех, кто верит в них, и уничтожить заблуждение, которое может привести к опасным последствиям...

ЯВЛЕНИЕ ОДНОЙ ДЕВУШКИ СПУСТЯ НЕСКОЛЬКО МЕСЯЦЕВ ПОСЛЕ ЕЕ ПОГРЕБЕНИЯ

Флегон, вольноотпущенный кесаря Адриана, в своей книге о чудесном рассказывает следующее. В Траллах, в Азии, известный в городе трактирщик Махатес находился в связи с одной девушкой по имени Филиния, дочерью Демострата и Харитины. В продолжение шести месяцев после ее смерти девушка эта посещала своего любовника. Кормилица этой девушки узнала ее однажды, когда она сидела в комнате Махатеса; тотчас известила об этом мать девушки, но та медлила отправиться в гостиницу. Когда же пришла туда, было уже поздно, все спали, и она ничего не могла узнать. Однако она узнала одежду дочери, и ей показалось, что ее дочь сейчас с Махатесом. Она вернулась на следующее утро, но больше не увидела свою дочь, которая к тому моменту уже исчезла. Махатес рассказал Харитине, что Филиния посещает его каждую ночь в определенное время, и в доказательство своих слов он открыл шкатулку и показал ей золотое кольцо, полученное им от Филинии прошедшей ночью, а также ленту, которая при погребении положена была ей на грудь.

Харитина, не сомневаясь более в справедливости рассказанного ей, подняла страшный вопль, но ее успокоили тем, что обещали известить, как только в следующую ночь Филиния опять явится. Когда, по обыкновению, вечером Филиния пришла, Махатес тотчас же известил об этом ее родителей, потому что он и сам уже начинал сомневаться, не была ли это какая-нибудь другая девушка, похитившая из гроба одежду его возлюбленной с целью обманывать его.

Демострат и Харитина скоро явились и, узнав свою дочь, бросились к ней с объятиями. Но она вскричала: «Родители! Зачем вы завидуете моему счастию и отнимаете его у меня? Три дня оставалось мне приходить в этот дом, да и вреда я никому не причиняю. Ваше любопытство дорого будет стоить вам». С этими словами она замертво упала на постель.

Флегон, имевший в городе некоторую власть, успел успокоить сбежавшийся по этому поводу народ. Но на следующий день жители города, собравшись в театре, решили осмотреть склеп, в котором за полгода перед сим была похоронена Филиния. Осмотрев, нашли всех погребенных там из ее рода, но трупа девушки не оказалось; нашли же только кольцо, полученное ею от Махатеса, и позолоченный кубок, который она получила также от Махатеса вместе с кольцом. После народ снова вернулся к дому Махатеса, где лежал труп.

Обратились за советом к предсказателю. Тот отвечал, что труп должен быть похоронен вне города, следует умилостивить Фурий и божественного Меркурия, провести погребальный обряд в честь бога Манеса, принести жертвы Марсу, Юпитеру и Меркурию. Флегон в своем письме, обращаясь к тому лицу, которому писал об этом происшествии, говорит: «Если ты найдешь нужным известить об этом кесаря, уведоми о том меня, чтобы я мог прислать к тебе некоторых из тех людей, которые были очевидцами происшествия».

Такова эта обстоятельно изложенная история, сопровождаемая всеми необходимыми доказательствами для признания ее истинной. Между тем как много в нем трудностей для понимания! Была ли эта девушка действительно мертва или ее сочли мертвой, когда она находилась в состоянии летаргии или просто сна? Воскресла ли она благодаря собственной силе и воле или здесь замешан демон, который вернул ее к жизни? По-видимому, нельзя сомневаться, что она являлась в собственном теле: все обстоятельства Флегонова рассказа подтверждают это. Если признать, что она не умирала и, следовательно, все это было с ее стороны только обманом, направленным к тому, чтобы удовлетворить свою страсть к Махатесу, в таком случае рассказ не представляет ничего невероятного. Известно, на что способна сильная любовь и к чему она может побудить человека, пожираемого неутолимой страстью...

ВАМПИРЫ МОРАВИИ

Покойный месье де Вассимон, советник графства Бар, рассказывал мне следующую историю. В то время когда он по делу принца Карла, епископа Ольмюцкого и Оснабрюкского, послан был ныне покойным герцогом Лотарингским Леопольдом I в Моравию, там повсюду носился слух, будто в этой земле очень часто видели, что люди, умершие некоторое время назад, ходили в гости и молча садились за стол; если же они кивали головой кому-либо из присутствующих, тот через несколько дней непременно умирал. За достоверность этого ручались ему многие лица и между прочим один старый кюре, который, как сам он говорил, не раз на своем веку был свидетелем подобных происшествий.

Епископы и священники этой местности обратились за советом по сему делу в Рим. Но оттуда не отвечали, считая все это пустыми бреднями и выдумками простолюдинов. Наконец пришли к мысли выкапывать трупы тех людей, которые являлись, и сжигать их. Этим средством освободились от ужасных привидений, которые с сего времени появлялись уже гораздо реже. Так говорил этот достопочтенный священник.

По поводу подобных явлений написано было одно небольшое сочинение под заглавием: «Magia posthuma», напечатанное в Ольмюце в 1706 году. Сочинение это написано Карлом Фердинандом фон Шерцем и посвящено Карлу Лотарингскому, епископу Ольмюцкому и Оснабрюкскому. Автор книги приводит, между прочим, такой факт: в некоторой деревне умерла одна женщина. Причащалась она регулярно, и похоронили ее на кладбище, как обычно. Спустя четыре дня после ее погребения жители деревни слышали невероятный шум и гам и многие видели привидение, которое являлось то в образе человека, то в виде собаки, причем нескольким людям, и мучило их, стремясь задушить, и давило на живот. Мучения были ужасные, так что испытавшие их заметно худели и обессиливали.

Привидение нападало даже на животных; некоторые коровы были найдены полумертвыми, изувеченными, иногда оно связывало их друг с другом хвостами. Страшный рев, который при этом издавали животные, ясно давал знать, какую боль оно причинило им. Лошади худели, как бешеные катались на спине и с пеною у рта, как бывает после долгой и тяжкой скачки. Эти бедствия продолжались несколько месяцев.

Автор, о котором я упоминал, рассматривает это дело с юридической точки зрения и много рассуждает о фактах и законе. Он задается вопросом: если эти беспорядки, шум и неприятности исходят от той особы, которая подозревается в их причинении, то могут ли они сжечь ее, как это делают с другими призраками, которые причиняют вред живым? Он рассказывает о нескольких случаях подобных явлений и о зле, которое за ними последовало; например, он рассказывает историю одного пастуха из деревни Блов в Богемии, лежащей близ города Кадама. Пастух этот после своей смерти являлся в деревне и при этом называл некоторых лиц, которые после сего непременно умирали в течение восьми дней. Жители деревни выкопали его труп и, пригвоздив его колом к земле, опять зарыли.

Чудовище при этом, издеваясь над своими мучителями, говорило, что оно им очень благодарно, поскольку они дали ему палку, которая будет служить ему для защиты от собак. В следующую же ночь он опять явился, перепугал многих и задушил еще больше людей, чем прежде. После сего труп выдали палачу и тот вывез его на телеге за деревню, чтобы сжечь. Мертвец завывал, как безумец, махал руками и ногами и издал страшный крик, когда его в другой раз проткнули колом, причем из тела обильно полилась яркая красная кровь. Наконец труп сожгли, и привидение более не являлось.

Подобным же образом поступали с умершими, которые возвращались, и в других странах. Когда выкапывали их, цвет их тела находили всегда живым и свежим, члены мягкими и подвижными и на телах не было ни следа порчи, но исходившее от них зловоние было невыносимым. Автор упомянутой книги ссылается на некоторых других писателей, которые подтверждают сказанное им об этом предмете. Привидения, говорит он, особенно часто являлись в горах Силезии и Моравии. Видели их днем и ночью, замечали, как принадлежащие им вещи передвигались с места на место, хотя никто их не касался. Единственное средство против этих привидений состояло в том, что отсекали им головы.

Дело при этом ведется строго в рамках закона: вызывают и опрашивают свидетелей, изучая их показания, исследуют эксгумированные тела, чтобы выяснить, не найдутся ли в них признаки, по которым можно бы было сказать, что это и есть именно те являвшиеся людям и мучившие их вампиры. Признаками этими были: подвижность членов, жидкая кровь, отсутствие порчи в теле. Если все эти признаки находили, труп немедленно выдавали палачу для сожжения. Иногда, спустя три или четыре дня после таких операций над трупом, привидение снова являлось. На этом основании погребение подозрительных лиц откладывали на срок от шести до семи недель. Если они не сгнивали и члены их оставались мягкими и подвижными, как у живых, в таком случае их сжигали. Уверяют, что члены их двигались, хотя никто не касался их, а недалеко от Ольмюца, утверждает автор, видели привидение, которое бросалось камнями и сильно беспокоило жителей.

РАССКАЗ О ВАМПИРЕ, ВЗЯТЫЙ ИЗ «ИУДЕЙСКИХ ПИСЕМ» Д'АРЖАНСА

Следующий рассказ мы берем из «Иудейских писем»: новое изд. 1738 г., письмо 137-е.

В Венгрии нами был только что засвидетельствован случай вампиризма, расследуемый двумя чиновниками из Белградского суда, отправившимися в указанное место, и одним офицером королевской армии, воочию видевшим происходящее.

В начале сентября, в деревне Кизилове, отстоящей на три лиги от Градица, умер шестидесятидвухлетний старик. Через три дня после погребения явился он своему сыну и попросил у него еды. Сын исполнил желание отца, и тот исчез. На другой же день сын рассказал соседям об этом случае. В эту ночь отец не явился, но в следующую он опять явился и потребовал есть. Неизвестно, исполнил ли сын его желание или нет, только на другой день нашли его в постели мертвым. В тот же день заболело пять или шесть человек из деревни, и все один за другим через несколько дней умерли.

Начальник деревни послал об этом известие в Белградский суд, откуда отправлены были в деревню два чиновника для расследования дела. Королевский офицер, который и получил известие об этом, отправился туда же, заинтересовавшись фактом, о котором ему так часто приходилось слышать.

Вскрыли гробы всех, кто умер за шесть недель перед этим. Когда дошли до гроба того старика и открыли его, то увидели, что глаза открыты, цвет лица свежий, дыхание естественное, но он неподвижен, как мертвый. Из этого заключили, что он вампир. Судья велел проткнуть его сердце колом, потом, разложив костер, труп сожгли. Никаких признаков вампиризма ни на трупе сына, ни на других трупах не нашли.

Мы, слава богу, нисколько не легковерны и сознаемся, что никакое знание не может найти объяснения для этого явления. При всем том, мы не можем отвергать такой факт, который исследован и подтвержден людьми нарочно для сего отправленными и подтвержден юридически.

Есть два средства против нелепых бредней о так называемых вампирах. Первое состоит в том, чтобы физическими причинами объяснить все чудеса вампиризма, второе — отвергнуть действительность всех историй подобного рода, и это последнее есть, без сомнения, средство вернейшее и разумнейшее. Но так как есть люди, для которых свидетельство какого-нибудь авторитетного лица может служить достаточным основанием принять за истину самый нелепый рассказ, до того, как мы покажем, как мало им следует полагаться на соблюдение норм закона там, где дело касается исключительно философии, на миг мы допустим, что некоторые люди на самом деле умирают от заболевания, именуемого вампиризмом.

В основание нашего мнения мы полагаем: очень возможно, чтобы в телах, погребенных даже несколько дней тому назад, была жидкая кровь. Далее — очень возможно, что вампиры, сосавшие кровь у известных людей, были только в их воображении и что страх, произведенный воображением, мог произвести настолько сильное напряжение и потрясение во всем их организме, что они умирали. Мнимые вампиры целый день овладевали их мыслями и воображением; во время сна воображение, естественно, могло произвести образ этих чудовищ и причинить такой испуг, что они или тотчас, или немного спустя умирали. Кому не случалось видеть или, по крайней мере, слышать о людях, которые умирали в минуты сильного испуга? Самая сильная радость не влечет ли за собою столь же печальных последствий?

РАССУЖДЕНИЯ О ВЕНГЕРСКИХ ВАМПИРАХ

Из приведенных примеров можно также заключить, что вампиры в Венгрии, Моравии, Польше и других местах в самом деле не были мертвыми; они жили во гробах, но без движения и чувств; их свежая и красная кровь, мягкость членов, крик, издаваемый ими, когда пробивали им сердце или отсекали голову, — все это доказывает, что они были еще живы.

Впрочем, не в этом главная трудность, занимающая нас, а в том, каким образом вампиры подымаются из гробов своих и как возвращаются назад незаметно для других, как разрывают землю и открывают свои гробы, каким образом являются в своих платьях, как видят, ходят и едят? Почему они возвращаются в свои гробы? Если возвращаются в свои могилы, то как засыпают их землею так искусно, что нельзя потом заметить и признаков их выхода из гробов? Почему вампиры не остаются с живыми? Почему они сосут кровь у своих родственников? Зачем мучают и беспокоят дорогих их сердцу лиц, тем более что эти лица ничем не оскорбили их? Не есть ли это только фантазия тех, которые беспокоились о своих умерших родственниках? Почему они опять не являются и никого не беспокоят более, когда их сожгут? Успокаивается ли воображение живых суеверов после этих экзекуций? Как объяснить, что эти случаи так часто повторялись в Венгрии, Моравии и других странах, что это суеверие не ослаблялось, а с каждым днем, вместо того чтобы исчезнуть, лишь увеличивалось и усиливалось?

УНИКАЛЬНЫЙ СЛУЧАЙ, СВЯЗАННЫЙ С ВЕНГЕРСКИМ ВАМПИРОМ

В своей книге «Что мертвецы жуют в своих гробах» Ранфт приводит замечательнейший пример Петра Плогойовица, жителя венгерской деревни Кисилова. Петр в течение четырнадцати дней после погребения являлся во сне некоторым жителям деревни и так сильно душил их, что они от этого скончались в течение суток. За восемь дней он отнял жизнь у девяти человек, старых и молодых.

Вдова Плогойовица рассказывала, будто к ней явился умерший муж и требовал своей обуви, и этим так напугал ее, что она решилась оставить Кисилову.

Эти обстоятельства побудили жителей Кизиловы вырыть и сжечь труп Петра, чтобы избавиться от мучений. Прежде, однако ж, они обратились с просьбой о разрешении вырыть труп Петра Плогойовица к королевскому штатгальтеру в Градишке, что в Венгрии, и к приходскому священнику. И тот, и другой сильно возражали против этого; и крестьяне заявили, что если им будет отказано в разрешении на вскрытие тела этого человека, который, в чем они не сомневались, был настоящим вампиром (так они называли ожившие трупы), им придется оставить деревню и отправиться туда, куда они только смогут.

Видя, что жителей не могут остановить ни увещания, ни угрозы, штатгальтер сам явился из Градишки и вместе с священником присутствовал при выкапывании трупа. Когда открыли гроб, то тело оказалось цело и неповрежденно, только оконечность носа несколько высохла, от тела вовсе не было дурного запаха, и умерший скорее походил на спящего, чем на мертвеца; борода и волосы выросли; вместо отпавших ногтей выросли новые, под мертвою, бледною кожей явилась другая, свежая, как у живого, руки и ноги были совершенно здоровы. На устах заметна была свежая кровь, которую этот вампир, по суеверному убеждению народа, сосал у умерщвленных им.

Штатгальтер и священник расследовали дело со всей строгостью, и когда присутствовавший при этом народ страшно волновался и доказывал, что Петр был виновником смерти их соседей, не осмелились отказать желанию народа пробить грудь мертвеца колом; из раны, а также изо рта и носа полилась свежая, чистая кровь. Крестьяне бросили труп на костер и превратили в золу…

РАССУЖДЕНИЯ ПО ЭТОМУ ВОПРОСУ

Все писавшие об этом объясняли эти явления различно. Одни считали их чудом; другие смотрели на них, как на плоды фантазии и суеверия; третьи признавали их за простые и естественные явления на том основании, что вампиры не были мертвые и естественным образом влияли на другие тела. Четвертые считали все это промыслом самого диавола, среди них некоторые высказали мнение, что существовали определенные добрые демоны, которым приписывали игривые и безвредные действия в отличие от тех плохих демонов, которые толкают людей на преступления и грехи, дурно используют их, убивают и причиняют им бесконечное зло. Но какого большего зла можно опасаться от настоящих демонов и самых злобных духов, чем то, которое венгерские вурдалаки причиняют людям, чью кровь они высасывают и тем самым обрекают на смерть? Из числа последних некоторые утверждали, что не мертвые едят свое тело или платье, а змеи, ужи, кроты, рыси и другие кровожадные и прожорливые животные, а также известные у язычников *стриги*, то есть птицы, которые едят животных и людей и сосут у них кровь. Некоторые, наконец, думали, что это бывает главным образом с женщинами, особенно во время моровой язвы. Между тем вампиры — обоего пола и преимущественно мужского. Умершие от моровой язвы, яда, бешенства и эпидемических болезней более склонны ожить, вероятно потому, что их кровь труднее сгущается и потому, что часто тех, кто еще не вполне мертв, наскоро погребают, чтобы не заразиться от них.

Говорят еще, что вампиры известны только в некоторых землях, как-то: в Венгрии, Моравии, Силезии, где эти болезни более обыкновенны, и люди, питаясь скверно, под влиянием климата и пищи, суеверного воображения и страха предрасполагают себя к этому и подвергаются еще более опасным болезням; ибо страх и воображение, как доказывает ежедневный опыт, производят опасные болезни и могут усиливать их. Что касается утверждений некоторых о том, что мертвые едят и жуют в своих могилах, как свиньи, то это явно неправдоподобно, и такая идея может основываться только на нелепых предубеждениях разума.

Некоторые считают рассказы о вампирах делом фантазии, обольщения или болезни, известной еще со времен древних греков под названием *френезия, или корибантизм*, и при помощи ее хотят объяснить все явления вампиризма. Но они не объясняют, каким образом эта болезнь мозга может производить те реальные действия, о которых говорится. Каким образом люди могут вдруг поверить, что они видели то, чего никогда не было, и в короткое время умирают от болезни собственного воображения, которое открывает им, что такой-то вампир невредим, полнокровен и живет после смерти во гробе? Как объяснить, что в целом народе не найдется ни одного человека со здравым рассудком, который бы возвысился над ослеплением, эту совместимость несовместимого, подобную колдовству? И, кроме того, кто может объяснить нам ясно и внятно, что означают эти грандиозные масштабы и каким образом осуществляются эти процессы, столь сверхъестественные и таинственные? Это попытка объяснить явление неясное и сомнительное при помощи другого, еще более неопределенного и непонятного.

Если эти мыслители нисколько не хотят верить рассказам о явлениях и поведении вампиров, то они напрасно систематически пытались объяснить, что существует только в фантазии некоторых, зараженных предрассудками; если же все или, по крайней мере, часть из рассказываемого признать верным, в таком случае эти комплексы идей и методов не успокоят умов, которые требуют более основательных доказательств.

Если эти мыслители нисколько не хотят верить рассказам о явлениях и поведении вампиров, то они напрасно писали целые системы для объяснения того, что существует только в фантазии некоторых, зараженных предрассудками; если же все или, по крайней мере, часть из рассказываемого признать верным, в таком случае эти системы не успокоят умов, которые требуют более основательных доказательств.

2. Лорд Рутвен и его клан

Сокрытый свет из-под плаща
Перед Гертрудую возник.
Тень Сигизмунда, трепеща,
Она увидела в тот миг.
Вампир застыл, как истукан,
Подняв глаза, открывши пасть,
Зрачками страшными вращал,
Но потерял над телом власть.
Он страшен и безумен был —
С клыков текла чужая кровь.
Кого-то только что убил,
И ищет себе жертву вновь!

из «Вампира» Джона Стэгга (1810)[1]

[1] Перевод О. Лёвкина.

Вампир

Джон Полидори

Написанный летом 1816 года (в течение «двух или трех праздных утр»), пока работодатель Полидори был занят, «Вампир» был опубликован только в апреле 1819 года, и к тому времени автор совершенно забыл о нем. Впервые рассказ появился в New Monthly Magazine под авторством Байрона и стал поводом для ожесточенной ссоры между издателем журнала, редактором (который в результате подал в отставку) и прочими заинтересованными сторонами. Байрон, раздраженный больше, чем ему хотелось бы признавать, поспешно опроверг свое авторство: «У меня личная неприязнь к вампирам, и мое небольшое знакомство с ними никоим образом не побудило бы меня раскрывать их секреты». Но он тем не менее попросил Джона Мюррея опубликовать свое «Погребение» как можно скорее. В результате всех этих распрей Полидори заплатили всего 30 фунтов стерлингов (задним числом) за рассказ, который, вероятно, является самым влиятельным произведением ужасов всех времен. Эта история (которая имеет мало общего с «Погребением» Байрона) отражает напряженные отношения между Полидори и лордом Байроном (или «лордом Рутвеном») летом 1816 года.

Джон Полидори происходил из литературно образованной семьи. Его отец Гаэтано был ученым, поэтом и переводчиком (он перевел на итальянский полное собрание сочинений Мильтона и «Замок Отранто» Горация Уолпола). Джон вырос в итальянской общине Сохо. Он изучал медицину в Эдинбургском университете и окончил его в 1815 году в удивительно юном возрасте девятнадцати лет (его диссертация, посвященная сомнамбулизму и месмеризму, объясняет интерес к странным аспектам науки еще до знакомства с Байроном и Шелли). Как итальянскому иммигранту-католику, Полидори было невозможно обзавестись выдающимся покровителем на время своей университетской карьеры, своей диссертацией он не был никому обязан, и в 1815 году она была единственной из себе подобных. После своей краткой и бурной карьеры в роли личного врача Байрона вернулся в Англию в 1817 году, надеясь открыть медицинскую практику в Норвиче. Байрон отреагировал на это в свойственной ему остроумной манере:

От Норвича ждет врач ажиотажа,
Но наскребет едва ль на соль для каши.

В 1819 году вышел роман Полидори «Эрнест Берхтольд, или Новый Эдип», в основе которого лежала история, рассказанная им на собрании, посвященном историям о привидениях в июне 1816 года. Он умер в августе 1821 года в возрасте двадцати пяти лет. Некоторое время он страдал от повреждения головного мозга вследствие дорожно-транспортного происшествия, и считалось, что он мог покончить с собой, выпив синильную кислоту (однако недавно это было оспорено при доказательном анализе медицинских данных). Как бы то ни было, коллегией присяжных был вынесен вердикт «погиб от руки Божьей» и Полидори похоронили в освященной земле.

«Вампир» стал первым рассказом, успешно объединившим разнородные вампирские элементы в единое целое.[1]

Однажды, в пору зимних увеселений, в лондонских кругах законодателей моды появился дворянин, примечательный своей странностью более даже, чем знатностью рода. На окружающее веселье он взирал так, как если бы сам не мог разделять его. Несомненно, легкомысленный смех красавиц привлекал его внимание лишь потому, что он мог одним взглядом заставить его умолк-нуть, вселив страх в сердца, где только что царила беспечность. Те, кому довелось испытать это жуткое чувство, не могли объяснить, откуда оно происходит: иные приписывали это мертвенному взгляду его серых глаз, который падал на лицо собеседника, не проникая в душу и не постигая сокровенных движений сердца, но давил свинцовой тяжестью. Благодаря своей необычности дворянин стал желанным гостем в каждом доме; все хотели его видеть, и те, кто

[1] Перевод справки об авторе и рассказе Е. Шатской.

же пресытился сильными ощущениями и теперь был мучим скукою, радовались поводу вновь разжечь свое любопытство. Несмотря на мертвенную бледность, его лицо, никогда не розовевшее от смущения и не разгоравшееся от движения страстей, было весьма привлекательным, и многие охотницы за скандальной славой всячески старались обратить на себя его внимание и добиться хоть каких-нибудь знаков того, что напоминало бы нежную страсть. Леди Мерсер, от которой не ускользнул ни один чудак, сколько бы их ни появлялось в гостиных со времен ее замужества, воспользовалась случаем и разве что не облачилась в шутовской наряд, дабы оказаться замеченной им, однако все было напрасно. Он смотрел на нее, когда она стояла прямо перед ним, но взор его оставался непроницаем. Даже ее беспримерное бесстыдство было посрамлено, и ей пришлось покинуть поле битвы. Но хотя распутницам не удавалось даже привлечь к себе его взгляд, этот человек вовсе не был равнодушен к женскому полу. Однако с добродетельными женщинами и невинными дочерьми он знакомился, выказывая величайшую осмотрительность, и потому его редко заставали беседующим с дамой. Он имел репутацию очаровательного собеседника, и то ли красноречие скрадывало угрюмость его нрава, то ли его подчеркнутая неприязнь к пороку трогала женские сердца, но женщины, славившиеся своей добродетелью, разделяли его общество столь же охотно, как и те, кто успел запятнать свое имя.

Приблизительно в то же время в Лондон приехал молодой аристократ по имени Обри. Родители его умерли, когда он был ребенком, завещав ему и сестре большое состояние. Опекуны, заботившиеся лишь об имуществе детей, предоставили юношу самому себе, поручив воспитание его ума своекорыстным наставникам, и потому Обри развил свое воображение более, нежели умение судить о вещах. Соответственно он обладал тем романтическим чувством чести и искренности, которое ежедневно губит не одну ученицу модистки. Он верил, что добродетель торжествует, а порок Провидение допускает ради живописности, как это бывает в романах; он полагал, что платье бедняка такое же теплое, как платье богача, но скорее привлекает взор художника обилием складок и цветистостью заплат. Словом, поэтические мечтания он принимал за реальную действительность. Стоило только миловидному, простодушному и вдобавок богатому юноше войти в блестящее общество, как его тут же окружили маменьки, которые принялись неустанно расхваливать своих томных или резвых любимиц, соревнуясь в преувеличениях. Лица дочерей при виде его загорались радостью, и стоило лишь ему заговорить, как глаза их светились счастьем, что внушило Обри ложное представление о собственном уме и талантах.

В романтические часы своего уединения Обри с удивлением обнаружил, что сальные и восковые свечи мерцают не по причине присутствия некоего духа, но оттого, что он забывает снять с них нагар; реальная жизнь не соответствовала сонму приятных картин, воссоздаваемых в тех многочисленных томах, из коих он почерпнул свое образование. Найдя, впрочем, некоторое удовлетворение в светской суете, юноша готов был уже отказаться от своих грез, когда ему встретилась необыкновенная личность, о которой говорилось выше.

Обри наблюдал за ним; однако невозможно было без взаимного общения постичь характер человека, столь замкнутого в самом себе, что значение для него окружающих предметов сводилось лишь к молчаливому признанию их существования. Позволяя воображению рисовать каждую вещь так, чтобы это льстило его склонности к экстравагантным вымыслам, юноша вскоре сделал из объекта своих наблюдений героя романа и продолжал наблюдать более поросль своей фантазии, чем находившуюся перед ним реальную личность. Обри постарался завязать с ним знакомство и уделял ему столь много внимания, что вскоре оказался замечен и признан. Постепенно юноша узнал, что дела лорда Рутвена расстроены, и по приготовлениям на ***-стрит обнаружил, что тот собирается отправиться в путешествие. Желая узнать поближе эту одинокую душу, которая до сего момента только подстегивала его любопытство, Обри дал понять своим опекунам, что для него настало время совершить поездку в дальние страны, которая — поколение за поколением — считается важной, так как позволяет юноше сделать решительные шаги на стезе порока и, став наравне со взрослыми, не выглядеть так, будто они свалились с неба, когда скандальные похождения упоминаются как предмет шутки или похвалы, в соответствии со степенью проявленного здесь искусства. Опекуны согласились, Обри немедленно уведомил о своем решении лорда Рутвена и был весьма удивлен, получив приглашение присоединиться. Польщенный этим знаком расположения со стороны человека, который, очевидно, не был подобен другим людям, Обри с радостью принял предложение, и через несколько дней они пересекли воды пролива.

До этого Обри не имел возможности изучать характер лорда Рутвена, и теперь он нашел, что многие поступки лорда, представшие его взору, позволяют сделать различные выводы из вроде бы очевидных мотивов его поведения. Щедрость его спутника была беспредельной; являвшиеся к нему лентяи, бродяги, нищие получали подаяние, которое значительно превосходило их сиюминутные нужды. Однако Обри не мог не заметить, что милосердие лорда не распространялось на попавших в беду добродетельных людей (ибо и добродетель может быть подвержена превратностям судьбы). Таковые отсылались прочь с плохо скрываемой насмешкой. Но если какой-нибудь мот приходил просить подаяния для удовлетворения не насущных нужд, но своей страсти или чтобы еще глубже погрузиться в бездну порока, то его награждали с безграничной щедростью. Обри, впрочем, отнес это за счет того, что разврату присуще обычно самое низменное упрямство, тогда как находящейся в нужде добродетели всегда сопутствует стыдливость. Было одно обстоятельство в щедрости его светлости, которое все более и более впечатляло Обри: все, кого он облагодетельствовал, со временем обнаруживали, что на его дарах лежит некое проклятие; несчастные либо оказывались на эшафоте, либо впадали в еще более беспросветную и унизительную нищету. В Брюсселе и других городах, через которые они проезжали, Обри поражался страстности, с которой его спутник искал средоточия всевозможных модных пороков. Донельзя воодушевленный, он подходил к игорному столу, делал ставки и всегда оказывался в большом выигрыше, если только его соперником не был какой-нибудь известный шулер. В этом случае лорд терял более, чем выигрывал, но всегда с неизменным равнодушием, с каким он вообще смотрел на окружавшее его общество. Иначе было, когда ему противостоял неоперившийся юноша или незадачливый отец многочисленного семейства; тут каждое желание лорда, казалось, становилось законом для фортуны, его всегдашняя небрежная рассеянность исчезала и в глазах загорались хищные огоньки, как у кошки, играющей с полузадушенной мышью. В каждом городе он оставлял разоренного молодого богача, проклинавшего в тюремном одиночестве судьбу, которая свела его с этим демоном, тогда как многие отцы сидели, обезумев, под безмолвными, но красноречивыми взглядами своих голодных чад; от былой роскоши у них не оставалось ни фартинга, чтобы купить даже самое необходимое. От игорного стола он не брал ничего, но тут же проигрывал свои деньги разорителю многих, причем последний золотой мог быть вырван из судорожно сжатых пальцев неискушенного: возможно, это было результатом некоторых познаний, уступавших, однако, ухищрениям более опытных игроков. Обри часто испытывал желание объяснить это своему другу и убедить его отказаться от щедрости и развлечений, что приводят к крушению всего и не служат к его собственной выгоде. День за днем юноша откладывал этот разговор, надеясь, что друг предоставит ему возможность для открытой, честной беседы, но, к сожалению, этого не происходило. Лорд Рутвен, находился ли он в своей карете или совершал прогулку по живописным диким местам, всегда оставался неизменен: глаза его говорили еще менее, чем губы, и хотя Обри постоянно пребывал вблизи предмета своего любопытства, он так и не смог найти удовлетворительную разгадку; его волнение лишь возрастало от тщетных попыток проникнуть в тайну, которая начала представляться его пылкому воображению чем-то сверхъестественным.

Вскоре они прибыли в Рим, и Обри на время потерял своего спутника из виду: лорд ежедневно посещал утренние собрания у одной итальянской графини, а Обри блуждал в поисках достопримечательностей другого, почти исчезнувшего города. Пока он предавался этим занятиям, пришли некоторые письма из Англии, которые он распечатал со страстным нетерпением. Первое было от его сестры и дышало любовью, другие от опекунов, и, прочтя их, Обри ужаснулся. Прежде его уже посещали мысли, что лорд Рутвен одержим некой злой силой, письма же представляли вполне убедительные тому доказательства. Опекуны требовали, чтобы юноша немедленно расстался со своим другом, и утверждали, что характер последнего ужасно порочен, что его развращающему влиянию невозможно противостоять и именно это делает его необузданные наклонности чрезвычайно опасными для общества. Было обнаружено, что его видимое презрение к распутнице происходило не из ненависти к ее характеру, но что подлинное удовольствие он получал лишь тогда, когда его жертва и соучастница во грехе бывала свергнута с высот незапятнанной непорочности вниз, в глубочайшую пропасть бесславия и разврата. Все женщины, которых он добивался, очевидно стоявшие на вершине своей добродетели, после его отъезда сбросили маски и не постыдились выставить на всеобщее обозрение всю омерзительность своих пороков.

Обри решился порвать с человеком, в чьем нравственном облике не было ни одной привлекательной черты. Желая сыскать к тому благовидный предлог, Обри еще теснее сблизился со своим спутником и продолжил наблюдать за ним, не упуская ни одного, даже мимолетного штриха. Он стал посещать дом графини и вскоре заметил, что лорд намеревается воспользоваться неопытностью ее дочери. В Италии редко встретишь в светских кругах молодую девушку, и потому лорд вынашивал свои замыслы в строжайшей тайне. Но Обри удалось разгадать его уловки, и вскоре он узнал, что назначено свидание, которое почти наверняка погубит невинную, хотя и легкомысленную девушку. Обри поспешил к лорду и без обиняков расспросил его о намерениях относительно юной графини, не скрывая, что знает о свидании, назначенном как раз в предстоящую ночь. Лорд Рутвен ответил, что его намерения таковы, каковы и должны быть при подобных обстоятельствах. Обри поинтересовался, не предполагает ли его светлость жениться на девушке. Вместо ответа лорд расхохотался. Вернувшись к себе, Обри письменно уведомил лорда, что остаток путешествия им придется совершить порознь. Велев слуге подыскать новое пристанище, он поехал к матери девушки и сообщил ей все, что знал, о взаимоотношениях между ее дочерью и лордом Рутвеном и обрисовал ей характер его светлости в целом. Свидание было предотвращено. На следующий день лорд Рутвен через слугу передал, что против отъезда Обри возражений не имеет, однако никак не намекнул, что догадывается о том, кто разрушил его замыслы.

Из Рима Обри отправился в Грецию и, пересекши полуостров, вскоре прибыл в Афины. Остановившись в доме одного грека, он занялся изучением полуистлевших обломков былой славы, которые, словно стыдясь того, что запечатлели деяния свободных людей перед рабами, спрятались под слоем пыли и разноцветных лишайников. В том же доме жила молодая девушка, чья утонченная красота могла бы послужить образцом для художника, вознамерившегося запечатлеть на холсте воздаяние, обещанное правоверным в магометанском раю, если бы не ее выразительные глаза, которые выдавали в ней создание, имеющее душу. Танцевала ли девушка на равнине, ступала ли на горный склон — она несомненно была много прекрасней газели, ибо кто променял бы эти глаза — глаза одухотворенной природы — на сонный, сладострастный взгляд животного, который по вкусу лишь эпикурейцу? Ианфа легкой поступью часто сопровождала Обри в его поисках древностей, и он, позабыв о неразгаданных надписях, с восхищением любовался красотой ее форм, когда она, порхая, будто сильфида, гонялась за пестрой кашмирской бабочкой. Ее взметнувшиеся локоны то вспыхивали, то гасли, переливаясь под лучами солнца, и вполне можно простить рассеянность антиквара, который забывал о драгоценных табличках, прояснявших тот или иной отрывок из Писания. Но к чему пытаться описать чары, которым легко поддается всякий, но которые никто не может постичь? Это были невинность, молодость и красота, не потерявшие своей естественности в переполненных гостиных и душных бальных залах. Пока Обри зарисовывал руины, над набросками которых ему хотелось бы впоследствии проводить часы раздумья, Ианфа стояла рядом, наблюдая, как под его карандашом проступают на бумаге картины родного ей края. Девушка рассказывала ему о хороводах на лугу, вспоминала о свадьбах, которые ей доводилось видеть еще в детстве, живописуя их в сияющих красках юной памяти, а затем обращалась к темам, сильнее всего впечатлившим ее ум, и пересказывала истории о сверхъестественном, которые слышала от няни. Обри поневоле заражался ее искренней верой в эти истории. И часто, когда она рассказывала о живом вампире, который подолгу пребывал в кругу родных и друзей, каждый год вынужденный питаться кровью красивых женщин, чтобы еще на несколько месяцев продлить себе жизнь, Обри холодел от ужаса, хотя и пытался высмеять наивную веру девушки в страшные сказки. Ианфа, возражая, называла имена стариков, которые в конце концов обнаруживали в своем окружении вампира, после того как их родственники и дети были найдены мертвыми с отметиной дьявольского укуса. Она заклинала его поверить, ибо те, кто осмеливался сомневаться в их существовании, всегда получали доказательство и принуждены были с растерзанным горестью сердцем признать это за истину. Девушка подробно описала обычный вид этих чудовищ, и, слушая ее, Обри со все возраставшим ужасом узнавал портрет лорда Рутвена. Он уговаривал Ианфу отбросить пустые страхи, но сам не переставал дивиться многочисленным совпадениям, подтверждавшим его догадки о сверхъестественной власти лорда Рутвена.

Обри все сильнее привязывался к Ианфе; ее невинность, столь непохожая на притворную добродетель женщин, среди которых он надеялся найти воплощение своих любовных мечтаний, победила его сердце; и хотя мысль о женитьбе благовоспитанного англичанина на необразованной гречанке казалась ему нелепой, он находил себя все более и более влюбленным в чудесное создание, которое видел перед собой. Иногда он покидал ее на некоторое время и отправлялся на поиски какой-либо антикварной редкости с намерением не возвращаться домой, пока его цель не будет достигнута; однако он всякий раз оказывался неспособным сосредоточиться на окружавших его руинах, поскольку в мыслях своих лелеял облик, уже давно безраздельно владевший им. Ианфа не ведала о его любви и, как и прежде, хранила детскую непосредственность. Она неохотно расставалась с Обри, но лишь потому что видела в нем спутника, в сопровождении которого могла посещать излюбленные ею окрестности, в то время как он зарисовывал или расчищал обломки, избежавшие всесокрушительного действия времени. Девушка не преминула также передать родителям, что Обри не верит рассказам о вампирах. Побледнев от ужаса при одном лишь упоминании об этих существах, родители Ианфы, приводя множество примеров, тщетно старались переубедить его.

Вскоре после этого Обри вознамерился совершить поездку, которая должна была продлиться несколько часов. Когда родители девушки услышали название местности, куда он хотел отправиться, они принялись в один голос умолять его не задерживаться там до позднего вечера, ибо путь пролегал через лес, куда ни один местный житель не отваживался ступить после захода солнца. Они рассказали, что в лесу этом по ночам устраивают свои оргии вампиры, и горе тому, кто отважится пересечь их тропу. Обри не воспринял всерьез этих предупреждений и постарался высмеять наивную веру в вампиров, но, заметив, какой ужас вызвали у родителей Ианфы его насмешки над сверхъестественными адскими силами, при одном упоминании которых кровь стыла в их жилах, юноша замолчал.

На следующее утро Обри отправился в путь один, без сопровождения; он был удивлен, заметив, сколь унылы лица его хозяев, и понял, что именно его насмешка над их верой в этих ужасных демонов служит тому причиной. Едва он сел в седло, Ианфа подошла к нему и умоляла воротиться прежде, чем наступит ночь и эти злые твари вновь обретут власть. Обри пообещал ей это. Однако он был настолько поглощен своими разысканиями, что не заметил, как приблизился вечер и на горизонте появилось небольшое облачко — одно из тех, которые в странах с жарким климатом стремительно разрастаются в грозовые тучи и яростно проливаются на благодатную землю. Обри вскочил на лошадь, намереваясь стремительной ездой искупить свое промедление, но было уже поздно. В южных странах почти не бывает сумерек; солнце стремительно садится, и наступает ночь. Прежде чем Обри успел отъехать на некоторое расстояние, гроза оказалась над ним: гром грохотал непрерывно, мощный ливень обрушился сквозь шатер листвы, зигзаги голубых молний падали и вспыхивали прямо у его ног. Внезапно лошадь испугалась и понеслась стремглав сквозь чащобу. Наконец, изнемогши, она остановилась, и при свете молний Обри заметил утлую лачугу, что едва возвышалась над окружавшими ее грудами сухих листьев и веток. Спешившись, Обри приблизился к лачуге в надежде, что ее обитатели помогут ему добраться до города или по крайней мере предоставят кров на время грозы. Едва Обри подошел к лачуге, гром на мгновение стих, и юноше почудились ужасающие крики женщины, сопровождаемые глухим торжествующим хохотом, с которым они слились почти нераздельно. Обри вздрогнул, но тут снова загрохотал гром, и с внезапным приливом сил юноша распахнул дверь хижины. Оказавшись в кромешной тьме, он стал продвигаться в ту сторону, откуда слышался шум. Появления его, очевидно, не заметили, ибо, хотя он звал, странные звуки продолжались и на Обри никто не обращал внимания. Наконец

Обри наткнулся на невидимого противника и немедля схватил его; незнакомец воскликнул: «Снова ты на моем пути!» — и громко расхохотался. Обри был сжат с нечеловеческой силой; намереваясь продать свою жизнь как можно дороже, юноша вступил в борьбу, но напрасно: его подняли в воздух и затем сверхъестественно мощным толчком швырнули оземь. Противник бросился на него, сдавил грудь коленом и уже схватил за горло, как вдруг в хижину через окно проник свет множества факелов. Потревоженный незнакомец вскочил, опрометью кинулся к двери, оставив свою жертву лежать на полу, и выбежал наружу. Громкий треск сучьев возвестил о его бегстве, и тут же все стихло. Гроза прекратилась, и люди с факелами расслышали стоны Обри. Они вошли в лачугу, огни осветили закопченные стены и соломенный потолок, покрытый хлопьями сажи. По настоянию Обри люди стали искать женщину, чьи стоны привлекли его во время ночной грозы. Юноша опять оказался во тьме; но каков же был его ужас, когда комната вновь озарилась факелами, и он увидел бездыханное тело своей прежней прекрасной спутницы! Обри закрыл глаза, надеясь, что это было всего лишь видение, порожденное его расстроенным воображением, но, взглянув снова, он увидел то же тело, распростертое подле него. Щеки и даже губы Ианфы лишились красок; живость, прежде нерасторжимо свойственная ее чертам, уступила место недвижимому покою. Шея и грудь были залиты кровью, и на горле виднелись следы зубов, прокусивших вену. «Вампир, вампир!» — с ужасом воскликнули все, указывая на отметину. Были сооружены носилки, и Обри поместили рядом с той, которая еще недавно являлась предметом его сладостных мечтаний, ныне развеянных, ибо цветок ее жизни был оборван. Обри не в силах был постичь свои мысли, его разум оцепенел, перестал воспринимать реальность, ища спасения в бездействии. В руке юноша безотчетно стискивал причудливой формы кинжал, найденный в хижине. Вскоре печальная процессия встретила горожан, посланных на поиски Ианфы, чья мать была обеспокоена долгим отсутствием дочери. Когда они достигли города, их горестные восклицания предупредили отца и мать девушки о каком-то ужасном происшествии. Скорбь, охватившая ее родителей, не поддается описанию; однако, осознав причину смерти своего ребенка, они взглянули на Обри и указали на бездыханное тело. Оба были неутешны и умерли, снедаемые горем.

Обри пролежал несколько дней в жару; он часто бредил и звал то лорда Рутвена, то Ианфу; в силу какой-то необъяснимой связи он умолял своего спутника пощадить создание, которое было ему столь дорого. Иногда Обри призывал проклятия на голову Рутвена и обличал его как убийцу Ианфы. Лорду случилось в это время прибыть в Афины; когда он узнал о положении Обри, то, каковы бы ни были его мотивы, немедленно остановился в том же доме и ни на шаг не отлучался от юноши. Оправившись от лихорадки, Обри с ужасом увидел подле своей постели того, чей облик наводил его на мысли о вампирах; но лорд Рутвен говорил столь добрые слова, почти что раскаиваясь в дурном поступке, приведшем к их разрыву, и столь неустанно заботился о больном, что Обри вынужден был смириться с его присутствием. Его светлость, казалось, совершенно переменился: от былой апатии, что когда-то поражала Обри, не осталось и следа. Однако, как только юноша пошел на поправку, к лорду постепенно вернулось прежнее умонастроение и разница меж прежним и нынешним лордом Рутвеном исчезла, разве что временами Обри с недоумением ловил на себе его пристальный взгляд, сопровождаемый улыбкой злобного торжества, и не понимал, почему эта улыбка лорда Рутвена так мучительна для него. Пока больной выздоравливал, лорд проводил долгие часы на берегу моря, наблюдая рябь легкого бриза на воде или следя за ходом светил, вращающихся, подобно нашей планете, вокруг недвижного солнца; для своих прогулок он выбирал наиболее уединенные места.

Рассудок Обри значительно ослаб после пережитого потрясения. Молодой человек, казалось, навсегда утратил бодрость духа. Подобно лорду Рутвену, он искал теперь уединения и тишины. Но возможно ли было сыскать их в Афинах? Когда он посещал древние руины, где часто бывал прежде, ему чудилось, будто Ианфа стоит рядом с ним, когда уходил в леса — Ианфа, казалось, легкой поступью бродила между деревьев, собирая скромные фиалки. Затем его расстроенному воображению она вдруг представлялась бледной, с прокушенным горлом и отрешенной улыбкой на устах. Несчастный собрался покинуть края, где все вызывало в нем такие горькие воспоминания. Он предложил лорду Рутвену, считая себя обязанным ему за его заботливый уход во время болезни, посетить те области Греции, в которых они еще не бывали. Они путешествовали повсюду и посетили все достойные обозрения места, но, кажется, словно не замечали того, что видели. Они были наслышаны о разбойниках, но мало-помалу стали забывать о предупреждениях, считая, что это выдумки проводников, которые толками о мнимых опасностях желают побудить путешественников к большей щедрости. Итак, пренебрегши советами местных жителей, они отправились в путь с немногими сопровождающими, которые служили скорее проводниками, чем охраной. Достигнув узкого ущелья, по дну которого, усеянному огромными валунами, сорвавшимися со склонов, бежал ручей, путешественники вынуждены были раскаяться в своем легкомыслии, ибо, едва вся партия проникла в ущелье, над их головами засвистели пули и эхо выстрелов раскатилось меж каменных стен. Проводники тут же отбежали назад и, спрятавшись за камнями, открыли огонь в том направлении, откуда раздались выстрелы. Лорд Рутвен и Обри, последовав примеру провожатых, укрылись за спасительным изгибом ущелья; но затем, устыдившись того, что отступили перед противником, который криками ликования возглашал о своем преимуществе, и предвидя неизбежное кровопролитие в случае, если разбойники вскарабкаются на скалу и нападут с тыла, они решились броситься вперед и настичь врага. Едва лишь они оставили укрытие, лорд Рутвен был ранен в плечо и упал наземь. Обри поспешил к своему спутнику; не обращая внимания ни на перестрелку, ни на грозившую ему самому опасность, он вскоре с удивлением увидел вокруг лица разбойников; проводники, едва заметив, что лорд Рутвен ранен, тут же побросали оружие и сдались.

Пообещав разбойникам большое вознаграждение, Обри убедил их сопроводить своего раненого друга до ближайшей хижины; согласившись на выкуп, он был избавлен от их докуки: лишь у входа в хижину была выставлена охрана до тех пор, пока один из разбойников не вернулся с суммой, о которой распорядился Обри. Лорд Рутвен быстро слабел; через два дня началась гангрена, и смерть приближалась к нему скорыми шагами. Его внешность и поведение не изменились; казалось, он не замечает боли точно так же, как когда-то не замечал окружавшей его обстановки; но на исходе последнего вечера он стал испытывать очевидное беспокойство и остановил свой взор на Обри, который все это время ухаживал за ним с необычайным усердием.

— Помогите мне! Вы можете спасти меня — и даже более чем спасти; кончиной своей я обеспокоен так же мало, как мимолетностью этого дня. Но вы можете спасти мою честь, честь вашего друга!

— Как я могу это сделать? Скажите, я исполню все, что должно! — отозвался Обри.

— Я нуждаюсь в самой малости. Жизнь моя убывает, и я не могу объяснить всего. Но если вы скроете все, что знаете обо мне, честь моя будет спасена от позорной молвы; и если о моей смерти некоторое время не будут знать в Англии, тогда... тогда я спасен.

— О ней никто не узнает, — заверил Обри.

— Поклянитесь! — воскликнул умирающий, приподнимаясь на постели в порыве величайшего волнения. — Поклянитесь всем, что есть сокровенного в вашей душе, всем, за что вы опасаетесь, что ровно один год и один день вы никому ничего не расскажете ни о моих преступлениях, ни о моей смерти — ни одному живому существу, ни при каких обстоятельствах, что бы ни случилось и что бы вы ни увидели.

Глаза лорда, казалось, готовы были вылезти из орбит.

— Клянусь! — сказал Обри. С хохотом лорд откинулся на подушку и испустил дух.

Обри удалился, чтобы отдохнуть, но сон бежал от него. Многие обстоятельства, сопутствовавшие его знакомству с этим человеком, неизвестно почему будоражили ум юноши; о данной им клятве он вспоминал с содроганием, как если бы она должна была навлечь на него некие ужасные последствия. Поднявшись рано утром, он уже собрался было вернуться в хижину, где оставил покойного, когда встретившийся ему разбойник сказал, что после ухода Обри он и его товарищи, исполняя обещание, данное его светлости, отнесли тело лорда на вершину ближайшей горы и оставили там в бледном сиянии восходящего месяца. Обри был потрясен; взяв с собой нескольких человек, решился он идти с ними и предать покойного земле. Но, когда они поднялись на вершину, он не обнаружил ни тела, ни одежды, хотя разбойники клялись, что это та самая гора, где они оставили умершего. Некоторое время Обри терялся в догадках, но в конце концов заключил, что разбойники похитили и тайно погребли покойного, дабы присвоить его платье.

Не в силах задерживаться долее в стране, где он пережил столько злоключений и где душу его охватывало суеверное уныние, Обри переехал в Смирну. В ожидании судна, на котором можно было бы отплыть в Отранто или Неаполь, он занялся приведением в порядок вещей, доставшихся ему после кончины лорда. Среди них он обнаружил небольшой сундук, где хранилось оружие, годное, чтобы насмерть поразить жертву. Это были кинжалы и ятаганы. Осторожно поворачивая их и рассматривая диковинные очертания, Обри с удивлением обнаружил ножны, орнамент на которых был точь-в-точь как на рукоятке кинжала, подобранного им в ту роковую ночь в лесной хижине. Он вздрогнул. Спеша удостовериться в своей правоте, он достал оружие, и можно вообразить себе его ужас, когда он заметил, что клинок в точности повторяет причудливую линию ножен. Взор его, прикованный к кинжалу, не нуждался в дальнейших подтверждениях; и все же Обри не желал верить своим глазам. Однако совпадение очертаний ножен и клинка и одинаковый орнамент на ножнах и рукоятке кинжала служили неопровержимыми доказательствами, не оставлявшими места сомнениям; и тут и там виднелись следы крови.

Обри покинул Смирну. Проезжая по пути домой через Рим, он первым делом попытался разузнать что-либо о юной девушке, которую ему удалось похитить из силков развратника. Ему сообщили, что родителей ее постигло несчастье и они впали в нищету, а о девушке со времени отъезда его светлости никто ничего не слышал. У Обри едва ум не помутился от столь часто повторявшихся ужасных событий; он опасался, что юная леди стала жертвой того, кто погубил Ианфу. Обри сделался мрачен и молчалив и был занят лишь тем, что торопил возничих, дабы из-за промедления не утратить еще одно дорогое существо. Он прибыл в Кале; бриз, словно повинуясь его воле, скоро доставил корабль к берегам Англии. Обри поспешил ступить под кров отчего дома и там, в нежных объятиях своей сестры, как будто позабыл о печальных переживаниях. Если прежде он был привязан к ней как к милому ребенку, то теперь в ее проступавшей женственности он обрел удовольствие дружбы.

Мисс Обри не обладала той чарующей красотой, что приковывает взоры и вызывает восхищение в великосветских гостиных. Ей не был присущ тот поверхностный блеск, который так часто можно встретить в переполненных разгоряченными толпами бальных залах. Легкомыслие никогда не сквозило в ее голубых глазах; в них читалась очаровательная меланхолия, происходившая, казалось, не из несчастья, а из некоего сокровенного чувства, испытываемого душой, которой ве́домы иные, более светлые обители. Ее поступь не отличалась той легкостью, с которой девицы преследуют бабочку или устремляются к пестрому цветку, но соответствовала ее всегда спокойному, задумчивому настроению. Когда она бывала одна, ее лицо никогда не озарялось улыбкой радости; но когда брат одаривал ее любовью и забывал в ее обществе о горестях, разрушивших его покой, — кто мог бы променять ее улыбку на улыбку распутницы? Казалось, ее глаза и лицо в такие мгновения озарял свет ее собственной духовной родины. Мисс Обри было около восемнадцати. Ее еще не представили свету: опекуны дожидались возвращения с континента брата, который мог бы оказывать ей покровительство. Решили, что в ближайший же официальный прием при дворе девушка вступит в «этот суетный мир». Обри, конечно, предпочел бы оставаться в своем родном гнезде, предаваясь унынию. Он не испытывал теперь интереса к легкомысленным удовольствиям модных чудаков, так как его ум терзали события прошлого. Тем не менее он согласился пожертвовать собственным покоем ради заботы о сестре. Вскоре они приехали в город и занялись приготовлениями к предстоявшему торжеству.

В залах было многолюдно: собраний не устраивалось давно, и всякий, чье сердце жаждало королевской улыбки, торопился поспеть сюда. Обри приехал вместе с сестрой. Он стоял в стороне, безразличный ко всему вокруг, и вспоминал, что именно здесь он впервые встретился с лордом Рутвеном. Вдруг кто-то крепко сжал ему руку, и знакомый голос произнес: «Помните о своей клятве!» Обри едва нашел в себе силы обернуться, ожидая увидеть восставший из могилы грозный призрак. Неподалеку от него во плоти стоял его прежний спутник. Обри чуть не лишился чувств и был вынужден опереться на руку стоявшего с ним рядом знакомого. Пробравшись сквозь толпу к выходу, он бросился к своей карете и направился домой. Торопливыми шагами ходил он по комнате, стиснув голову руками, словно боялся, что одолевавшие его мысли могут вырваться наружу. Лорд Рутвен снова здесь — события стали принимать ужасный оборот — кинжал — данная лорду клятва... Обри сердился на самого себя, он не верил собственным глазам — возможно ли, чтобы мертвец восстал?! Не воображение ли вызвало призрак человека, о котором он постоянно размышлял? Не может быть, чтобы это случилось наяву. Обри решил не избегать общества. Он хотел было навести справки о лорде Рутвене, но само это имя замирало у него на устах, и ему не удалось собрать никаких сведений. Несколько дней спустя он повез сестру на прием, который устраивала их близкая родственница. Оставив мисс Обри под покровительством почтенной матроны, он уединился в соседней комнате и всецело отдался своим мучительным думам. Наконец, заметив, что общество начинает расходиться, он встряхнулся, воротился в залу и нашел сестру окруженной тесным кольцом беседующих. Пытаясь пробиться к ней, он попросил одного джентльмена уступить дорогу. Тот обернулся — и Обри узнал ненавистные ему черты. Ринувшись вперед, Обри схватил сестру за руку и поспешно вывел на улицу. У входа в ожидании господ теснились слуги. Минуя их толпу, он снова услышал, как знакомый голос шепнул ему: «Помните о своей клятве!» Обри, не осмеливаясь оглянуться, поторопил сестру, и вскоре они оказались дома.

Обри был близок к помешательству. Он и раньше только и думал что о лорде Рутвене, теперь же мысли о воскресшем чудовище целиком поглотили его рассудок. Сестре он почти перестал уделять внимание; напрасно девушка пыталась выяснить у брата, в чем причина его странного поведения. К ее ужасу, Обри бормотал в ответ что-то невнятное. Чем больше он размышлял, тем больше путались его мысли. Данная им клятва ужасала его: может ли он позволить мертвецу бродить по свету и нести погибель близким его сердцу, не пытаясь пресечь его путь? Даже его сестра могла стать жертвой призрака! Но если он нарушит клятву и выскажет свои подозрения — кто поверит ему? Он мог бы своей рукой освободить мир от этого изверга, но тот явно глумился над смертью. Целыми днями Обри просиживал в своей комнате, не видясь ни с кем, кроме сестры. Она приносила ему пищу и со слезами на глазах умоляла хотя бы ради нее поддержать свои силы. Наконец, не вынеся неподвижности и одиночества, он покинул дом и отправился бродить по улицам, чтобы избавиться от преследовавшего его призрака. Заботы о внешности были оставлены; юноша сделался неузнаваем и слонялся по городу, не боясь ни полуденного зноя, ни вечерней сырости. Поначалу он возвращался домой с наступлением сумерек, но потом стал ночевать там, где его одолевала усталость. Сестра, заботясь о его безопасности, заставляла слуг следить за ним, но он ускользал от преследователей быстрее, чем иной — от мысли. Вскоре, однако, его намерения переменились. Тревожась за неосведомленных об опасности друзей и знакомых, которым в его отсутствие угрожала гибель от демона, он решил вернуться в общество, наблюдать за своим врагом и, презрев клятву, предупреждать всех, с кем лорд Рутвен успел сойтись. Но когда он воротился домой, его дикий, испытующий взгляд был настолько поразителен, его внутренняя дрожь столь заметна, что обеспокоенная сестра принялась уговаривать его ради любви к ней не посещать общества, так пагубно на него повлиявшего. Уговоры оказались бесполезны, и тогда опекуны сочли необходимым вмешаться, полагая, что у их подопечного повредился рассудок и что самое время вновь приступить к обязанностям, некогда порученным им родителями Обри.

Желая оградить юношу от оскорблений и страданий, ежедневно испытываемых им на улицах, а также скрыть от сторонних взглядов признаки его вероятного безумия, они пригласили в дом врача, который должен был постоянно за ним наблюдать. Обри почти не замечал его присутствия. Ум его был занят одной-единственной ужасной мыслью. Наконец он стал вести себя так нелепо, что его заперли в комнате. Там он лежал целыми днями, безнадежно погруженный в тоску. Он выглядел истощенным, глаза его приобрели стеклянный блеск. Только в присутствии сестры он преображался, показывая, что не утратил окончательно памяти и способности любить. Когда она заходила к нему, он вскакивал, хватал ее за руки и, устремив на нее взгляд, повергавший ее в отчаяние, заклинал: «Остерегайся его! Если ты все еще любишь меня — не подходи к нему!» Она пыталась узнать, кого же брат имеет в виду, но он только повторял: «О, верь мне, верь!» — и снова погружался в тоску, из которой даже она бессильна была его вывести. Так прошло много месяцев. Год почти истек, Обри сделался не таким рассеянным и мрачным, и опекуны начали замечать, что он по нескольку раз в день пересчитывает что-то на пальцах и при этом улыбается.

Условленный срок близился к концу. Как-то, в последний день года, в комнату к юноше вошел один из опекунов и, обращаясь к врачу, выразил сожаление о том, что тот находится в столь прискорбном состоянии как раз накануне свадьбы мисс Обри. Молодой человек встревожился и спросил, за кого сестра выходит замуж. Собеседники, обрадовавшись, что к Обри возвращается разум, который, как они опасались, навсегда покинул его, назвали имя графа Марсдена. Обри остался доволен, так как подумал, будто речь идет о юном графе Марсдене, с которым он не раз встречался в свете и который был известен своими высокими достоинствами. К удивлению родных, он заявил, что хочет присутствовать на свадьбе сестры, и выразил желание немедленно ее видеть. Опекуны ничего не ответили, но через пять минут она уже была у него в комнате. Растроганный ее нежной улыбкой, Обри обнял сестру и расцеловал в обе щеки, мокрые от слез умиления, вызванных сознанием того, что брат вновь обретает способность любить. Он заговорил с ней, по обыкновению, с нежностью и благословил ее предстоящий союз с человеком столь выдающегося положения и достоинств. Внезапно, заметив медальон у нее на груди, он открыл его и увидел изображение чудовища, которое имело столь долгое влияние на его жизнь. В ярости он схватил портрет, швырнул на пол и принялся топтать ногами. Девушка спросила, чем ему не по нраву ее будущий муж. Обри, вперив в нее безумный взор, схватил ее за руки и умолял дать обещание, что она никогда не станет женой этого монстра, ибо... Но он не мог продолжать — он как будто снова услышал голос, приказывавший ему хранить клятву. Обри с испугом оглянулся, думая, что рядом находится лорд Рутвен, но никого не увидел. Тем временем опекуны и врач, которые все слышали и решили, что у него вновь помутился рассудок, поспешно вошли в комнату и разлучили его с девушкой, убедив ее удалиться. Обри упал перед ними на колени и заклинал хотя бы на день отложить свадьбу. Те, воображая, что он безумен, всячески постарались успокоить его и ушли.

На следующий день после приема во дворце лорд Рутвен заезжал к Обри, однако он, как и все прочие, не был принят. Услышав о болезни Обри, лорд Рутвен тотчас понял, что он является тому причиной; когда же он узнал, что молодого человека считают безумным, то с трудом смог скрыть от собеседников свое радостное волнение. Он сделался частым гостем в доме былого спутника, прилежно расспрашивал мисс Обри о здоровье брата, выказывал свою привязанность к нему и тем снискал ее расположение. Кто смог бы противостоять его власти? Искусными и опасными речами он описал себя как человека, который ни в одной душе, населяющей этот мир, не находит сочувствия. Он заверял мисс Обри, что стал ценить жизнь лишь с тех пор, как встретил ее, что ему достаточно лишь слышать от нее слова утешения. Иначе говоря, владел ли он в совершенстве искусством змия или такова была воля судьбы, только лорд Рутвен сумел завоевать привязанность девушки. Графский титул, неожиданно доставшийся ему, и сопутствовавшее званию высокое дипломатическое назначение стали поводом к тому, чтобы ускорить свадьбу, несмотря на расстроенное здоровье брата мисс Обри. Брачные узы должны были связать ее и лорда Рутвена накануне его отбытия на континент.

Когда врач и опекуны ушли и оставили Обри одного, он попытался подкупить слуг, но безуспешно. Он попросил перо и бумагу, ему их подали. Несчастный написал письмо сестре, заклиная девушку ее собственным счастьем, честью и памятью покойных родителей, некогда видевших в ней утешение и надежду семейства, отложить хотя бы на несколько часов свадьбу, которую он осыпал самыми тяжкими проклятиями. Слуги обещали доставить письмо по назначению, однако передали письмо врачу, который не счел нужным тревожить мисс Обри бреднями маньяка.

Всю ночь в доме не спали. Обри с ужасом, который легче вообразить, чем описать, понимал, что идут приготовления к свадьбе. Наступило утро, и он услышал, как подъехали экипажи. Он был близок к неистовству. Наконец сторожившие Обри слуги, поддавшись любопытству, потихоньку ушли, и он остался на попечении одной беспомощной старухи. Воспользовавшись случаем, Обри бросился вон из комнаты и через несколько минут был уже в покоях, где собрались все. Первым его заметил лорд Рутвен. Вне себя от злобы, он подскочил к Обри и, схватив несчастного за руку, в безмолвной ярости выволок за дверь. У лестницы лорд шепнул ему: «Помните о клятве! И знайте: если свадьба расстроится, сестра ваша будет обесчещена. Женщины слишком слабы!» С этими словами он толкнул его навстречу сбежавшимся слугам: его уже искали, так как старуха подняла переполох. Обри был сломлен: гнев его, не найдя выхода, разорвал кровеносный сосуд; молодого человека отнесли в его комнату и уложили на постель. Мисс Обри, которая не была свидетельницей его внезапного появления, ничего не сказали: врач боялся волновать ее. Брак был заключен, и молодые уехали из Лондона.

Слабость Обри возрастала; кровоизлияние вызвало симптомы, свидетельствовавшие о приближении смерти. Обри призвал опекунов сестры и, когда часы пробили полночь, во всех подробностях поведал им историю, уже известную читателю. Тотчас после этого он скончался.

Опекуны поторопились вослед мисс Обри, желая защитить ее, но было уже слишком поздно. Лорд Рутвен исчез; сестра Обри утолила жажду ВАМПИРА!

Перевод С. Лихачёвой

Погребение

Джордж Гордон Байрон

Изначально этот неоконченный рассказ был частью той истории, которую Байрон рассказал 17 июня 1816 года во время сочинения «страшных» рассказов на вилле Диодати. Он удалил большинство «вампирических» аспектов своей истории перед публикацией, вероятно для того, чтобы подчеркнуть различия между его «Погребением» и «Вампиром» Полидори. Причиной, по которой лорд Байрон вообще опубликовал этот рассказ (в качестве приложения к своей поэме «Мазепа» 1819 года), почти наверняка была самозащита. Он был поспешно опубликован вслед за «Вампиром» Полидори, который был ложно приписан самому Байрону, отчасти из-за этого недоразумения, отчасти в целях привлечения внимания и увеличения продаж[1].

---

17 июня 1816

В 17.. году, решившись посвятить время на обозрение стран, до сих пор редко посещаемых путешественниками, я отправился в путь вместе с одним другом, которого назову здесь Августином Дарвеллом. Он был на несколько лет старше меня, происходил из древней фамилии, был довольно богат и вполне ценил эти преимущества, хотя и не гордился ими. Некоторые особенные обстоятельства его частной жизни сделали его для меня предметом внимания, любопытства и даже уважения: и несмотря ни на

[1] Перевод справки об авторе и рассказе Е. Шатской.

отдаляющую холодность обхождения его, ни на порывы беспокойства, которые часто казались в нем близкими к сумасшествию, ничто не могло угасить во мне этих чувств.

Я был еще молод и совсем недавно близко познакомился с ним. Мы воспитывались в одной школе и учились в одном университете, но он опередил меня своими успехами и был уже глубоко посвящен в таинства так называемого «большого света», между тем как я был всего лишь неопытным начинающим. Я много слышал о его прошедшей и настоящей жизни, и хотя в этих слухах было много несообразных противоречий, из суммы их можно было видеть, что он не принадлежит к разряду существ обыкновенных, и, несмотря на всю его скрытность, он всегда оставался человеком заметным. Я не прервал наше знакомство и старался выиграть дружбу его, но последняя казалась недостижима; каковы бы ни были прежние страсти его, некоторые из них, казалось, угасли ныне; другие сосредоточились во глубине сердца. Я имел довольно случаев заметить, что чувства его были сильны; хотя он и владел собою, совершенно их скрыть он не мог. Однако он так умел одной страсти придать вид другой, что всегда было трудно угадать, что потрясает его внутри; выражение же лица его переменялось хотя и разительно, но так быстро, что определить его не было возможно. Какое-то неизлечимое горе, очевидно, терзало его; но было ли причиной его страданий честолюбие, или любовь, или раскаяние, или утрата, или все вместе, или то была природная меланхолия, почти болезненная, — я не мог понять: многие явления говорили в пользу каждой из причин, но, как я уже сказал, все так противоречило одно другому, что ни на одном нельзя было остановиться с уверенностью. Где есть тайна, там обыкновенно предполагают и зло: не знаю, справедливо ли это, но в Дарвелле, безо всякого сомнения, была первая, хотя я никогда не мог определить степени последнего, и, питая к нему уважение, мне всегда было тяжело верить, что оно в нем существует. Мои знаки внимания были приняты довольно холодно; но я был молод и не привык отказываться от своих намерений. Наконец мне удалось завязать с ним более близкое знакомство и приобрести некоторую доверенность, которая рождается от сходства занятий и частых встреч и называется коротким знакомством или дружбою — смотря по понятиям, какие с этими словами связывают.

Дарвелл уже много путешествовал, и я обратился к нему, испрашивая совета о предполагаемом путешествии. Тайным моим желанием было уговорить его ехать вместе, и я имел причины надеяться на это, так как знал его равнодушие к окружавшей его роскоши. Еще прежде я заметил в нем какое-то мрачное беспокойство, которое усиливалось при мысли о странах отдаленных, видимо, оживлявшей дух его. Сначала я говорил намеками, но наконец высказал свое желание: его ответ, хотя и не совсем неожиданный, имел, однако же, для меня всю прелесть нечаянности — он согласился. Устроивши все необходимое, мы отправились в путь. Проехав многие страны полуденной Европы, мы решили посетить Восток, согласно плану нашего путешествия, и происшествие, которым ознаменовалась наша встреча с этими странами, будет главной темой моего рассказа.

Судя по наружности, в ранней юности Дарвелл отличался необыкновенно крепким сложением, однако с некоторого времени силы начали постепенно оставлять его, хотя и не было в нем заметно никаких признаков болезни. У него не было ни кашля, ни жара, однако с каждым днем он видимо ослабевал. В дороге он вел умеренный образ жизни, не изменялся в наружности и не жаловался на усталость, но силы его заметно угасали: час от часу он делался молчаливее, терял сон и наконец так переменился, что я начал сильно беспокоиться о его здоровье. И чем больше, как мне казалось, увеличивалась опасность, тем сильнее возрастало мое беспокойство.

По прибытии в Смирну мы собирались посетить развалины Эфеса и Сард. Видя болезненное состояние Дарвелла, я старался отговорить его от этого намерения, но напрасно: казалось, что-то тяготило его душу; в его поведении появилось нечто торжественное, и я не мог понять, почему он с такой жадностью стремится к поездке, в которой я видел одну только цель — удовольствие — и которая могла повредить больному. Но я больше не возражал ему, и через несколько дней мы отправились в сопровождении местного лекаря и янычара.

Мы миновали половину пути к развалинам Эфеса, оставив позади плодородные окрестности Смирны, и ехали мимо болот и теснин по пустынной дороге, ведшей к нескольким хижинам, стоявшим среди разрушенных колонн храма Дианы, среди голых стен церквей изгнанного христианства и развалин заброшенных мечетей, когда внезапное изнеможение моего товарища вынудило нас остановиться на одном из турецких кладбищ, где только могильные камни, украшенные чалмами, свидетельствовали, что некогда в этой пустыне обитали люди. Единственный виденный нами караван-сарай остался далеко позади, впереди же не было ни намека на селение, ни даже хижины, к которой мы могли бы стремиться. Окружавшее нас обиталище мертвых, по-видимому, было единственным убежищем для моего несчастного друга, самою судьбою, казалось, приведенного в это жилище. В таком положении я отыскивал глазами место, где бы можно было отдохнуть, и взгляду представилось не похожее на обычные магометанские кладбище. Кипарисов было мало, и они росли, изрядно рассеянные по всему пространству; могильные камни по большей части заросли и изгладились от времени. Едва держась на ногах, Дарвелл облокотился на один из огромных валунов, покоившийся в сени могучего кипариса. Моего бедного друга мучила жажда.

Я сомневался в возможности найти источник и готовился идти его отыскивать, но он просил меня остаться; и, обратившись к Сулейману, нашему янычару, который спокойно курил подле нас трубку, сказал:

— Сулейман, вербана су [Принеси воды *(турецк.)*.], — и с большой обстоятельностью принялся описывать место в ста шагах вправо от нас, где был небольшой источник для верблюдов.

Янычар повиновался.

— Откуда вы знаете это место? — спросил я у Дарвелла удивленный.

— По нашему положению, — отвечал он, — вы сами можете видеть, что некогда это место было населено и потому поблизости непременно должен находиться источник. Однако я был здесь и прежде.

— Вы были здесь прежде! Почему же вы никогда об этом не говорили? И что можно искать здесь, где и остановиться может заставить только необходимость?

Мой вопрос остался без ответа. Между тем Сулейман возвратился с водой, оставив лекаря с лошадьми у источника. Свежая влага, казалось, на минуту оживила Дарвелла; у меня появилась надежда продолжать путь или по крайней мере возвратиться назад, и я сказал ему об этом. Он молчал и, казалось, собирал силы для того, чтобы говорить. Наконец он сказал:

— Здесь лежит конец моего путешествия и моей жизни. Я пришел сюда затем, чтобы умереть, но перед смертью… я хочу, чтобы вы исполнили мое последнее желание… просьбу… Исполните ли вы?

— Не сомневайтесь. Но у меня есть еще надежда…

— У меня нет ни надежды, ни желания продолжать эту жизнь; прошу только одного — ни одно живое существо не должно знать о моей смерти.

— Надеюсь, что этого не потребуется, когда вы выздоровеете…

— Нет! Это должно свершиться. Обещайте!

— Обещаю.

— Клянитесь всем, что вам… — Тут он произнес торжественную клятву.

— В этом нет необходимости. Я и без того исполню ваше желание, а сомневаться во мне, значит…

— Я не могу поступить иначе. Вы должны поклясться.

Я произнес клятву: это, казалось, облегчило его. Он снял с руки перстень, на котором было изображено несколько арабских букв, и подал мне.

— В девятый день месяца, — продолжал он, — ровно в полдень: какого угодно месяца, но непременно в девятый день, бросьте этот перстень в соленые источники, впадающие в Элевзинский залив. На другой день, в тот же самый час, придите к развалинам храма Цереры и один час подождите.

— Для чего же?

— Увидите.

— В девятый день месяца?

— В девятый.

Когда я заметил, что и теперь девятый день месяца, он изменился в лице и замолчал. Когда он сел, очевидно, ослабев еще больше, неподалеку от нас на один из могильных камней опустился аист со змеею в клюве и, не пожирая добычу, устремил на нас взгляд своих глаз. Не знаю, что побудило меня прогнать его, но моя попытка оказалась тщетной; совершив несколько кругов в воздухе, аист возвратился на то же самое место. Дарвелл улыбнулся, указал на птицу и сказал — не знаю, мне ли или самому себе:

— Славно!

— Что вы хотите сказать?

— Ничего. Сегодня вечером похороните меня здесь, на том самом месте, где сейчас сидит эта птица. Остальные мои желания вам известны.

Потом он начал рассказывать мне о различных способах, как лучше всего скрыть его смерть, и под конец воскликнул:

— Видите эту птицу?

— Вижу.

— И змею, извивающуюся у нее в клюве?

— Вижу; тут нет ничего удивительного, ведь это ее обычная добыча. Но странно, что аист не съедает змею.

Судорожная улыбка мелькнула на его лице, и слабым голосом он сказал:

— Еще не время!

Между тем аист улетел. Не больше двух минут я провожал его

глазами, когда вдруг почувствовал, что тяжесть Дарвелла увеличивается на моем плече; оборотился взглянуть на него и увидел, что он уже умер!

Меня поразила его внезапная смерть, сомневаться в которой не было возможности, так как через несколько минут он почти совершенно почернел. Такую скорую перемену я приписал бы яду, если бы не знал, что отравить его втайне от меня было невозможно. Солнце садилось, тело начинало разлагаться, и нам осталось только исполнить его последнюю волю. С помощью Сулейманова ятагана и моей сабли мы вырыли могилу на месте, назначенном Дарвеллом; земля, уже заключавшая в себе труп какого-то магометанина, подавалась без труда. Мы копали так глубоко, как нам позволяло время, и, засыпав сухой землей останки таинственного существа, так недавно умершего, мы вырезали несколько зеленых дернин среди поблекшей равнины, окружавшей нас, и ими прикрыли могилу.

Пораженный горестью и удивлением, я не мог плакать…

Перевод Петра Киреевского

Визит в театр

Александр Дюма

«Вампир» Полидори имел феноменальный успех в Париже, где публика не хотела признавать авторство кого-либо, кроме лорда Байрона. К февралю 1820 г. был написан полноформатный роман «Лорд Рутвен, или Вампиры», посвященный лорду Байрону, — фактически, первый роман о вампирах. К июню 1820 г. одновременно шли три постановки (не считая пародий) — «Вампир» в театре Порт-Сен-Мартен, «Вампир» (уже другой) в «Водевиле» и «Трое вампиров» в «Варьете». Сюжет самого оригинального из них, «Троих вампиров», рассказывал о приключениях мсье Гобту, одержимого Байроном и решившего относиться к возлюбленным двух своих дочерей и своей служанке как к вампирам: занавес опускался, что вполне предсказуемо, на тройном браке.

Наиболее прямая адаптация «Вампира» Полидори, выполненная Шарлем Нодье, выдающимся писателем-романтиком и коллекционером странных историй, была вновь поставлена на сцене два года спустя в театре Порт-Сен-Мартен, и именно эту пьесу пошел смотреть Александр Дюма, о чем позже вспоминал в своих мемуарах. «Вампир» Нодье произвел глубокое впечатление на молодого писателя, и двадцать восемь лет спустя ему довелось адаптировать пьесу заново. Премьера пятиактной версии «Вампира» авторства Дюма состоялась в декабре 1851 года — в ней он попытался объединить наиболее удачные элементы «формулы лорда Рутвена». Но на этом его интерес к вампиризму не ограничился: первая часть его сборника «Тысяча и один призрак» (1848), названная «День в Фонтене-о-Роз», содержит побочную сюжетную линию о деяниях вампира-аристократа. Этот сюжет был опубликован отдельно в Англии под названием «Бледная леди» в сборнике «Салонный романист» в томе «В лунном свете». «Бледная леди» — это странная и затянутая приключенческая история (в стиле «Корсиканских братьев») с «формулой Рутвена», действие которой разворачивается в относительно новом для жанра месте — Карпатских горах.

Этот отрывок из мемуаров Дюма блестяще передает атмосферу парижского театра в разгар повального увлечения вампирами. И Дюма умудряется вставить в перерывах между актами пьесы несколько полезных (хотя и не всегда точных) комментариев по более общим аспектам вампиризма.

Занавес поднялся. Во время увертюры должна была звучать гроза. Действие начиналось в пещере Стаффа. Мальвина спала на могиле. Оскар сидел на другой. В третьей лежал лорд Рутвен, который должен был выйти из нее в определенный момент. Роль Мальвины исполняла мадам Дорваль; Оскара, или ангела брака, — Моэссар; лорда Рутвена, или Вампира, — Филипп.

Увы! Кто мог знать в тот момент, когда я жадно заглядывал за занавес, рассматривая всю сцену, декорации и персонажей, что я буду присутствовать на похоронах Филиппа, увижу мадам Дорваль на смертном одре и коронацию Моэссара?

В прологе был еще один ангел, по имени Итуриэль, ангел луны, беседующий с ангелом брака. Его играла мадемуазель Денотт. Я не знаю, жива она сейчас или мертва… Повествование переключалось от ангела брака к ангелу луны, двум ангелам, которые носили одинаковые доспехи и могли принадлежать к одной семье.

Мальвина заблудилась во время охоты, буря привела ее в ужас, и она укрылась в пещере Стаффа. Не в силах больше бодрствовать, она заснула на могиле. Ангел брака присматривал за ней. Ангел луны, соскользнувший по лучу бледной богини сквозь трещины базальтовой крыши, спросил, почему ангел брака сидит там и как получилось, что в гроте Стаффа оказалась эта молодая девушка.

Ангел брака ответил, что Мальвина, сестра лорда Обри, должна была выйти замуж за лорда Марсдена на следующий день и он был призван из-за важности этого события. Причиной печали, отразившейся на его лице, пока он молчаливо созерцал прекрасную обрученную девушку, было осознание несчастий, уготованных ей, которой суждено попасть из объятий любви в объятия смерти. Тогда Итуриэль начал понимать.

— Объяснись, — сказал Итуриэль, — правда ли, что иногда приходят [являются] ужасные призраки…

Мой сосед задрожал, будто во сне его укусила змея.

— Являются? — он воскликнул. — Являются?

По всему театру раздались крики «Тише!», и я громко потребовал того же, потому что был очарован этим вступлением.

Ангел луны, прерванный на середине фразы, бросил сердитый взгляд на оркестр и продолжил:

— Правда ли, что ужасные призраки приходят [являются] под предлогом права на брак, чтобы высосать кровь из шеи робких девушек?

— Являются! являются! являются! — пробормотал мой сосед.

Новые требования тишины заглушили его восклицание, которое, надо признаться, на этот раз было менее смелым и менее пугающим, чем первое.

Оскар ответил:

— Да! И эти чудовища зовутся вампирами. Сила, чьи непостижимые законы нам не позволено подвергать сомнению, позволила некоторым несчастным существам, мучающимся от наказаний из-за своих преступлений на этой земле, наслаждаться ужасающей властью, которую они предпочитают брачному ложу и колыбели. Иногда их грозные фигуры являются облаченными в отвратительный облик, которым их наделила сама смерть, другим, пользующимся большей благосклонностью, поскольку их служба короче, а будущее более пугающее, разрешено вновь облачиться в плотское одеяние, утраченное в гробнице, и вновь предстать перед живыми в том теле, которым они прежде обладали.

— И когда же появляются эти чудовища? — спросил Итуриэль.

— В первый час зари они просыпаются в своих гробницах, — ответил Оскар. — Когда звук ее звонких ударов затихает среди горного эха, они ложатся обратно в свои вечные могилы. Но среди них есть один, над которым моя власть ограничена… Что я говорю?.. Сама Судьба никогда не сможет отказаться от своих решений!.. После того, как он принес опустошение в двадцать стран, всепобеждающая и вечная кровь, поддерживающая его ужасное существование, обновляла его жизненную силу… через тридцать шесть часов, в час ночи, он должен, наконец, быть уничтожен и наказан за бесконечную череду преступлений, если только к этому времени список его жертв не пополнится еще одной.

— Боже мой! Подумать только, сочинить такую пьесу! — пробормотал мой сосед.

Как по мне, он был излишне критичен, поскольку этот диалог показался мне изложенным в самом изысканном стиле, какой только можно вообразить. Пролог продолжался. Несколько человек, слышавшие моего соседа, шепотом высказались по поводу наглости этого неутомимого нарушителя.

Излишне говорить, что юная нареченная, спящая на могиле, была невинной героиней, которой было суждено стать невестой вампира, и если у публики были какие-либо сомнения, все они исчезли после последней сцены пролога.

— Что я слышу? — спросил Итуриэль. — Разговор с тобой надолго задержал меня в этих пещерах.

Когда ангел луны задает этот вопрос, раздается серебристый бой далеких часов, отбивающих час, и эхо повторяет его вновь и вновь.

— Останься и смотри.

Гробницы открываются в назначенный час, бледные тени наполовину поднимаются из своих могил, а затем снова скрываются под монументальными камнями, когда затихает эхо.

Призрак, закутанный в саван, выходит из гробницы, наиболее приметной из всех. Его лицо открыто, он скользит к месту, где спит мисс Обри, и восклицает:

— Мальвина!

Оскар:

— Отойди.

— Она принадлежит мне!

Оскар обнимает спящую девушку.

— Она принадлежит Богу, а ты скоро уйдешь в небытие.

Призрак удаляется, но угрожающе повторяет:

— В небытие.

Итуриэль пересекает сцену в облаке.

Сцена меняется и представляет собой квартиру в доме сэра Обри.

— Абсурд! абсурд! — воскликнул мой сосед.

Я был с ним совершенно не согласен. Постановка показалась мне великолепной, я ничего не мог сказать о Мальвине, потому что она не произнесла ни слова, но Филипп, несмотря на свою бледность, был чрезвычайно хорош, Моэссар — тоже. Более того, какой бы грубой она ни была, постановка отсылала к романтизму — почти неизвестному в то время движению. В этом вмешательстве нематериальных и сверхъестественных существ в человеческую судьбу было нечто фантасмагорическое, угождающее моему воображению. Пьеса началась.

Сэр Обри (вскоре читатель поймет, почему я выделяю слово *сэр*) — *сэр* Обри познакомился в Афинах с лордом Рутвеном, состоятельным английским путешественником, и они стали друзьями. Во время своих блужданий по Парфенону и мечтаний на берегу моря они думали о том, как еще сильнее скрепить свою дружбу и, при условии согласия Мальвины, решили заключить союз между молодой девушкой, которая чувствовала себя как дома в замке Стаффа, и благородным путешественником, который стал самым близким другом ее брата. К несчастью, во время поездки в пригород Афин, в которую Обри и Рутвен отправились, дабы присутствовать на тайной церемонии свадьбы, организованной лордом Рутвеном, на спутников напали разбойники. Охрана ловко обратила убийц в бегство; но лорда Рутвена успели смертельно ранить. Его последним желанием была просьба положить его на холм, залитый

В левом ряду сверху вниз: Страшный чилийский вампир, «хватающий свою жертву», как сообщал «Европейский курьер» в октябре 1784 года; и то же самое изображение, переделанное для Марии Антуанетты, анонимная гравюра времен Французской революции, датированная октябрем 1789 года. **В правом ряду сверху вниз:** Ламия — или «чудовище, способное принимать женский облик» — из «Истории четвероногих животных и змей» Эдварда Топселла (Лондон, 1658). Восточноевропейский пехотинец, или гайдук, размахивающий своим оружием. Из коллекции гравюр Кристофа Вайгеля и Каспара Лёйкена (Нюрнберг, 1703).

Сверху: Картина Генри Фузели «Ночной кошмар», впервые выставленная в Королевской академии летом 1872 года, вызвала сенсацию и получила множество рецензий. **Снизу:** Гравюра Джеймса Гилрея «Сказки чудес» 1802 года, высмеивающая трех сильно увлеченных и изысканно одетых читательниц готической литературы, которым давно пора спать.

Сверху: Гравюра 33 из «Иерусалима» Уильяма Блейка (напечатана около 1820 года), на которой «Мара, или ночной кошмар»Генри Фуссели превратилась в призрак гигантской летучей мыши; знаменитая гравюра Франсиско Гойи «Сон разума рождает чудовищ» (1799), с летучими мышами и совами. **Внизу:** Иллюстрация Гюстава Доре, изображающая гигантского крылатого сатану на ледяном девятом круге ада из «Ада» Данте (1861).

Картина Уильяма Блейка «Призрак блохи» (1819—1820) — желудь в одной руке, изогнутый шип в другой — выставлялась на выставках в конце XIX и начале XX века под названием «Вампир».

По часовой стрелке слева направо:
Гравюра Макса Клингера «Мертвая мать» (1898) из его коллекции «О смерти», часть II, где мара Фузели превратилась в растерянного младенца; «Самая красивая любовь Дон-Жуана» Фелисьена Ропса из его серии офортов «Дьяволицы» (1886) и его более ранняя работа «Агония смерти и жизни» (1872), изображающая жестокое нападение вампира — образ, который он несколько раз перерабатывал вплоть до конца 1890-х годов.

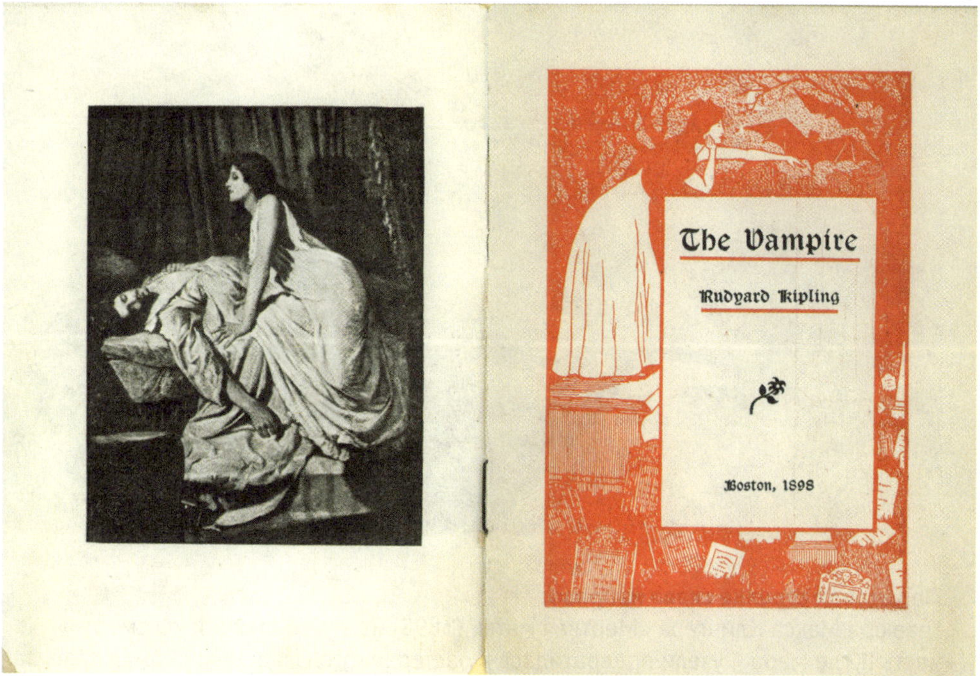
The Vampire
Rudyard Kipling
Boston, 1898

Сверху:
Картина Эдварда Мунка «Вампир» (1893), одна из многих версий, на которой она предстает огненно-рыжей, похожей на кошку, и целует свою распростертую жертву.

Справа сверху вниз:
Иллюстрация Д. М. Фристона к лесбийскому вампирскому рассказу Шеридана Ле Фаню «Кармилла», опубликованному в журнале «Дарк Блю», Дублин, 1871 год; титульный лист «Вампира», поэмы Редьярда Киплинга, и картина Филипа Берн-Джонса (которого часто путают с его отцом Эдвардом), обе написаны в 1897 году.

Сверху:
«Гарпия» Эдварда Мунка (тушь и акварель, 1898) с телом хищной птицы и головой женщины, добыча превратилась в скелет.

лунным светом. Обри выполнил эту просьбу и положил умирающего на указанное место. Когда глаза его друга навечно закрылись, а дыхание испарилось, Обри отправился искать своих разбежавшихся слуг, но, вернувшись с ними спустя час, он обнаружил, что тело исчезло. Он предположил, что тело унесли убийцы, чтобы уничтожить все следы своего преступления.

Вернувшись в Шотландию, он сообщил о смерти лорда Рутвена его брату, лорду Марсдену, и рассказал ему о близких отношениях, возникших между ними во время путешествий. Марсден заявил о вступлении в права своего брата и предложил жениться на Мальвине, если она согласится на эту замену. Мальвина, которая не знала ни того, ни другого, не возражала ни против притязаний лорда Марсдена, ни против пожеланий своего брата.

Объявили о приходе лорда Марсдена. Мальвина находится в легком смущении, которое, подобно утреннему туману, всегда окутывает сердца молодых девушек при появлении жениха. Обри, вне себя от радости, бросается его приветствовать, но, увидев, издает возглас удивления. Перед ним стоит не лорд Марсден, — человек, доселе неизвестный, — это его друг лорд Рутвен!

Изумление Обри велико, но всему нашлось объяснение. Рутвен тогда не умер, а лишь упал в обморок, и прохлада ночного воздуха привела его в сознание. Возвращение Обри в Шотландию было слишком поспешным, и Рутвен не успел послать ему весточку, но как только он поправился, то сразу же отправился в Ирландию и обнаружил, что его брат умер. Он унаследовал его имя и его состояние, и под этим именем, с состоянием вдвое большим, чем у него было раньше, он предложил Мальвине руку и сердце и радовался в предвкушении радости, которую он доставит своему дорогому Обри своим новым появлением перед ним. Рутвен очарователен: его друг не переоценил его. Они с Мальвиной произвели друг на друга настолько благоприятное впечатление, что под предлогом очень срочных дел он попросил разрешения жениться на ней в течение ближайших суток. Мальвина продемонстрировала достаточное сопротивление, прежде чем согласиться. Они отправляются в замок Марсден. Занавес опускается.

Теперь я наблюдал за своим соседом почти так же внимательно, как за пьесой.

Когда занавес опустился, он издал презрительное восклицание, сопровождаемое глубоким вздохом.

— Вздор! — произнес он.

Я воспользовался моментом, чтобы возобновить наш разговор.

— Извините, месье, — сказал я, — но в конце пролога вы сказали: «Какой абсурд!»

— Да, — ответил мой сосед, — полагаю, я действительно это сказал; или, если я этого не говорил, то определенно так подумал.

— Значит, вы порицаете появление сверхъестественных существ в пьесе?

— Вовсе нет, напротив, я чрезвычайно восхищаюсь этим. Все великие мастера широко использовали этот прием: Шекспир в «Гамлете», «Макбете» и «Юлии Цезаре»; Мольер в «Дон Жуане, или Каменном пире», который ему скорее следовало бы назвать «Каменный гость», чтобы это название было действительно выразительным; Вольтер в «Семирамиде», Гёте в «Фаусте». Нет, напротив, я очень одобряю сверхъестественное, потому что я верю в него.

— Что?! Вы верите в сверхъестественное?

— Совершенно определенно.

— В повседневной жизни?

— Конечно. Каждое мгновение мы тесно связаны с существами, которые нам неизвестны, потому что они невидимы для нас: они присутствуют в воздухе, огне, земле. Сильфы, гномы, водяные, хобгоблины, привидения, ангелы, демоны летают, плавают, ползают и прыгают вокруг нас. Что есть эти падающие в ночи звезды, метеоры, которым астрономы тщетно пытаются найти объяснение и о причинах появления которых они не могут ничего узнать, как не ангелы, доставляющие Божьи приказы из одного мира в другой? Когда-нибудь мы все это увидим.

— Вы сказали, мы это увидим?

— Я убежден в этом.

Затем раздались три удара, и занавес поднялся, являя вход в усадьбу, цепь заснеженных гор и окно. Усадьба, представленная на сцене, принадлежала замку Марсден.

Пока Рутвен готовился к женитьбе на Мальвине, Эдгар, один из его вассалов, женился на Ловетте. Ловетта была самой красивой, самой прелестной и самой грациозной невестой, какую только можно вообразить: ее играла двадцатилетняя Дженни Верпре.

Лорд Рутвен, который действительно любил Мальвину, предпочел бы пить кровь чужой жены, чем своей собственной, поэтому он охотно откликнулся на просьбу Эдгара присутствовать на его свадьбе. Бракосочетание состоялось. Видно, как лорд Рутвен садится: танцы вот-вот начнутся, выходит бард с арфой; он был гостем в каждом замке, поэтом, приглашенным на каждую свадьбу. Он узнал Рутвена, который не обратил на него внимания, так как был занят тем, что глазел на бедную Ловетту.

Первый куплет песни барда вызвал гнев лорда Рутвена, который увидел в нем предупреждение, адресованное Ловетте, и побоялся, что его жертва ускользнет от него. Он отвел свой чарующий взгляд от молодой девушки и яростно смотрел на барда, который беззаботно продолжал свою песню.

В третьем куплете Ловетта спасется от вампира. Поэтому барду, который на самом деле является переодетым ангелом брака, нельзя позволять петь этот куплет. Лорд Рутвен жалуется, что песня навевает печальные воспоминания, и отсылает старика прочь.

С приближением ночи нельзя терять ни минуты, поскольку, если он не успеет выпить кровь девушки до часа ночи, он умрет. Ему нужна встреча с Ловеттой. Она с радостью отказалась бы, но Эдгар боится вызвать неудовольствие своего господина, который, оставшись наедине с Ловеттой, пытается соблазнить ее, клянется ей в любви и вкладывает в ее руку кошелек, полный золота. В этот момент раздается игра на арфе и припев песни:

Бойся, юная невеста,
Той любви, что смерть несет!

Потом все встают и начинаются танцы. Где-то к их середине уставшая Ловетта уходит, Рутвен, который не выпускал ее из виду, следует за ней. Вскоре Эдгар замечает, что ни Ловетты, ни его господина здесь нет. Он тоже уходит. Из-за кулис доносятся крики; Ловетта выбегает в ужасе; раздается пистолетный выстрел: лорд Рутвен, смертельно раненный, падает на сцену.

— Он пытался обесчестить мою невесту! — восклицает Эдгар, в руке которого все еще дымится пистолет.

Обри бросается к раненому мужчине. Лорд Рутвен все еще дышит; он просит оставить его наедине со своим другом. Все уходят.

— Одно последнее обещание, Обри, — говорит лорд Рутвен.

— О, проси что угодно, хоть забери мою жизнь!.. мне будет невыносимо без тебя, — отвечает Обри.

— Друг мой, я всего лишь прошу тебя сохранить это в тайне в течение двенадцати часов.

— Двенадцати часов?

— Обещай мне, что Мальвина ничего не узнает о том, что произошло, и что ты не будешь мстить за мою смерть до того, как пробьет час ночи… Клянись хранить тайну моих последних слов!..

— Клянусь! — говорит Обри, протягивая руки. Из-за облаков появляется луна и ослепительно сияет, когда Рутвен произносит свои последние слова.

— Обри, — говорит Рутвен, — королева ночи проливает на меня свет в последний раз… Позволь мне увидеть ее и принести мои последние обеты небесам!

При этих словах Рутвен запрокидывает голову. Затем Обри с помощью отца Ловетты относит мертвеца к скалам вдалеке, целует ему руку в последний раз и удаляется вместе со стариком. В этот момент луна полностью заливает тело Рутвена своим светом и освещает замерзшие горы…

Занавес опускается, и весь зал восторженно аплодирует, за исключением моего соседа, который вновь ворчит себе под нос. Такая явная неприязнь к пьесе, которая, на мой взгляд, была вполне интересна, поразила меня, и исходила она от человека, который показался мне таким доброжелательным. Как я уже упоминал, он не просто довольствовался непрерывными замечаниями, но, что еще хуже, в течение всей последней сцены он в возмутительной манере играл ключом, который несколько раз подносил к губам.

— Право же, месье, — сказал я, — по-моему, вы очень строги к этой пьесе.

Мой сосед пожал плечами.

— Да, месье, я знаю это, и тем более потому, что автор считает себя гениальным человеком, талантливым и обладающим хорошим стилем, но он обманывает себя. Я видел эту пьесу, когда ее ставили три года назад, и теперь я увидел ее вновь. Что ж, я могу повторить то, что сказал тогда: пьеса скучная, лишенная воображения, неправдоподобная. Посмотрите, как он заставляет действовать вампиров! И затем, *сэр* Обри! Никто не говорит *сэр* Обри. Обри — это фамилия, и титул «сэр» используется только перед крестным именем. Ах! Автор был мудр и сохранил анонимность, поступая так, он проявил благоразумие.

Я воспользовался моментом, когда мой сосед остановился перевести дух, и спросил:

— Месье, вы только что сказали: «Посмотрите, как он заставляет действовать вампиров!» Ведь так? Я не ошибся?

— Нет.

— Выражаясь подобным образом, вы создали у меня впечатление, что вы верите в их реальное существование.

— Конечно, они существуют.

— Вы, случайно, когда-нибудь их видели?

— Конечно, я их видел. Своими собственными глазами, как Оргон и Тартюф.

— И где же?

— В Иллирии.

— В Иллирии? О! Вы были в Иллирии?

— Три года.

— И вы видели там вампиров?

— Иллирия, как вам должно быть известно, является исторической родиной вампиров, как Венгрия, Сербия и Польша.

— Нет, я не знал... Я ничего не слышал об этом. Где именно были вампиры, которых вы видели?

— В Спалатро[1]. Я жил у хорошего человека, ему было шестьдесят два. Он умер. Через три дня после своих похорон он явился ночью своему сыну и попросил еды: сын дал ему все, что он хотел, старик съел это, а затем исчез. На следующий день его сын рассказал мне об этом визите и заявил, что уверен в том, что его отец явится еще не один раз, и попросил меня следующей ночью встать у окна, чтобы видеть, как он входит и выходит. Мне очень хотелось увидеть вампира. Я ждал у окна, но в ту ночь он не пришел. Опасаясь, как бы я не впал в уныние, сын уверил меня, что старик, вероятно, придет следующей ночью. Я вновь встал у своего окна, и действительно, ближе к полуночи появился старик — я безошибочно узнал его. Он шел со стороны кладбища быстрым шагом, но его шаги были беззвучны. Подойдя к двери, он постучал три раза: удары по дубу звучали звонко, как будто по нему били костью, а не пальцем. Сын открыл дверь, и старик вошел...

Я слушал эту историю с большим вниманием и начал предпочитать антракт тому, что разыгрывалось на сцене.

— Мое любопытство было слишком сильным, чтобы я мог отойти от окна, — продолжал мой сосед, — там я и остался. Полчаса спустя старик вышел; он отправился туда, откуда пришел, то есть в направлении кладбища. В тот момент, когда он исчез за углом, открылась моя дверь. Я обернулся и увидел сына. Он был очень бледен. «Ну что, — сказал я, — значит, приходил ваш отец?» — «Да... Вы

---

[1] Совр. Сплит, город в Хорватии.

видели, как он входил?» — «Как входил и выходил… Что он делал сегодня?» — «Он попросил у меня еды и питья, как и на днях.» — «И он ел и пил?» — «Да, ел и пил… Но это еще не все… меня кое-что беспокоит. Он сказал мне…» — «О! Он просил что-то еще, кроме еды и питья?» — «Да, — сказал он мне, — это уже второй раз, когда я прихожу и ем с тобой. Теперь твоя очередь прийти и поужинать со мной». — «Дьявол!..» — «Я должен ожидать его послезавтра в тот же час». — «Черт возьми!» — «Да-да, это-то меня и беспокоит». Буквально через день его нашли мертвым в постели! В тот же день два или три жителя деревни, которые тоже видели старика и разговаривали с ним, заболели и умерли. Все сошлись во мнении, что старик стал вампиром. Меня допрашивали, я рассказал обо всем, что видел и слышал. Правосудие потребовало провести осмотр кладбища. Они вскрыли могилы всех, кто умер за последние шесть недель: каждый труп уже начал разлагаться. Но когда они пришли к могиле Кисилова — так звали старика — они увидели, что его глаза открыты, губы красны, легкие дышат, хотя он был неподвижен, как при смерти. Они вогнали кол в сердце, он издал громкий крик, и изо рта хлынула кровь, затем они положили его на вязанку дров, сожгли и развеяли пепел по четырем сторонам… Вскоре после этого я покинул страну. Я не знаю, стал ли вампиром и его сын.

— Почему он тоже должен был стать вампиром? — спросил я.

— О! Потому что это участь всех тех, кого кусает вампир, — становиться вампирами.

— Право же, вы говорите об этом так, как будто это общеизвестный факт.

— Но на самом деле это известный, зарегистрированный и твердо установленный факт! Вы сомневаетесь в этом?.. Прочтите «Трактат о явлениях» Дома Кальме, том II, с. 41 и далее; вы найдете запись за подписью хаднаги (судьи) Барриавара и старейшин-гайдуков; далее — Баттив, обер-лейтенант полка Александра Вюртембергского; Клерктингер, хирург полка Фюрстенбергского и три других хирурга. Голтшиц, капитан в Слоттатсе, утверждал, что в 1730 году, спустя месяц после смерти некоего гайдука по имени Арнольд Паоле, жившего в Медрейга и раздавленного упавшей телегой, груженной сеном, скоропостижно скончались четыре человека и по характеру смерти, в соответствиями с представлениями, царившими в стране, было очевидно, что они стали жертвами вампира. Затем вспомнили, что при жизни этот Арнольд Паоле часто рассказывал, что в окрестностях Косово на турецко-сербской границе его сильно мучил турецкий вампир. Царило убеждение, что тот, кто имел дело с вампиром при жизни, после смерти сам становился вампиром, но он решил уберечь себя от такой судьбы, поедая землю с могилы вампира и растирая себя его кровью — однако эти меры предосторожности не помешали ему обратиться. Поскольку умерло четыре человека, подумали, что это его рук дело. Через сорок дней после погребения труп его выкопали и признали за вампира, так как нашли, что тление нисколько не коснулось его тела, его волосы, ногти и борода отросли, в венах текла совершенно свежая кровь, которая сочилась из всех частей его тела так, что вся одежда была окровавлена. Хаднаги, судебный пристав, ранее сталкивался со случаями вампиризма и в присутствии тех, кто выкапывал тело, приказал вогнать очень острый кол в сердце упомянутого Арнольда Паоле, и все это время с его губ срывался ужасный крик, словно он был жив. После ему отрубили голову и сожгли труп, то же самое проделали и с телами четырех или пяти его жертв, чтобы они, в свою очередь, не стали причиной смерти других. Но ни одна из этих предосторожностей не предотвратила нового случая пять лет спустя, примерно в 1735 году, когда семнадцать человек, живших в одной деревне, пали жертвами вампира, некоторые без каких-либо проявлений, другие после двух-трех дней мучений. Среди них была молодая девушка Страноска, дочь гайдука Иероницо, которая отправилась в постель совершенно здоровая, а проснулась посреди ночи, дрожа всем телом и издавая страшные вопли о том, что сын гайдука Милло, умерший девять недель назад, пытается задушить ее. После этого она стала чахнуть и умерла спустя три дня. А ее слова о сыне Милло заставили их заподозрить его в вампиризме: они выкопали его тело и никаких сомнений не осталось. В ходе длительного расследования выяснили, что покойный Арнольд Паоле убил не только четырех человек, о которых уже упоминалось, но и множество животных. Так как люди ели мясо этих животных, то и сами делались вампирами, что и произошло с сыном Милло. Было решено выкопать всех, кто умер после определенного числа, среди примерно сорока трупов обнаружили семнадцать, имевших все признаки вампиров. Им пронзили сердца, отрезали головы, затем сожгли их, а тела бросили в реку.

— Дорого ли стоит книга, содержащая эти доказательства, месье?

— Совсем нет! Вы найдете ее где угодно, в двух томах, по 480 страниц каждый. Она обойдется вам от сорока су до трех франков.

— Спасибо, я с удовольствием куплю экземпляр.

— А теперь вы позволите мне удалиться?.. Три года назад третий акт показался мне довольно плохим; сегодня он покажется мне еще хуже.

— Если вам действительно пора, месье…

— Да, действительно, вы должны меня отпустить…

Я знал, что было бы неприлично задерживать моего соседа. Хотя разговор с ним, который за короткое время охватил широкий круг тем, был приятным и назидательным для меня, было очевидно, что он не мог бы сказать того же со своей стороны. Я ничему не мог его научить, я был невежей во всем, что знал он. Поэтому я стушевался, вздыхая, не решаясь спросить его, кто он…

Я с сожалением наблюдал, как он удаляется: смутное предчувствие подсказывало, что, оказав мне столько услуг, этот человек мог бы стать одним из моих самых близких друзей. Антракт, проведенный с ним, оказался гораздо интереснее, чем сама пьеса.

К счастью, прозвенел звонок к началу третьего акта, и антракт подошел к концу.

Единственным чувством, которое я испытал, когда мой сосед ушел, было чувство абсолютного одиночества в этом огромном здании. Поэтому я полностью сосредоточился на пьесе. Мог ли я судить ясно? Нет, конечно, пока нет: «Вампир» был одной из первых мелодрам, которые мне довелось посмотреть.

Третий акт был всего лишь повторением того, что произошло в первом. Рутвен, которого его друг Обри считал погибшим на ферме Марсдена, вновь ожил под поцелуями луны — сущий могильный Эндимион. Он вернулся в замок раньше брата Мальвины и настоял на женитьбе; когда Обри прибыл, то увидел, что невеста наряжена, а часовня подготовлена. Он подошел к своей сестре, чтобы сообщить ей ужасную новость о смерти ее жениха, и, пораженная его бледностью и отчаянием, Мальвина воскликнула:

— Дорогой брат, что случилось?.. Ради всего святого, расскажи мне все!

— Тогда соберись с духом, — сказал Обри.

— Ты меня пугаешь! — воскликнула Мальвина. Затем, повернувшись к двери, — Милорд давно приехал.

— Поскольку я должен разбить твое сердце, знай, что все мои планы рухнули. Ужасное, непредвиденное событие лишило нас: меня — друга, тебя — мужа!.. Несчастный Рутвен...

В этот момент Рутвен вышел вперед, схватил Обри за руку и сказал ему мрачным голосом:

— Помни о своей клятве!

При этих словах, как раз в тот момент, когда вся публика разразилась аплодисментами, из одной ложи раздался громкий свист. Я обернулся, и все в оркестре и в партере тоже. Аплодирующие поднялись толпой и закричали: «Выведите его!» Но свистун продолжал свистеть, спрятавшись в своей ложе и укрывшись за перегородкой как за неприступным валом. Не знаю почему, но я решил, что это был мой сосед, который наконец-то удовлетворил свое желание высмеять пьесу, вызывавшую у него отвращение на протяжении всего вечера. Спектакль прервался: Филипп, мадам Дорваль и Териньи стояли на сцене, не в силах вымолвить ни слова, крики «Выведите его!» стали еще громче, кто-то послал за полицейским.

Всмотревшись в ложу, я увидел сквозь прутья решетки силуэт досаждающего свистуна. Это действительно был мой сосед. Прибыл сотрудник полиции. Несмотря на все протесты, свистуна выпроводили из театра, а пьеса возобновилась под топот и крики «браво».

Пьеса подходила к концу. Обри скрутили слуги лорда Рутвена и увели его от Мальвины, она осталась без защиты. Рутвен схватил ее; открылась дверь — дверь часовни, освещенной для ночного бракосочетания. Мальвина не решается заключить брак без своего брата, но Рутвен становится все более настойчивым; ибо если кровь юной девушки не даст ему новую жизнь в течение нескольких минут, он *будет уничтожен*, как и предсказывал ангел брака! Внезапно в часовне появляется Обри, вырвавшийся из рук своих стражей, он останавливает свою сестру и умоляет ее не продолжать. Рутвен вновь напоминает Обри о его клятве.

— Да, — говорит Обри, — но вот-вот пробьет час, когда я смогу все рассказать.

— Негодяй! — кричит Рутвен, выхватывая кинжал. — Если ты произнесешь хоть слово...

— Ты получишь ее только через мой труп! — кричит Обри, усиливая сопротивление.

— Что ж, тогда вы оба погибнете! — говорит Рутвен.

Еще чуть-чуть, и он ударит Обри. Пробивает час; Мальвина падает в обморок в объятиях Бригитты; гремит гром.

— Погиб! Уничтожен! — кричит Рутвен.

Он роняет свой кинжал и пытается сбежать. Тени поднимаются из-под земли и уносят его; ангел-разрушитель появляется в облаке; сверкает молния и Рутвен окончательно исчезает среди теней.

Вампир Варни

Джеймс Малкольм Раймер

Монтегю Саммерс (и прочие вампирологи начиная с 1920-х годов) считал, что «Вампир Варни» был написан Томасом Прескеттом Престом — самым плодовитым писателем школы писак «Солсбери сквер» и создателем Суини Тодда. Но в 1963 году Луис Джеймс установил, что автором «Варни», вне всякого сомнения, является шотландец Джеймс Малкольм Раймер — доказательством послужили два альбома для вырезок, принадлежащих ему. Раймер (также известный как Эррим и Мерри) был бывшим инженером-строителем, который начал работать в типографии Ллойда в начале 1840-х годов. Он надеялся, что это станет ступенькой к более респектабельной литературной карьере, и в статье о популярной литературе (июнь 1842 г.) высмеял дешевую литературу ужасов:

«Если автор хочет стать популярным — то есть, чтобы его читало большинство, — он должен, прежде чем начать писать, хорошо изучить тех, которых он собирается обслуживать... Но, могут спросить, как же тогда нам объяснить сохранявшийся так долго вкус к кровавым произведениям ужаса?

Очень просто. Любить суеверия — привилегия невежественных и слабых. Единственное сильное ментальное ощущение, на которое они способны, — это страх... Есть миллионы умов, у которых нет выбора между банальной сентиментальностью и нелепыми призраками детской».

Но несколько лет спустя Раймер осознал, что обладает необычным талантом к написанию успешных ужастиков — две его самые известные работы, «Ада преданная» и «Варни» (обе 1845–1847), держались в списке бестселлеров Ллойда в течение пятнадцати лет после первой публикации. Однако его цинизм по отношению к «невежественным и слабым» иногда проявлялся в том, как он писал: Луис Джеймс описал Раймера как «умного и разностороннего писателя, который мог манипулировать клише готической мелодрамы с отстраненностью». Эта отстраненность отчетливо заметна во многих фрагментах «Варни», где он открыто нападает на своих читателей. Но Раймер, похоже, «хорошо изучил тех, кого он собирался обслуживать»: в конце первой части сэр Фрэнсис Варни утверждает, что использовал свой предполагаемый «вампиризм», чтобы терроризировать семью Баннерворт и украсть их зарытые сокровища (для скептически настроенных городских читателей); во второй половине в леденящий душу момент он обнаруживает, что он действительно вампир (это для тех, кто хочет «нелепых призраков детской»).

За семь лет до появления Варни «Вампир» Полидори был переиздан «Библиотекой романтиков и писателей» в недорогом иллюстрированном формате. Раймер почерпнул большинство своих сюжетных идей из этого источника, но в процессе доведения успешной идеи до ума (более 850 страниц) он также внес существенные изменения в формулу Рутвена — изменения, которые пятьдесят лет спустя найдут отражение в «Дракуле» Брэма Стокера.

Выбранные мной отрывки из «Варни» дают представление о стиле Раймера и демонстрируют связь с «Дракулой» (сцена с Кларой Крофтон, возможно, вдохновила Брэма Стокера на сцену с Люси Вестенра, хотя и в характерном мелодраматическом стиле), а также показывают, как Раймер расширил формулу Рутвена (иногда путем заимствования целых сцен из Шекспира!). Одно изменение, внесенное Раймером, не было подхвачено Брэмом Стокером: в «Варни» добрые силы никогда не уничтожают вампира; пока герои стоят в стороне, ритуал совершает разъяренная толпа. Этот сюжетный мотив позже стал чем-то вроде торговой марки в фильмах ужасов, снятых голливудской студией Universal Studios в начале 1930-х годов.

Торжественные тона старых кафедральных часов пробили полночь. Воздух был густым и тяжелым. Странная, похожая на смерть тишина пропитала природу. И как при зловещем штиле, который предшествует многим ужасным стихийным бедствиям, силы элементов приостановили свою обычную деятельность, собирая мощь для сокрушительного удара. Издалека донесся первый и слабый раскат грома. Как сигнальный выстрел, возвещающий начало грандиозной битвы, он пробудил ветра войны от летаргического сна, и безумный, невесть откуда взявшийся ураган пронесся над городом, произведя за четыре-пять минут столько разрушений, что их хватило бы на полвека обычной истории.

Будто гигант подул на игрушечный город, разметав крыши домов горячим порывом ужасного дуновения. Ветер стих так же внезапно, как и возник, но после него стало еще тише и холоднее, чем прежде.

Спавшие пробудились, думая, что услышанный ими вой был криком химер из кошмаров. Дрожа от страха, люди вновь пытались уснуть.

А вокруг стояла тишина — тишина могилы. И ничто не нарушало магии безмолвия. Но что это? Странный шуршащий звук, будто топот ног миллионов эльфов. Нет, это был град. Настоящая буря обрушилась на город. С деревьев вперемешку с сучьями срывало листья. Окна, встретившие прямую атаку шквала ледяных комков, разбились вдребезги, а похищенная тишина, еще миг назад поражавшая своей интенсивностью, сменилась шумом, который в своем апогее заглушал все крики удивления и испуга, вырывавшиеся из уст людей, в чьи дома врывалась буря.

Время от времени внезапные порывы ветра, задувавшие сбоку, на секунду подвешивали миллионы градин в воздухе, но затем они с удвоенной силой неслись в каком-то другом направлении для свершения нового зла.

О, как ярилась эта буря! Град, дождь и ветер! То была воистину пугающая ночь.

В этом старом доме имелась комната, оформленная в античном стиле. Странные и причудливые резные украшения на стенах; большая каминная полка, любопытная сама по себе; низкий потолок и эркер от крыши до пола, с видом на запад. При свете солнца и луны витражное окно с замысловатой цветной мозаикой наполняло комнату призрачными, но прекрасными оттенками. И хотя панели стен могли служить чудесным фоном для коллекции картин, в этой комнате был лишь один портрет, изображавший молодого человека с бледным лицом, величавыми бровями и странным выражением в глазах, в которые никто не пожелал бы взглянуть дважды.

В комнате находилась просторная кровать, вырезанная из орехового дерева, богато украшенная и искусно сделанная — один из тех шедевров, которые обязаны своим существованием Елизаветинской эпохе. Полог из плотного шелка и дамаста был украшен по углам большими перьями. Поникшие и запылившиеся, они лишь придавали комнате печальный погребальный вид, чему способствовал и пол из полированного дуба.

О господи, как сильно барабанил град в окно! Словно выпущенные из игрушечных мушкетов, беспорядочные залпы градин молотили, били и раскалывались о стекла мозаики — и только малый размер этих стекол спасал их от разрушения. Град, ветер и дождь напрасно срывали на них свою злобу.

А кровать в этой комнате не пустовала. Чудесное создание лежало в полусне на древнем ложе — юная дева, прекрасная, как весеннее утро. Ее длинные волосы, лишенные строгости заколок, разметались черным ореолом по подушке и простыням, смятым из-за беспокойного сна. Одна рука девушки была закинута за голову, вторая свесилась с края кровати. Одеяло наполовину прикрывало шею и грудь, очарование которых мог бы передать лишь величайший скульптор, чей гений был бы даром самого Провидения. Девушка стонала во сне. Раз или два ее губы шевелились, будто шептали молитву — по крайней мере однажды она тихо произнесла имя Того, Кто принял за нас непомерные муки.

Однако дева была сломлена усталостью. Даже буря не пробудила ее. Не в силах разрушить сон, неистовство стихии лишь проникло в дремоту, обострило чувства, но не смогло прорваться в ту заводь покоя, в которую погрузился разум.

О, какой мир грез был в этих слегка приоткрытых устах! Похожие на жемчуг зубы поблескивали в слабом свете, проникавшем сквозь эркер. Какими нежными были длинные и загнутые ресницы! Но, чу, она пошевелилась! Одно плечо приоткрылось — гладкая кожа была еще белее, чем простыня под ним. Эта сказочная фея только вступала в период женственности. В своей переходной стадии она сохраняла свежесть юности и казалась почти девочкой, хотя в ее фигуре уже чувствовалась краса и мягкость зрелых лет.

Но что это блеснуло? Молния — ослепительно яркая вспышка — и за ней рокочущий грохот грома, словно тысячи гор покатились по синему своду небес! Ну кто мог бы остаться спящим в этой местности? Да ни одна живая душа! Даже фанфары вечности не произвели бы большего эффекта в пробуждении людей.

А град продолжался. И ветер не стихал. Его вой набирал высоту и силу. Прекрасная дева проснулась. Она открыла голубые глаза, и слабый крик тревоги сорвался с ее губ. Во всяком случае, на фоне грома и звуков бури ее крик казался приглушенным и тусклым. Она села на постели и закрыла ладонями глаза. О Небеса! Как бушевали ветер, град и ливень! Гром еще отдавался далеким эхом, а новая вспышка зигзагообразной молнии породила еще одно невыносимо громкое сотрясение воздуха. Девушка зашептала молитву. Она молилась за тех, кого любила. Имена родных и близких слетали с ее уст, а по щекам катились слезы. Представляя разрушения, вызванные этой жуткой бурей, она умоляла великого Бога Небес заступиться за живых созданий. Еще одна вспышка — голубой ошеломляющий росчерк молнии, пронесшийся за стеклами эркера. На миг все цвета мозаики вспыхнули с пугающей четкостью. С губ девушки сорвался новый крик. Взгляд был прикован к окну, которое после молнии превратилось в пятно темноты. Лицо девушки выражало непередаваемый ужас. Она дрожала. От страха над ее бровями появился бисер пота.

— Что это? — прошептала она. — Иллюзия или реальность? О боже, кто это? Мне показалось, что я видела фигуру мужчины, который пытался открыть раму эркера. Но при вспышке молнии его контур занимал всю длину окна...

Ветер на время затих. Град уже не был таким интенсивным. Он все еще шел, но помимо звонких ударов о стекла за темным окном доносилось какое-то странное постукивание. И это не было иллюзией — она проснулась; она слышала его. Что могло производить такие звуки? Очередная вспышка молнии — и новый крик! Теперь все стало ясно.

Снаружи за окном на небольшом округлом балконе стояла высокая фигура. Она барабанила ногтями по стеклу, производя тошнотворный звук, похожий на пощелкивание градин. Неимоверный страх парализовал прекрасную девушку. Ей удалось лишь тихо вскрикнуть. С бледным как мрамор лицом, сжимая ладони в молитвенном жесте и едва сдерживая удары сердца, которое в ужасе стремилось выпрыгнуть из груди, она застыла, словно статуя, на ложе. Скрип и постукивание ногтей по стеклу продолжались. Девушка вдруг поняла, что темная фигура за окном стала четче. Длинные руки существа двигались взад и вперед, то ли ощупывая, то ли создавая некий вид прохода. Воздух вокруг фигуры постепенно наполнялся странным заревом, красным и жутким, все более ярким и впечатляющим. Как оказалось, в мельницу попала молния. Пламя, пожиравшее здание, отразилось в мозаичном окне, и все сомнения отпали прочь. Фигура за стеклом стремилась пробраться в комнату. Она царапала витраж ногтями, которые годами не знали ножниц. Девушка попыталась закричать, но ею овладело непонятное оцепенение. Это было ужасно. Ей хотелось вскочить с постели и убежать, однако тело будто бы налилось свинцом. С уст сорвался хриплый тихий шепот:

— Помогите... помогите... помогите!

Она повторяла это слово как человек, увязший в кошмаре. Красное зарево пожарища проникло в комнату. На фоне его высокая и сухопарая фигура за окном стала зловеще рельефной. Тот же нереальный свет озарял портрет на стене, и в мерцающих отблесках пламени мужчина, изображенный на картине, казался до жути живым. Его взгляд был прикован к незваному гостю.

Небольшой кусок стекла упал на пол. В отверстии тут же появилась длинная и тонкая рука, на вид абсолютно лишенная плоти. Освободив затвор шпингалета, она исчезла в дыре, и в тот же миг одна из рам отворилась на ржавых петлях.

А девушка по-прежнему не могла кричать и шевелиться. Из горла вырывался тихий шепот:

— Помогите! Помогите!

На пике опасности перед ее мысленным взором проносились картины прошлого. Душа цеплялась за счастливые моменты жизни, но страх окрашивал их горечью отчаяния.

Фигура повернулась в пол-оборота, и свет упал на ее лицо. Оно было абсолютно белым, абсолютно бескровным. Глаза казались полированным оловом. Губы широко раздвинулись, выставляя напоказ длинные клыки под стать ужасным глазам — клыки лютого хищника — ослепительно белые и влажные от слюны. Странным скользящим движением существо приблизилось к кровати. Оно пошевелило пальцами, и загнутые ногти издали лязгающий звук. Ни слова не слетело с губ ночного гостя. Как она только не сошла с ума — эта юная нежная дева? Страх сковал ее тело. Она даже не могла уже звать на помощь. Голос пропал, но, напрягая все силы, она медленно сдвинулась к другому краю постели — подальше от опасного чудовища.

Еще один краткий миг, и ее глаза застила пелена очарования. Взгляд змеи не оказал бы на нее такого эффекта, как этот пристальный взор пронзительных нечеловеческих глаз. Склонившись, фигура утратила былой гигантский рост, и стало различимо ее ужасное длинное белое лицо. Но кем он был и что хотел? Это существо выглядело настолько ужасным, что не походило на обитателей Земли. Или все же оно было земным порождением?

Когда девушка сдвинулась к краю постели, фигура остановилась. Казалось, на мгновение она потеряла свою силу. Судорожно смяв пальцами простыню, юная дева сделала несколько коротких вдохов и попыталась вернуть контроль над чувствами. Ее грудь вздымалась и опадала, руки дрожали от напряжения, но она не могла отвести взгляд от мраморно-белого лица. Сверкающие глаза существа держали ее в плену неподвижности.

Буря закончилась. Ветер утих. Церковные часы пробили первый час ночи. Из горла омерзительного гостя вырвалось свистящее шипение. Он поднял длинные тонкие руки, и его губы зашевелились. Костлявая фигура двинулась вперед. Девушка опустила одну ногу на пол. Она бессознательно потянула одеяло к себе, пытаясь прикрыться. В уме замелькали мысли — удастся ли ей добежать до двери? Хватит ли сил на это? И сможет ли она преодолеть взгляд существа, сломав его чудовищные чары? О, Бог на Небесах! Реальность это или сон, похожий на реальность? Кошмарный сон, в котором можно заблудиться?

Фигура вновь остановилась. Она склонилась над кроватью, почти вплотную приблизившись к дрожавшей жертве. Черные волосы девушки ниспадали на голое плечо и нежными каскадами струились по предплечью на простынь. Она медленно, словно во сне, отодвинулась и снова замерла в смиренной позе. Пауза длилась чуть больше минуты, но то был век агонии и страха — вполне достаточное время, чтобы довести любого человека до безумия.

Внезапным броском, который невозможно было предугадать, и с жутким воем, способным превратить любое сердце в лед, ужасный гость метнулся к девушке, схватил локоны ее волос и накрутил их на костлявые руки, затягивая жертву снова на постель. Она закричала. Небеса даровали ей силу на призывы о помощи. Крик следовал за криком. Постельное белье сбилось в груду и упало на пол. Насильник распял несчастную на оголившейся перине. Безжизненные страшные глаза похотливо пробежали по ангельской фигуре девы. Прижав ее голову к краю кровати, он убрал непокорные волосы с прекрасной шеи и в молниеносном выпаде вогнал свои клыки в горло девушки. Хлынула кровь, и вслед за этим последовали тошнотворные сосущие звуки. Бедняжка лишилась сознания, а вампир приступил к ужасной трапезе!

Рингвуд — жених покойной Клары Крофтон — слышал странные истории о ночных происшествиях в деревенской церкви. Он подозревает, что его возлюбленная, возможно, стала вампиром из-за контакта с Варни, и решает убедиться сам...

Да, было двенадцать часов, тот таинственный час, когда, как многие верят,

Мертвецы пробудятся от вечного сна,
На кладбище церкви, где тлели,
Восстанут с холодных и стылых постелей,
Средь ночи, что ужасом диким полна.

Полночь, тот час, когда все человеческое испытывает какой-то тягостный страх, словно души тех, кто покинул большой мир, были слишком близко, наполняя неподвижный ночной воздух мутными могильными испарениями. По телу Рингвуда пробежал холодок, и ему показалось, что в церкви горел странный свет, от которого предметы становились более заметными и теряли свои тусклые и пыльные очертания.

— Почему я дрожу? — произнес он. — Почему я дрожу? Облака рассеиваются перед луной, вот и все. Скоро здесь может вспыхнуть яркий свет, и все, а сейчас тихо; я не слышу ничего, кроме своего собственного дыхания; я не вижу ничего, кроме того, что считается обычным и естественным. Слава богу, все пройдет спокойно. Не случится ничего ужасного, о чем следовало бы рассказать, никакого умопомрачающего зрелища, от которого у меня застыла бы кровь в жилах. Покойся с миром, Клара.

Прошло десять минут, и ничего не случилось — какое чудесное облегчение испытал Рингвуд! Слезы навернулись ему на глаза, но то были естественные слезы сожаления, какие он проливал раньше по той, кто ушла от него в могилу и не оставила после себя никакого следа, кроме того, что теплился в сердцах тех, кто любил ее.

— Да, — сказал он печально, — она ушла от меня, но я все еще люблю ее. До сих пор в моем сердце живет нежное воспоминание обо всем, чем она была для меня. Моя родная, моя прекрасная Клара, пока продолжается жизнь, она всегда будет моей.

В тот момент, когда он произнес эти слова, он услышал незначительный шум.

Он мгновенно вскочил с кафедры и с тревогой огляделся по сторонам.

— Что это было? — спросил он. — Что это было?

Стало тихо, и он пытался убедить себя в том, что шум был случайным или плодом его собственного воображения, когда тот раздался вновь.

На этот раз у него не было сомнений. Рингвуд услышал отчетливый царапающий и странный звук и обратил все свое внимание в ту сторону, откуда он доносился. Тело охватил озноб, когда он понял, что в том направлении находится фамильный склеп Крофтонов, последний дом той, кого он все еще помнил и чья память была ему так дорога.

Он почувствовал, как на лбу выступил пот, и если бы весь мир стал ему воздаянием за то, что он бежал оттуда, где находился, он не смог бы этого сделать. Все, что он мог — затаить дыхание и смотреть на придел церкви, откуда доносился звук, широко раскрытыми глазами.

Он был уверен, что сейчас появится нечто потрясающее по своей природе и что ночь не обойдется без какого-нибудь ужасного и знаменательного события, которое запомнится надолго. Единственное, чего он боялся, — предположить на мгновение, что бы это могло быть.

Мысли его обратились к Кларе, и мучительное бормотание донеслось из его уст:

— Что угодно — любое зрелище, только не видеть ее. О, нет, нет, нет!

Но он боялся не ее вида как такового; о нет, дело было в том, что, явись она, подтвердилось бы его ужасное предчувствие касательно нового положения вещей, возникшего в связи с посмертным состоянием этой прекрасной девушки.

Шум усиливался, и, наконец, раздался внезапный грохот.

— Она идет! Она идет! — ахнул Рингвуд.

С неистовой силой ухватился он за переднюю часть кафедры, а в это время перед его взволнованным взором медленно и торжественно возникла фигура, полностью одетая в белое. По фасону этих белых развевающихся одеяний он понял, что живые их не носят и что сейчас он смотрит на обитателя гробницы.

Он не видел лица. Оно было скрыто от него, но сердце подсказало ему, кто это был. Да, это была его Клара.

Это был не сон. И не видение слишком возбужденного воображения, потому что до тех пор, пока эти звуки и эта пугающе осязаемая форма не попались ему на глаза, он был склонен считать, что то, о чем сообщил Могильщик, было не чем иным, как бредом его переутомленного сознания. О, если бы он мог хотя бы на одно короткое мгновение поверить в то, что его обманули.

— Говори! — выдохнул он. — Говори! Говори!

Ответа не последовало.

— Я заклинаю, я молю тебя, даже если звук твоего голоса должен принести мне погибель — я умоляю тебя, говори.

Но не раздалось ни звука, и фигура в белом медленно, но верно двигалась к дверям церкви и, прежде чем исчезнуть, на мгновение обернулась будто с целью изгнать из сознания Рингвуда все сомнения относительно ее личности.

Затем он увидел лицо, так хорошо знакомое, но такое бледное. Это была Клара Крофтон!

— Это она! Это она! — все, что он мог сказать.

В этот момент облака разошлись, и он смог вновь увидеть лицо этой торжественной фигуры, а затем воцарилась более звенящая, чем прежде, тишина. Дверь закрылась, и фигура исчезла.

Он поднялся на кафедру и всплеснул руками. Какое-то время он колебался в нерешительности, а затем бросился прочь, в глубь церкви.

— Я последую за ней, — воскликнул он, — даже если это приведет меня к погибели. Да, я проследую за ней.

Он направился к двери и на ходу крикнул:

— Клара! Клара! Клара!

Он достиг порога древней церкви и рассеянно огляделся по сторонам — ему показалось, что он совсем потерял из виду эту фигуру. Нет-нет, даже в темноте и на фоне ночного неба он увидел ее в печальных одеждах смерти. Рингвуд бросился вперед.

В это мгновение лунные лучи, освободившись от плотных облаков, не дававших им проникнуть в этот мир, вспыхнули ослепительной красотой.

Вокруг не было ни дерева, ни кустарника, ни цветка, но все прочее сделалось отчетливым и явным, а церковь озарилась небывалым сиянием и даже надписи на старых табличках и надгробиях были отчетливо видны. Такое сияние длилось недолго, но оно было очень красивым, и мрак, последовавший за ним, показался вдвойне черным.

— Стой, остановись, — кричал он, — хотя бы на мгновение, Клара. Я клянусь, что стану тем же, кем и ты. Возьми меня с собой в гробницу, скажи только, что это твое жилище, и я сделаю его своим и объявлю его настоящим дворцом любви.

Фигура скользила дальше.

Напрасно он старался не отставать от нее. Она передвигалась по церковному двору среди древних могил с такой скоростью, что вскоре отдалилась от него, а Рингвуду постоянно мешало то одно, то другое препятствие из-за того, что он смотрел на видение, за которым следовал, а не на землю перед собой.

И все же он продолжал идти, не обращая внимания на то, куда его вели, ибо его, можно сказать, тащили вперед, настолько все его способности как ума, так и тела были направлены на то, чтобы следовать за своей возлюбленной.

Лишь один раз фигура остановилась и, казалось, осознала, что за ней следят, потому что завернула за угол, образованный одной из стен церкви, и исчезла с его глаз.

Он последовал за ней в ту же сторону.

— Клара! Клара! — закричал он. — Это я, ты знаешь мой голос, Клара!

Ее нигде не было видно, и тогда ему пришла в голову мысль, что она, должно быть, вернулась в церковь, и он тоже поспешил к порогу. Он задержался там на минуту или две, и все здание эхом отозвалось на имя Клары, когда с романтическим рвением он позвал ее по имени.

Это эхо было единственным ответом.

Обезумевший, доведенный до крайнего отчаяния, он немного прошел в глубь здания в ее поисках и вновь позвал.

Все было напрасно, она ускользнула от него. И при всей осторожности, всей энергии и мужестве, которые он проявил в ту ночь, он сбился со следа. Могло ли что-нибудь быть более мучительным для такого человека, как Рингвуд, — того, кто так любил ее, кто не отдалился от нее даже после смерти, хотя она и покинула его.

— Я найду ее, и я расспрошу ее, — воскликнул он. — Она не ускользнет от меня, живая или мертвая, она будет моей. Я буду ждать ее даже в могиле.

Прежде чем он действительно спустился в склеп, где стал бы дожидаться ее возвращения, он подумал, что ему следует еще раз взглянуть на церковный двор в надежде увидеть ее там, поскольку он не заметил никаких признаков ее присутствия в церкви.

Он направился к двери и вышел на тусклый свет. Снова позвал ее по имени, и ему показалось, что он услышал какой-то слабый звук в церкви. Повернуться и броситься назад в здание было делом одной секунды.

Он что-то увидел — высокую фигуру, и она была черной, а не белой. Она двинулась к нему и с огромной силой, прежде чем он осознал, что на него намереваются напасть, повалила его на землю.

Удар был таким внезапным, таким неожиданным и таким сильным, что сбил его с ног за мгновение до того, как он успел осознать это. Конечно, у него было с собой оружие, но тревога и душевные муки, которые он пережил в ту ночь, с тех пор как увидел призрак, вышедший из гробницы, заставили его забыть о них.

Рингвуд выздоравливает. Нападавший, конечно же, был не кто иной, как Варни, вампир, защищавший свою невесту. Тем временем жители деревни — после «грандиозного совещания в пивной» — решили взять дело в свои руки...

— Вампир, вампир, — закричал кузнец, — смерть вампиру, смерть и погибель вампиру.

— Ура! — крикнул другой. — В склеп, сюда, в склеп сэра Джорджа Крофтона.

Теперь, казалось, почти не оставалось сомнений в том, что этот беспорядочный сброд без промедления отомстит предполагаемому нарушителю ночного спокойствия в округе.

Время от времени, когда эти крики раздора и угрозы мести разносились в ночном воздухе, раздавались отдаленные раскаты грома, ибо буря еще не утихла, хотя ее разгар, несомненно, миновал.

Темные и тяжелые тучи надвигались с горизонта, и казалось вполне очевидным, что какой-нибудь ливень в конце концов уймет ярость стихий и уладит разногласия между ветром и молниями.

Нескольким бунтовщикам были выданы факелы и спички, и спустя время весь интерьер церкви был ярко освещен, но в то же время имел гротескный вид из-за неустойчивого и колеблющегося пламени от факелов, отбрасывающих мириады танцующих теней на стены.

При любых обычных обстоятельствах не составило бы труда найти вход в склеп, где должны были покоиться с миром члены семьи Крофтон, но теперь, когда большая каменная плита, прежде закрывавшая вход, была убрана, это сразу привлекло их внимание.

Было странно осознавать, что суеверие, заведшее их так далеко, заставило их на мгновение остановиться, прежде чем они отважились спуститься по этим мрачным ступеням.

Это был критический момент, и, вероятно, если бы кто-нибудь из них внезапно запаниковал, вся компания поспешно покинула бы церковь, натворив немало бед, и все же, как это обычно бывает с бунтовщиками, они оставили бы свою главную цель невыполненной.

Кузнец положил конец этой нерешительности, схватил факел у ближайшего стоящего к нему, бросился вниз по ступенькам, восклицая при этом:

— Если кто боится, то не нужно следовать за мной.

То была насмешка, которую они точно не были готовы стерпеть, и через несколько мгновений в древнем и освященном веками хранилище Крофтонов оказалось больше живых, чем мертвых.

Кузнец положил руку на гроб Клары.

— Вот он, — сказал он. — Я узнаю узор на ткани и форму гвоздей. Я видел его в похоронном бюро Григсона перед тем, как его доставили в Грейндж.

— Она там? Она там? — воскликнуло с полдюжины голосов одновременно.

Даже кузнец на мгновение заколебался, прежде чем снять крышку с хранилища смерти, но когда он сделал это и его взгляд скользнул по лицу предполагаемого вампира, он, казалось, обрадовался, обнаружив оправдание акту насилия, зачинщиком которого он был.

— Вот, пожалуйста, — сказал он, — посмотрите на румянец на ее губах, почему ее щеки свежее и розовее, чем когда-либо при жизни? Вампир, друзья мои, это вампир, или я никогда больше не смогу причаститься. И что теперь делать?

— Сожгите, сожгите ее, — закричали несколько человек.

— Что ж, — сказал кузнец, — будь по-вашему. Я привел вас сюда и показал это вам, и теперь вы можете делать все, что считаете нужным, и, конечно, я помогу вам в этом.

Любой, кто был достаточно проницателен, мог бы уловить в этих последних словах кузнеца что-то вроде стремления уклониться от будущих последствий того, что может быть сделано, и в то же время стыд удерживал его от того, чтобы бросить своих товарищей в беде.

После некоторых предположений и аргументов относительно необходимости или невозможности вмешательства гроб вместе с его печальным и несчастным обитателем был поднят из ниши, где он должен был оставаться до того ужасного дня, когда мертвые восстанут на Суд, и перенесен по ступеням в церковь, откуда они прошли на кладбище, но едва они успели это сделать, как над их головами сгустились тучи и дождь хлынул сплошным потоком.

Потоп был настолько ужасающим и продолжительным, что они спрятались под навес церковной паперти и там пережидали, пока не утихнет его ярость.

Такой ливень редко длится долго в нашем климате, и через десять минут он несколько утих и сменился непрерывным дождем, который не шел ни в какое сравнение с тем, что было прежде.

— Как же мы сожжем тело в такую ночь, как эта?

— Да, действительно, как? — спросил другой. — Мы не сможем даже разжечь огонь, а если бы и смогли, то он бы почти мгновенно потух.

— Я скажу вам, что делать, — сказал тот, кто до сих пор принимал лишь незначительное участие в происходящем. — Я скажу вам, что делать, потому что я сам видел, как это делается. Вампир безопасен, если похоронить его на перекрестке с колом, воткнутым в его тело, безопасен настолько, будто его сожгли во всех кострах мира. Давайте, дождь не помешает вам сделать это.

Это предложение было всеми одобрено, тем более что рядом был перекресток и дело можно было провернуть быстро. Некоторые участники сборища разошлось по своим домам, ибо уже предпринятые ими усилия и прошедший дождь отрезвили их разум.

И даже сейчас от опасной и отвратительной операции по уничтожению тела огнем или любым другим способом можно было бы отказаться, если бы кто-нибудь из участников предложил это, но страх перед будущим обвинением в трусости заставил всех молчать.

Четверо из толпы снова подняли гроб и пронесли через церковный двор, по которому из-за дождя теперь текло множество маленьких ручейков. Перекресток находился не более чем в четверти мили и пока те, кто не нес гроб, поспешили за лопатами и мотыгами, остальные шли под дождем и, наконец, остановились в месте, показавшемся подходящим для этого древнего суеверного обряда, который, по их мнению, позволит вампиру упокоиться с миром.

Наконец прибыла дюжина мужчин, вооруженных лопатами и кирками, и они молча приступили к выкапыванию скорее глубокой, нежели вместительной могилы.

Мрачные и тревожные настроения охватили всех присутствующих, и, вероятно, это было главным образом связано с тем фактом, что теперь они не встретили никакого сопротивления и могли беспрепятственно достичь цели, каковой прежде не стояло ни перед одним из обитателей этого места.

Могила была вырыта, и вокруг нее образовался холмик земли высотой около двух футов; гроб опустили, и в этом вместилище бедноты человечества лежал труп, не прикрытый никакой крышкой, поскольку ее оставили в склепе. Труп ожидал осуществления приговора, который они ему вынесли, но от выполнения которого теперь с содроганием уклонялись.

Где-то раздобыли колья для изгороди с острым концом, и те, кто держали их, оглядывались вокруг с испуганными лицами, а в это время некоторые факелы, не погашенные дождем, отбрасывали холодный и зловещий отблеск на все предметы.

— Нужно это сделать, — сказал кузнец. — Чтобы не говорили потом, что мы зашли так далеко и испугались.

— Тогда сделай это сам, — сказал человек, державший кол. — Я не решаюсь.

— Да, сделай, — послышалось несколько голосов. — Ты привел нас сюда и почему бы тебе этого не сделать. Ты так хвалился, а теперь боишься?

— Боюсь. Боюсь мертвых. Но не боюсь никого из вас, кто жив, и вряд ли я убоюсь мертвого тела; вы — сборище трусов. У меня нет неприязни к этой девушке, но я хочу, чтобы мы все спали спокойно и чтобы наших жен и детей никто не беспокоил по ночам в их благословенном покое. Я сделаю это сам, если никто из вас больше не хочет, и потом вы сможете поблагодарить меня за этот поступок, хотя, полагаю, если я попаду в беду, вы все от меня отвернетесь.

— Нет, не отвернемся… Мы так не сделаем.

— Ну, что ж, пора, хотите вы этого или нет. Я… я сделаю это немедленно.

— Он дрожит, — воскликнул один.

— Нет, — сказал другой. — Он сделает это, а ты отойди в сторону.

— Сам отойди в сторону — ты что, хочешь провалиться в могилу?

Кузнец вздрогнул, занеся кол над телом, и до этого момента казалось сомнительным, что он сможет достичь своей цели. Наконец, когда все подумали, что он вот-вот откажется от своего замысла и отбросит кол в сторону, он с огромной силой вонзил его в тело и заднюю стенку гроба.

Глаза трупа широко раскрылись, руки сжались в кулаки, с губ сорвался пронзительный вопль — вопль, на который откликнулись все присутствующие, а затем с бледными от страха лицами они опрометью бросились прочь с этого места.

Эпилог — окончательное уничтожение вампира Варни и заключение.

Мы приводим следующую любопытнейшую историю, появившуюся в «Альгемайне Цайтунг». За точность ее, конечно, нельзя поручиться, но все же в ней есть некая доля вероятности, которая может быть интересна нашим читателям.

Примерно четыре дня назад поздно вечером прибыл высокий незнакомец меланхоличного вида и остановился в одном из лучших отелей Неаполя. Он весьма своеобразно выглядел и сотрудникам он показался едва ли не самым уродливым гостем, которого они когда-либо принимали в стенах своего заведения.

Он вызвал хозяина и между ними состоялся следующий разговор.

— Я хочу, — сказал незнакомец, — увидеть все достопримечательности Неаполя и, среди прочего, гору Везувий. Трудно ли это осуществить?

— Нет, — ответил хозяин, — если проводник подходящий.

Вскоре был нанят проводник, который вместе с отважным англичанином отправился на восхождение на пылающую гору.

Они поднимались до тех пор, пока проводнику это казалось благоразумным, но на склоне горы показалась большая трещина, из которой медленно вытекал поток лавы и распространялся довольно опасным образом.

Однако неприятный англичанин указал на безопасную дорогу и они продолжили подниматься дальше, пока не оказались совсем близко к краю самого кратера. Затем незнакомец достал из кармана свой кошелек и бросил его проводнику со словами:

— Можешь оставить его себе за свои старания и за то, что подвергся некоторой опасности вместе со мной. Дело в том, что мне нужен был свидетель того, что я намереваюсь совершить.

Проводник говорил, что эти слова были произнесены с таким спокойствием, что он искренне поверил в какой-то научный эксперимент, которые, как известно, очень любят англичане. Он ответил:

— Сэр, я очень горжусь тем, что могу служить такому щедрому и благородному джентльмену. Чем я могу быть полезен?

— Со всей возможной поспешностью спуститесь с горы, — сказал незнакомец, — поскольку ее сернистые испарения вредны для человеческой жизни. Когда вы доберетесь до города, добейтесь публикации отчета о моих действиях. Вы скажете, что сопровождали вампира Варни к кратеру Везувия и что он, уставший и испытывающий отвращение к жизни, полной ужасов, бросился в кратер, чтобы его останки невозможно было восресить.

Проводник издал крик и не успел ничего сказать, а Варни совершил огромный прыжок и исчез в пылающем жерле горы.

3. Очарованье ужаса и пытки

Фрекен Юлия. Так вы думаете, что я не могу видеть крови! Думаете, что я так слаба — ах — я хотела бы видеть твою кровь и твой мозг на этой доске — я хотела бы утопить весь твой род в этом море… я думаю, что могла бы пить из твоего черепа, мыть мои ноги в твоей грудной клетке и целиком съесть твое сердце! — Ты думаешь, я слаба…?[1]

из «Фрекен Юлии» Августа Стриндберга (1888)

[1] Перевод М. С-вой.

Не тревожь мертвых

Эрнст Раупах

Впервые на английском языке этот рассказ появился в сборнике «Популярные повести и романы северных народов» (1823). В Германии он был опубликован годом ранее. Спустя время, в XIX веке, рассказ ошибочно приписали Иоганну Людвигу Тику — и это заблуждение опровергли лишь совсем недавно. «Не тревожь мертвых» — не фольклорная сказка о вампирах, это ранний пример (во многом благодаря «Коринфской невесте» Гёте и культу Средневековья) темы роковой женщины, примечательный тем, что автор облекает свою историю во впечатляющую сексуальную аллегорию. Отношения между Брюнхильдой и ее «околдованным» мужем Вальтером, вопрос вины Вальтера, поведение Брюнхильды как покойницы, «не способной сохранять добродушный блеск жизненных сил» и, наконец, неподдельный эротический ужас кульминации истории — все эти приемы относят «Не тревожь мертвых» к числу лучших ранних прозаических примеров романтической агонии. Ибо Вальтер опрометчиво осмеливается пробудить мертвых от могильного сна, «забвения без сновидений», и предпочитает дьяволицу добродетельной леди... Этот рассказ известен так же как «Не будите мертвецов». [1]

«Будешь ли ты спать вечно? Неужели ты никогда не очнешься, любовь моя, но отныне упокоишься навеки после столь краткого земного пути? О, вернись ко мне вновь! И принеси с собой животворящую зарю надежды тому, кто с тех пор, как ты покинула его, омрачен чернейшей из теней! Что же? Ты умолкла, ты навсегда безответна? Твой друг скорбит, но ты его не слышишь?

[1] Перевод справки об авторе и рассказе Е. Шатской.

Он льет горькие, жгучие слезы, но ты почила, тебе нет дела до его скорби? Он в отчаянии, и ты больше не раскроешь ему объятья, даровав ему приют от горя? Скажи, неужто бледный саван стал тебе милей, чем вуаль невесты? Теплее ли узилище могилы, чем любовное ложе? Руки твои охотно простерты навстречу призраку смерти, но не твоему возлюбленному супругу? О! Вернись, любимая, и вновь прильни к моей трепетной, безутешной груди»! — с такими словами оплакивал Вальтер Брюнхильду, предмет его юной, страстной любви; так он рыдал над ее могилой в полночный час, когда царящий в тревожном эфире дух шлет сонмища чудовищ меж небом и землей и тени их несутся под луной, подобно диким, беспокойным мыслям, теснящимся в грешной груди; так он скорбел среди высоких лип у ее могилы, и голова его покоилась на холодном камне.

Владетельный сеньор Вальтер Бургундский на заре своей юности был сражен прелестями пленительной Брюнхильды, несравненной красотой превосходившей всех своих соперниц; струившиеся по ее плечам локоны были чернее ночи, оттеняя сияющий блеск ее изящной фигуры; густой румянец на щеках был подобен западному небу; глаза не были подобны драгоценным камням, чей бледный огонь озаряет ночную тьму, чья неизмеримая глубина рождает в душе мысли о вечном — скорее, их лучистый свет озарял этот мир, зажигая сердца его сынов пламенем радости и любви. Брюнхильда стала супругой Вальтера, и они были равно воспламенены любовью и преданы друг другу, отдаваясь наслаждениям страсти, позабыв обо всем вокруг, качаясь на волнах ее чарующих грез. Тревожились они лишь о том, чтобы ничто не пробудило их от забвения, молясь о том, чтобы оно длилось вечно. Но тщетны те желания, что противоречат воле судьбы! С тем же успехом можно желать, чтобы планеты покинули путь, предначертанный им вечностью. Недолго длилась их безумная страсть; нет, она не остывала постепенно, сменившись безразличием — смерть похитила возлюбленную Вальтера во цвете лет, оставив его на ложе вдовца. Хоть горе его сперва и было безоглядным, он не остался безутешным, так как вскоре молодой дворянин обзавелся новой женой.

Сванхильда также была прекрасна, хоть природа и одарила ее иначе, чем Брюнхильду. Золотая волна ее волос сияла, подобно утренней заре, и лишь от волнения бледные лилии ее щек сменялись румяными розами; сложена она была с безупречной симметрией, но члены ее не были наделены роскошной полнотой животной силы; глаза ее ярко сияли, но свет этих звезд не ослеплял и скорее был теплым, нежным, а не волнующим и жарким. Будучи такой, она не могла возжечь в нем прежней страсти, но с ней его будни текли счастливо — она была спокойной, серьезной, но жизнелюбивой, стремясь во всем угодить мужу, восстановила порядок и уют в его доме, и ее присутствие чувствовалось во всем, что ее окружало. Ее мягкость и добросердечие сдерживали неистовый, буйный нрав Вальтера и в некоторой степени суетные и бурные порывы его души, стремившейся к недостижимым наслаждениям, обращая их к обязанностям и удовольствиям повседневной жизни. Сванхильда родила мужу двоих детей, сына и дочь; последняя была кроткой и терпеливой, как мать, вполне довольствуясь уединением, и даже в играх проявлялся ее спокойный характер. Вспыльчивость и нетерпеливость отца в натуре мальчика уравновешивались твердостью матери. Благодаря детям Вальтер нежно привязался к жене, и несколько лет прожил в великой радости; мыслями он часто возвращался к Брюнхильде, но без былого неистовства, подобно тому, как мы думаем о друге минувших дней, которого быстротечное время унесло от нас туда, где, как мы знаем, он счастлив.

Но облака тают в небе, цветы увядают, исподволь убегает песок в часах, и даже чувства человека тают, увядают и уходят, а вместе с ними и человеческое счастье. Переменчивое сердце Вальтера снова стало тосковать по упоительным грезам тех дней, что он проводил со своей пылкой возлюбленной Брюнхильдой — снова и снова ее страстный образ представал перед его взором в сиянии свадебного великолепия, и он начал проводить параллель между прошлым и настоящим; также и в его воображении, как водится, первое рисовалось ярчайшими красками, тогда как второе затуманивалось, и прошлое представлялось ему куда богаче удовольствиями, а настоящее беднее, чем было в действительности. Подобная перемена не ускользнула от Сванхильды, в связи с чем она с удвоенной силой стала заботиться о нем и детях, тем самым пытаясь вновь скрепить ослабевшие узы их брака; но чем больше она старалась, тем холоднее становился муж — он едва мог сносить ее ласки, и образ Брюнхильды все чаще овладевал его помыслами. Лишь дети, без чьей привязанности теперь он никак не мог обходиться, были ангелами, способными воссоединить их; оба любили своих детей, остававшихся единственным связующим звеном между ними. Но только зло, неглубоко пустившее корни, может быть вырвано из мужского сердца; клыки его впивались слишком глубоко, и Вальтер, поддавшись лихорадочному наваждению, не в силах был справиться справиться с собственным умопомешательством, под властью которого он оказался в столь краткий срок. Ночами, вместо того чтобы удалиться в супружескую спальню, он отправлялся на могилу Брюнхильды, где шепотом роптал: «Будешь ли ты спать вечно?»

Однажды ночью, когда он, распростертый на дерне, по обыкновению предавался скорби, чародей спустился с гор на поле смертельной жатвы, чтобы собрать для своих заклятий те травы, что растут лишь в земле, где упокоились мертвые и, словно напитавшись их могучей жизненной силой, обладают сверхъестественными свойствами. Увидев скорбящего, чародей приблизился к тому месту, где тот лежал.

«К чему ты, несчастный безумец, горюешь о том, что стало отвратительной массой плоти, ведь это всего лишь кости, нервы и вены? Целые народы погибали неоплаканными, и до того, как был создан шар земно, много миров превратилось в ничто — никто не лил над ними слез; так зачем же ты тщетно скорбишь о создании из праха, столь же хрупком, как ты сам, и, подобно тебе самому, недолговечном?»

Вальтер поднялся с земли и ответил: «Пусть те миры, что сияют на тверди небесной, оплакивают друг друга, исчезая. Воистину я, что сделан из глины, оплакиваю ту, что тоже из глины, но в глине этой проросло семя огня — суть его неподвластна стихиям природы, ибо она есть любовь, и во мне пылала божественная страсть к той, что теперь спит здесь, под этим дерном».

«Но разбудят ли ее твои стенания, и даже если так, не будет ли она укорять тебя за то, что ты тревожишь ее покой?»

«Прочь, бессердечный; тебе неведома любовь. О, если бы слезы мои могли смыть земной покров, скрывающий ее от моих глаз, и мой мучительный стон пробудить ее от мертвенной дремоты! Нет, она бы не упокоилась снова на своем земном ложе».

«Глупец, смог ли бы ты без содрогания взглянуть на то, что извергнет пасть могилы? Неужели ты все тот же, каким она знала тебя до разлуки, или печать времени не оставила следа на твоем челе? Не сменят ли ненависть и отвращение твою любовь?»

«Скорее звезды сойдут с небесной тверди, и солнце перестанет светить в небесах. О! если бы она снова явилась мне, если бы вновь припала к моей груди! Как быстро мы позабыли бы о том, что смерть и время когда-то разлучили нас!»

«Это всего лишь наваждение! Обман рассудка, порожденный кровью, что вскипает от паров вина. Я не желаю искушать тебя и вернуть ее с того света, не то бы ты скоро узнал, что я говорю правду».

«Но как! Как можешь ты вернуть ее мне? — воскликнул Вальтер, пав к ногам чародея. — О, если это и вправду тебе по силам, внемли моей искренней мольбе; если хоть капля человеческих чувств есть в твоем сердце, позволь моим слезам убедить тебя вернуть мне мою возлюбленную, и ты совершишь благое деяние, и увидишь, что это хорошо».

«Благое, благословенное деяние! — бросил в ответ чародей с презрительной улыбкой. — Для меня нет ни зла, ни добра, и воля моя неизменна. Но тебе ведомо зло, и ты жаждешь того, чего желать не следует. Я действительно могу вернуть ее тебе, но подумай, станет ли это благом для тебя. Подумай о том, как велика бездна между жизнью и смертью; мне по силам перебросить через нее мост, но не заполнить ее ужасные глубины».

Вальтер снова собрался было осыпать это могущественное создание страстными просьбами, но тот упредил его, сказав: «Молчи! Обдумай все как следует! Возвращайся ко мне завтра в полночь. Но я еще раз предупреждаю тебя: не тревожь мертвых».

Сказав так, таинственное создание исчезло. Напитанный ядом новой надежды, Вальтер не сомкнул глаз на своей постели; неистощимые запасы его фантазии плели перед ним сверкающую сеть будущих дней, глаза его увлажнились слезами восторга, и картины счастья сменяли друг друга. На следующий день он бродил по лесу, из опасения что воспоминания о недавних событиях его несчастной жизни способны помешать благословенным мыслям о том, что он снова увидит ее, снова сможет обнять ее, днем будет смотреть в ее ясные глаза, а ночью уснет на ее груди; лишь эти мысли занимали его, и у него не осталось ни малейших сомнений, и он забыл о предостережении загадочного старика.

Едва приблизился полночный час, он поспешил на кладбище, где чародей уже ожидал его на могиле Брюнхильды. «Принял ли ты здравое решение?» — спросил он Вальтера.

«О, верни мне предмет моей пламенной страсти! — порывисто и горячо воскликнул тот. — Не медли и сделай доброе дело, иначе я умру этой же ночью; моя неутоленная страсть поглотит меня, если я больше не увижу ее лица».

«Что же, — ответил старик, — возвращайся завтра в тот же час. Но я снова по-дружески предупрежу тебя: не тревожь мертвых».

Измученный нетерпением, Вальтер готов был броситься к его ногам, чтобы тот исполнил его желание, причинявшее ему невыносимую муку, но чародей исчез. Безудержно и дико рыдая, он лежал на могиле той, которую боготворил, покуда на востоке не занялся серый рассвет. Днем, который казался ему самым длинным из всех дней в его жизни, он бродил туда-сюда в нетерпении и беспокойстве, бесцельно, погруженный в свои думы, словно встревоженный убийца, вспоминающий о своем первом кровавом злодеянии; свет вечерних звезд вновь застал его в назначенном месте. В полночь там появился и чародей.

«Поразмыслил ли ты как следует?» — спросил он, как и в прошлую ночь.

«О чем мне размышлять? — нетерпеливо бросил Вальтер. — Мне нет нужды думать; я прошу тебя исполнить обещанное — то, что принесет мне счастье. Или ты насмехаешься надо мной? Если так, прочь с глаз моих, пока я не поднял на тебя руку!»

«И вновь я предостерегаю тебя, — ответил старик, не сдвинувшись с места, — не тревожь мертвых; дай ей отдохнуть».

«Дам, но не в холодной могиле — пусть лучше она отдохнет на моей груди, горящей желанием заключить ее в объятия».

«Подумай, ведь ты не сможешь оставить ее до самой смерти, даже если ужас и отвращение овладеют твоим сердцем. Тогда останется лишь один ужасный способ».

«Слабоумный старик! — вскричал Вальтер, не дав ему договорить. — Как могу я возненавидеть ту, которую люблю так страстно? Как могу я питать отвращение к той, что заставляет кипеть каждую каплю моей крови?»

«Тогда пусть будет так, как ты того желаешь, — ответил чародей, — отойди».

Старик очертил круг округ могилы, бормоча заклинания. Немедля над кронами деревьев взметнулась буря, глухо, зловеще заухали, захлопали крыльями совы; звезды скрыли свой нежный, сияющий лик, чтобы не видеть столь нечестивого, богомерзкого зрелища; с гулким грохотом сдвинулся могильный камень, открывая путь той, что нашла приют в столь жутком обиталище. В разверстую пасть земли чародей швырнул пронзительно пахнущие травы и корни, напитанные могучей колдовской силой, и черви сползлись отовсюду, сгрудившись над могилой; из-под земли вырвался ветер, разметав комья земли, и гроб, наконец, предстал перед ними. Лунный свет пал на него; со страшным скрипом распахнулась его крышка. Тогда чародей взял чашу в виде черепа и плеснул в гроб немного крови, воскликнув: «Испей, о спящая, из этого теплого потока, чтобы сердце твое вновь забилось в твоей груди». И подождав немного, он спрыснул ее какой-то загадочной жидкостью, вдохновенно прокричав: «Да, в сердце твоем снова струится жизнь; глаза твои видят снова. Так восстань же из гроба!»

Как остров, внезапно вздымающийся из черных океанских вод, подъятый из глубин мощью подземного огня, поднялась Брюнхильда со своего земного ложа, движимая неведомой силой. Взяв ее за руку, чародей подвел ее к Вальтеру, стоявшему чуть поодаль, застывшему от изумления.

«Прими же вновь, — проговорил он, — предмет твоей оплаканной страсти, и пусть никогда больше тебе не потребуется моя помощь; однако, если это случится, ты найдешь меня в полнолуние, в горах, на перекрестке трех дорог».

В фигуре, что стояла перед ним, Вальтер немедля узнал ту, что любил столь пылкой страстью, и вдруг его бросило в жар от мысли, что она вернулась к нему; но холод ночи сковал его члены и лишил дара речи. Какое-то время он смотрел на нее так, беззвучный, бездвижный, и тогда все вокруг стихло и успокоилось, а звезды снова ярко засияли в чистом небе.

«Вальтер!» — воскликнула фигура; и звук знакомого голоса пронзил его сердце и разрушил сковавшее его наваждение.

«Это не сон? Правда ли это? — вскричал он, — или это морок и обман?»

«Нет, это не обман: я в самом деле жива; скорее веди меня в свой замок в горах».

Вальтер огляделся — старик исчез, но рядом он увидел черного, как смоль, скакуна с пылающими глазами, готового унести их прочь; на его спине лежал наряд для Брюнхильды, поспешно облачившейся в него. Сделав так, она воскликнула: «Скорей, спешим отсюда, пока не взошло солнце — мои глаза еще не в силах вынести дневного света!» Вальтер, полностью очнувшийся от оцепенения, вскочил в седло своего коня и поравнялся с ней, со смешанным восторгом и благоговением глядя на свою возлюбленную, столь таинственным образом вернувшуюся из могилы. По дикой пустоши он гнал коня к горам так яростно, словно за ним гнались призраки мертвецов, спешивших забрать назад свою сестру.

Замок, в который Вальтер сопровождал свою Брюнхильду, стоял на скале, в окружении высоких гор. Туда они прибыли тайно, и никто не увидел их, кроме старой служанки, которой Вальтер пригрозил жестокой расправой, чтобы та хранила тайну.

«Здесь мы пребудем, пока я снова не смогу видеть свет, — сказала Брюнхильда, — и пока ты снова не сможешь смотреть на меня без лихорадочной дрожи». Там оба уединились, и никто, кроме старой служанки, кормившей их, не знал, что Брюнхильда жива. Целых семь дней источником света им служили лишь восковые свечи; в следующие семь дней свет проникал в створки высоких окон, лишь когда солнце на восходе или закате слабо освещало горные вершины, и долина все еще была погружена во мрак.

Вальтер редко разлучался с Брюнхильдой: неведомое заклятье удерживало его подле нее, и даже дрожь, охватывавшая его в ее присутствии и не дававшая ее коснуться, мешалась с удовольствием, подобно будоражащему величественному чувству, порожденному музыкой, звучащей под сводами храма; и он не сторонился этого чувства, но наоборот, жаждал его. Он часто думал о прелестях Брюнхильды, и никогда в его воспоминаниях она не была столь прекрасной, очаровательной, поразительной как сейчас, когда он видел ее перед собой. Никогда еще голос ее не звучал так сладостно, никогда она не была столь велеречивой, как в те часы, когда они говорили о прошлом. Слова ее постоянно уводили его в страну волшебных грез. Когда она вспоминала о тех благословенных днях их первой любви, о радостных часах, проведенных вместе, наслаждаясь друг другом, так упоительно, так захватывающе, животрепещуще звучали ее слова, обращенные к нему, что он сомневался, был ли он на самом деле так счастлив с ней тогда и был ли вообще когда-либо по-настоящему счастлив. И в то же время, живописуя картины их былых счастливых часов, она изображала в еще более блистательных и манящих красках их грядущие вершины совместного блаженства, выше, чем все, что было меж ними прежде. Так она очаровывала своего верного слушателя, даруя ему восторг надежды, баюкая грезами о наслаждении, недоступном смертным, и слушая ее сладкозвучное пение сирены, он совершенно позабыл о том, как мало радости было меж ними перед расставанием, когда он часто сетовал на ее надменность и жестокость к нему и домочадцам. Но если бы даже он и вспомнил о том, неужто прояснился бы его помутненный рассудок? Не осталась ли на дне могилы ее смертная хрупкость? Не очистилось ли самая ее сущность после столь долгого сна, не потревоженного ни страстными, ни греховными мыслями? Как изменился теперь предмет их совместных бесед! Лишь говоря о своей привязанности к нему, она опускалась до земных чувств, но в остальном все ее красноречивые слова были о незримом мире грядущего; вещая о нем, она приоткрывала завесу тайн вечности.

Так минуло дважды семь дней, и тогда Вальтер в первый раз увидел ту, что была ему дороже всего, при свете дня. Облик ее лишился всех следов тлена; розовый румянец, подобный лучам рдеющей зари, вновь окрасил ее бледные щеки; слабый могильный запах сменился сладким ароматом фиалок, единственным знаком земного, всегда присущего ей. Его покинули изумление и страх, когда он смотрел на нее, осиянную солнечным светом; казалось, лишь теперь он по-настоящему обрел ее; воспылав к ней прежней страстью, он прижал ее к своей груди, но она мягко отстранилась, сказав: «Еще не время — оставь свои ласки до той поры, пока не наполнит свой рог луна».

Несмотря на нетерпение, Вальтер был вынужден ждать еще семь дней; когда же в ночь полнолуния он поспешил к Брюнхильде, то нашел ее прекрасней, чем когда-либо. Не видя препятствий для своего вожделения, он заключил ее в объятия со всей горячностью глубоко любящего и счастливого любовника. Однако Брюнхильда снова отвергла его притязания. «Как! — воскликнула она, — разве подобает мне, чье бренное тело очистила смерть, делить с тобой ложе, когда простая смертная наречена твоей женой? Не бывать этому. Нет; это случится лишь в стенах твоего дома, тех покоях, где я некогда правила, словно королева; там ты наконец обретешь желаемое — и я тоже». Так сказала она, запечатлев на его губах жаркий поцелуй, и немедля удалилась.

Распаляемый страстью, готовый пожертвовать всем ради своих чаяний, Вальтер поспешно покинул комнату, а чуть погодя и замок. Он мчался по горам, сквозь пустошь, подобно буре, и копыта его коня взрывали дерн; ни разу до самого дома он не остановился.

Но дома ни ласки любящей Сванхильды, ни его детей не тронули его сердца и не сподвигли его умерить пыл своих желаний. Увы! Так бурный, опустошающий все на своем пути поток губит цветы, восклицающие: «О, разрушитель, сжалься над нашей беззащитной невинностью и красой и не причиняй нам вреда!» — но безответный поток все равно сметает их, в одно мгновение уничтожая всю красоту лета.

Чуть позже Вальтер начал намекать Сванхильде, что они не подходят друг другу; что он в нем кипит жажда жизни дикой и бурной, угодной его духу, тогда как ей, напротив, по душе однообразный семейный быт; что ему хочется любой новизны, а ей движет сила привычки; наконец, что ее холодность, граничащая с безразличием, плохо вяжется с его горячностью, и благоразумнее для обоих было бы расстаться, поскольку вместе они бы не нашли счастья. Сванхильда вздохнула, молчаливо кивнув в ответ, и на следующее утро, когда он выдал ей бумагу с указанием о разводе и том, что она вольна вернуться к отцу, безропотно приняла ее, но уходя, предупредила его: «Мне прекрасно известно, кому я обязана нашим расставанием. Я часто видела тебя на могиле Брюнхильды, и даже в ту ночь, когда небесный лик вдруг скрыли тучи. Неужто ты осмелился разорвать ту завесу, что отделяет смертных, видящих сны, от тех, что их не видят? О! Горе тебе, несчастному мужу, ведь ты связал себя узами с той, что станет твоей погибелью!» Она умолкла, и Вальтер ни словом не ответил ей, вдруг вспомнив о схожих словах чародея, что страсть затмила в его памяти, как будто молния пронзила мрак ночи, но не развеяла его.

Сванхильда удалилась с тем, чтобы попрощаться с детьми, ведь по обычаю они должны были остаться с отцом; оросив их слезами, священной влагой материнской любви, она покинула дом мужа и отправилась в отцовский дом.

Так добрая и благочестивая Сванхильда была изгнана из залов, что некогда украшала своим присутствием; теперь же их украшали в ожидании новой госпожи. Наконец настал день, когда Брюнхильда во второй раз стала невестой Вальтера, и он ввел ее в свой дом. Он известил всех домочадцев, что его новая супруга покорила его своим невероятным сходством с их бывшей госпожой, Брюнхильдой. Он был неописуемо счастлив, когда снова проводил свою возлюбленную в покои, где когда-то они предавались радостям супружества, ныне вновь украшенные позолотой и богато отделанные; фигуры ангелов, разбрасывавших розы, служили опорой для тяжелых пурпурных драпировок, скрывавших супружеское ложе. С каким нетерпением ждал он часа, когда сможет овладеть прелестями, за которые он заплатил столь высокую цену, не зная, что окончательная плата станет непомерно высокой! Злосчастный Вальтер! Блаженствуя, ты не видишь бездны, что разверзлась у самых твоих ног, и ты, отравленный ароматом сорванного тобой цветка, не думаешь о том, что тот несет смерть, хоть и на краткий миг наделив твои чувства небывалой силой!

Вальтер был счастлив безмерно, но его домочадцы не разделяли его счастья. Странное сходство их новой госпожи и почившей Брюнхильды рождало в них отвращение и вселяло в них неизъяснимый ужас, ведь обликом, голосом и повадками она полностью походила на нее. Вдобавок к этому таинственному сходству прислуживавшие ей девушки обнаружили родимое пятно на ее спине в точности там же, где и у Брюнхильды. Вскоре разнеслись слухи, что то была Брюнхильда, вернувшаяся в мир живых благодаря могущественной некромантии. Как чудовищна была мысль о жизни под одной крышей с той, что лежала в могиле, и необходимости ей прислуживать и признавать своей госпожой! Их отвращение и суеверный страх усиливались еще и потому, что Брюнхильда избегала золотых украшений, ярких, сверкающих драгоценных камней; она носила лишь серебро и жемчуга, чей матовый блеск украшал ее грудь. С превеликой тщательностью она избегала яркого солнечного света, и яркие дни проводила в самых отдаленных и темных комнатах; лишь когда начинало смеркаться или день шел на убыль она покидала замок. Но излюбленными часами для нее были те, когда бледное сияние луны освещало округу, и все становилось призрачным и мрачным; когда же слышалось пение первых петухов, невольная дрожь пробегала по ее телу. Все такая же властная, как и в прошлой жизни, она быстро подчинила всех вокруг своей железной воле, и хватка эта была теперь невыносимой, так как ореол сверхъестественного окружал ее, рождая ужас в каждом, кто приближался к ней. Зловещие, убийственные взгляды бросала она на тех, кто служил причиной ее гнева, словно хотела уничтожить его на месте. Вскоре залы замка, во времена Сванхильды полные радости и веселья, стали походить на гигантскую пустынную гробницу. На бледных лицах снующих вокруг домочадцев лежала печать страха, и живые в этом ужасном обиталище дрожали, словно духи умерших, едва заслышав петушиный крик, ведь тот всегда напоминал им об их загадочной госпоже. Повстречавшись с ней в каком-нибудь уединенном месте, будь то на закате или при свете луны, содрогался каждый из них — это казалось зловещим предзнаменованием. Все ее служанки жили в постоянном страхе и постепенно покинули ее. Со временем и другие домочадцы сбежали, будучи не в силах противиться сковавшему их ужасу.

Колдовское искусство действительно вдохнуло в Брюнхильду подобие жизни, поддерживаемую в теле благодаря определенному питанию, но тело это было неспособно хранить пылкий жар жизненной силы, питая пламя страстей и чувств, любви или ненависти; смерть навсегда уничтожила их в ней, и теперь Брюнхильда излучала лишь холодность, словно змея. Однако ей нужно было любить, отвечая с той же пылкостью на ласки очарованного мужа, страстью которого она была обязана своей новой жизнью. Нужен был магический эликсир, оживлявший застывший ток в ее венах, пробуждающий в ней свет жизни и пламень любви — ужасное зелье, само упоминание о котором было кощунственным — человеческая кровь, еще горячая, испитая прямо из юных жил. Вот что за дьявольское зелье было потребно ей, нечистой в чувствах, не имевших ничего общего с людскими; ей, что искала не разнообразных наслаждений, даруемых жизнью, но лишь тех, что получала в объятиях своего возлюбленного супруга, и оттого она беспрестанно нуждалась в этом омерзительном напитке. Возлежа рядом с Вальтером, лишь могучим усилием воли она воздерживалась от того, чтобы не высосать его кровь. Завидев невинное дитя, чье милое личико дышало здоровьем и жизненной силой, ласками и приветливыми словами она заманивала его в свои удаленные покои, где убаюкивала в своих объятиях, после чего насыщалась пурпурным соком его жизни. Юноши и девушки также не избегали подобной ужасной участи: ее дыхание ввергало их в сон, а затем она выпивала кровь из их вен. Так дети, юноши и девушки быстро увядали, подобно цветам, загубленным тлетворным червем; тела их иссыхали, исчезала свежесть их румяных щек, глаза лишались влажного блеска, как сияющий ручей под касанием мороза, волосы их становились тонкими, ломкими, будто лес, прореженный бурей жизни. Родители с ужасом взирали на эту опустошительную пагубу, уносившую жизни их отпрысков — эту язву, не поддающуюся ни силе трав, ни амулетов, ни священных свечей, ни обрядов. Либо они наблюдали за тем, как детей одного за другим забирала могила, либо за тем, как их юные тела, иссушенные нечестивой упырицей Брюнхильдой, вдруг поражала старческая немощь.

Вскоре стали рождаться странные слухи и догадки; шептали, что сама Брюнхильда была повинна в творившемся кошмаре, хоть никто и не мог объяснить, каким образом она умерщвляет своих жертв — на телах не было ни следа насилия. Но когда маленькие дети признавались в том, что она убаюкивала их в своих объятиях, а те, что постарше, говорили, как внезапная сонливость сковывала их, едва она обращалась к ним, подозрения подтвердились. Тогда те, кого миновала подобная участь, покинули свой очаг и кров, бросив все свои скудные пожитки, оставив дома отцов и наследство своих детей, чтобы спасти последних от чудовищного рока — ведь те были дороже всего, что мог дать им этот мир.

Так день ото дня залы замка становились все пустыннее, день за днем облик его становился все безрадостнее; из его былых многочисленных обитателей не осталось никого, кроме нескольких дряхлых старух и седовласых слуг. Так будет и с Землей в дни ее заката, когда последнее поколение людей лишится радости зачатия и не станет детей, что заменят тех, кто в молчании будет ждать неотвратимого рока.

Лишь один Вальтер не замечал, или не желал замечать царившего вокруг запустения; он не боялся смерти, будучи в плену любовного блаженства. В объятиях Брюнхильды ныне он был счастливей, чем прежде. Теперь меж ними не было ни неудовольствия, ни непостоянства. Пламя ее страсти было куда жарче, чем в дни их медового месяца, ведь его питала юность, что текла в жилах ее жертв, а теперь бурлила в ее собственных. Ночью, едва он закрывал глаза, своим дыханием она погружала его в сладостные грезы, пробуждаясь от которых, он испытывал еще более упоительное наслаждение. В дневное время она постоянно говорила ему о радостях, что ждут счастливые души в загробной жизни, уверяя его, что теперь, когда его любовь вернула ее из мертвых, ничто не в силах разлучить их. Так он, оказавшись во власти ее чар, не мог осознать, что в действительности происходило вокруг. Брюнхильда, однако, с горечью видела, что с каждым днем источник ее пылкой юности таял, и вскоре от него не осталось ничего, кроме Вальтера и его детей; и она решила, что последние станут ее следующей жертвой.

Вернувшись в замок, она почувствовала отвращение к детям соперницы и полностью отдала их на попечение слуг Сванхильды. Но теперь она стала уделять им все больше внимания, и все чаще их приводили к ней. Старые кормилицы с ужасом смотрели на то, как их ужасная, надменная госпожа оказывает детям знаки внимания, но не осмеливались противиться ее воле. В скором времени Брюнхильде удалось завоевать благосклонность детей, слишком невинных, чтобы заподозрить грозившую им опасность; напротив, ее ласки полностью подчинили их ей. Вместо того чтобы наблюдать за их беспечными забавами, она учила их чему-то новому; часто она рассказывала им истории столь странные и захватывающие, что те не шли ни в какое сравнение со сказками кормилиц. Когда они уставали от игр или ее историй, она сажала их к себе на колени и усыпляла. Тогда во сне они видели нечто невероятное: они оказывались в саду, где росли цветы всевозможных оттенков, от скромных фиалок до высоких подсолнухов, веселым ковром простиравшиеся до золотых облаков, откуда херувимы на лазурно-золотых крыльях несли им сладости и прекраснейшие драгоценные камни или пели для них нежные сладкозвучные гимны. Вскоре эти сны стали такими вожделенными для детей, что они только и ждали, пока им будет позволено заснуть на коленях Брюнхильды — никогда раньше им не являлись столь неземные создания. Так то, чего они вожделели, должно было стать их погибелью; но разве не все мы стремимся к тому, что после наслаждений, даруемых жизнью, ведет нас в могилу? Эти невинные создания с распростертыми объятиями встречали смерть, таившуюся под маской блаженства, так как пока они предавались чудесным грезам, Брюнхильда пила их кровь. Проснувшись, они действительно чувствовали слабость и истощение, но боли не было, как не оставалось и следа на их телах. Однако вскоре их силы полностью иссякли, словно пересох летний ручей; их игры становились все менее шумными; их громкий, задорный смех сменился слабой улыбкой; их звонкие голоса — еле слышным шепотом. Их прислугу переполняли ужас и отчаяние, так как они слишком хорошо знали, в чем причина, но не осмеливались делиться своими подозрениями с Вальтером, столь преданным своей чудовищной супруге. Смерть собрала свою жатву; дети стали бледной тенью самих себя, и эта тень вскоре исчезла.

Сокрушенный отец горько оплакивал их кончину, ведь несмотря на кажущуюся нерадивость, он был к ним сильно привязан и, лишь потеряв их, понял, как велика была его любовь. Его горе не могло не вызвать неудовольствия Брюнхильды. «К чему тебе так печалиться о малышах? — спросила она его. — Какую радость ты находил в этих незрелых созданиях? Или, быть может, ты все еще привязан к их матери? Значит, сердце твое все еще принадлежит ей? Или ты оплакиваешь ее и детей потому, что сердце твое насытилось моими ласками и устало от моей любви? Если бы они выросли, разве не привязали бы они тебя, твой дух и твои чувства к этой бренной земле — к тому праху, отъяв тебя от тех сфер, куда я, преодолев могильный тлен, намеревалась вознести тебя? Так ли тяжко у тебя на сердце, так ли слаба твоя любовь, так ли зыбко ты веришь, что надежды стать моим навечно чужды тебе?» Так негодовала Брюнхильда, видя, как горюет ее супруг, и отлучила его от себя. Страх оскорбить ее, не получив прощения, и желание умилостивить ее вскоре иссушили его слезы; он снова отдался своей роковой страсти, пока ужас близящейся гибели наконец не вырвал его из оков забвения.

Вокруг больше не осталось ни девушек, ни юношей — ни в замке, ни на его землях; все они исчезли, и те, кого не взяла могила, бежали из этой земли, несущей смерть. Кто же из живущих мог утолить жуткую жажду жены-упырицы, кроме самого Вальтера? И она хладнокровна замыслила избавиться от него, поскольку то божественное чувство, что соединяет существа и в горе и в радости, было чуждо ее сердцу. Если бы он упокоился в своей гробнице, она смогла бы найти новых жертв, насыщаясь их смертью, пока земля однажды не поглотила бы ее саму — таков роковой закон, которому подвластны все мертвые, пробужденные от загробного сна искусством некромантии.

Теперь, усыпляя Вальтера своим фиалковым дыханием, Брюнхильда стала пить его кровь, а он лежал подле нее, не ведая, что близок его час, и в скором времени стал чахнуть, и черные локоны его посеребрила седина. Вместе с его силой угасла и былая страсть, и он часто покидал ее, отправляясь на охоту в надежде вернуть себе былую пылкость. Однажды он отдыхал в лесной глуши, под сенью дуба, и на вершине дерева увидел неведомую птицу странного вида, но прежде чем он успел вскинуть свой лук, она взмыла в облака, уронив к ногам Вальтера розовый корень. Тот немедля поднял его, и несмотря на то, что знал почти обо всем, что здесь произрастает, не мог вспомнить, доводилось ли ему видеть подобное растение. Корень благоухал, и Вальтер осмелился попробовать его на вкус, но тот был в десять раз горше полыни, и жег его нутро, словно желчь; тогда в досаде он швырнул его прочь. Но если бы он знал о чудесных свойствах корня, служившего защитой от дурманящего дыхания Брюнхильды, то благословил бы его, несмотря на горечь; так смертные часто отказываются от неприятного на вкус лекарства, что иначе стало бы для них благом.

Тем вечером Вальтер вернулся домой и возлег с Брюнхильдой, но ее колдовское дыхание было бессильно, и впервые за много месяцев он уснул естественным сном. Но едва сон смежил его веки, острая боль пробудила его, и, открыв глаза, в бледном свете мерцавшего в покоях ночника он, на миг оцепенев от кошмара, увидел, как припавшая к его груди Брюнхильда пьет его кровь. Дикий, ужасный крик спугнул Брюнхильду, чей рот был в свежей, теплой крови. «Чудовище! — вскричал он, вскочив с постели. — Такова твоя любовь ко мне?»

«Да, ибо такова любовь мертвых», — ответила она зло и холодно.

«Кровавая тварь! — продолжил Вальтер. — Чарам, что так долго ослепляли меня, настал конец; ты, сатанинское отродье, сгубила моих детей и детей моих вассалов». Поднявшись с постели и взглянув на него так, что кровь застыла у него в жилах, она ответила: «Не я убила их — я лишь питалась их кровью, чтобы насытить твою неутолимую похоть. Ты сам убил их!» Эти ужасные слова породили в сознании Вальтера грозные призраки всех тех, кто сгинул так, и от отчаяния он не мог вымолвить ни слова. «Что же ты корчишься, — продолжала она, и страх его возрос еще больше — передо мной, словно паяц? Ты, что осмелился любить мертвую, и возлежать с ней, с той, что делила смертное ложе с могильным червем, с той, чью посмертную скверну ты сжимал в объятиях — и ты, нечистый, осмеливаешься вопить во весь голос из-за нескольких жизней? Они лишь листья, сорванные бурей с древесных ветвей. Иди ко мне, отбрось свои вздорные мысли, и познай наслаждение, за которое ты заплатил столь высокую цену». Сказав так, она простерла к нему руки, но тем самым ввергла его в еще больший ужас, и, вскричав «Ненавистная тварь!», он выбежал прочь из комнаты.

Чудовищные угрызения совести теперь преследовали его, очнувшегося от наваждения нечистых утех. Многажды проклинал он свое упрямое безрассудство и то, что не придавал значения намекам и увещеваниям кормилиц, считая их низкой клеветой. Но горевать было поздно, так как хотя кающийся грешник и может заслужить прощение, но непреложных предопределений судьбы ему не изменить, как не вернуть убитых из могилы. С первыми лучами зари он отправился в свой безлюдный замок в горах, больше не желая находиться под одной крышей со столь ужасным созданием, но тщетен был его побег, так как проснувшись на следующее утро он обнаружил, что снова заключен в объятия Брюнхильды, опутан ее распущенными волосами цвета воронова крыла, словно сетями судьбы; могущественная сила ее дыхания еще сильнее очаровала его, и, позабыв обо всем, что случилось, он отвечал на ее ласки, пока в ужасе не очнулся у нее на руках, будто пробудившись от кошмарного сна. Днем он бродил по пустынным горам, словно преступник, стремящийся скрыться от преследователей, а ночью нашел пристанище в пещере; страх вновь увидеть Брюнхильду был сильней, чем боязнь заночевать в таком месте. Увы! Тщетными были его попытки сбежать. Проснувшись, он снова обнаружил, что снова делит с ней жуткое ложе. Нет, даже если бы он искал укрытия в самом сердце Земли; скрылся в глубине гор или в океанской бездне, он не сумел бы от нее избавиться, ведь после того как он вновь вернул ее к жизни, он был связан с ней роковыми узами судьбы и ничто не могло разлучить их.

Борясь с подступающим безумием и бесконечными жуткими видениями, одолевавшими его скованный ужасом разум, он без движения лежал в мрачных лесных чащах от восхода солнца до сумеречной тени. Но едва лишь свет солнца скрывался на западе, и леса поглощала непроницаемая тьма, страх уснуть погнал его прочь, в горы. Буря дико резвилась среди облаков, взметая листья, подобно мятежному духу, что играет с видениями непостоянства и тлена: она ревела в кронах дубов, и звучный глас ее эхом отдавался в окрестных горах, словно стон умирающего грешника или слабый крик несчастного в руках убийцы; слышалось жуткое уханье совы, будто предзнаменование гнева природы. Ветер трепал черные волосы Вальтера, что черными змеями струились по его вискам и плечам, и все его чувства обострились в ожидании новых ужасов. В облаках ему чудились тени убитых; в завывании ветра их стоны и плач; в его холодном дуновении он ощущал омерзительный поцелуй Брюнхильды; в крике птицы слышался ее голос; в запахе гниющих листьев ему чудился тлен ее страшного ложа, с которого она восстала. «Губитель собственных детей, — кричал он в ночи, средь бури, что становилась все яростней и ужасней, — любовник кровожадной упырицы, наслаждавшийся могильной скверной!» и в отчаянии рвал на себе волосы. Тогда средь бурных облаков явилась полная луна, и ему вспомнились слова чародея, что звучали, когда он дрожал при виде пробудившейся от мертвенного сна Брюнхильды — найти его в полнолуние в горах, на перекрестке трех дорог. Проблеск надежды озарил его измученный рассудок, и он помчался к условленному месту.

Прибыв туда, Вальтер обнаружил старца сидящим на камне так спокойно, словно стоял ясный, солнечный день, совершенно безучастного ко всему, что творилось вокруг. «Так значит, ты явился?» — спросил он задыхающегося несчастного, что бросился к его ногам и возопил: «О, спаси меня, помоги мне, избавь меня от чудища, что сеет повсюду смерть и опустошение!»

«Зачем же я предостерегал тебя? Почему ты не послушал мудрого совета не тревожить мертвых?»

«Зачем ты предостерегал меня? Зачем ты не сказал мне об ужасах, что грозят мне, нечестивцу и осквернителю могилы?»

«Ты был глух ко всему, кроме голоса собственной необузданной страсти! Разве ты не прервал меня, когда я пытался предупредить тебя?»

«Это правда, правда, и ты вправе судить меня, но что в том толку теперь? Сейчас я нуждаюсь в твоей помощи».

«Что ж, — ответствовал старец, — есть способ спасти тебя, но ты должен призвать на помощь всю свою решимость».

«Так говори же, говори скорей, ведь что может быть ужасней моего несчастья?»

«Знай, — продолжал чародей, — что в ночь, когда нарождается луна, она заснет сном смертных и лишится всей сверхъестественной силы, что унаследовала из загробного мира. Тогда ты должен будешь убить ее».

«Убить ее?» — эхом откликнулся Вальтер.

«Да, — спокойно ответил старец, — ты пронзишь ее грудь острым кинжалом, что я дам тебе, и в тот же миг забудешь о ней навечно, поклявшись никогда не вспоминать о ней, иначе весь ужас проклятия вновь падет на тебя».

«Весь ужас? Но что может быть ужасней, чем она сама? Я сделаю это».

«Тогда укрепи свою решимость до следующего новолуния».

«Неужели я должен ждать так долго? — вскричал Вальтер. — Тогда либо ее жажда крови сведет меня во тьму могилы, либо ужас сведет меня с ума».

«Нет, — ответил чародей, — мне по силам предотвратить это». Сказав так, он увел его в пещеру, скрытую далеко в горах. «Останешься здесь на дважды семь дней, — сказал он ему, — и я уберегу тебя от ее смертоносных ласк. Здесь ты найдешь все, что тебе потребно, но берегись искушения оставить это место. Прощай; я вернусь, когда народится луна». Сказав так, чародей начертал магический круг у входа в пещеру и немедленно исчез.

Дважды семь дней Вальтер оставался там в одиночестве, и единственными его спутниками были мрачные думы и горькое раскаяние. Его настоящее полнилось безысходностью и отчаянием; будущее преподносило картину ужасного деяния, которое он не мог не совершить; прошлое отравляли мысли о собственной вине. Когда он думал о счастливых днях с Брюнхильдой, перед его глазами рождался ее ужасный лик и окровавленный рот; когда же он вспоминал Сванхильду, то видел, как она горюет, и видел призраки ее загубленных детей. Эти ужасные мысли преследовали его днем, а ночи были еще страшнее, ведь тогда являлась Брюнхильда, бродившая у неодолимого магического круга, и звала его по имени, а пещера эхом отражала ее ужасный голос. «Вальтер, любимый, — кричала она, — зачем же ты оставил меня? Разве ты не принадлежишь мне? Разве ты не мой навеки — и в этой, и в загробной жизни? И ты хочешь убить меня? Но сделав это, ты обречешь нас на вечные муки — себя и меня». Так страшная гостья мучила его каждую ночь, и даже когда она уходила прочь, он был лишен покоя.

Наконец, настала ночь новолуния, черная, как злодеяние, что должно было свершиться. В пещеру вошел старец. «Идем, — сказал он, — нам пора отправляться в путь; час настал». В молчании он вывел его из пещеры, и Вальтер увидел черного, как смоль, коня и вспомнил ту роковую ночь. Он рассказал старику о том, как Брюнхильда являлась к нему по ночам, и с беспокойством спросил, правдивы ли ее увещевания о вечных муках. «Взор смертных, — воскликнул чародей в ответ, — не способен ни узреть мрачных тайн иного мира, ни проникнуть сквозь глубокую бездну, что отделяет Землю от Небес». Вальтер все медлил, не решаясь вскочить в седло. «Укрепись в своем решении, — поднял голос его спутник, — так как тебе выпал шанс пройти испытание, и если ты отступишься сейчас, то полностью окажешься в ее власти».

«Что может быть ужасней, чем она? Я полон решимости!» — и Вальтер оседлал коня; чародей следовал за ним.

Они устремились вперед, словно ураган по равнине, и вскоре были у замка Вальтера. Все двери отворялись по мановению руки его спутника, и они без промедления достигли покоев Брюнхильды и встали у ее постели. Она спала спокойным сном, неизменно прекрасная, и в облике ее не было ни следа ужаса; такой чистой, кротко и невинной казалась она, что Вальтер вдруг вспомнил о тех сладостных часах, что они проводили вместе, будто ангелы молили пощадить ее. Рука его дрогнула, и он не смог взять кинжал, что протянул ему чародей. «Ты должен сразить ее сейчас же, — предостерег тот, — промедлишь хоть час, и утро застанет тебя в ее объятиях и она выпьет жизнь из твоего сердца, капля за каплей.

«Ужасно! Это ужасно!» — пробормотал Вальтер, отвел глаза и вонзил кинжал в ее грудь, вскричав: «Проклинаю тебя навеки!» Холодная кровь оросила его руки. Умирающая открыла глаза, ее ужасный взгляд пал на мужа, и хриплым голосом она проговорила: «И тебя ждет погибель».

«Теперь возложи руку на ее труп, — сказал чародей, — и произнеси слова клятвы». Вальтер подчинился и проговорил: «Никогда я не стану думать о ней с любовью; никогда не вспомню о ней, и если образ ее невольно явится мне, я прокляну ее».

«Теперь все сделано, — сказал чародей, — предай ее земле, из чьего лона ты так безрассудно ее вырвал; будь верен своей клятве, ибо, нарушив ее хоть раз, ты неизбежно погибнешь. Прощай, больше мы не встретимся». Сказав так, он удалился, и Вальтер также покинул эту обитель страха, сперва спешно похоронив мертвое тело.

Ужасная Брюнхильда снова упокоилась в могиле, но образ ее постоянно преследовал Вальтера, и жизнь его стала сущим мучением в постоянных попытках изгнать из памяти омерзительные видения прошлого, и чем настойчивей были его старания, тем чаще и ярче они являлись ему; так путник в ночи следует за блуждающим огоньком прямо в трясину и, утопая в собственной могиле, погружается тем быстрее, чем яростней пытается выбраться. Казалось, его разум способен видеть лишь образ Брюнхильды: она являлась ему, умирающая, и кровь струилась из ее прекрасной груди; или он видел устремлявшуюся ему навстречу юную невесту, пробудившуюся от смертного сна — и тогда он встречал их ужасными словами «Проклинаю тебя навеки». Это страшное проклятие часто срывалось с его губ, но постоянный страх забыть его преследовал Вальтера, как и страх увидеть ее во сне, будучи не в силах повторить их, и наутро снова оказаться в ее власти. Кроме того, он вспоминал ее предсмертные слова и, пораженный их чудовищным смыслом, думал о том, что вечные муки неибежно настигнут его. Куда он мог бежать от самого себя? Как мог стереть из памяти кошмарные образы и видения? Он искал утешения и спасения в пылу битвы, средь неумолчного грохота войны и ее нескончаемого потока побед и поражений, криков боли и ликующих возгласов, но и здесь его ждало разочарование. Его, прежде бесстрашного, теперь терзали гигантские клыки дурного предчувствия; каждая капля крови, попадавшая на его тело, казалась ему кровью Брюнхильды, и каждый несчастный, павший подле него, принимал ее облик, и снова он слышал ее слова: «И тебя ждет погибель». Смерть пугала его больше, чем все остальное, и он, не в силах совладать со своим страхом, покинул поле битвы. Наконец, после изнурительных, бесплодных скитаний, он вернулся в свой замок. Залы его были пустынными, тихими, словно кто-то предал всех его обитателей мечу, или смертоносная чума сгубила их: даже те немногие, что когда-то остались там, самые верные из его слуг бежали, будто хозяин их был отмечен печатью Каина. С ужасом он осознал, что, соединив свою судьбу с той, что восстала из мертвых, он отрезал себя от мира живых, отказывавшихся иметь с ним дело. Часто, стоя на бастионах своего замка, он смотрел на пустынные поля, вспоминая, как когда-то там кипела жизнь под надзором строгой, но добродетельной Сванхильды. Он чувствовал, что лишь она способна вернуть его к нормальной жизни, но смел ли он надеяться, что та, кого он так оскорбил, простит и снова примет его? В конце концов, его нетерпение пересилило страх; он отыскал Сванхильду и в глубоком, искреннем раскаянии признал свою вину; бросившись к ее ногам, он умолял простить его и вернуться в его опустевший замок, чтобы там снова поселился мир и довольство. Бледный, припавший к ее коленям человек был лишь тенью прежнего юного Вальтера, и Сванхильда смягчилась. «Глупец, — тихо сказала она ему, — ты причинил мне много горя, но я не возненавидела тебя, и не гневалась. Но скажи мне, где мои дети?» Отчаявшийся отец долго не мог ответить ей, но, наконец, нашел в себе силы сказать ей ужасную правду. «Значит, мы расстаемся навсегда», — проговорила Сванхильда, и все его слезы и мольбы не смогли возобладать над ее приговором.

Лишившись последней надежды и единственного утешения, несчастней любого из смертных, что стоят у края могилы, Вальтер отправился назад в свой замок; когда, погруженный в мрачные раздумья, он проезжал через лес, что был неподалеку, внезапный звук протрубившего рога вырвал его из забытья. Вслед за тем он увидел женщину в черных одеждах, на вороном коне; она была похожа на охотницу, но вместо сокола на руке ее сидел ворон; ее сопровождала веселая свита дам и кавалеров. Когда они обменялись приветствиями, он обнаружил, что она следует той же дорогой, и, узнав, что поблизости стоит замок Вальтера, она попросила разрешения остаться у него на ночь, так как уже вечерело. С великой охотой он ответил согласием, поскольку красота незнакомки поразила его, и обликом она невероятно походила на Сванхильду, хоть локоны ее и были каштановыми, а глаза черными и полными огня. В честь своих гостей он устроил пир, и некогда пустые залы наполнил их веселый смех и песни. Так продолжалось три дня, и опьяненный радостью Вальтер позабыл о своих горестях и страхах и был не в силах расстаться с гостями, опасаясь, что с их отъездом замок станет в сто раз пустыннее, чем был прежде, и столь же велико будет его горе. Он предложил незнакомке погостить у него семь дней, а после остаться еще на семь, и та согласилась. Безо всяких просьб она приняла на себя обязанности домоуправительницы, исполняя их так же благоразумно и радостно, как когда-то Сванхильда, и замок, бывший обителью печали и страха, стал местом праздным и отрадным, и горе покинуло Вальтера, уступив место радости. С каждым днем он все сильнее привязывался к прекрасной незнакомке и даже сделал ее своей наперсницей. В один из вечеров они гуляли вместе, вдали от ее свиты, и он поделился с ней своими печалями и поведал свою ужасную историю. «Мой дорогой друг, — сказала она, едва он кончил свой рассказ, — столь благоразумному мужу, как ты, не подобает винить себя в случившемся. Ты пробудил умершую от могильного сна, после чего обнаружил то, что можно было предугадать — у мертвых нет сострадания к живым. Что же с того? Ты не совершишь эту ошибку во второй раз. Ты убил то создание, что снова вернулось к жизни — но ты не лишил его жизни, ведь то была лишь ее видимость. Ты лишился жены и двоих детей, но в твои годы нетрудно пережить и эту потерю. Есть красавицы, что охотно разделят с тобой ложе, и ты снова станешь отцом. Тебя страшит посмертная участь? Иди, спроси у мертвых, что лежат в могилах, страшит ли их она». Так она поддерживала и ободряла его, и в короткий срок от его былой печали не осталось и следа. Он воспылал былою страстью к незнакомке и просил ее руки, и она не отказала ему. Через семь дней они сыграли свадьбу, и самый фундамент замка, казалось, задрожал от безудержного пиршества. Вино лилось рекой, беспрестанно передавались кубки, невоздержанность достигла предела, и взрывы хохота, граничившего с безумием, слышались в толпе, сопровождавшей незнакомку. Вскоре Вальтер, разгоряченный вином и любовью, повел свою невесту в спальню для новобрачных... но что за ужас! Едва он сжал ее в своих объятьях, как она обратилась исполинской змеей, и раздавленный ее убийственными кольцами, он принял свою смерть. Стены покоев охватил огонь, и спустя несколько минут пламя объяло весь замок; когда же с чудовищным грохотом рухнули его стены, раздался голос, провещавший: «Не тревожь мертвых!»

Перевод В. Чарного

Аврелия

Эрнст Теодор Амадей Гофман

Этот рассказ, написанный в 1819–1820-х годах и вошедший в состав сборника «Серапионовы братья» вместе с прочими двадцатью восемью, нехарактерен для творчества Гофмана. Он не имеет прямого отношения к темам, которые обычно ассоциируются с Гофманом — темная сторона человеческой психики, гипнотические состояния, контроль демонической силой и психологический феномен двойника. Циничный Лотар (в критической дискуссии, с которой начинается рассказ) связывает подобные рассказы о вампирах с писателями, которые «на миг ослепляют взятым взаймы светом». У Гофмана Серапион — сумасшедший аристократ, который отрезал себя от общества и жил отшельником, сочиняя фантастические рассказы, отличающиеся проницательностью и реализмом. Серапионовы братья периодически встречаются, рассказывают истории и оценивают друг друга по этому критерию. Принцип «серапионизма», которого должны были придерживаться все Братья, включал в себя убедительный рассказ о паранормальных явлениях и следующую за этим дискуссию. Мелодраматические истории о вампирах, по мнению Лотара, относятся к более «очевидному» типу ужасов, где различные готические атрибуты демонстрируют все как есть и тем самым отвлекают внимание от «идеи предмета», которая, как считал Гофман, была гораздо более пугающей.

«Аврелия» была создана в самый творческий период жизни Гофмана (за два года до его смерти от сифилиса) и в «Серапионовых братьях» располагается между его лучшими и наиболее известными работами. Этот рассказ может относиться к числу тех, которые, по словам критика Е. Ф. Блайлера, были «написаны наспех, в условиях нехватки времени, чтобы оплатить дорогие вина или счета в таверне», но в контексте сложной дискуссии, которая ей предшествует, «Аврелии» удается объединить готические атрибуты с «серапионизмом» (несмотря на возражения Лотара), и, таким образом, она заслуживает места здесь. Долгое время рассказ было трудно найти на английском языке. Этот перевод взят из викторианского сборника сказок Гофмана.[1]

«Удивительно, — сказал Сильвестр, — что, если я не ошибаюсь, еще один великий писатель появился по ту сторону пролива примерно в то же время, что и Вальтер Скотт, и произвел на свет труды столь же великолепные и блистательные, хоть и в ином русле. Я имею в виду лорда Байрона. Но в нем господствует склонность к мрачному, таинственному и ужасному; я не стал читать его «Вампира», поскольку от одной лишь мысли о вампирах у меня кровь стынет в жилах. Насколько я понял, вампир является живым трупом, сосущим кровь живых».

«Хо! хо! — со смехом вскричал Лотар, — такой писатель, как вы, мой дорогой друг Сильвестр, конечно же, счел необходимым более или менее глубоко погрузиться во все, что связано с магией, ведьмами, колдовством, зачарованием и прочими дьявольскими кознями, так как вам это нужно для работы, и отчасти является вашей визитной карточкой. Должен полагать, что вы стали изучать эту тему с намерением извлечь из нее некоторый личный опыт. Касательно же вампиризма — чтобы вы поняли, как хорошо я сведущ в этом деле — назову вам один прелестный трактат, чтобы вы могли углубиться в сей темный предмет. Полное название этой книжицы звучит так: «Мастер Михаэль Ранфт (священник из Небры), трактат о грызущих и сосущих мертвецах из гробов, где подробно раскрывается и описывается истинная природа венгерских вампиров и упырей, а также рассмотрены и подвергнуты критике все предыдущие труды на эту тему». Заглавие само по себе убедит

[1] Перевод справки об авторе и рассказе Е. Шатской .

вас в том, с каким тщанием написан этот трактат; из него вы узнаете, что вампир есть ничто иное, как проклятое создание, что позволяет похоронить себя, словно покойника, а затем поднимается из могилы и высасывает кровь людей, пока те спят. Последние, в свою очередь, также становятся вампирами. Так что, согласно венгерским преданиям, цитаты из которых приводит магистр, жители целых поселений превращались в вампиров самого отвратительного рода. Чтобы обезвредить такого вампира, потребно выкопать его из могилы, пронзить колом сердце, а тело сжечь дотла. Эти чудовищные создания редко являются в своем истинном виде, скрываясь под иной личиной. Помнится мне, один офицер писал из Белграда знаменитому доктору в Лейпциг касательно истинной природы вампиров следующее: «Случилось так, что в селе, называемом Кинклина, двух братьев изводил вампир, и один из них караулил ночью, пока спал его брат. Тот, что бодрствовал, увидел, как в дверь вошло нечто, напоминавшее собаку, сбежавшую, едва он на него прикрикнул. Наконец, в одну из ночей уснули оба брата, и вампир укусил одного пониже правого уха, высосав кровь и оставив красные отметины на шее, отчего тот через три дня скончался. В заключение, — писал офицер, — поскольку сельские жители считают это явление сверхъестественным, я осмелюсь спросить вас, считаете ли вы, что причиной его служит вмешательство симпатических, дьявольских или мистических сущностей. И остаюсь, с большим уважением к вам... и т. д.» Берите пример с этого пытливого умом офицера. Кстати, я только что вспомнил, как его звали. Он был приписан к полку князя Александра, Сигизмунда Александра Фридриха фон Коттвица. В то время военный ум был довольно искушен в вопросах вампиризма. Магистр Ранфт в своей книге приводит официальное заявление военного хирурга, адресованное двум его офицерам — собратьям по полку, касающееся обнаружения и уничтожения вампира. В заявлении этом, между прочим, содержится следующий пассаж: «Поскольку в связи с предыдущими обстоятельствами они заключили, что перед ними, несомненно, был вампир, они пронзили его сердце колом, после чего он отчетливо захрипел, испустив значительное количество крови». Как интересно и поучительно, не правда ли?

«Вся писанина этого магистра Ранфта, — ответил Сильвестр, — несомненно, может и является абсурдной и даже безумной, но в то же время, если мы и дальше продолжим говорить о вампиризме, не принимая во внимание то, как с ним справиться, определенно, это одно из самых ужасных и кошмарных явлений, из всех, что только можно вообразить. Не могу представить ничего более жуткого и омерзительного».

«И все же, — сказал Киприан, — оно способно принести плоды в руках наделенного воображением автора, обладающего некоей долей поэтической деликатности, способной вызвать в нас чувство глубокого благоговейного страха, что глубоко укрыто в наших сердцах, когда электрический импульс незримого мира духов заставляет нашу душу содрогаться, что до известной степени может быть весьма неприятно. Достаточная доля поэтической деликатности со стороны автора способна сделать пугающий предмет менее отвратительным, поскольку обычно в нем есть нечто, настолько противоречащее здравому смыслу, что он не впечатляет нас так, как если бы существовал в действительности. Почему бы писателю не воспользоваться средствами страха, ужаса и кошмара, если даже некто малодушный не способен их выдержать? Разве стоит отказываться от хорошего мяса за столом, если среди гостей найдутся те, чей желудок слишком слаб, и те, что страдают расстройством пищеварения?»

«Мой дорогой мечтательный Киприан, — ответил Теодор, — тебе нет нужды оправдывать все ужасное. Всем нам известно, как искусно великие писатели способны проникать в самые глубины наших сердец, используя подобные средства. Достаточно вспомнить Шекспира. Более того, кто, как не наш славный Тик столь умело использовал их во множестве своих сказок? И как точно он подмечает: «В этих вымышленных историях горе не способно достичь мира, прежде чем его лучи не разложатся на цвета призмой», и мне следует предположить, что в таком случае они станут терпимыми для глаз, и даже несколько ослабнут.

«Мы уже часто говорили, — сказал Лотар, — об этом гениальнейшем писателе, признание которого, со всем его величайшим мастерством и разнообразием, станет делом будущего, пока блуждающие огоньки стремительно вспыхивают в нашем кругу и, на миг ослепив нас взятым взаймы светом, столь же быстро исчезают во тьме. В целом я верю, что средства, волнующие воображение, могут быть весьма простыми, и часто причина нашего страха кроется не в самом предмете, а в идее предмета. К примеру, Клейст мог не только «погрузиться» в вышеупомянутый ящик с призмой, но и наносить краски с мощью и гениальностью совершенного мастера. Ему не было нужды поднимать вампира из могилы».

«Наша беседа о вампиризме, — сказал Киприан, — напомнила мне одну жуткую историю, которую я или где-то прочел, или услышал когда-то очень давно. Думаю, что все-таки слышал, поскольку я вспомнил, как рассказчик утверждал, что все события правдивы, и упоминал и фамилию семейства, и усадьбу, где все произошло. Но если вам известно, что история эта выходила в печати, прошу, прервите мой рассказ, поскольку нет ничего скучнее, чем говорить людям о том, что им уже давно известно».

«Видится мне, — подхватил Оттмар, — что вы собираетесь поделиться с нами чем-то необычайно ужасным и чудовищным. Но помните святого Серапиона и будьте немногословны, так как Винценц следующий; я вижу, с каким нетерпением он хочет прочитать нам свой обещанный рассказ».

«Тише! Тише! — шикнул Винценц. — Не могу представить ничего лучше, чем мрачный фон, набросанный Киприаном для персонажей моей истории, прописанных яркими, пестрыми и, несомненно, безмерно хлопотливыми. Так что приступайте, мой Киприан, и будьте столь же мрачным, столь пугающим и ужасным, сколь сам вампирический лорд Байрон, хоть я ничего о нем и не знаю, так как не читал из него ни строчки».

***

Граф Ипполит (начал Киприан) только что вернулся из длительного путешествия, чтобы получить наследство, завещанное ему недавно скончавшимся отцом. Их родовое поместье стояло в прекраснейшем и пленительнейшем краю из всех возможных, и доход от имения был достаточным, чтобы не жалеть средств на его благоустройство. Все особенно приятное глазу и приличное, что прельщало графа в архитектуре и садоводстве во время его путешествий, особенно в Англии, он собирался воспроизвести в своих владениях. Архитекторы, садовники и работники всех мастей прибыли туда по его указанию, и без промедления началась полная перестройка поместья, где раскинулся обширный парк невероятных размеров, на землях которого стояли церковь, дом пастора и кладбище. Граф, обладавший всеми необходимыми знаниями, лично следил за тем, как ведутся работы, отдавшись делу душой и телом; так промелькнул год, и он даже не подумал последовать совету старого дядюшки и выйти в столичный высший свет, прельстив своим светлым обликом юных дам, чтобы прекраснейшая, достойнейшая и благороднейшая из них могла стать его женой. Как-то утром, когда он сидел за своим чертежным столом, набрасывая план новой постройки, объявили о том, что одна престарелая баронесса, дальняя родственница его отца, желает навестить его. Услышав ее имя, Ипполит вспомнил, что отец всегда отзывался о ней в высшей степени негодующе, нет — с совершеннейшим отвращением, и часто предупреждал тех, кто с ней сближался, держаться от нее подальше, не объясняя, какими опасностями грозит ее общество. Если его начинали расспрашивать с пристрастием, он отвечал, что есть вещи, о которых лучше не говорить. Достоверно было известно, что в столице ходили слухи о примечательном и беспрецедентном судебном процессе, в котором была замешана графиня, в результате чего она разошлась с мужем, была изгнана из дома, находившегося в землях весьма отдаленных, и тому, что она избежала дальнейших последствий, была обязана лишь терпению самого князя. Ипполит с огорчением и неприязнью воспринял известие о том, что к нему едет персона, столь ненавистная для его отца, хоть и не знал, в чем крылась причина той ненависти. Но законы гостеприимства, что в сельской местности куда строже, чем в городах, обязывали его принять ее.

Еще никогда чей-либо облик, не будучи безобразным в прямом смысле этого слова, не производил столь неприязненного впечатления на графа, как внешность этой баронессы. Войдя, она уставилась на него пронзительными, горящими глазами, но затем опустила их, едва ли не с чрезмерной скромностью извиняясь за свое прибытие. Она скорбела о том, что его отец под влиянием предрассудков, порожденных клеветой ее врагов, смертельно ненавидел ее, и хотя в своей глубочайшей бедности она почти голодала, он ни разу не помог ей и не поддержал ее. По ее словам, она неожиданно получила небольшую сумму денег, что позволило ей покинуть столицу и отправиться в небольшой городок неподалеку. Однако по пути она не смогла избежать соблазна увидеть сына человека, к которому, несмотря на его непримиримую ненависть к ней, питала глубочайшее уважение. Слова ее звучали так искренне, что тронули графа; и тронули еще глубже, когда он перевел свой взгляд с ее отвратительного лица на прелестное создание, что стояло рядом с ней. Баронесса умолкла, но граф, казалось, не заметил этого. Он не проронил ни слова. Она попросила прощения за то, что, смутившись, забыла представить свою спутницу, объяснив, что перед ним ее дочь, Аврелия. Тогда граф обрел дар речи и, покраснев до ушей, с горячностью, свойственной сраженным любовью молодым людям, просил баронессу позволить ему в некоторой степени искупить недобросовестность отца — следствие недоразумения — и, оказав ему честь, погостить у него подольше. Свое радушное предложение он подкрепил рукопожатием, но слова и дыхание застыли на его губах, как и кровь в его жилах. Ладонь его словно сжали в тисках холодные, закоченелые, будто у покойника пальцы, и высокая, костлявая баронесса, уставившаяся на него застывшим, словно невидящим взглядом, в своем цветастом нарядном платье показалась ему разряженным трупом.

«Боже правый! В столь неугодный час! — вскричала Аврелия, и нежным голосом, проникавшим в самое сердце, сетовала на судорожные припадки, которым была подвержена ее мать; впрочем, обычно они вскоре разрешались, не требуя никаких дополнительных мер.

Ипполит не без труда освободился от хватки баронессы, и вся сияющая полнота жизни и сладость любви вернулись к нему, едва он горячо припал губами к ручке Аврелии. Хоть он уже почти достиг мужской зрелости, впервые с такой силой он ощутил страсть и не сумел скрыть своих чувств; то, с какой простой, почти детской радостью Аврелия выслушала его признание, зажгло в нем свет яркой надежды. Через несколько минут баронесса пришла в себя, и казалось, не имея ни малейшего понятия о случившемся, поблагодарила графа за предложение надолго остаться в его замке, сказав, что с великой радостью забудет о том, как несправедливо обошелся с ней его отец.

Так все в доме и делах графа переменилось, и он едва мог верить, что судьба преподнесла ему дар в виде единственной в мире женщины, что будучи горячо любимой и обожаемой, способна вознести его к высочайшим вершинам счастья.

В том, как держалась баронесса, мало что переменилось. Она оставалась столь же молчаливой, угрюмой, замкнутой в себе, но при случае демонстрировала легкую перемену настроения и сердечную склонность к любому невинному развлечению. Граф привык к мертвенной бледности ее лица, к опутавшей его паутине глубоких морщин и тому, как похожа она была на призрака, но все это он приписывал ее слабому здоровью и до некоторой степени склонности к мрачной романтике. Слуги часто говорили ему, что она выходит на прогулки по ночам, направляясь через парк к кладбищу. Будучи весьма расстроенным тем, что отцовские предрассудки так сильно на него повлияли, он не желал даже слушать искренних советов дядюшки преодолеть охватившее его чувство и разорвать отношения, что рано или поздно станут причиной его гибели.

Полностью уверенный в чистосердечной любви Аврелии, он просил ее руки, и можно представить, с какой радостью баронесса одобрила их помолвку, благодаря которой она купалась в роскоши после унизительной бедности. Бледность и странное выражение лица, свидетельствовавшее о неодолимой внутренней боли или тревоге, покинули Аврелию. Блаженством любви лучились ее глаза, и розами расцвели ее щеки.

Наутро в день свадьбы ужасное событие разрушило надежды графа. Баронессу нашли мертвой, лежащей ничком недалеко от кладбища, и когда граф, проснувшись, смотрел в окно, блаженствуя от обретенного счастья, ее тело несли в замок. Он предположил, что с ней случился очередной припадок, но все попытки вернуть ее к жизни были безуспешными. Она была мертва. Аврелия, вместо того чтобы дать волю отчаянному горю после такого удара, была ошеломлена и не проронила ни слезинки, словно скованная параличом.

Граф был весьма обеспокоен ее состоянием и как можно осторожнее и ласковее напомнил ей, что теперь, когда она осиротела, следует отбросить общественные условности, и важнее всего в данных обстоятельствах поторопиться со свадьбой, несмотря на смерть ее матери. Бросившись в объятия графа, Аврелия разрыдалась и сквозь слезы, что струились по ее щекам, ответила со всей возможной искренностью и настойчивостью:

«Да, да! Ради всего святого! Ради спасения моей души — да!»

Граф заключил, что столь бурному всплеску чувств она обязана горьким осознанием того, что ей, осиротевшей, некуда будет пойти, если она не останется в замке. Он приложил все усилия, чтобы найти почтенную матрону, согласную сопровождать ее, и через несколько недель свадьбу должны были сыграть снова. На сей раз ничто не помешало задуманному, и счастье увенчало Аврелию и Ипполита. Однако все эти дни Аврелия пребывала в необычно напряженном и взволнованном состоянии. Она не горевала о матери, но беспрестанно, безостановочно была мучима неким внутренним страхом. Посреди самой сладостной из любовных речей она внезапно сжимала графа в объятиях, мертвенно бледная, будто объятая внезапным приступом ужаса — как если бы изо всех сил пыталась противиться некой чужеродной силе, грозившей погубить ее — и кричала: «О нет, нет! Никогда, никогда!» Но после свадьбы это странное, терзающее волнение покинуло ее, и тягость ужасного внутреннего напряжения и беспокойства, по всей видимости, исчезла.

Граф подозревал, что некая зловещая тайна таится за муками, снедавшими внутреннее существо Аврелии, но должным образом заключил, что будет немилосердно и бесчувственно расспрашивать ее в таком состоянии; сама же она избегала говорить об этом. Впрочем, настало время, когда он подумал, что может осторожно намекнуть ей на то, чтобы поделиться с ним причиной ее необычного душевного состояния. Она сразу ответила, что с удовольствием раскроет душу своему возлюбленному супругу. С великим удивлением он узнал, что за тревогами, терзавшими ее разум, таился омерзительный образ жизни, который вела ее мать.

«Может ли быть что-либо ужаснее, — сказала она, — чем ненависть, презрение и отвращение, питаемое к собственной матери?»

Так выяснилось, что предрассудки его отца и дядюшки оказались небеспочвенными, и баронесса умышленно обманула его. Он признался самому себе — и не скрывал этого — что лишь благодаря счастливому стечению обстоятельств баронесса умерла именно утром в день его свадьбы. Но Аврелия призналась, что с тех пор как умерла ее мать, ей не давали покоя мрачные, жуткие кошмары и она не могла избавиться от мысли о том, что мать восстанет из могилы и вырвет ее из объятий мужа, обрекая на гибель.

Она сказала, что смутно помнит, как однажды утром, когда она была совсем маленькой, проснулась от страшного шума в доме.

Открывались и хлопали двери; в смятении кричали чужие голоса. Наконец все стихло; кормилица взяла ее на руки и отнесла в большую залу, где собралось множество людей, а человек, что часто играл с ней и угощал ее сладостями, лежал, распростертый на длинном столе. Она всегда называла этого человека «папа» и протягивала к нему ручки, желая его поцеловать. Но его губы, прежде такие теплые, были холодны, будто лед, и Аврелия разразилась безудержным плачем, сама не зная почему. Кормилица унесла ее в чужой дом, где она провела довольно много времени, пока не появилась дама и не увезла ее в карете. То была ее мать, что вскоре отправилась с ней в столицу.

Когда Аврелии должно было исполниться шестнадцать, в их дом пришел мужчина, которого ее мать приняла радостно и весьма доверительно, словно близкого старого друга. Он стал появляться у них все чаще и чаще, и вскоре образ жизни баронессы разительно переменился к лучшему. Вместо жалкого, нищего существования в мансарде впроголодь в заношенных платьях она сняла квартиру в самом модном квартале, стала носить изящные платья, и каждый день на ее столе были самые изысканные блюда и вина (теперь чужак столовался у нее ежедневно), и она предавалась всем светским забавам, какие только могла предложить столица.

На Аврелию подобная перемена положения ее матери (очевидно, что та была обязана всем одному лишь незнакомцу) никоим образом не повлияла. Мать запирала ее в комнате наверху, после чего удалялась развлекаться в компании незнакомца, и жизнь ее была так же несчастна, как и прежде. Этому человеку было около сорока лет, но он был свеж лицом и хорош собой, высоким и, без сомнения, выглядел вполне мужественно. Несмотря на это, его манеры внушали отвращение Аврелии. Казалось, он постоянно пытался сдержаться, вести себя, как подобает благовоспитанному дворянину, но под его личиной безошибочно можно было разглядеть совершеннейшего невежу, чьи повадки и привычки были плебейскими. То, какие взгляды он стал бросать на Аврелию, вселило в нее ужас — нет, даже отвращение, причину которого она не могла объяснить.

До сих пор баронесса ни словом не обмолвилась с Аврелией об этом мужчине. Но теперь она назвала его имя, прибавив, что он весьма состоятельный барон и ее дальний родственник. Она превозносила его привлекательную внешность и прочие достоинства и, наконец, попросила Аврелию отнестись к нему более благосклонно. Аврелия, не таясь, призналась в том, как тот ей отвратителен. Баронесса грозно сверкнула глазами, чем сильно испугала ее, назвав глупой и невежественной. Но после стала относиться к ней добрей, чем когда-либо. Ей дарили роскошные платья по последней моде и вывели в свет. Тот человек теперь пытался всячески завоевать ее расположение, чем вызывал у нее еще больший страх. Ее нежные девичьи чувства были смертельно оскорблены, когда благодаря неловкому случаю она стала свидетельницей чудовищной сцены между ее беспутной, порочной матерью и этим чужаком. Спустя несколько дней этот человек, как следует набравшись вина, стиснул в объятиях Аврелию с совершенно определенными намерениями, но отчаяние придало ей силы, и она толкнула его так, что тот повалился на спину. Она убежала и заперлась в своей комнате. Баронесса спокойно и неторопливо пояснила ей, что поскольку барон оплачивает все их расходы и она не имеет ни малейшего намерения возвращаться к их прежней нищей жизни, смехотворная робость нелепа и неуместна, и что ей не следует противиться желаниям барона; в противном случае он грозился немедленно покинуть их. Вместо того чтобы сжалиться над слезами и мольбами несчастной Аврелии, старуха безобразно и бесстыдно расхохоталась, в самых вульгарных красках расписывая подробности положения дел, благодаря которому та навсегда распрощается со всеми радостями жизни, так необузданно и омерзительно, попирая и оскорбляя все нормы пристойности, что слышавшую это Аврелию объял неописуемый ужас и стыд. Собственно, она подумала, что пропала, и единственным средством спасения для нее остается немедленный побег.

Она сумела раздобыть ключ от передней, собрала все самое необходимое и, едва наступила полночь, тихо прокралась в переднюю, в тот час, когда, по ее расчетам, мать уже должна была крепко спать. Она уже собиралась выйти на улицу, когда с грохотом распахнулась дверь и на ступенях послышались тяжкие шаги. Спотыкаясь и шатаясь, в переднюю ввалилась баронесса, упав к ногам Аврелии: на ней не было ничего, кроме какого-то грязного тряпья; ее грудь и плечи были обнажены, седые волосы космами свисали на плечи. Следом за ней вошел чужак, схватил ее за волосы и поволок на середину комнаты, пронзительно гаркнув:

«Стой, старая ведьма, адское отродье! Сейчас я тебе устрою свадебное угощение».

И крепкой толстой палкой, что он сжимал в руке, он принялся охаживать ее самым постыдным образом. Баронесса испустила ужасный, истошный вопль, и Аврелия, едва сознавая, что делает, кинулась к окну, чтобы позвать на помощь.

Случилось так, что мимо проходили вооруженные патрульные. Полицейские немедленно бросились в дом.

«Держите его! — кричала баронесса, содрогаясь от гнева и боли. — Хватайте его, задержите его! Взгляните на его спину. Это...»

Едва сержант полиции услышал, как баронесса назвала имя чужака, он вскричал с восторгом: «Ха! Наконец-то ты попался, дьявол под чужим именем!» И несмотря на то, что чужак отчаянно сопротивлялся, его увели прочь.

Однако даже с учетом всего, что случилось, баронесса прекрасно поняла, что намеревалась сделать Аврелия. Она с готовностью схватила ее за руку, затолкала ее в комнату и заперла, не сказав ни слова. Наутро она ушла рано и не вернулась до позднего вечера. Все это время Аврелия оставалась пленницей в собственной комнате, ничего не видя и не слыша, без пищи и воды. Так продолжалось несколько дней. Баронесса часто бросала на нее гневные взгляды, казалось, силясь принять какое-то решение, пока в один из вечеров не получала несколько писем, содержание которых, по всей видимости, нашла удовлетворительным.

«Глупое создание! Это ты во всем виновата. Но кажется, теперь дела идут на поправку, и нечистая сила, грозившая тебе, до тебя не доберется». Вот что баронесса сказала Аврелии и после стала к ней добрее, и той, избавленной от общества ужасного человека, и оставившей все мысли о побеге, было даровано чуть больше свободы.

Прошло какое-то время; Аврелия, сидя у себя в комнате, услышала громкий шум, доносившийся с улицы. Вбежала горничная, сказав, что в тюрьму везут висельника, носившего на спине клеймо грабителя и убийцы, сбежавшего от суда и снова пойманного.

Аврелия, полная дурных предчувствий, на колеблющихся ногах подошла к окну. Чувства ее не обманули — там в самом деле был чужак (как мы его называли), в повозке для осужденных, скованный по рукам и ногам, в сопровождении множественной охраны. Его везли на казнь. Едва не упав в обморок, Аврелия опустилась в кресло, ведь его ужасный, дикий взгляд пал на нее, и он вскинул кулак, угрожая ей.

После баронесса столь же часто надолго покидала дом, но ни разу не брала с собой Аврелию, и та жила жалкой, горестной жизнью, проводя время в долгих раздумьях о собственной судьбе и о том, чем грозило ей будущее.

От служанки (нанятой после вышеописанного ночного происшествия и лишь недавно узнавшей о сношениях баронессы и преступника) Аврелия узнала, что жители столицы сочувствовали баронессе, обманутой и одураченной этим негодяем. Но Аврелии хорошо было известно, что дело обстоит совершенно иначе; она считала, что в любом случае полицейские, задержавшие его прямо в доме баронессы, не могли знать, что на самом деле те двое были очень близки, поскольку баронесса сама раскрыла его имя и указала на клеймо на его спине, тем самым подтвердив его истинную личность. Более того, эта словоохотливая девица часто туманно намекала на слухи, что ходили в обществе, и его желании узнать обо всех подробностях этого дела, вплоть до того, что велось тщательное расследование, и баронессе грозил арест из-за показаний, данных против нее висельником.

Мысленно Аврелия была вынуждена признать, что подобное положение дел лишь подтверждало беспутство ее матери, несмотря на все случившееся считавшей возможным и дальше оставаться в столице. Но в конце концов та была вынуждена покинуть город, где служила мишенью для вполне обоснованных и постыдных подозрений, и скрыться как можно дальше. На пути она остановилась в замке графа; дальнейшее уже известно.

Аврелия не могла не признать, что ей самым чудесным образом удалось избежать всех этих бед. Но как велик был ее страх, когда в разговоре с матерью она упомянула о благостном вмешательстве милосердного Господа, в ответ на что та, сверкая адским, пламенным взглядом, визгливо завопила:

«Ты, ужасное создание, приносишь мне одни несчастья! Но если я внезапно умру, в пылу твоего воображаемого счастья тебя настигнет ужасная кара! В тех же судорогах, что мучают меня с тех пор, как я родила тебя, ты, коварный, дьявольский плод...»

Вдруг Аврелия осеклась и, бросившись в объятия мужа, умоляла его не заставлять ее повторять слова впавшей в безумие баронессы. Она сказала, что ее сердце и душа разрываются при одной лишь мысли о тех чудовищных проклятиях — те были ужасней всего, что можно себе вообразить, звучавших из уст ее собственной матери, в тот миг одержимой дьявольской силой.

Граф как только мог утешал свою невесту, хоть и чувствовал, как дрожит всем существом, проникаясь губительным, леденящим ужасом. Даже слегка успокоившись, он не мог признаться себе в том, что жуткая баронесса, несмотря на то, что уже была мертва, отбрасывала черную тень на его светлую жизнь.

Вскоре облик Аврелии стал заметно меняться. Мертвенная бледность ее лица, взгляд ее усталых глаз, казалось, указывали на какой-то телесный недуг, но по состоянию ее разума — смятенному, переменчивому, беспокойному, словно она постоянна жила в гнетущем страхе — можно было заключить, что ее терзала некая новая тайна. Она сторонилась мужа. Она закрывалась в своих покоях, бродила по самым уединенным тропинкам парка. Когда же она появлялась, ее глаза, красные от слез, и ее искаженные черты безошибочно намекали, сколь ужасные страдания она претерпевала. Граф тщетно всеми способами пытался отыскать причину ее болезненного состояния, и единственным утешением для него, ввергнутого в отчаяние этими необыкновенными симптомами, стали взвешенные выводы знаменитого врача, объявившего, что странное состояние графини есть не что иное, как следствие счастливого замужества. Доктор этот однажды, обедая с графом и графиней, делал разнообразные намеки на проявления предполагаемого заболевания, называемого немцами «доброй надеждой». Какое-то время графиня слушала его с кажущимся безразличием, но внезапно проявила живой интерес к словам доктора о поразительных страстных желаниях, внезапно овладевающих женщинами в этом состоянии, и о самом пагубном влиянии этих страстей не только на их здоровье, но и на здоровье ребенка. Графиня засыпала врача вопросами, и тот без устали приводил примеры подобных случаев из собственной практики.

«Более того, — сказал он, — имеются официально задокументированные случаи чудовищных преступлений, совершенных женщинами, одержимыми этой странной, ненормальной страстью. Жена одного кузнеца так любила предаваться плотским утехам со своим мужем, что когда однажды ночью тот явился домой навеселе, набросилась на него с ножом, и через несколько часов он скончался от страшных ран».

Стоило доктору произнести эти слова, как графиня бессильно откинулась в кресле, упав в обморок, и стоило немалых трудов успокоить ее после приступа истерики, случившегося, едва она очнулась. Врач осознал, что с его стороны было безрассудно делиться с ней столь жуткими подробностями дела, учитывая ее состояние.

Однако этот случай, по всей видимости, воздействовал на нее положительным образом, поскольку она стала спокойней; хотя вскоре после этого она впала в оцепенение и будто онемела. Темное пламя теперь пылало в ее глазах, а мертвенная бледность так усилилась, что графа снова стал терзаться мыслями о том, что она тяжело больна. Не находилось абсолютно никакого объяснения тому, что она совершенно отказалась от еды, и самый вид ее вызывал у графини стойкое отвращение, в особенности мясо. Чувство это было столь сильным, что она каждый раз вставала из-за обеденного стола и удалялась с видом величайшего омерзения. Все усилия доктора были напрасны, и самые горячие мольбы графа бессильны были заставить ее принять хоть какое-нибудь лекарство. Так проходили недели; нет, месяцы, в течение которых она ничего не ела, и непостижимым оставалось то, что в ней еще теплилась жизнь. Врач заключил, что случай этот лежит за гранью научных познаний человечества. Под каким-то предлогом он покинул замок, но граф ясно видел, что доктору, чьи умения не оставляли сомнений, необходимо было поддерживать свою репутацию, и тот, чувствуя, что болезнь графини слишком загадочна и непонятна, и помочь ей он не в силах, не мог там оставаться.

Легко можно представить себе, какое влияние все это оказало на душевное состояние графа. Но это было еще не всё. По стечению обстоятельств старый, верный слуга, застав графа одного, рассказал ему, что графиня уходит из дома каждую ночь и не возвращается до рассвета.

Кровь застыла в жилах графа. Вдруг он понял, что в течение какого-то времени каждую полночь испытывал загадочную, неестественную сонливость, и теперь приписал это действию какого-то наркотического средства, используемого графиней, чтобы та могла беспрепятственно ускользнуть. Мрачнейшие подозрения и предчувствия закрадывались в душу графа. Он вспоминал ее дьявольскую мать; быть может, ее склонности пробуждались в его супруге? Он думал о возможной измене. Вспоминал жуткого висельника.

Случилось так, что уже следующей ночью он узнал, в чем крылась разгадка ужасной тайны графини, и лишь она одна могла служить ключом к ее необычной болезни.

Каждый вечер она заваривала графу чай, который тот всегда пил перед тем, как лечь спать. В тот вечер он к нему не притронулся и, отправившись в постель, не почувствовал и доли былой сонливости, обычно настигавшей его к полуночи. Однако, откинувшись на подушки, он притворился, что его быстро сморил сон.

Тогда графиня с величайшими предосторожностями поднялась с их ложа, подойдя к нему, обошла постель, поднесла к его лицу лампу и, убедившись в том, что тот крепко спит, тихо вышла из комнаты.

Сердце его забилось в груди. Он встал, надел плащ и последовал за графиней. Стояла ясная лунная ночь, и хотя Аврелия намного опередила его, он отчетливо видел ее белое платье впереди. Она прошла через парк, направляясь к кладбищу, у стены которого исчезла. Граф бросился за ней, найдя кладбищенские ворота открытыми. В ярком свете луны он увидел круг жутких, подобных призракам созданий. Полуголые старухи на корточках сгрудились над лежащим на земле трупом, вгрызаясь в него с волчьим аппетитом.

Среди них была и Аврелия.

Дикий ужас объял графа, и гонимый смертельным страхом он помчался прочь по тропинкам парка, не разбирая дороги, не сознавая, что делает, пока не обнаружил, что наступило утро, и он лежит у дверей своего замка, обливаясь холодным потом. Он безотчетно, бездумно бросился вверх по ступенькам, сквозь галереи, пока не достиг своей спальни. Там лежала графиня и спала глубоким, сладостным сном. Граф охотно убеждал себя в том, что ему приснился какой-то обманчивый сон (хотя плащ его, мокрый от росы, служил доказательством того, что он действительно был на кладбище той ночью), и его ввело в заблуждение некое видение, ставшее причиной его смертельного испуга. Он не стал дожидаться пробуждения Аврелии, вышел из комнаты, переоделся и оседлал коня. Утро выдалось восхитительным, и конная прогулка среди ароматных кущ и деревьев под веселое пение очнувшихся ото сна птиц, приветствовавших его, на время изгнала из его памяти ужасные видения минувшей ночи. Он вернулся в замок, успокоившись и радуясь всем сердцем.

Но когда они с графиней сели за стол, и подали блюда, она поднялась, чтобы уйти, как всегда, с отвращением взглянув на еду, и ужасное осознание, что все увиденное было правдой и произошло в действительности, неотвратимо отпечаталось в его душе. В неистовом гневе он вскочил с кресла, вскричав:

«Проклятое адское отродье! Теперь мне ясно, почему тебе противна человеческая пища. Ты, дьявольская тварь, кормишься на кладбище!»

Едва слова эти сорвались с его губ, графиня бросилась на него, изрыгая нечто меж ревом или воем, и вгрызлась в его грудь с остервенелостью гиены. Он схватил ее, беснующуюся, и швырнул оземь, после чего в чудовищных корчах та испустила дух.

Затем граф лишился рассудка.

«Что ж, — сказал Лотар, после того как среди друзей на несколько минут воцарилось молчание, — вы, мой несравненный Киприан, определенно сдержали слово, самым невероятным и чудесным образом. В сравнении с вашей историей, вампиризм всего лишь детская выдумка — рождественская сказка, над которой можно посмеяться. О, в самом деле, все в ней ужасно увлекательно и так щедро приправлено асафетидой, что неестественно возбужденный вкус, утративший склонность к здоровой, натуральной пище, способен безмерно ей насладиться.

«И все же, — сказал Теодор, — многие вещи наш друг негласно скрыл за вуалью и так быстро пробежался по остальным, что история эта оставила в нас лишь мимолетное чувство суеверного страха и трепета — и за это мы весьма ему благодарны. Хорошо помню, как прочел эту историю в одной старинной книге, где самым дотошным образом перечислялись все ее детали; в особенности, в мельчайших подробностях, воистину с любовью, описывались бесчинства старухи, так что весь рассказ в целом производил и оставлял после себя самое мерзкое впечатление, избавиться от которого получилось не скоро. Я был несказанно рад забыть об этой чудовищной истории, и Киприану не следовало пробуждать во мне воспоминания о ней, хоть я и должен признать, что он действовал, руководствуясь идеями нашего покровителя, святого Серапиона, и в достаточной степени заставил нас содрогнуться от ужаса, особенно ближе к финалу, да так, что все мы побледнели, в особенности же сам рассказчик!»

Перевод В. Чарного

Что это было?

Фитц Джеймс О'Брайен

Этот всеми забытый рассказ был впервые опубликован в Harper's New Monthly Magazine в Нью-Йорке в марте 1859 года. Майкл Фитц Джеймс О'Брайен эмигрировал в Нью-Йорк через Англию из своего родного Лимерика в 1852 году после участия в беспорядках, последовавших за великим голодом. В 1853 году он стал постоянным автором Harper's и провозгласил себя «принцем богемы» среди авторов нью-йоркского андеграунда 1850-х годов, моделируя свою жизнь по недавно опубликованным «Сценам из богемной жизни» Генри Мюргера, которые легли в основу оперы Джакомо Пуччини «Богема». Особую неприязнь у него вызывало «пуританство критиков». В начале Гражданской войны в США он записался в 7-й полк Национальной гвардии Нью-Йорка и после непродолжительного периода работы офицером по набору в стрелковый полк МакКлеллана (во время которого, как говорили, его чуть не предали военному трибуналу за стрельбу по солдату собственного полка), был назначен адъютантом генерала Лэндера в Западной Вирджинии. Во время стычки с южанами в феврале 1862 года был ранен в плечо, чуть больше месяца спустя умер от столбняка. В одном из своих последних писем, написанном, когда он узнал о том, что умирает, О'Брайен утешил себя словами: «Святой Юпитер! Я верю в привидений».

Большая часть сочинений Фитц Джеймса О'Брайена (стихотворения и рассказы для «Harper's» и «Putnam's») была опубликована в конце 1850-х годов. Свои лучшие рассказы ужасов О'Брайен (под псевдонимом «Гарри Эскотт») пишет в сухом стиле, наполняя повествование подробными деталями о мире автора, что придает еще большее значение необъяснимым переживаниям, которые за этим следуют, — «домашняя» версия Эдгара Аллана По. Его шедевр «Что это было?» — это впечатляющий пример истории о невидимой силе (позже де Мопассан использовал эту идею в качестве основы для «Орли») и представляет собой литературную версию «Ночного кошмара» Генри Фюссли (на этот раз жертвой становится мужчина). Что это было? Ответ кроется в названии этой книги.

Признаюсь, я испытываю неловкость и волнение, когда собираюсь поведать вам эту странную историю. События, о которых я подробно расскажу, столь необыкновенны, что я заранее готов к недоверию и презрению с вашей стороны. Я готов заранее примириться с этим и надеюсь на то, что у меня найдется мужество противостоять неверию. После долгих размышлений я решился описать в самой простой и открытой манере те события, свидетелем которых я оказался в июле этого года и которые не имеют никаких аналогов среди загадок естественной науки.

Я живу в доме №... на Двадцать шестой улице Нью-Йорка. Дом этот любопытен в некоторых отношениях. В течение последних двух лет он имел репутацию дома, населенного привидениями. Огромное величественное здание, некогда окруженное садом — теперь от него остался лишь небольшой дворик, в котором сушат белье. Пересохший фонтан и несколько неухоженных и необрезанных фруктовых деревьев напоминают о том, что в прошлом это место было приятным и тенистым уголком, где росли фрукты, цвели цветы и журчала вода.

Дом весьма просторен. Вестибюль солидных размеров ведет к широкой винтовой лестнице, закручивающейся вокруг своей оси, многочисленные комнаты также внушительны по площади. Он построен пятнадцать-двадцать лет назад мистером А., известным нью-йоркским коммерсантом, который пять лет назад заставил содрогнуться весь деловой мир от грандиозной банковской махинации. Мистер А., как все говорят, бежал в Европу, где и скончался вскоре от инфаркта. Почти сразу же после того как весть о его смерти достигла страны и была подтверждена, по 26-й улице распространились слухи, что в доме №... живет привидение. Суд изъял дом у вдовы прежнего владельца, и в нем остались жить лишь смотритель с женой, определенные сюда агентом по недвижимости, в чьи руки попал дом для сдачи в аренду или продажи. Эти люди заявили, что их беспокоит странный шум, а двери дома открываются сами по себе. Оставшаяся в доме мебель, расставленная по разным комнатам, по ночам сваливалась в кучу неведомо кем. А среди бела дня по лестницам раздавались шаги кого-то невидимого, и сопровождались они шорохом таких же невидимых шелковых платьев и звуками от скольжения невидимых рук по массивным перилам. Смотритель и его жена заявили, что больше не будут здесь жить. Агент по недвижимости посмеялся, уволил их и заселил других. Шумы и сверхъестественные явления не прекратились. Сплетни о доме разнеслись по округе, и в течение трех лет он оставался незаселенным. Несколько господ хотели его приобрести, но каждый раз до оформления сделки они узнавали неприятные слухи и отказывались от своих намерений.

Такова была репутация дома, когда моя домовладелица, содержавшая в то время пансион на Бликер-стрит, решила переехать в отдаленные жилые кварталы и ей пришла в голову смелая идея снять дом №... на Двадцать шестой улице. Поскольку у нее в доме жили достаточно отважные и уравновешенные постояльцы, она изложила нам свои намерения, откровенно рассказав обо всем, что слышала о привидениях в доме, в который хотела нас переселить. За исключением двух боязливых господ — капитана морского судна и недавно вернувшегося калифорнийца, которые сразу же заявили, что съедут, — все остальные постояльцы миссис Моффат вознамерились сопровождать ее в этом вторжении в обиталище духов.

Мы переехали в мае и мгновенно очаровались нашим новым местом жительства. Часть Двадцать шестой улицы между Седьмой и Восьмой авеню, где располагается наш дом, — одно из приятнейших мест в Нью-Йорке. Сады позади домов, простирающиеся почти до самого Гудзона, летом образуют превосходную зеленую аллею. Воздух здесь чистый и бодрящий, и обычно дует свежий ветерок прямо из-за реки с Уихокен-Хайтс, и даже запущенный сад вокруг дома, изобилующий в дни стирки большим количеством веревок, все же обеспечивал нам лужайку — уютный уголок, на котором мы располагались, курили сигары на закате и наблюдали за светлячками, зажигающими свои фонарики в длинной траве.

Конечно, сразу же, как только мы устроились в доме №..., мы с нетерпением стали ждать привидений. Мы предвкушали их появление с совершеннейшим нетерпением. Наши разговоры за ужином касались сверхъестественного. Один из квартирантов, купивший для собственной услады книгу миссис Кроу «Темная сторона природы», стал врагом всего сообщества за то, что не купил сразу двадцать экземпляров. Жизнь его была глубоко несчастной, пока он читал это произведение. Мы установили слежку, главным объектом которой он и стал. Если он, по неосторожности, оставлял книгу и выходил из комнаты, ее мгновенно хватали и уносили в тайное место, где читали вслух для немногих избранных. Сам же я оказался весьма важной персоной, поскольку обнаружилось, что я неплохо разбираюсь в истории сверхъестественного и однажды даже написал рассказ, главным героем в котором стало привидение. Если вдруг стол или деревянная стенная панель случайно корежились, когда мы собирались в просторной гостиной, мгновенно наступала тишина, и все были готовы услышать лязганье цепей и увидеть призрачный силуэт.

Спустя месяц душевных волнений мы с досадой были вынуждены признать, что не произошло ничего, хоть в какой-то степени походившее на сверхъестественное проявление.

Однажды негр-дворецкий стал клятвенно утверждать, что его свеча погасла от дуновения какой-то невидимой силы, когда он переодевался перед сном, но поскольку я неоднократно видел этого цветного джентльмена в состоянии, когда он мог запросто принять одну свечу за две, то счел возможным предположить: если он сделает еще один шаг по пути пьянства, то этот феномен может смениться на обратный и дворецкий вообще не увидит ни одной свечи там, где должен был бы ее увидеть.

Так обстояли дела, когда случился инцидент столь ужасный и необъяснимый, что я до сих пор вздрагиваю при одном только воспоминании о нем. Это произошло десятого июля. После ужина я направился в сад вместе с моим другом доктором Хэммондом, чтобы выкурить вечернюю трубку. Независимо от определенных душевных симпатий, существовавших между доктором и мной, нас связывал общий порок. Мы оба курили опиум. Мы знали тайну друг друга и уважали ее. Мы вместе наслаждались этим чудесным полетом сознания, этим великолепным обострением способностей восприятия, этим безграничным чувством существования, когда нам кажется, что мы соприкасаемся со всей Вселенной, — короче говоря, тем невообразимым духовным блаженством, которое я не променял бы и на трон, и которое вы, мой читатель, никогда, я надеюсь, не попробуете.

Те часы опиумного счастья, которые мы с доктором тайно проводили вместе, были регламентированы с научной точностью. Мы не просто курили райский наркотик и отпускали наши мечты на произвол судьбы. Во время курения мы осторожно направляли нашу беседу по руслу самых ярких и безмятежных мечтаний. Мы говорили о Востоке и пытались вспомнить волшебную панораму его сияющих пейзажей. Мы обсуждали чувственных поэтов — тех, кто рисовал цветущую жизнь, наполненную страстью и счастьем от обладания молодостью, силой и красотой. Если мы говорили о «Буре» Шекспира, то задерживались на Ариэле и избегали Калибана. Подобно огнепоклонникам, мы обращали наши взоры на восток и видели только солнечную сторону мира.

Искусное раскрашивание хода наших мыслей придало последующим видениям соответствующее настроение. Великолепие арабских сказок окрасило наши мечты. Мы шагали по узкой полоске травы с королевской осанкой и поступью. Кваканье зеленой древесной лягушки, вцепившейся в кору сливового дерева, звучало, словно звуки божественных музыкантов. Дома, стены и улицы растаяли, как дождевые облака, и перед нами раскрывались невообразимо прекрасные просторы. Это было восхитительное товарищество. Мы наслаждались безграничным восторгом еще полнее, потому что даже в моменты наивысшего экстаза мы ощущали присутствие друг друга. Наши удовольствия, хотя и были индивидуальными, все же были связаны друг с другом, вибрируя и двигаясь в музыкальной гармонии.

В тот вечер десятого июля у нас с доктором было в высшей степени метафизическое настроение. Мы раскурили наши большие пенковые трубки, наполненные хорошим турецким табаком с маленьким черным катышком опиума в середине, который, словно сказочный орех, содержал в своих скромных пределах чудеса, недоступные даже царям; мы расхаживали взад-вперед и беседовали. Странная извращенная сила преобладала в течении наших мыслей. Они никак не хотели идти по залитому солнцем руслу, в которое мы старались направить их. По какой-то необъяснимой причине они постоянно уходили к темным и тоскливым слоям сознания, где неизменно господствовал мрак. Напрасно мы, по старой привычке, переносились в страны Востока и беседовали о его пестрых базарах, великолепии времен Гаруна аль-Рашида, гаремах и золотых дворцах. Черные джинны вновь и вновь выплывали из глубин нашей беседы, затемняли все светлое в нашем поле зрения и раздувались в размерах подобно тому, которого освободил из медной лампы рыбак. Мы незаметно поддались этой сверхъестественной силе, охватившей нас, и погрузились в мрачные размышления. Мы поговорили о склонности человеческой натуры к мистицизму и о почти всеобщей любви к ужасному, и вдруг Хэммонд внезапно спросил меня:

— Что, по-твоему, является важнейшим элементом ужаса?

Вопрос озадачил меня. Я знал, что на свете есть множество жутких вещей. Наткнуться на труп в темноте, увидеть, как мне однажды довелось, женщину, тонущую в глубокой и быстрой реке, с поднятыми в отчаянии руками и искаженным от страха лицом, издававшей, пока ее нес поток воды, разрывающие сердце крики, в то время как мы, свидетели, застыли от ужаса у окна в шестидесяти футах над рекой и не могли спасти ее, а лишь безмолвно наблюдали за ее агонией. Дрейфующие в океане разбитые останки корабля без каких-либо признаков жизни, при встрече покажутся кошмарным предметом, вызывающим ужас поистине необъятных масштабов. Тогда у меня впервые появилась мысль, что должно существовать единое величайшее воплощение страха, перед которым все прочие должны преклониться — некий Король ужаса. Но чем это может быть? Какая последовательность событий могла бы его создать?

— Признаюсь, Хэммонд, — ответил я другу, — я никогда об этом не думал. Мне кажется, что должно существовать Нечто, более страшное, чем что-либо иное. Однако не буду пытаться дать даже самое общее определение.

— Я немного похож на тебя, Гарри, — ответил он. — Чувствую, что способен испытать более сильный страх, чем любой, когда-либо пережитый человеческим разумом — нечто страшное и неестественное, сочетающее в себе элементы, прежде считавшиеся несовместимыми. Пугающие голоса в романе Брокдена Брауна «Виланд», равно как и Обитатель порога в «Занони» Бульвера-Литтона. Но, — добавил он, мрачно покачав головой, — все же существует кое-что более ужасное...

— Послушай, Хэммонд, — возразил я, — ради бога, давай не будем об этом! Мы пострадаем от этого, не сомневайся.

— Не знаю, что на меня сегодня нашло, — ответил он, — но в моем разуме появляются всевозможные мысли обо всем странном и ужасном. Если бы я владел литературным слогом, то смог бы написать историю, подобно Гофману.

— Ну уж если мы собираемся и дальше беседовать в духе Гофмана, то я иду спать. Опиум и кошмары никогда нельзя совмещать. Ох как же здесь душно! Спокойной ночи, Хэммонд!

— Спокойной ночи, Гарри! Приятных тебе снов.

— А тебе, мрачный негодяй, джиннов, вурдалаков и колдунов.

Мы распрощались и отправились по своим комнатам. Я быстро разделся и лег в постель, как и всегда, прихватив с собой книгу, которую читал перед сном. Едва я положил голову на подушку, как тут же отбросил книгу в дальний угол — это была «История чудовищ» Гудона, любопытная французская книжка, которую я недавно заказал из Парижа. Но в моем нынешнем состоянии она совершенно не подходила для чтения. Я решил сразу же заснуть и, подкрутив газовую лампу, оставил лишь маленькое пятнышко голубого света, а затем начал засыпать.

В комнате царил полный мрак. Пятнышко газового света, продолжавшего гореть, освещало радиус не более трех дюймов. В отчаянии я закрыл глаза рукой, словно пытаясь отгородиться от тьмы, и попробовал ни о чем не думать. Бесполезно. Неоднозначные темы, затронутые Хэммондом в саду, не хотели уходить из моей головы. Я боролся с ними, воздвигая крепостные валы из пустоты сознания, но они все равно продолжали роиться в моем разуме. Пока я неподвижно лежал, будто мертвец, в надежде, что полный физический покой ускорит наступление желанного отдыха, произошло ужасное. Нечто свалилось на мою грудь, будто с потолка, и затем я почувствовал пару костлявых рук, схвативших меня за горло — существо пыталось задушить меня.

Я не трус и весьма силен физически. Вместо того чтобы потрясти меня, это внезапное нападение напрягло каждый мой нерв до предела. Тело следовало инстинктам до того, как разум успевал осознать весь ужас моего положения. В один миг я крепко обхватил существо руками и со всей силы сдавил его, прижимая к своей груди. Спустя мгновение костлявые руки, сомкнувшиеся на моем горле, ослабили хватку, и я снова мог дышать. Потом разразилась необычайно напряженная борьба. Находясь в полнейшей тьме, я не имел никакого представления о том, какой природы было существо, столь внезапно напавшее на меня. Я чувствовал, что мои руки постоянно соскальзывают из-за того, что, как мне показалось, мой противник был совершенно нагим, своими острыми зубами он кусал меня за плечо, шею и грудь, я был вынужден каждую секунду защищать горло от сильных и проворных рук, которые не мог сдержать никакими усилиями, — в таких условиях мне пришлось бороться и мне потребовались все силы, умения и мужество, которые у меня были.

Наконец, после безмолвной, беспощадной и изнурительной борьбы я смог одержать верх над противником. Я прижал колено к его груди и понял, что одержал победу, после чего немного передохнул и перевел дыхание. Я слышал, как существо во тьме тяжело дышало и чувствовал неистовое биение его сердца. Оно, по-видимому, тоже изрядно устало, как и я, и это меня несколько успокаивало. Я вспомнил, что перед сном я обычно кладу под подушку большой желтый платок. Он был на месте, я вытащил его и через несколько секунд связал существу руки.

Теперь я почувствовал себя в относительной безопасности. Мне не оставалось ничего, кроме как прибавить свет и разглядеть, что представляет собой мой враг, а после разбудить соседей. Признаюсь, мною двигала гордость за то, что я не поднял тревогу раньше времени, я хотел поймать это существо в одиночку и без чужой помощи.

Ни на мгновение не ослабевая хватку, я соскочил с кровати на пол и потащил пленника за собой. Нужно было сделать пару шагов к лампе и зажечь ее, эти шаги я делал с большой осторожностью, держа существо словно в тисках. Наконец я смог дотянуться до крошечного пятнышка голубого света, указывавшего мне на местонахождение горелки. Молниеносное движение — и комнату озарил мощный поток света. Затем я повернул голову, чтобы взглянуть на пленника.

Даже не буду пытаться как-либо описать свои чувства, охватившие меня в тот момент, когда загорелся свет. По всей видимости, я завопил от ужаса, потому что меньше чем через минуту в мою комнату прибежали другие жильцы дома. Я и теперь содрогаюсь только от одной мысли об этом — я ничего не увидел! Одной рукой я крепко держал дышащую, шевелящуюся телесную форму, а другой — горло, столь же теплое и явно созданное из плоти, как и мое собственное. И все же, явно ощущая это живое существо в своей хватке, в ярком свете газового рожка я не увидел совершенно ничего! Ни единого очертания — будто оно испарилось!

По-прежнему я не могу осознать всю ситуацию, в которой тогда оказался. Не могу припомнить и детали. Воображение напрасно пытается объяснить этот жуткий парадокс.

Оно дышало. Я чувствовал его теплое дыхание на своей щеке. Оно отчаянно вырывалось. У него были руки, которые со всей силы вцепились в меня. Его кожа была такой же гладкой, как моя. Оно прижималось ко мне и было твердым, словно камень, но все же оставалось абсолютно невидимым!

Удивительно, как я не потерял сознание и не сошел с ума в тот же миг. Какой-то чудесный инстинкт, должно быть, спас меня, поскольку вместо того, чтобы ослабить хватку и отпустить ужасную загадку, в момент ужаса я обрел дополнительную силу и еще крепче схватил невидимку, чувствуя, как существо задрожало в агонии.

В этот момент во главе всех жильцов в мою комнату вошел Хэммонд. Едва только он увидел мое лицо, которое, полагаю, являло собой ужасное зрелище, он бросился ко мне, воскликнув:

— Боже мой, Гарри, что случилось?

— Хэммонд! Хэммонд! — кричал я. — Подойди сюда. Это ужас! На меня что-то напало, когда я лежал в постели. Я держу его, но не вижу! Я его не вижу!

Явно пораженный неподдельным ужасом, написанным на моем лице, Хэммонд с тревогой и изумлением сделал в мою сторону один или два шага. Со стороны остальных вошедших раздалось весьма четкое хихиканье. Этот сдерживаемый смех привел меня в ярость. Смеяться над человеком в моем положении! Это наихудшее проявление жестокости. Теперь я могу понять, отчего вид человека, яростно сражающегося, как им показалось, с воздухом и зовущего на помощь в борьбе с видением, могло показаться нелепым. Но тогда моя ярость к насмехавшейся надо мной толпе была настолько велика, что, обладай я силой, я бы поразил их насмерть.

— Хэммонд! Хэммонд! — я вновь закричал в отчаянии. — Ради бога, подойди ко мне. Я не смогу удержать это существо слишком долго. Оно сильнее меня. Помоги мне! Помоги!

— Гарри, — прошептал Хэммонд, подходя ко мне, — ты выкурил слишком много опиума.

— Клянусь, Хэммонд, мне это не привиделось, — тоже шепотом ответил я. — Разве ты не видишь, как все мое тело сотрясается, когда оно сопротивляется! Если не веришь, убедись сам. Почувствуй его — потрогай.

Хэммонд подошел ко мне и протянул руку к месту, на которое я указал. Он издал дикий крик, полный ужаса. Он почувствовал его!

Он мгновенно нашел в моей комнате длинную веревку и моментально обмотал ею незримое существо, которое я держал в своих руках.

— Гарри, — произнес он хриплым, возбужденным голосом, хоть он и сохранял присутствие духа, но был сильно взволнован. — Гарри, теперь все в порядке. Отпусти его, друг мой, если устал. Оно не сможет двинуться.

Я был абсолютно измучен и охотно ослабил хватку.

Хэммонд стоял, держа в руке концы веревки, связывавшей невидимку, а перед собой он видел лишь спутанный и переплетенный клубок, самостоятельно державшийся в воздухе. Я никогда не видел, чтобы человек был настолько охвачен благоговейным страхом. Тем не менее его лицо выражало всю храбрость и решимость, какими он обладал. Губы его, хоть и побелевшие, были твердо сжаты, и даже на первый взгляд было заметно, что он, хотя и напуганный, не потерял голову от страха.

Замешательство, охватившее жильцов дома, ставших свидетелями удивительной сцены между мной и Хэммондом, наблюдавших пантомиму связывания и борьбы с невидимкой, видевших, как я чуть не свалился с ног от изнеможения, когда мой пленник был повергнут, не поддается описанию! Слабонервные убежали из комнаты. Те немногие, кто остался, сгрудились возле двери и не могли себя заставить подойти к Хэммонду и его пленнику. И все же недоверие прорывалось сквозь их ужас. У них не хватило смелости убедиться самим, и они продолжали сомневаться. Напрасно я умолял некоторых из них подойти и удостовериться, прикоснувшись к живому существу, которое было невидимым. Они не верили, но и не решались рассеять свои сомнения. Как может твердое, живое, дышащее тело быть невидимым, спрашивали они. Мой ответ был таков. Я подал знак Хэммонду, и мы оба, борясь со страшным отвращением к невидимому существу, подняли его, связанного, и отнесли к моей кровати. Оно весило примерно как четырнадцатилетний мальчик.

— Теперь, друзья мои, — сказал я, когда мы с Хэммондом подняли невидимку над кроватью, — я дам вам бесспорное доказательство того, что перед вами находится твердое и осязаемое тело, которое вы тем не менее не видите. Внимательно следите за поверхностью постели.

Я был поражен собственной смелостью и таким спокойным отношением к этому странному происшествию; но я оправился от своего первого испуга и чувствовал своего рода научную гордость, которая преобладала над всеми остальными эмоциями.

Взгляды присутствующих немедленно обратились к моей кровати. Мы с Хэммондом по сигналу отпустили существо. Раздался глухой звук, который обычно издает постель, когда на нее ложится человек. Деревянная кровать тут же скрипнула. На подушке и на самой постели обозначилась отчетливая вмятина. Толпа, наблюдавшая за этим, со всеобщим негромким воплем выбежала из комнаты. Мы с Хэммондом остались наедине с нашей загадкой.

Какое-то время мы молчали и слушали слабое, неровное дыхание существа на кровати, наблюдая за шевелением постели, когда оно пыталось вырваться. Затем Хэммонд сказал:

— Гарри, это отвратительно.

— Да, ужасно.

— Но это можно объяснить.

— Можно объяснить? Что ты имеешь в виду? Такого не случалось с Сотворения мира. Не знаю, что тут и сказать, Хэммонд. Господь свидетель, я не сошел с ума и это не безумная фантазия!

— Давай немного поразмыслим, Гарри. Перед нами твердое тело, которое можем потрогать, но не можем увидеть. Факт настолько необычный, что поражает нас ужасом. Однако разве нет никаких аналогов этому феномену? Возьми чистое стекло. Оно осязаемо и прозрачно. Благодаря химическим примесям оно не может быть настолько прозрачным, чтобы быть невидимым. Заметь, теоретически вполне возможно изготовить настолько чистое и однородное стекло, что солнечные лучи будут проходить сквозь него, как сквозь воздух, преломляясь, но не отражаясь. Мы не видим воздух, но чувствуем его.

— Так и есть, Хэммонд, но ты говоришь о неживых формах. Стекло не дышит, воздух тоже не дышит. А у этого существа есть сердце, которое бьется, воля, которая им движет, и легкие, которые вдыхают и выдыхают воздух.

— Ты забываешь о странном феномене, о котором мы в последнее время так много слышали, — серьезно возразил доктор. — На собраниях, которые мы называем спиритическими сеансами, невидимые руки брались за руки сидевших за столом — теплые руки из плоти, в которых билась жизнь.

— Что? Значит, ты думаешь, что это существо...

— Я не знаю, что это за существо, — торжественно ответил он, — но, дай бог, с твоей помощью я выясню это.

Всю ночь мы курили трубки, бодрствовали и наблюдали за постелью, на которой ворочалось и пыхтело существо, пока окончательно не утомилось. По тихому и спокойному дыханию мы поняли, что невидимка заснул.

На следующее утро во всем доме царило волнение. Жильцы собрались на лестничной площадке перед моей комнатой, и мы с Хэммондом были в центре внимания. Нам пришлось ответить на тысячу вопросов о состоянии нашего необычного узника, поскольку никого, кроме нас самих, не удалось уговорить зайти в мою комнату.

Существо проснулось. Об этом свидетельствовало судорожное движение постельного белья, когда оно пыталось сбежать. Было что-то поистине ужасное в созерцании этих страшных корчей и мучительной борьбы за свободу, которые оставались невидимы.

Ночь напролет мы с Хэммондом ломали голову над тем, с помощью каких средств мы могли бы определить форму и общий вид невидимки. Насколько мы могли понять, проведя руками по существу, его форма и черты лица были человеческими. У него был рот; круглая, гладкая голова без волос; нос, немного возвышающийся над щеками; а руки и ноги походили на руки и ноги мальчика. Сначала мы думали положить существо на гладкую поверхность и обвести его контур мелом, как сапожники обводят контур стопы. От этого плана отказались как от бесполезного. Такой контур не дал бы ни малейшего представления о его телосложении.

Меня посетила счастливая мысль. Мы можем взять с него слепок. Это дало бы нам твердую фигуру и удовлетворило бы наше любопытство. Но как это сделать? Движения существа нарушили бы схватывание и деформировало форму. Еще одна мысль: почему бы не дать ему хлороформ? У него были органы дыхания — ведь оно дышало. Если привести его в бесчувственное состояние, то можно с ним сделать все, что мы хотели. Послали за доктором X., и как только достопочтенный врач оправился от шока, вызванного изумлением, он дал существу хлороформ. Через три минуты мы сняли путы с тела невидимки, и лепщик усердно начал покрывать невидимую фигуру мокрой глиной. Еще через пять минут у нас был слепок, а к вечеру — приблизительная копия Загадки. Оно напоминало человека — искаженного, грубого и ужасного, но все же человека. Существо было небольшим, ростом не более четырех футов и нескольких дюймов, а мышцы на конечностях были необычайно развиты. По степени уродства его лицо превосходило все, что я когда-либо видел. Гюстав Доре, Калло или Тони Жоанно никогда не смогли бы вообразить нечто столь же ужасное. На одной из иллюстраций последнего к «Путешествию куда Вам будет угодно» есть лицо, которое несколько напоминает это существо, но все же уступает ему. Наверно, так бы мог выглядеть упырь.И судя по его виду, оно было способно питаться человеческой плотью.

Удовлетворив свое любопытство и взяв со всех в доме клятву не разглашать тайну, мы оказались перед новым вопросом: как поступить с нашей загадкой? Держать такое чудище в доме невозможно, равно как и нельзя выпустить его на волю. Признаюсь, я бы с радостью проголосовал за его уничтожение. Но кто был готов взять на себя такую ответственность? Кто возьмется за казнь этого ужасного подобия человека? День за днем мы серьезно обсуждали этот вопрос. Все жильцы съехали из дома, миссис Моффат была в отчаянии и угрожала нам с Хэммондом юридической расправой, если мы не избавимся от чудища. Мы же отвечали: «Мы можем съехать, если хотите, но мы отказываемся забирать это существо с собой. Если хотите, уберите его сами. Оно появилось в вашем доме, и ответственность лежит на вас». Ответа на это не последовало. Миссис Моффат ни за какие деньги не нашла бы человека, который хотя бы согласился приблизиться к Загадке.

Самое странное во всей этой истории заключалось в том, что мы совершенно не знали, чем обычно питается это существо. Перед ним клали любую пищу, что мы могли предложить, но оно к ней никогда не прикасалось. Было ужасно находиться рядом день за днем и видеть, как шевелится постель, слышать тяжелое дыхание и знать, что оно умирает от голода.

Прошло десять, двенадцать дней, две недели, а оно все еще жило. Однако биение сердца с каждым днем становилось все слабее и почти прекратилось. Было ясно, что невидимка умирает от голода. Пока продолжалась эта ужасная борьба за жизнь, я чувствовал себя несчастным. Я не мог спать. Каким бы ужасным ни было это существо, мне было жаль его при мысли о том, какие муки оно испытывает.

Наконец оно умерло. Однажды утром мы с Хэммондом нашли его в постели окоченевшим. Сердце перестало биться, легкие — дышать. Мы спешно закопали его в саду. Это были странные похороны: невидимый труп бросили в сырую яму. Слепок его тела я передал доктору Х., который поместил его в своем музее на Десятой улице.

Поскольку я собираюсь в длительное путешествие, из которого, возможно, не вернусь, я записал рассказ об этом событии, самом необычном из всех, что мне доводилось знать.

4. Существо из фольклора

«Не соблаговолят ли ваши милости купить амулет против вампира, который, как я слышал, рыщет по этим лесам словно волк, — сказал шарлатан, роняя шляпу на тротуар. — Они валятся от этого направо и налево, и вот оберег, который никогда не подводит; стоит лишь приколоть его к подушке, и вы сможете рассмеяться вампиру в лицо».

Эти амулеты состояли из продолговатых полосок пергамента с нанесенными на них каббалистическими шифрами и диаграммами. Кармилла сразу же купила один, я тоже.

Он смотрел наверх, а мы улыбались ему сверху вниз, забавляясь; во всяком случае, могу сказать за себя. Его пронзительный черный глаз, когда он посмотрел на наши лица, казалось, заметил что-то, что на мгновение привлекло его любопытство...

из «Кармиллы» Шеридана Ле Фаню (1872)

Семья вурдалака

Алексей Толстой

Граф Алексей Константинович Толстой, старший двоюродный брат графа Льва Толстого, написал этот рассказ на французском языке под псевдонимом «Красногорский» — по названию родового поместья Толстых Красный Рог. В то время когда он его писал, его любимым чтивом были готические хоррор-рассказы (совершенно немодный жанр среди русских литераторов) и санкт-петербургские журналы с сарказмом отзывались о его дилетантском интересе к подобным вещам, обвиняя в этом «чрезмерное пристрастие к опиуму»; но другие рецензенты увидели позже огромный потенциал в фольклорных повестях Толстого и писали о том, что они представляли собой «удивительно сложный, фантастический рисунок на холсте обыденной реальности». По сути, это был вклад Толстого в жанр: под влиянием «Гузлы» Проспера Мериме, которая выдавалась за подлинное собрание иллирийских песен, а также при серьезном интересе к балладам и народным сказкам, сохранившимся в России, Толстому удалось объединить сексуальную сторону вампиризма (представленную в истории превращения Зденки) с фольклором крестьян, у которых были более банальные заботы.

«Семья вурдалака» (часть цикла прозаических произведений, написанных Толстым в конце 1830-х — начале 1840-х годов) не публиковалась в России до 1884 г. (во многом по причине того, что большинство санкт-петербургских журналов так пренебрежительно отзывались о его более ранних сочинениях в этом жанре). Как защитник таких писателей, как Тургенев и Чернышевский, которые подверглись нападкам со стороны тайной полиции, Толстой был хорошо известен в придворных кругах своими бескомпромиссными взглядами на роль художника в обществе («Я не служить рожден, а петь!»), и царю Александру II позже пришлось пожаловаться на его поведение: «Литераторы, ни на кого из вас нельзя положиться». В этом рассказе присутствуют намеки на политические взгляды Толстого (хотя в итоге он прошел цензуру без каких-либо проблем); в частности, связь фольклора и национализма (в противовес «европеизации сверхдержав») на фоне Европы после Венского конгресса показывает, что он был против «вестернизирующей» партии в России. В конце концов, разочаровавшись в придворных кругах («Весь наш чиновничий аппарат и правительство предают анафеме искусство, включая строительство улиц и зданий, а также сочинение стихов»), Толстому разрешили вернуться в свои имения — подобно Льву Толстому, он возмущался «службой» в столице, тогда как мог управлять своим имением в деревне и открывать школы для недавно освобожденных крепостных. Он умер в разорении в 1875 г. от передозировки морфия.

«Семья вурдалака» остается одной из самых впечатляющих историй о вампирах, когда-либо написанных. Атмосфера первобытного ужаса сохраняется от начала до конца, сексуальная тема вводится очень чутко, а концовка ужасает, потому что читается как последний куплет причудливой крестьянской баллады. Я перевел рассказ с французского оригинала[1].

1815 год привлек в Вену все, что было тогда самого изящного в среде европейских знаменитостей, блестящих салонных умов и людей, известных своими высокими политическими дарованиями. Это придавало городу необыкновенное оживление, яркость и веселость.

Конгресс приходил к концу. Эмигранты-роялисты готовились переселиться в возвращенные им замки, русские воины — вернуться к своим покинутым очагам, а несколько недовольных поляков — перенести в Краков свои грезы о свободе под покровом той сомнительной независимости, которая уготована была им тройною заботой князей Меттерниха и Гарденберга и графа Нессельроде.

[1] В данном издании приведен перевод, выполненный Б. М. Маркевичем.

Подобно тому как под конец оживленного бала из общества, за миг пред тем многочисленного и шумного, остается иной раз лишь несколько человек, желающих еще повеселиться, некоторые лица, очарованные прелестью австрийских дам, не спешили укладываться, отлагая отъезд свой со дня на день.

Веселое это общество, к которому принадлежал и я, собиралось раза два в неделю в замке вдовствовавшей княгини Шварценберг, в нескольких милях от города, за местечком Гитцинг. Изящно барский тон хозяйки дома, ее грациозная любезность и тонкий ум имели для гостей невыразимую привлекательность.

Утро наше посвящалось прогулкам; обедали мы все вместе, либо в замке, либо где-нибудь в окрестностях, а по вечерам, сидя у неярко пылавшего камина, беседовали и рассказывали друг другу разные истории. Говорить о политике было строго воспрещено. Всем она жестоко надоела, и рассказы наши почерпались или из поверий и преданий родной тому или другому из нас страны, или из наших личных воспоминаний.

Однажды вечером, когда уже все кое-что порассказали и воображение каждого из нас находилось в том напряженном состоянии, коему так способствуют обыкновенно полумрак и наступающее внезапно общее молчание, маркиз д'Юрфе, старый эмигрант, которого мы все очень любили за его почти юношескую веселость и остроумие, воспользовался этой наставшей минутой молчания и заговорил:

— Рассказы ваши, господа, — сказал он, — весьма необыкновенны, конечно, но мне сдается, что в них нет главного: именно, вашего личного в них участия. Я не знаю, видел ли из вас кто сам, собственными глазами, те сверхъестественные явления, о которых только что сообщалось нам и может ли он подтвердить их своим честным словом?

Мы должны были согласиться, что никто из нас сделать это не мог, и старик продолжал, оправляя свое жабо:

— Что до меня, господа, то я знаю один лишь случай в этом роде, но случай этот так странен, страшен и, главное, достоверен, что его одного достаточно, чтобы навести ужас на воображение самого недоверчивого человека. Я к несчастию сам был тут и свидетелем, и действующим лицом, и хотя я обыкновенно не люблю о нем вспоминать, но на сей раз охотно расскажу вам этот случай, если только дадут мне на это дозволение прелестные дамы наши.

Согласие немедленно последовало общее. Несколько пугливых взоров обратились, правду сказать, по направлению к светящимся четырехугольникам, которые начинала выводить луна на гладком паркете покоя, где мы находились, но вскоре маленький кружок наш сдвинулся потеснее и все замолкли в ожидании повести маркиза. Он вынул из золотой табакерки щепотку табаку, медленно потянул ее и начал так:

— Прежде всего, mesdames, я попрошу у вас извинения, если в течение моего рассказа мне случится говорить о своих сердечных делах чаще, нежели прилично это человеку моих лет. Но упоминать о них я должен для большей ясности моего рассказа. Впрочем, старости простительно иногда забываться, и никто кроме вас не будет в том виноват, mesdames, если в вашем кругу я воображу себя на миг опять молодым человеком. Итак, скажу вам без дальнейших оговорок, что в 1769 году я был страстно влюблен в хорошенькую герцогиню де Грамон. Эта страсть, которую я в ту пору почитал неизменно глубокою, не давала мне покоя ни днем ни ночью, а герцогиня, как большинство хорошеньких женщин, своим кокетством удваивала мои мучения, так что наконец в минуту досады я решился испросить и получил дипломатическое поручение к Молдавскому господарю, у которого шли тогда переговоры с Версальским кабинетом о делах, имевших в ту пору для Франции некоторую важность. Накануне моего отъезда я отправился к герцогине. Она приняла меня уже не так насмешливо, как прежде, и заговорила с некоторым волнением:

— Д'Юрфе, вы поступаете безумно. Но я вас знаю, и знаю, что вы никогда не измените раз принятому вами решению. Итак, я вас прошу лишь об одном: примите этот маленький крест как знак моей искренней дружбы и носите его до вашего возвращения сюда. Это семейная святыня наша, которую все мы высоко ценим.

С галантностью, пожалуй, даже неуместною в эту минуту, я поцеловал не семейную святыню, а прелестную ручку, подававшую мне ее, и надел на шею вот этот крест, которого уже не снимал с тех пор.

Не стану утомлять вас, mesdames, ни подробностями моего путешествия, ни наблюдениями своими над венграми и сербами, этим бедным, но храбрым и честным народом, который, несмотря на все свое порабощение турками, не забыл ни своего достоинства, ни своей прежней независимости. Достаточно, если скажу вам, что, выучась как-то по-польски в пору одного моего довольно продолжительного пребывания в Варшаве, я скоро справился и с сербским языком, так как эти два наречия, как и русское с чешским, составляют лишь ветви одного и того же языка, называемого славянским.

Я разумел, таким образом, уже достаточно по-сербски, чтобы меня понимали, когда однажды очутился в одной деревушке, название которой для вас безразлично. Я нашел хозяев дома, в котором остановился в каком-то смятении, показавшемся мне тем более странным, что это было в воскресенье, день, когда сербы предаются различным удовольствиям — пляскам, стрельбе в цель, борьбе и т. п. Приписав настроение моих хозяев какому-нибудь только что случившемуся несчастию, я уже собрался было покинуть их, когда ко мне подошел человек лет тридцати, высокий ростом, внушительного вида, и взял меня за руку...

— Войди, войди, чужеземец, — сказал он, — не пугайся нашей грусти; ты поймешь ее, когда узнаешь, отчего она происходит.

И он рассказал мне, что его престарелый отец, по имени Горча, человек беспокойного и буйного нрава, поднялся однажды утром с постели и, сняв со стены длинную турецкую винтовку, обратился к своим сыновьям, Георгию и Петру. «Дети», — сказал он, — я ухожу в горы к храбрецам, которые гоняются за собакой Алибеком (так звали одного турецкого разбойника, разорявшего в то время окрестность). Ждите меня десять дней; если же я в десятый день не вернусь, отслужите по мне панихиду, потому что, значит, я буду убит. Если же, — прибавил старый Горча, принимая серьезный вид, — если (чего вас Боже избави) я приду по истечении означенных десяти дней, ради спасения вашего не впускайте меня к себе. Приказываю вам тогда забыть, что я отец вам и пронзить меня осиновым колом, что бы я ни говорил и что бы ни делал; потому тогда вернувшийся будет уже не я, а проклятый вурдалак, пришедший за тем, чтобы высосать кровь вашу» .

Кстати будет сказать вам, mesdames, что вурдалаки — «вампиры» славянских народов — не что иное, по местному мнению, как тела умерших, выходящие из могил, чтобы высосать кровь живых. Вообще их обычаи те же, что и у вампиров других стран, но есть у них, кроме того, особенность, делающая их еще более опасными. Вурдалаки, mesdames, высасывают предпочтительно кровь своих ближайших родных и лучших друзей, которые, умерши, в свою очередь превращаются в вампиров, так что, говорят, в Боснии и Герцеговине есть целые деревни, жители коих — вурдалаки.

Аббат Огюстен Кальме в своем любопытном сочинении о привидениях приводит страшные тому примеры. Германские императоры назначали много раз целые комиссии для расследования случаев вампиризма. Вели следствия, вырывали из земли трупы, которые оказывались налитыми кровью, их сжигали на площадях, предварительно пронзив им сердце. Свидетельства должностных лиц, присутствовавших при этих казнях, утверждают, что они слышали, как трупы стонали, когда палач вонзал им в сердце кол. Сохранились формальные, клятвенные показания этих лиц, скрепленные подписью их и печатью.

Принимая это во внимание, вам нетрудно будет, mesdames, понять, какое действие произвели слова Горчи на его сыновей. Оба кинулись к его ногам, умоляя пустить их за него в горы, но он вместо всякого ответа повернул им спину и удалился, затянув припев какой-то старой эпической песни. В тот день, когда я приехал в их деревню, кончался срок, назначенный Горчей, и мне теперь нетрудно было объяснить себе тревогу его детей.

Это была хорошая и честная семья. Георгий, старший из сыновей, с мужественными и правильными чертами лица, казался человеком решительным и серьезным. Он был женат и имел двоих детей. У брата его, Петра, красивого восемнадцатилетнего юноши, в выражении лица было более мягкости, чем отваги; он был, по-видимому, любимцем своей меньшей сестры Зденки, которую можно было поистине назвать типом славянской красоты. Кроме этой неоспоримой во всех отношениях красоты, меня сразу поразило в ней какое-то отдаленное сходство с герцогиней де Грамон: в особенности какая-то характерная черточка на лбу, которую я встретил в жизни только у этих двух особ; эта черточка, пожалуй, сразу могла и не понравиться, но становилась неотразимо обаятельною, когда к ней поприглядишься…

Был ли я тогда уж чересчур молод, или это сходство, соединенное с оригинальным и наивным умом Зденки было в самом деле так неотразимо, но только я, не поговорив с нею и двух минут, уже чувствовал к ней такую симпатию, которая угрожала превратиться в чувство более нежное, если б я продлил свое пребывание в этой деревушке.

Мы все сидели за столом, на котором был поставлен творог и крынка с молоком. Зденка пряла, ее невестка готовила ужинать детям, игравшим тут же в песке. Петр с кажущеюся беспечностью посвистывал, чистя ятаган, длинный турецкий нож. Георгий, облокотясь о стол и подперев руками голову, не сводил глаз с большой дороги, не говоря ни слова.

Я же, смущенный общим тоскливым настроением, смотрел невесело на вечерние облака, окаймлявшие золотистую глубь неба, и на монастырь, высившийся из-за недальнего соснового леса.

Этот монастырь, как я узнал потом, когда-то славился своею чудотворною иконой Божией Матери, которую, по преданию, ангелы принесли и повесили на ветвях дуба. Но в начале прошлого столетия турки вторглись в страну, передушили монахов и разорили обитель. Оставались одни стены да часовня, где служил какой-то отшельник; он же показывал путешественникам развалины и давал приют богомольцам, ходившим на поклонение от одной святыни к другой и любившим оставаться в монастыре Божией Матери под дубом. Как сказано, все это узнал я впоследствии, так как в тот вечер голова моя была занята уже отнюдь не археологией Сербии. Как часто случается, когда дашь волю воображению, я весь углубился в воспоминания о прежних днях, о прекрасной поре моего детства, о моей милой Франции, которую я покинул для отдаленного и дикого края.

Думал я и о герцогине де Грамон и, чего греха таить, думал и о некоторых других современницах ваших бабушек, mesdames, образы которых как-то помимо воли стучались в двери моего сердца вслед за образом прелестной герцогини.

Вскоре я забыл и о своих хозяевах, и об их тревоге.

Вдруг Георгий прервал молчание.

— Жена, — сказал он, — в котором часу старик ушел?

— В восемь часов, — отвечала жена, — я слышала, как ударили тогда в монастырский колокол.

— Хорошо, — продолжал Георгий, — теперь, стало быть, не более половины восьмого.

И он замолк, снова вперив взор на большую дорогу, уходившую в лес.

Я забыл вам сказать, mesdames, что когда сербы подозревают кого-нибудь в вампиризме, они избегают называть его по имени или прямо упоминать о нем, потому что таким образом его вызывают из могилы. Поэтому с некоторых пор Георгий, говоря об отце, не называл его иначе как старик.

Несколько минут длилось молчание; вдруг один из мальчиков сказал Зденке, дергая ее за передник:

— Тетя, когда же дедушка вернется домой?

Георгий отвечал на этот неуместный вопрос пощечиной.

Ребенок заплакал, а маленький его брат сказал с удивленным и испуганным видом:

— Зачем ты, батя, запрещаешь говорить нам о дедушке?

Другая пощечина заставила его умолкнуть. Дети разревелись, а семья принялась креститься. В эту минуту часы в монастыре медленно пробили восемь. Только что раздался первый удар часов, как мы увидели выходившую из леса и приближавшуюся к нам человеческую фигуру.

— Это он! Слава Богу! — воскликнули разом Зденка, Петр и его невестка.

— Сохрани нас Боже, — торжественно сказал Георгий, — как узнать, миновали или нет назначенные им десять дней?

Все в ужасе на него взглянули. Между тем человеческая фигура подходила все ближе. То был высокий старик с седыми усами, с бледным и строгим лицом, с трудом тащившийся с помощью палки. По мере того как он приближался, Георгий становился все мрачнее. Подойдя к нам, новоприбывший остановился и обвел свою семью взором, который, казалось, ничего не видел, — до того были тусклы и впалы его глаза.

— Ну, — сказал он глухим голосом, — что̀ же никто не встает встречать меня? Что значит это молчание? Не видите вы разве, что я ранен?

Действительно, левый бок у старика был весь в крови.

— Поддержи же отца, — сказал я Георгию, — а ты, Зденка, дай ему чего-нибудь подкрепиться, иначе он сейчас лишится сил!

— Отец, — сказал Георгий, подходя к Горче, — покажи мне свою рану, я в них толк знаю и перевяжу тебе ее...

Он только собрался скинуть с него верхнюю одежду, как старик грубо оттолкнул его и схватился за бок обеими руками.

— Оставь, неуклюжий, — сказал он, — ты мне только больнее сделал.

— Стало быть, ты в сердце ранен! — воскликнул, весь бледный, Георгий, — снимай, снимай платье, нужно это, слышишь, нужно!

Старик выпрямился во весь рост.

— Берегись, — сказал он глухо, — только тронь меня, я тебя прокляну!

Петр стал между Георгием и отцом.

— Оставь его, ты видишь, он страдает.

— Не перечь ему, — сказала жена, — ты знаешь, он этого никогда не терпел.

В эту минуту мы увидали возвращавшееся домой стадо, шедшее по направлению к дому в целом облаке пыли. Не узнала ли собака, сопровождавшая стадо, своего старого хозяина, или что другое повлияло на нее, но лишь только заметила она Горчу, она остановилась, ощетинилась и зарычала вся дрожа, точно видела что-либо необыкновенное.

— Что с этим псом? — сказал старик, все более и более хмурясь, — что все это значит? Что я, чужим стал в своей семье? Десять дней в горах разве так меня изменили, что собственные мои собаки не узнают меня?

— Слышишь? — сказал Георгий жене.

— Что, Георгий?

— Он сам сказал, что десять дней миновали.

— Да нет же, ведь он пришел в назначенный срок.

— Ладно, ладно; знаю я, что нужно делать!

— А проклятый пес все еще воет... Застрелить его! — воскликнул Горча. — Слышите?

Георгий не пошевелился, а Петр, со слезами на глазах, встал, поднял отцовскую винтовку и выстрелил в собаку, которая покатилась в пыли.

— Это любимица моя была, — сказал он шепотом, — не знаю, зачем потребовалось отцу, чтоб ее убили.

— Затем, что она это заслужила, — отвечал Горча. — Но свежо стало; я хочу под крышу.

Пока все это происходило, Зденка приготовила старику напиток, состоявший из водки, вскипяченной с грушами, медом и изюмом, но старик с отвращением оттолкнул его от себя. То же самое отвращение обнаружил он и к бараньему боку с рисом, который поставил пред ним Георгий, и ушел сидеть в угол, бормоча какие-то непонятные слова.

Сосновые дрова пылали под очагом и освещали своим дрожащим блеском лицо старика, которое было так бледно и изнурено, что, не будь этого освещения — могло бы показаться лицом мертвеца. Зденка подошла и села рядом с ним.

— Отец, — сказала она, — ты ничего не ешь и отдохнуть не хочешь; расскажи же нам что-нибудь о подвигах своих в горах.

Говоря это, девушка знала, что затрагивает самую чувствительную струну старика, так как он любил поговорить о битвах и стычках с турками. И точно, улыбка мелькнула на его бледных губах, но глаза остались безучастными, и он отвечал, гладя рукой прекрасные белокурые волосы дочери:

— Хорошо, Зденка, я расскажу тебе, что видел в горах, только не теперь, не сегодня: я устал. Одно скажу тебе, Алибека нет в живых, и погиб он от руки твоего отца. Если же кто в этом сомневается, — продолжал старик, окинув взором семью, — то вот доказательство!

И он, раздернув верх мешка, висевшего у него за спиной, вынул оттуда окровавленную голову, которой, впрочем, не уступало и его собственное лицо в мертвенной синеватости. Мы с ужасом от нее отвернулись, но Горча, отдав ее Петру, сказал:

— На, прикрепи ее над дверью нашего дома; пусть всякий прохожий знает, что Алибек убит и дороги очищены от злодеев, если не считать султанских янычар!

Петр повиновался с отвращением.

— Теперь мне все понятно, — сказал он, — бедная собака рычала потому, что почуяла мертвое тело!

— Да, она почуяла мертвое тело, — мрачно подтвердил Георгий, который незаметно вышел между тем и вернулся теперь, держа что-то в руке, что̀ он поставил в угол; мне показалось, что это был кол.

— Георгий, — сказала ему вполголоса жена, — неужели ты хочешь...

— Брат, — вмешалась сестра, — что у тебя на уме!.. Нет, нет, ты этого не сделаешь, не правда ли?..

— Оставьте меня, — отвечал Георгий, — сам я знаю, что делать, и ничего лишнего не сделаю.

Между тем уже наступила ночь, и семья отправилась спать в ту часть дома, которая отделялась от моей комнаты тонкою перегородкой. Признаюсь, все, что я видел в тот вечер, сильно подействовало на мое воображение. Я задул свой светильник. Месяц глядел прямо в низкое окно моей комнаты, близехонько от моей кровати и кидал на пол и на стену голубоватые отсветы, почти так же как вот здесь в настоящую минуту, mesdames. Мне хотелось спать, но я не мог. Я приписал это лунному свету и стал искать чего-нибудь, чем бы завесить окно, но ничего не нашел; а между тем за перегородкой послышались мне голоса. Я стал прислушиваться.

— Ложись, жена, — говорил Георгий, — и ты, Петр, да и ты, Зденка. Не тревожьтесь ни о чем, я сам посижу вместо вас.

— Но, Георгий, — отвечала жена, — скорее же мне бы не ложиться; ты всю прошлую ночь работал и верно устал. Да к тому же мне присмотреть надо за старшим мальчиком. Ты знаешь, что он со вчерашнего дня недужится!

— Будь покойна и ложись; я посижу за нас обоих.

— Братец, — сказала Зденка своим тихим и ласковым голосом, — кажется, совсем никому не нужно сидеть: отец спит и посмотри, какой у него спокойный вид.

— Ни жена, ни ты, никто из вас ничего не смыслит! — отвечал Георгий тоном, не допускавшим никаких возражений, — говорю вам, ложитесь и оставьте меня на стороже.

За этим воцарилось глубочайшее молчание. Скоро и я почувствовал, как веки мои отяжелели и сон сковал меня.

И вот, вижу я, дверь в мою комнату тихо отворяется и, входит старик Горча. Но я скорее догадываюсь об его присутствии, чем вижу его, потому что в той комнате, откуда он вышел, темно. Мне чудится, что он своими угасшими глазами ищет угадать мои мысли и следит за моим движением. Вот он движет одною ногой, вот поднял другую. Затем с величайшею осторожностью, неслышными шагами, он подходитъ ко мне. Еще мгновение, он делает прыжок, и вот он подле моей кровати… Я испытывал невыразимый ужас, но какая-то непобедимая сила делала меня недвижимым. Старик нагнулся надо мной и приблизил свое бледное лицо к моему так близко, что я чувствовал его могильное дыхание. Я сделал тогда неестественное усилие и проснулся, обдаваясь холодным потом… В комнате никого не было; но, взглянув в окно, я различил старика Горчу, который с той стороны прильнул лицом к стеклу и не спускал с меня своих страшных глаз. У меня достало силы не закричать и оказалось настолько присутствия духа, что я не вскочил с постели, будто и не видал ничего. Между тем, по-видимому, старик приходил только за тем, чтоб удостовериться, сплю ли я, и не имел намерения войти; пристально посмотрев на меня, он отошел прочь от окна, и я слышал, как он принялся ходить в соседней комнате. Георгий заснул и храпел так, что чуть стены не дрожали. В это время закашлял ребенок, и я услыхал голос Горчи:

— Ты не спишь, мальчуган? — сказал он.

— Нет, дедушка, — отвечал ребенок, — и мне бы очень хотелось с тобой поговорить.

— А, поговорить хочешь… о чем же станем мы говорить?

— Мне бы хотелось, чтобы ты рассказал мне, как ты воевал с турками, потому и я бы охотно пошел с ними подраться.

— Я подумал об этом, дитятко, и принес маленький ятаган, который дам тебе завтра.

— Ах, дедушка, дай лучше сейчас, ты ведь не спишь.

— Отчего, мальчуган, ты со мной днем не говорил?

— Оттого что отец запретил.

— Он осторожен, твой отец. Так тебе хочется ятаганчик получить?

— Очень хочется, только не здесь, потому отец может проснуться.

— Где же?

— А выйдем отсюда, дедушка, на улицу, потихонечку; чтобы никто не слыхал.

Мне послышалось, будто Горча глухо засмеялся, а мальчик принялся вставать.

Я не верил в вампиров, но кошмар, выдержанный мной, сейчас подействовал на мои нервы и, не желая упрекать себя потом в чем бы то ни было, я встал и ударил кулаком в перегородку. Удар мой был так силен, что мог бы, казалось, разбудить и семерых спящих из арабской сказки, но в семье никто не проснулся.

Я кинулся к двери, решась спасти ребенка, но нашел ее запертою снаружи, а замок не уступил моим усилиям. Пока я старался выломать дверь, я увидал в окно старика, проходившего мимо с ребенком на руках.

— Вставайте, вставайте! — кричал я изо всех сил, потрясая перегородку ударами кулаков. Тогда только Георгий проснулся.

— Где старик? — спросил он.

— Ступай скорее, — кричал я, — он унес вашего ребенка.

Одним ударом ноги Георгий вышиб дверь, которая, как и моя, оказалась запертою снаружи, и бросился бежать по направлению к лесу. Я насилу разбудил Петра, его невестку и Зденку. Мы собрались перед домом и чрез несколько минут ожидания увидали возвращавшегося Георгия с мальчиком на руках. Он нашел его без чувств на большой дороге, но мальчик скоро пришел в себя и не казался больнее прежнего. На вопросы он отвечал, что дедушка ему ничего не сделал, что они вышли вместе, чтобы лучше поговорить, но только что очутились на воздухе, мальчик лишился чувств, сам не помнит как. А Горча исчез.

Остальную часть ночи мы, конечно, уже провели без сна.

На следующее утро я узнал, что по реке, которая пересекала большую дорогу в четверти мили от деревни, шел лед, что бывает здесь осенью и весной. Переправа стала невозможною на несколько дней, и мне нечего было и думать об отъезде. Впрочем, если б я и мог уехать, то все-таки любопытство, да и другое чувство при этом удерживали меня. Чем более я видел Зденку, тем более чувствовал к ней влечение. Я, mesdames, не из тех людей, которые верят во внезапную и непреодолимую страсть, столь часто встречаемую в романах; но думаю, что бывают случаи, когда любовь развивается быстрее, нежели обыкновенно. Оригинальная красота Зденки, ее странное сходство с герцогиней де Грамон, от которой я бежал из Парижа и которую теперь находил тут, в живописном костюме, говорящую на чуждом, звучном языке, эта характерная черточка на лбу, из-за которой я двадцать раз хотел лишить себя жизни, — все это, соединенное с особенностью моего положения и всем тем чудесным, среди чего очутился я, теперь способствовало развитию в душе моей такого чувства, которое при других обстоятельствах сказалось бы лишь вскользь и слегка.

В течение дня я услыхал, как Зденка говорила меньшому брату:

— Что ты обо всем этом думаешь, Петро? Неужели и ты подозреваешь отца?

— Я не смею его подозревать, тем более что мальчик говорит, что он ему не сделал никакого вреда. А если он и исчез так внезапно, то ты ведь знаешь, что и ранее этого он всегда так делал и никогда никому не отдавал отчета в своих отлучках.

— Знаю, — отвечала Зденка, — а потому нужно спасти его: ты ведь знаешь Георгия...

— Знаю, знаю. Говорить с ним бесполезно; а вот мы спрячем кол его, а за другим он не пойдет; по сю сторону гор ведь ни одной осины не найти.

— Да, да, спрячем кол, но только не скажем об этом детям; они проболтались бы при Георгии.

— Осторожно надо, конечно, — сказал Петр, и они разошлись.

Наступила ночь; о старике Горче не было ни слуху ни духу. Я, как накануне, лежал у себя на кровати, и луна полным светом заливала комнату. Когда сон уже начал путать мои мысли, я вдруг как бы инстинктивно почувствовал близость старика. Я открыл глаза и увидал его бледное лицо, прильнувшее к окну. На сей разъ я хотел встать, но это оказалось невозможным: члены мои были точно парализованы. Пристально посмотрев на меня, старик отошел от окна, и я слышал, как он обошел вокруг дома и постучался в окно комнаты, где спали Георгий с женой. Ребенок зашевелился и простонал во сне. На несколько времени все затихло, потом снова раздался стук в окошко. Ребенок снова застонал и проснулся.

— Это ты, дедушка? — проговорил он.

— Я, — отвечал глухой голос, — я принес тебе ятаганчик.

— Да я не смею уйти, отец запретил!

— Тебе и незачем уходить из дому, открой мне только окошко и поцелуй меня!

Ребенок встал, и я услыхал как отворилось окно. Тогда, собрав все свои силы, я соскочил с постели и стал колотить в перегородку. Георгий тотчас же проснулся и встал. Я услышал как он ругнулся; жена его громко вскрикнула, а чрез миг весь дом стоял кругом обомлевшего ребенка... Горча исчез как накануне. С трудом привели мы мальчика в чувство, но он был очень слаб и еле дышал. Бедняжка не знал причины своего обморока. Мать и Зденка приписывали его страху ребенка, что его застали в запрещенном разговоре с дедушкой. Я ничего не говорил. Когда малютка успокоился, все кроме Георгия, снова улеглись.

На заре я услыхал, что Георгий будит жену, потом они стали шептаться; к ним присоединилась Зденка, и я различал ясно, что женщины плакали.

Ребенок умер. Прохожу молчанием отчаяние семьи. Между тем никто не приписывал его смерть старику Горче. По крайней мере открыто этого никто не говорил.

Георгий молчал, но выражение его лица, всегда пасмурное, было теперь страшно. Старик не показывался дня два. В ночь на третьи сутки (когда похоронили малютку) мне показалось, что кто-то бродит вокруг дома и точно кто-то зовет по имени оставшегося в живых мальчика. Мне показалось даже, что на мгновение старик

Горча заглянул в мое окошко, но я не мог дать себе отчета, было ли это на самом деле или мне только представилось, так как в ту ночь луна была задернута тучами. Я все-таки счел нужным сообщить об этом Георгию. Тот стал допытываться у ребенка, который отвечал, что действительно слышал, как его звал дедушка и что он видел его в окно. Георгий строго-настрого приказал сыну разбудить себя, как только старик появится вновь...

Все эти обстоятельства нисколько не мешали развиваться чувству нежности моей к Зденке.

Днем я не мог говорить с ней наедине. Когда наступила ночь, мысль о близком отъезде болезненно заныла во мне. Комната Зденки была отделена от моей сенями, которые с одной стороны вели на улицу, а с другой во двор. Хозяева мои уже улеглись, когда мне пришла мысль пойти побродить по деревне, чтобы несколько развеяться. Выйдя в сени, я увидал, что дверь в комнату Зденки была приотворена.

Я невольно остановился.

Знакомый шорох платья заставил забиться мое сердце. Вслед за этим до меня донеслась напеваемая вполголоса песня. Это было прощанье со своею красавицей одного сербского краля, отправлявшегося на войну.

«О, мой юный тополь, — говорил старый краль, — я ухожу на войну и ты забудешь меня. Деревья, растущие у подножия горы стройны и гибки, но стройнее и гибче твой юный стан. Красны ягоды рябины, что колышет ветер, но уста твои алее рябиновых ягод! А сам я что̀ старый дуб без листьев и борода моя белее чем пена Дуная! И ты забудешь меня, сердце мое, и умру я с тоски, потому не посмеет ворог убить старого краля».

И отвечала красавица: «Клянусь остаться тебе верною и не забыть тебя во век. Если нарушу я клятву, то приди по смерти своей и высоси из сердца моего кровь».

И сказал старый краль: «Аминь!» И ушел он на войну. И красавица его скоро забыла!...»

Тут Зденка замолкла, точно боялась кончать песню. Я уже более не сдерживал себя. Этот нежный выразительный голос был положительно голос герцогини де Грамон... Забыв все на свете, я толкнул дверь и вошел. Зденка только что сняла с себя что-то вроде казакина, что носят там женщины. Одна шитая золотом и красным шелком рубашка и пестрая юбка, стянутая у талии, облекали теперь ее стройные члены. Ее прекрасные белокурые косы были расплетены, и в этой полуодежде еще обаятельнее рисовалась предо мной ее красота. Не рассердясь, по-видимому, на меня за мое внезапное вторжение, она однако смутилась и слегка покраснела.

— Ах, зачем ты пришел, — заговорила она, — и что подумают обо мне, если застанут нас вместе?

— Зденка, жизнь моя, будь покойна, — сказал я ей, — все кругом спит, только один кузнечик в траве, да стрекоза в воздухе могут услышать то, что нужно мне сказать тебе.

— Уйди, уйди, милый, увидит нас брат — я погибла!

— Зденка, я не уйду отсюда до тех пор, пока ты не обещаешь мне любить меня всегда, как обещала своему кралю красавица в твоей песне. Я скоро уезжаю, Зденка; кто знает, когда мы снова увидим друг друга? Зденка, я люблю тебя больше души своей, больше спасения моего... Жизнь и кровь моя — твои... Неужели ты не дашь мне и часа времени?

— Многое может случиться в течение часа, — задумчиво ответила Зденка, но оставила свою руку в моей, — ты не знаешь моего брата, — продолжала она, вздрагивая, — у меня есть предчувствие, что он придет.

— Успокойся, Зденка моя, — сказал я ей, — брат твой устал от бессонных ночей, его убаюкал ветер, что шелестит в деревьях; глубок его сон, длинна наша ночь, и я прошу у тебя только часа!.. А потом прости и, может быть, навсегда.

— О нет, нет, не навсегда! — живо заговорила Зденка и отшатнулась от меня, будто испугавшись своего голоса.

— О Зденка, — воскликнул я, — тебя одну я вижу, тебя лишь слышу, я более не волен в себе, я послушен какой-то высшей власти, прости мне, Зденка!

И как безумный я прижал ее к сердцу.

— Нет, ты не друг мне, — сказала она, вырываясь из моих рук, и забилась в глубь комнаты. Не знаю, что отвечал я ей в эту минуту, так как сам испугался вдруг своей смелости, не потому чтоб она в подобных случаях не помогала мне, а потому что, несмотря на увлечение страсти, я повиновался неотразимому чувству уважения к невинности Зденки.

Правда, я попытался было начать какие-то медовые любезности, которые имели вообще успех у красавиц тогдашнего времени, но вскоре сам устыдился их и умолк, видя, что молодая девушка в простоте своей и не догадывалась даже о том смысле этих речей, который вам, mesdames, вижу по вашим улыбкам, понятен с полуслова.

Итак, я стоял пред нею, не зная что делать, как вдруг она вздрогнула и устремила в окно испуганный взор. Я следил за направлением ее глаз и ясно увидал старого Горчу, смотревшего на нас в окошко.

В ту же минуту я почувствовал, как тяжелая рука опустилась мне на плечо.

Я обернулся. То был Георгий.

— Что ты здесь делаешь? — спросил он меня.

Смущенный этим внезапным обращением, я указал ему на его отца, который все еще стоял у окна и исчез лишь только Георгий его заметил.

— Я услыхал старика и пришел предупредить сестру твою, — сказал я.

Георгий посмотрел на меня так, будто хотел проникнуть взглядом до самой глубины моей души. Затем, взяв меня за руку, он привел меня в мою комнату и вышел, не сказав ни слова.

На следующий день семья сидела перед дверью дома за столом, уставленным молочною пищей.

— Где мальчик? — спросил Георгий.

— На дворе, — отвечала мать, — он играет в свою любимую игру, воображает, что дерется с турками.

Только выговорила она это, мы, к нашему крайнему изумлению, увидали огромную фигуру старого Горчи, медленно шедшего к нам из лесу, точь-в-точь как это было в день моего приезда.

— Милости просим, батюшка, — промолвила еле слышно его невестка.

— Милости просим, батюшка, — повторили тихо Зденка и Петр.

— Батюшка, — сказал Георгий твердым голосом, но весь изменившись в лице, — мы ждем тебя, чтобы ты прочел молитву!

Старик отвернулся, сдвинув брови.

— Сию же минуту читай молитву, — повторил Георгий, — да перекрестись, или.... клянусь св. Георгием...

Зденка и ее невестка нагнулись к старику, умоляя его прочитать молитву.

— Нет, нет и нет, — отвечал тот, — он не смеет мне приказывать, а если будет настаивать на своем, я прокляну его!

Георгий встал и бросился в дом. Он вскор вернулся с бешенством во взгляде.

— Где кол? — закричал он. — Куда вы дели кол?

Зденка и Петр переглянулись.

— Труп! — сказал тогда Георгий старику, — что ты сделал с моим старшим сыном? Отдай мне сына, труп!

Так говоря он становился все бледнее, и глаза его разгорались полымем.

Старик смотрел на него недобрым взглядом и не шевелился.

— Да где же этот кол, кол где? — воскликнул Георгий. — Пусть на голову того, кто его спрятал, обрушатся все несчастья, которые нас ждут.

В эту минуту раздался веселый смех меньшего мальчика, и он выехал к нам верхом на огромном колу, который волочил за собой, крича так, как кричат сербы, вступая в бой с неприятелем.

При этом появлении Георгий вспыхнул весь, выхватил у ребенка кол и бросился на отца. Тот испустил какой-то рев и кинулся бежать по направлению к лесу с такою быстротой, что по его годам это казалось сверхъестественным.

Георгий гнался за ним через поле, и они вскоре исчезли у нас из виду.

Солнце уже зашло, когда Георгий вернулся домой, бледный как смерть, со взъерошенными волосами. Он сел к огню, и мне показалось, что зубы у него стучали. Никто не осмелился его расспрашивать. Когда наступил час, когда семья обыкновенно расходилась, он, казалось, вполне овладел своею прежнею энергией; отозвав меня в сторону, он сказал мне самым непринужденным тоном:

— Дорогой гость, я был на реке, она очистилась ото льда, проезд есть, и ничто не задерживает тебя здесь более. Тебе нет надобности прощаться с моею семьей, — прибавил он, взглянув на Зденку. — Она тебе моими устами желает всякого благополучия и надеется, что и ты о нас сохранишь доброе воспоминание. Завтра чем свет ты найдешь лошадь свою оседланною и проводника, готового пуститься с тобой в путь. Прощай, вспоминай иногда своих хозяев и прости им, если твоя жизнь у них не была такою спокойною, как бы ты желал.

Жесткие черты Георгия в эту минуту казались почти дружелюбными. Он проводил меня в мою комнату и пожал мне руку в последний раз. Потом снова вздрогнул, и снова зубы его застучали точно от холоду.

Оставшись один, я и не подумал ложиться, как вы себе легко можете представить. Разные мысли теснились в моей голове. Я уже несколько раз в жизни любил. Я испытал припадки и нежности, и досады, и ревности, но никогда еще, даже во время разлуки с герцогиней де Грамон, я не ощущал такой тоски, какая в настоящую минуту сжимала мне сердце. Еще солнце не взошло, как я уже облекся в свое дорожное платье и думал сделать последнюю попытку увидаться со Зденкой, но Георгий уже ждал меня в сенях. Всякая возможность свидания с ней исчезла.

Я вскочил на лошадь и дал ей шпоры. Я обещал себе на возвратном пути из Ясс завернуть в эту деревню, и эта надежда, хотя и отдаленная, мало-помалу развеяла мои грустные мысли. Я уже с удовольствием думал о своем возвращении, и разыгравшееся воображение заранее рисовало мне сладостные подробности, как вдруг неожиданное движение моей лошади чуть не выбило меня из седла. Конь стал, вытянул передние ноги и фыркнул, как бы чуя близкую опасность. Я внимательно огляделся во все стороны и увидел шагах во ста от нас волка, рывшегося в земле. Заметив нас, он бросился бежать. Я вонзил шпоры в бока моего скакуна и заставил его двинуться с места. Я увидал тогда на том месте, где рылся волк, свежевырытую яму. Кроме того, мне показалось, что там на несколько вершков над землей торчал кол. Впрочем, я этого за верное не утверждаю, так как очень быстро проехал мимо этого места.

Здесь маркиз остановился и взял щепотку табаку.

— Как, и всё? — спросили дамы.

— Увы, не всё! — отвечал д'Юрфе. — То, что мне теперь придется вам рассказывать, мне очень тяжело вспоминать, и я дорого бы дал, чтобы освободить себя от этого воспоминания. Дела, по которым я прибыл в Яссы, задержали меня там долее, нежели я предполагал. Для приведения их к концу требовалось полгода. Как вам сказать? Печальная истина, но тем не менее все-таки истина, что на свете нет прочных чувств. Успех моих переговоров, одобрения, получаемые мной от Версальского кабинета, словом, политика, эта противная политика, наделавшая нам столько хлопот, и за это последнее время не преминула ослабить в моем сердце воспоминания о Зденке. К тому же, прибавьте, что супруга господаря Молдавского, красавица и в совершенстве владевшая нашим языком, стала видимо отличать меня из среды других молодых иностранцев, находившихся в то время в Яссах. Воспитанный в правилах французской любезности, с гальскою кровью в жилах, я не мог, конечно, отвечать неблагодарностью на лестные для меня знаки внимания красавицы, и в видах интересов Франции, которой имел честь быть представителем при ее супруге, постарался усердно доказать, насколько почитал приятнейшим для себя долгом повиноваться желаниям его прекрасной половины. Настоящие выгоды моего отечества я всегда разумел, mesdames, как вы видите...

Отозванный на родину, я возвращался тою же дорогой, которою ехал в Яссы.

Я больше не думал ни о Зденке, ни о ее семье, когда однажды, едучи полем, услыхал где-то колокол, прозвонивший восемь раз. Звук его показался мне как бы знакомым, и мой проводник сказал мне, что звонят в ближней обители. Я спросил, как она называется, и узнал, что то был монастырь Божией Матери под дубом. Я немедленно пришпорил лошадь, и вскоре очутился у монастырских врат. Отшельник впустил нас и указал помещение для приезжих, но оно было битком набито богомольцами, и я спросил, нельзя ли найти ночлег где-нибудь в деревне.

— Да и не один найдется, — отвечал, тяжело вздыхая, отшельник, — благодаря проклятому Горче, там много пустых домов стало.

— Что это значит? Разве старый Горча еще жив?

— Нет, он-то должным порядком лежит в сырой земле, пронзенный колом в сердце... Но он высосал кровь внуку, маленькому сыну Георгия. Мальчик пришел однажды ночью, плача и говоря, что ему холодно, и просил, чтоб его впустили. Дура мать, несмотря на то что сама его хоронила, не имела духа отправить его снова на кладбище и впустила его. Он тогда бросился на нее и засосал ее до смерти. Когда ее схоронили, она в свою очередь пришла за кровью своего меньшего сына, потом высосала кровь у мужа и у деверя. Всех постигла одна участь.

— А Зденка? — спросил я трепетно.

— Ну, эта помешалась с горя, бедняжка! Лучше и не говорить о ней...

Ответ старика был загадочен, но у меня не стало духа спрашивать далее.

— Вампиризм заразителен, — продолжал отшельник, — много семей в деревне страдают им, много семей вымерло до последнего члена, и если хочешь послушаться меня, останься на ночь в монастыре; если тебя в деревне и не съедят вурдалаки, так все же натерпишься столько страху, что голова твоя поседеет как лунь, прежде чем успею я прозвонить к заутрени. Я хоть и бедный монах, — продолжал он, — но щедроты путешественников дают мне возможность заботиться о всех их нуждах. Есть у меня отличный творог и такой изюм, что у тебя от одного вида его слюнки потекут; найдется и несколько бутылок токайского, которое не уступит и тому, что подается за столом его святейшества патриарха…

Мне показалось, что в эту минуту говорил скорее трактирщик, чем отшельник, что он нарочно рассказал мне обо всех этих ужасах, чтобы вызвать меня к подражанию в щедротах тем странникам, которые давали святому человеку возможность заботиться об их нуждах. Да и притом слово «страх» производило на меня всегда то же действие, как на боевого коня звук трубы. Мне бы самого себя стало стыдно, если б я тотчас затем не собрался в путь. Мой проводник, дрожа, попросил позволения остаться в монастыре, на что я охотно согласился.

Я употребил около получаса, чтобы добраться до деревни, которую нашел пустою. Нигде ни огонька, ни песни. Молча проехал я мимо всех этих домов, по большей части мне знакомых, и достиг наконец избы Георгия. Было ли то романическим чувством или просто юношескою смелостью, только я решился ночевать здесь.

Я слез с лошади и постучался у ворот. Ответа не было. Я толкнул ворота, они растворились, визжа петлями, и я вошел на двор. Привязав под каким-то навесом моего коня, не расседлывая его, сам я направился к дому. Ни одна дверь не была заперта, а между тем в доме, казалось, никто не жил. Комната Зденки имела вид покинутой только накануне. Несколько платьев валялись еще на постели. Кое-какие золотые вещицы, подаренные мною, и между прочим небольшой эмаленный крестик, купленный мною в Пеште, блестели на столе при свете луны. Сердце во мне невольно сжалось, несмотря на то что любовь давно миновала… Я вздохнул, завернулся покрепче в плащ свой и улегся на кровати. Меня вскоре одолел сон. Не помню подробностей, не знаю, что привиделась мне тут Зденка, прелестная, наивная и любящая как тогда, прежде. Я укорял себя, глядя на нее, за эгоизм свой и непостоянство. «Как же это мог я, спрашивал я себя, забыть эту милую девочку, которая так любила меня?» Мысль о ней вскоре смешалась с воспоминанием о герцогине де Грамон, и в этих двух образах я уже видел одну и ту же особу. Я кинулся к ногам Зденки и умолял ее о прощении. Все существо мое, вся душа преисполнились каким-то невыразимым ощущением грусти и счастья… Так снилось мне, как вдруг я наполовину проснулся от какого-то приятного звука, подобного шелесту колосьев, колеблемых ветром. Мне почудился говор этих колосьев и пение птиц, к которым как бы примешивался отдаленный шум падающих вод и тихий шепот древесных листьев. Затем показалось мне, что все эти звуки сливались воедино — в шуршанье женского платья — и на этой мысли я остановился. Открыв глаза, я увидал у своей кровати Зденку. Луна светила так ясно, что я хорошо мог различать мельчайшие подробности этих дорогих мне когда-то черт, но всю прелесть которых я как бы понял только сейчас во сне. Мне показалось, что Зденка еще похорошела и развилась. На ней был тот же небрежный наряд, как в тот раз, когда я видел ее одну: простая рубашка, шитая золотом и шелком, и юбка, стянутая у талии.

— Зденка, — воскликнул я, быстро поднимаясь на моем ложе, — Зденка, ты ли это?

— Да, это я, — отвечала она тихим и грустным голосом, — да, это твоя Зденка, которую забыл ты. Ах, зачем не вернулся ты раньше? Все теперь кончено; тебе нужно уезжать сейчас, еще мгновение — и ты пропал! Прощай, друг мой, прощай навсегда!

— Зденка, — сказал я, — ты перенесла много горя, мне говорили; побеседуй со мной, тебе легче будет!

— О, друг мой, не верь всему, что тебе про нас говорят, но уезжай, уезжай скорее, не то погибнешь, безвозвратно погибнешь!...

— Но, Зденка, что же угрожает мне? Неужели ты мне не дашь и часу, одного часу, поговорить с тобой?

Зденка вздрогнула и вдруг словно вся переменилась.

— Хорошо, — сказала она, — час, один час, не правда ли, как тогда, когда я пела песню о старом крале и ты пришел ко мне в комнату... Ты этого хочешь? Хорошо, даю тебе этот час... Ах, нет, нет, — вскрикнула она вдруг опять, спохватясь, — уходи, уходи!.. Беги скорее, уезжай, говорю тебе... Беги, пока еще можешь.

Дикая энергия одушевляла ее черты.

Мне непонятна была причина, заставлявшая ее говорить так, но она была так хороша, что я решил остаться помимо ее воли. Уступив наконец моим просьбам, она села подле меня, заговорила о прошлом и призналась, что полюбила меня с первого взгляда... И по мере того как говорила она, мне все яснее сказывалась какая-то странная перемена, совершившаяся в ней. Это была уже не та, знакомая мне прежде, сдержанная, застенчивая, вечно краснеющая девушка. В движениях ее, в блеск глаз было что-то нескромное, не девически смелое и вызывающее...

«Неужели возможно, — говорил я сам себе, — что Зденка не была тою чистою и невинною девушкой, какою казалась она мне полгода тому назад? Неужели она надевала только личину из боязни брата? Неужели меня одурачила ее заемная скромность? Но тогда зачем же заставлять было меня уехать? Или это какое-нибудь утонченное кокетство? А я-то воображал, что знаю ее!... А впрочем, не все ли равно! Если Зденка не Диана, как я воображал, так все же она может быть сравнена с другою богиней, не менее прелестною, а я со своей стороны предпочитаю конечно участь Адониса участи Актеона».

Если эта классическая фраза, сказанная мной самому себе, кажется вам теперь не к месту, mesdames, то потрудитесь вспомнить, что я имею удовольствие рассказывать вам случай, происходивший в 1769 году. Мифология была тогда в духе времени, а я не имел претензии опережать свой век. С тех пор многое изменилось, и еще очень недавно революция, уничтожив воспоминания язычества в одно время с христианскою религией, возвела на их место новое божество — Разум. Культ этого божества никогда не был моим, когда я находился в женском обществе, а в то время, о котором я говорю, я тем менее был расположен приносить ему жертвы. Я без стеснения предался чувству, которое влекло меня к Зденке и радостно отвечал на ее заигрывания... В сладостном забытьи прошло несколько времени, в течение коего я, забавляясь между прочим примериванием на Зденке то одной, то другой из найденных мной на ее столе драгоценных вещиц, вздумал надеть ей на шею эмалевый крестик, о котором я имел уже случай упомянуть. Едва поднял я его над нею, Зденка отскочила, вздрогнув.

— Довольно дурачества, милый, — сказала она, — брось эти побрякушки и поговорим о тебе и о твоих намерениях!

Смущение Зденки заставило меня невольно задуматься. Разглядывая ее пристальнее, я заметил, что у нее на шее не было, как прежде, тех образков и ладонок, которые сербы носят обыкновенно с самого раннего детства и до смерти.

— Зденка, — сказал я, — где же все образки, которые носила ты на шее?

— Потеряла, — отвечала она нетерпеливо и тотчас же переменила разговор.

Во мне заныло вдруг какое-то смутное предчувствие недоброго. Я собрался ехать. Зденка остановила меня.

— Как, — сказала она, — ты просил у меня часа времени и уезжаешь, едва проведя со мной несколько минут?

— Зденка, — ответил я, — ты была права, уговаривая меня уехать; я слышу шум и боюсь, чтобы нас не увидали с тобой!

— Будь покоен, друг мой, все спит кругом, и только кузнечик в траве да стрекоза в воздухе могут услышать, что я хочу сказать тебе.

— Нет, нет, Зденка, я должен ехать...

— Постой, постой, — заговорила Зденка, — я люблю тебя больше души своей, больше своего спасения; ты сказал мне, что жизнь твоя и кровь — мои...

— Но брат твой, Зденка... я предчувствую, он придет!

— Успокойся, сердце мое, брат мой спит, убаюканный ветром, что шелестит в деревьях; глубок его сон, длинна эта ночь, и я у тебя прошу только часа!

Говоря это, Зденка была так хороша, что безотчетный страх, волновавший меня, стал уступать желанию остаться с нею. Какая-то смесь боязни и невыразимой неги наполняла все существо мое. По мере того как воля моя ослабевала, Зденка делалась все нежнее, так что я решился уступить, но быть, однако, настороже. Но, увы! как я уже сказал, я бывал всегда благоразумен только наполовину, и когда Зденка, заметив мою сдержанность, предложила мне согреться от ночного холода несколькими глотками доброго вина, приобретенного ею, говорила она, у отшельника, я согласился с поспешностью, заставившею ее улыбнуться. Вино произвело свое действие. На втором стакане впечатление, произведенное на меня эпизодом с крестиком и образками совершенно изгладилось. Зденка в своем небрежном наряде, с полурасплетенными белокурыми волосами, в блестевших при свете луны запястьях, показалась мне неотразимо прекрасною. Я более не сдерживал себя и заключил ее в свои объятия....

Тогда, mesdames, произошло одно из тех таинственных указаний, объяснения коим я никогда найти не мог, но в которые опыт заставил меня наконец поверить, хотя до тех пор я далеко не был расположен допустить их.

Я так сильно обнял Зденку, что вследствие этого движения одна из оконечностей креста, виденного вами и надетого на меня пред отъездом моим из Парижа герцогиней де Грамон, вонзилась мне в грудь. Боль, которую я испытал при этом, была точно луч света, озаривший меня внезапно. Я глянул на Зденку — и увидал, что над ее чертами, все еще прекрасными, витала смерть, что глаза ее ничего не видели и что улыбка была лишь судорогой агонии на лице мертвеца. В то же самое время я ощутил в комнате острый запах непритворенного склепа. Ужасная истина открылась мне во всем безобразии своем, и я слишком поздно припомнил предостережения отшельника. Я понял, в каком находился отчаянном положении и почувствовал, что все зависело от моей смелости и присутствия духа. Я отвернулся от Зденки, чтобы не дать ей заметить того, что, вероятно, выражалось на лице моем. Взгляд мой невольно обратился к окну, и я увидал страшного Горчу, опиравшегося на окровавленный кол и смотревшего на меня взглядом гиены. В другом окне стоял Георгий, в эту минуту ужасно походивший на отца. Оба они, казалось, следили за каждым моим движением и было ясно, что они бросятся на меня при малейшей попытке бежать. Я сделал поэтому вид, что не заметил их, и имел настолько силы воли, что продолжал все так же ласкать Зденку, будто ничего не случилось, но в то же время только и думал, как бы мне спастись. Я видел, что Горча и Георгий переглядываются со Зденкой и начинают терять терпение. И тут же во дворе послышались мне женский голос и плач детей, но такие ужасные, что их можно было скорее принять за вытье диких кошек.

«Пора убираться, — сказал я сам себе, — и чем скорее, тем лучше!»

И, обратясь к Зденке, я заговорил с ней настолько громко, чтобы страшные родственники ее могли слышать:

— Я устал, милая моя, мне бы хотелось лечь и поспать несколько часов, но надо прежде накормить мою лошадь. Прошу тебя, не уходи и подожди меня здесь.

Я приложил губы к ее похолодевшим и бледным устам и вышел. Лошадь свою нашел я всю в пене и рвущеюся из-под навеса. Ржание, которым она встретила меня, обдало меня холодом, так как я боялся, как бы оно меня не выдало. Но вурдалаки, слышавшие, конечно, разговор мой со Зденкой, не трогались с места. Тогда я, удостоверясь, что ворота не заперты, быстро вскочил в седло и вонзил сразу шпоры в бока моего скакуна. Выскакав из ворот, я успел только заметить, что толпа, собравшаяся вокруг дома и стоявшая, прильнув лицами к стеклам, была весьма многочисленна. Полагаю, что мой внезапный выезд озадачил их, так как в первые минуты затем я в молчании ночи различал только однообразный топот несшегося подо мной коня.

Я уже готов был поздравить себя с благополучным концом этой истории, как вдруг услыхал за собой шум, подобный вою урагана в горах. Тысячи голосов стонали, ревели и точно спорили друг с другом. Потом вдруг все смолкло, и раздался как бы мерный гул и топот нескольких бегущих пехотинцев.

Я подгонял шпорами коня моего до крови. Жилы мои чуть не разрывались от пожиравшего меня лихорадочного огня, и между тем как все усилия мои направлены были к тому, чтобы сохранить еще некоторое присутствие духа, я услыхал позади себя голос, взывавший ко мне:

— Погоди, погоди, милый! Я люблю тебя более души своей, более своего спасения! Постой, постой, твоя кровь — моя!

В то же время холодное дыхание коснулось моих ушей и Зденка прыгнула на круп моей лошади.

— Сердце мое, душа моя! — говорила она мне, — я только тебя вижу, только тебя хочу; я не властна над собой, я повинуюсь высшей власти; прости меня, милый, прости меня!..

И, обвив меня руками, она старалась опрокинуть меня и укусить за горло. Страшная борьба завязалась между нами. Долго защищался я с трудом, но наконец напряг все силы, схватил Зденку одною рукой за пояс, а другою за косы и, приподнявшись на стременах, швырнул ее наземь.

Тотчас затем силы оставили меня, и я впал в бред. Тысячи безумных и страшных образов преследовали меня, угрожая мне. Сначала Георгий и брат его Петр все бежали по краям дороги и старались перерезать мне путь. Им это не удавалось, и я радовался уже этому, когда, обернувшись, увидел старого Горчу который, опираясь на свой кол, делал при помощи его неимоверные прыжки, подобно тирольцам, перекидывающимся через обрывы. Но и Горча остался позади. Тогда невестка его, волочившая за собой двоих детей, подкинула ему одного из них, которого он и поймал на острие кола. Орудуя им как пращей, он изо всех сил пустил ребенком в меня. Я избег удара, но детеныш со свирепою цепкостью бульдога так и вцепился в шею моей лошади, и мне еле-еле удалось оторвать и скинуть его. Горча кинул в меня другим ребенком, но этот свалился под копыта лошади, и она раздавила его... Не знаю, что было далее, но когда я очнулся — было уже светло и я лежал на краю дороги, а рядом со мной издыхала моя лошадь.

Так кончилось, mesdames, это мое любовное похождение, которое должно было, казалось бы, навсегда отбить у меня охоту искать новых. Из остающихся в живых бабушек ваших некоторые могли бы сообщить вам, насколько в действительности стал я с течением времени более благоразумным.

Как бы ни было, но я и теперь еще содрогаюсь при мысли, что, попадись я во власть моих врагов — я бы в свою очередь стал вампиром; но Провидение не допустило до этого, и я, mesdames, не только не жажду вашей крови, но готов за вас и всю свою отдать до последней капли.

Судьба мадам Кабанель

Элиза Линн Линтон

В последние десятилетия термин «женская готика» стал применяться — особенно американскими литературоведами — к произведениям литературы, написанным женщинами в XIX веке, которые используют образы и персонажей готического романа для того, чтобы рассказывать истории, которые на самом деле касаются скрытых аспектов женской сексуальности. Мэри Шелли, создавшая в «Франкенштейне» кибернетического ребенка, оставшегося без матери, стала рассматриваться как ключевой пример. «Судьба мадам Кабанель», написанная примерно через пятьдесят пять лет после «Франкенштейна», в 1872 г., — короткий рассказ, посвященный именно этому процессу трансформации. Англичанка поселяется в бретонской деревне, и некоторые ее жители, особенно крестьянка, страдающая от острого приступа сексуальной ревности, считают эту «странность» признаком вампиризма. В данном случае вампирская метафора отсылает к некоторым вполне реальным проявлениям безумия толпы и физического насилия, но, как ни странно, этот рассказ не был написан активной сторонницей прав женщин. Напротив, Элиза Линн Линтон (1822–1898), которая начала свою карьеру в качестве журналиста и автора художественных текстов с серии статей о печальной и угнетающей участи викторианской женщины среднего класса, с середины 1860-х годов публиковала статьи (которые она переиздала затем в виде книги), критикующие работы и идеи ранних феминисток. Действительно, в ее более поздних сочинениях неизменно критиковалась так называемая «девушка того времени» (или «новая женщина»), одно из них было даже посвящено «милым девушкам, которые еще остались среди нас». Таким образом, «Судьба мадам

Кабанель», опубликованная примерно через четырнадцать лет после появления самых смелых антифеминистских статей в «Сатердей Ревью», явно не должна читаться (как может показаться на первый взгляд) как байка о непонятой «новой женщине», которая ожидала от жизни слишком многого. Но этот рассказ — редкий пример истории о вампирах, которая понимает и осознает метафорическое, или символическое, значение мифа — там, где речь идет о женской сексуальности, — и которая использует эту форму, чтобы передать продолжительный резонанс, возникший в современном обществе. Благодаря этому «Судьба мадам Кабанель», несмотря на отраженное в ней типично поздневикторианское отношение к французской сельской общине, остается необычайно пугающей историей даже по сегодняшним меркам.

В маленькую деревушку Пьевро в Бретани не вторгся прогресс, ее не осветила своим светом наука. Ее населяли простые, невежественные, суеверные люди, и блага цивилизации были известны им так же мало, как и ее ученость. Всю неделю они усердно трудились на неплодородной земле, дарившей им лишь скудный урожай, по воскресеньям и в дни святых они регулярно посещали мессу в небольшой каменной часовне, безоговорочно верили всему, что говорил им месье кюре, и многому, чего он не говорил. Все неизведанное воспринимали не как великолепное, а как дьявольское.

Единственным связующим звеном между ними и внешним миром разума и прогресса был месье Жюль Кабанель, по сути, истинный хозяин этого места, исполнявший обязанности мэра, мирового судьи и всех государственных должностных лиц. Иногда он отправлялся в Париж, откуда возвращался, груженный новшествами, которые вызывали зависть, восхищение или страх в зависимости от уровня интеллекта тех, кто их видел.

Жюль Кабанель обладал не самой обаятельной внешностью для человека его класса, но душа его была добрая. Это был невысокий, коренастый, с низкими бровями и копной иссиня-черных волос и такой же иссиня-черной бородой мужчина, склонный к полноте и любящий пожить в свое удовольствие. Он обладал некоторыми скрытыми достоинствами, которые компенсировали недостаток личного обаяния. Однако он не был плохим, просто всего лишь весьма заурядным и непривлекательным.

До пятидесяти лет он был неженат и слыл желанной добычей местных жителей, но стойко сопротивлялся всем попыткам поймать его в сети, которые предпринимали матери незамужних девиц, и сохранял свою свободу и холостяцкую жизнь в неприкосновенности. Возможно, его красивая экономка Адель имела какое-то отношение к его упорному воздержанию. Поговаривали, что она захаживала во «Вдову приора»; но никому не приходило в голову равняться с ней. Она была гордой, сдержанной женщиной со странными представлениями о собственном достоинстве, но возражать ей никто не осмеливался. Словом, какие бы сплетни ни ходили, они не достигали ни ее самой, ни ее хозяина.

Но в скором времени и совершенно неожиданно Жюль Кабанель, пробывший в Париже дольше обычного, вернулся домой с женой. У Адель были всего сутки, чтобы подготовиться к этому странному приезду, и задача казалась трудновыполнимой. Но она справилась с этим, как обычно, молча и решительно; обставила комнаты так, как будет угодно хозяину, и украсила привычный интерьер гостиной букетом цветов на столе.

«Странные цветы для невесты», — подумала про себя маленькая Жаннет, чудачка, которую иногда брали в дом для помощи по хозяйству. В букете были гелиотроп, который называют во Франции «вдовий цветок», алые маки, белладонна и аконит. Даже несведущая маленькая Жаннет знала, что такой букет едва ли подходит для свадьбы. Тем не менее они остались стоять там, где их поставила Адель, и если месье Кабанель и приказал убрать их с глаз долой, то мадам сделала вид, что ничего не поняла, лишь улыбнулась с неопределенным и отчасти осуждающим видом, который принимают люди, не осознающие смысла происходящего.

Мадам Кабанель была иностранка — молодая и хорошенькая англичанка, белокурая, как ангел.

— Дьявольская красота, — заявляли пьевронцы со смесью насмешливости и содрогания, потому что в эти слова они вложили гораздо больше значения, чем обычно. Смуглые, недостаточно развитые, низкорослые и худощавые, они не могли оценить округлые формы, высокий рост и свежий цвет лица англичанки. Никогда не видя подобного, они нашли в ее красоте больше зла, нежели добра. Чувство неприязни, возникшее к ней с первого взгляда, лишь усилилось, когда все заметили, что, хотя она и явилась к мессе вовремя, а это достойно похвалы, но она не знала текста служебника и неправильно крестилась. Дьявольская красота, ей-богу!

— Тьфу! — сказал старый могильщик Мартин Бриолик. — С этими ее красными губами, розовыми щеками и пухлыми плечами она похожа на вампира и как будто питается кровью.

Он сказал это однажды вечером во «Вдове приора», и сказал он это с осуждением, которое имело свой вес, ибо Мартин Бриолик слыл самым мудрым человеком в округе, не считая месье кюре, который был мудр в своей области, далекой от Мартина, и месье Кабанеля, мудрого в прочих вопросах, в которых ни Мартин, ни кюре ничего не ведали. Он знал все о погоде и звездах, о диких травах, растущих на равнинах, и о диких пугливых зверях, которые их едят; он обладал даром прорицания и с помощью прутика мог найти скрытый глубоко под землей родник. Он также знал, где искать сокровища в канун Рождества, если ты достаточно быстр и храбр, чтобы в нужный момент войти в расщелину в скале и вовремя выйти обратно, он собственными глазами видел Белых дам, танцующих в лунном свете, и маленьких бесенят, инфинов, играющих в свои проказливые игры у ямы на опушке леса. И он точно знал, кто из жителей деревеньки Ла-Креш-эн-Буа, с которой они враждовали, был оборотнем, и никто не ставил под сомнение его слова! У него были и другие способности еще более мистического рода, поэтому, если Мартин Бриолик отзывался о чем-то плохо, то это подхватывали, но если он говорил что-то хорошее, на это не обращали внимания.

Фанни Кэмпбелл, или, как ее теперь называли, мадам Кабанель, ни в Англии, ни где бы то ни было еще не смогла бы привлечь такого особого внимания, как в таком скучном, невежественном и погрязшем в сплетнях месте, как Пьевро. Она не скрывала никакого секрета, и ее история была достаточно заурядной, хотя и по-своему печальной. Юная и бедная сирота, она служила гувернанткой, но ее хозяева поссорились с ней и оставили в Париже практически без денег. Женитьба на месье Жюле Кабанеле стала лучшим, что с ней когда-либо случалось. Прежде не зная любви, она с легкостью ответила на ухаживания первого же мужчины, который проявил к ней доброту в момент ее бед и невзгод. И она приняла поклонника средних лет, который больше годился на роль отца, нежели мужа, приняла с чистой совестью и решимостью исполнять свой долг с радостью и преданностью — и все это без того, чтобы считать себя мученицей или жертвой, сломленной под тяжестью обстоятельств. Однако она не знала ни о красивой экономке Адель, ни о ее маленьком племяннике, к которому хозяин был так добр, что позволил ему жить в своем доме, а уроки ему давал сам кюре. Возможно, если бы она знала об этом, то дважды подумала бы, прежде чем поселиться под одной крышей с женщиной, составившей свадебный букет из маков, гелиотропа и ядовитых цветов.

Если бы нужно было назвать главную черту характера мадам Кабанель, то это была бы легкость характера. Она была в округлых и мягких чертах ее лица и фигуры, в ее кротких голубых глазах и неизменной безмятежной улыбке. Все это раздражало вздорных темпераментных французов и в особенности вызывало отвращение у Адель. Казалось невозможным рассердить мадам или хотя бы дать ей понять, что ее оскорбляли, экономка разговаривала с ней с глубоким презрением и не жалела сил, чтобы поставить ее на место. Но мадам принимала надменную сдержанность Адель и то, что она продолжала играть роль хозяйки, с неутомимым добродушием; более того, она была благодарна Адель за то, что та сняла с нее столько хлопот и любезно возложила на себя все обязанности по дому.

Благодаря этой безмятежной и ленивой жизни, когда все способности Фанни в некотором роде дремали и она наслаждалась новой жизнью, отличной от последних лет лишений и тревог, ее красота, как и следовало ожидать, еще больше расцвела, она стала еще свежее и окончательно окрепла. Ее губы стали краснее, щеки румянее, плечи еще полнее, чем когда-либо; но в то время, как она расцветала, здоровье жителей деревушки лишь ухудшалось, и даже старики не могли припомнить такого количества болезней и смертей. Хозяин тоже немного приболел, а маленький Адольф и вовсе весьма серьезно.

Такое ухудшение здоровья жителей неосушенных деревень не было редкостью ни во Франции, ни в Англии, да и французские дети, к сожалению, умирали постоянно. Но Адель относилась к этому как к чему-то запредельному, и, забыв о своей сдержанности, яростно обсуждала со всеми странную болезнь, что обрушилась на Пьевро и дом Кабанеля. Она верила, что это было чем-то большим, чем просто болезнь, но не могла дать ей название и найти лекарство, которое помогло бы ее маленькому племяннику. Она говорила, что творятся странные дела и что в Пьевро с недавних пор все изменилось к худшему. Жаннет часто замечала, как Адель сидела и пристально всматривалась в англичанку с убийственным выражением на своем красивом лице, переводила взгляд со свежего личика и пышного тела иностранки на бледного, худого и увядающего ребенка. Она вспоминала потом, что это был взгляд, от которого плоть мгновенно стыла от ужаса.

Однажды ночью Адель, словно не в силах больше этого выносить, примчалась к Мартину Бриолику, чтобы тот рассказал ей, что произошло и как найти лекарство.

— Дело, мадам Адель, в том, — сказал Мартин, перетасовав засаленные карты таро и выложив их на столе по три, — что в этом скрывается нечто большее, чем кажется на первый взгляд. Кто-то видит лишь бедного ребенка, который внезапно заболел, такое может быть, не так ли? И в этом нет никакого вреда, причиненного человеком? Бог посылает болезни всем нам и делает мое ремесло прибыльным. Но маленький Адольф был поражен не добрым богом. Я вижу в этом деяние злой женщины!

Затем он вновь перетасовал карты и нетерпеливо их разложил, его иссохшие руки дрожали, и он произносил слова, которых Адель не могла разобрать.

— Да защитят нас святой Иосиф и все святые! — воскликнул он. — Иностранка... англичанка... та, кого они называют мадам Кабанель... Никакая она не мадам! Ах, несчастье!

— Говорите, отец Мартин! Что вы имеете в виду? — воскликнула Адель, хватая его за руку.

Ее черные глаза дико смотрели, ноздри раздувались, а губы, тонкие, изогнутые, гибкие, — разжались, обнажая мелкие квадратные зубы. — Скажите мне простыми словами, что вы имели в виду!

— Бруколак! — тихо произнес Мартин.

— Я так и думала! — воскликнула Адель. — Я знала. Ах, мой Адольф! Будь проклят тот день, когда хозяин привел домой этого светлокожего дьявола!

— Эти губы неспроста такие красные, мадам Адель, — сокрушался Мартин, кивая головой. — Посмотрите на них — они блестят от крови! Я говорил так с самого начала, и карты подтвердили это. Я вытащил «кровь» и «плохую белокурую женщину» в тот вечер, когда хозяин привел ее домой, и сказал себе: «Ха-ха, Мартин! Ты на верном пути, парень, на верном пути!» — и, мадам Адель, я никогда с него не сворачивал! Бруколак! Так говорят карты, мадам Адель. Вампир. Наблюдайте и увидите, вы поймете, что карты сказали правду.

— А когда мы поймем, Мартин? — спросила Адель хриплым шепотом.

Старик снова перетасовал свои карты.

— Когда мы поймем, мадам Адель? — медленно переспросил он. — Знаете старый колодец у леса? Старый колодец, где лютены шныряют туда-сюда и где Белые дамы сворачивают шеи тем, кто натолкнется на них при лунном свете. Возможно, Белые дамы сделают то же самое с английской женой месье Кабанеля, кто знает?

— Они могут, — мрачно сказала Адель.

— Смелее, храбрая женщина! — сказал Мартин. — Они это сделают.

Единственным по-настоящему красивым местом в Пьевро было кладбище. Вокруг рос темный угрюмый лес, который был по-своему величественным и таинственным; и по широкой равнине можно было бродить долгим летним днем, но так и не дойти до конца. Однако это вряд ли были те места, где хотела бы прогуляться в одиночку молодая женщина, как и жалкие клочки земли, которые крестьяне возделывали, с трудом выращивая скудный урожай. Поэтому мадам Кабанель, при всей своей лености и праздности обладавшая врожденной любовью англичанки к прогулкам и свежему воздуху, часто посещала это небольшое кладбище. Она не испытывала никакой сентиментальности по этому поводу. Она не знала никого из тех, кто был захоронен там в узких гробах, и не ухаживала ни за чьей могилой, но ей нравилось смотреть на прелестные маленькие клумбы, венки из бессмертника и тому подобное, к тому же кладбище было не так далеко от дома. И отсюда открывался прекрасный вид на равнину, темную полосу леса и горы за ним.

Пьевронцы этого не понимали. Для них было необъяснимо, почему кто-то, не выживший из ума, постоянно ходит на кладбище — не в день поминовения усопших и не для того, чтобы украсить могилы тех, кого она любила, — а только для того, чтобы бродить там среди могил и любоваться равниной и горами за ней в минуты отдыха.

— Это совсем как… — некто Лесуф, говоривший это, вдруг остановился.

Он сказал это во «Вдове приора», где по вечерам собиралась вся деревня, чтобы обсудить произошедшие за день дела. Главной темой последних трех месяцев, с самого момента приезда, была мадам Кабанель, ее заморские замашки и невежество касательно знания молитвослова, а также странное поведение. Жители деревни закидывали друг друга шутливыми вопросами: как это понравилось мадам Адель? что станет с малышом Адольфом, когда появится законный наследник? Некоторые добавляли, что месье Кабанель — храбрый человек, раз заставил жить под одной крышей двух диких кошек, но что в конце концов из этого выйдет? Несомненно, ничего хорошего.

— Она бродила среди могил совсем как кто, Жан Лесуф? — спросил Мартин Бриолик. Встав, он добавил тихим, но вполне отчетливым голосом, что было слышно каждое слово: — Я скажу тебе, как кто, Лесуф. Как вампир! У мадам Кабанель красные губы и румяные щеки, а племянник мадам Адель погибает у вас на глазах. У мадам Кабанель красные губы и румяные щеки, и она часами сидит среди могил. Можете ли вы разгадать эту загадку, друзья мои? Для меня все ясно так же, как благословенное солнце.

— Ха, отец Мартин, вы нашли подходящее слово — как вампир! — содрогнувшись, сказал Лесуф.

— Как вампир! — повторили все со стоном.

— А я первым сказал вам про вампира, — заметил Мартин Бриолик. — Вспомните, я говорил об этом с самого начала.

— Верно! Так и было, — ответили они, — и вы были правы.

Недружелюбие, с которым ее встретили и которое сопровождало молодую англичанку с тех пор, как она приехала в Пьевро, достигло своего пика. Семя, брошенное Мартином и Адель, наконец-то пустило корни, пьевронцы были готовы обвинить в атеизме и безнравственности любого, кто усомнился бы в их решении. Они заявили, что хорошенькая мадам Кабанель, обычная молодая женщина, обладающая от природы привлекательной наружностью и превосходным здоровьем, пьет кровь ребенка и живет среди могил, чтобы сделать своей добычей тех, кого недавно похоронили.

Маленький Адольф становился все бледнее, худее, палящее летнее солнце сказывалось на полуголодных обитателях этих грязных глинобитных хижин, окруженных неосушенными болотами; и прежнее крепкое здоровье месье Жюля Кабанеля сильно пошатнулось. Врач, который жил в Креш-эн-Буа, увидев это, покачал головой и сказал, что все серьезно. Когда Адель настаивала на том, чтобы он рассказал ей, что случилось с ребенком и с месье, он уклонялся от ответа или произносил слово, которого она не понимала и не могла повторить. Правда заключалась в том, что он был доверчивым и крайне подозрительным человеком. Он выдвигал теории, а затем ставил своей задачей доказать их истинность. Он предположил, что Фанни тайно отравила и мужа, и ребенка; и хотя он никоим образом не намекнул на это Адель, он не дал ей никакого определенного ответа, который бы отвадил ее подозрения.

Что до месье Кабанеля, то он был человеком без воображения и не подозрительным; человеком, который легко относился к жизни и не боялся обидеть других; человеком эгоистичным, но не жестоким; человеком, для которого собственное удовольствие было превыше всего и который не мог вообразить, чтобы кто-то оказывал ему сопротивление или проявлял недостаточно любви и уважения. И все же он любил свою жену так, как никогда прежде не любил ни одну женщину. Каким бы грубоватым и простодушным он ни был, он любил ее со всей силой и страстью поэтической натуры, спрятанной глубоко внутри, и хоть таковая была не слишком сильна, зато ее можно было смело считать искренней. Но и он начал сомневаться, когда то Адель, то доктор таинственно намекали то на дьявольское влияние, то о том, что ему следует быть осторожным, особенно с тем, что он ест и пьет, как это приготовлено и кем. Адель намекала на вероломство англичанок и на то, что светлые волосы и свежий цвет лица были признаками дьявола. Как бы он ни любил свою молодую жену, это постоянное подливание яда не прошло бесследно. Но все же это имело незначительный эффект, что говорило о его стойкости и преданности.

Однажды вечером, когда мадам вышла на свою обычную прогулку, Адель в агонии припала к его ногам.

— Почему вы бросили меня ради такой, как она? — воскликнула она. — Меня, которая любила вас и была верна вам, ради нее, которая гуляет среди могил, пьет вашу кровь и кровь нашего ребенка. Она не любит вас, у нее только и есть, что ее дьявольская красота.

Месье Кабанеля будто ударило электрическим током.

— Каким же я был жалким дураком! — сказал он, положил голову на плечо Адель и зарыдал.

Ее сердце прыгало от радости. Суждено ли восстановить ее власть? Неужели она будет избавлена от соперницы?

С того вечера отношение месье Кабанеля к его молодой жене изменилось, но та была слишком добродушна и доверчива, чтобы что-либо заметить, а если и заметила — так она любила его не слишком сильно, скорее относилась к нему дружелюбно, поэтому и не беспокоилась, когда в его привычные манеры прокрались холодность и резкость. Она приняла это с таким же добродушием, как и все остальное. Было бы разумнее, если бы она расплакалась, устроила сцену и вступила в открытую перепалку с месье Кабанелем. Они бы лучше поняли друг друга; французам нравится громко ссориться, а затем мириться.

По природе добросердечная, мадам Кабанель часто ходила по деревне и предлагала больным свою помощь. Но никто из них, даже самые бедные — на самом деле, самые бедные как раз меньше всего — не встретил ее вежливо и не принял ее помощь. Если она хотела дотронуться до умирающего ребенка, мать, содрогаясь, поспешно брала его к себе на руки; если она заговаривала с больным, бледные глаза смотрели на нее со странным ужасом, а слабый голос бормотал слова на диалекте, которого она не могла понять. Но всегда звучало одно и то же слово: «Бруколак!»

«Как же сильно эти люди ненавидят англичан!» — думала она, отворачиваясь, немного подавленная, но слишком флегматичная, чтобы испытывать дискомфорт или глубокую тревогу.

Дома происходило то же самое. Если она хотела сделать что-нибудь для ребенка, Адель яростно отказывала ей. Однажды она грубо вырвала его из ее объятий, сказав при этом:

— Гнусный бруколак! Прямо у меня на глазах?

Однажды, когда Фанни забеспокоилась о муже и предложила приготовить ему чашку английского бульона, доктор посмотрел на нее так, словно хотел пронзить взглядом. Адель опрокинула кастрюльку.

— Недостаточно быстро для вас, мадам? — дерзко спросила она, но в глазах ее стояли горячие слезы. — Не так быстро, сперва вам придется убить меня!

На все это Фанни ничего не ответила, лишь подумала о том, что доктор был очень груб, так пристально глядя на нее, а Адель ужасная злючка со вспыльчивым характером. Как она не похожа на английскую экономку!

Но месье Кабанель, которому рассказали об этой сцене, подозвал Фанни к себе и спросил более ласковым голосом, чем обычно в последнее время:

— Ты не причинишь мне вреда, женушка? Не сделаешь ничего плохого? Ведь ты добра и любишь меня?

— Плохого? Что плохого я могу сделать? — удивилась Фанни, широко открыв свои голубые глаза. — Что плохого я могу сделать своему лучшему и единственному другу?

— А я твой друг? Твой возлюбленный? Твой муж? Ты любишь меня, дорогая? — спросил месье Кабанель.

— Дорогой Жюль, кто может быть дороже и ближе тебя? — ответила она и поцеловала его.

— Да благословит тебя Господь! — пылко сказал он.

На следующий день месье Кабанеля вызвали по срочному делу. Он сказал, что может отлучиться на два дня, но постарается вернуться раньше. И молодая жена осталась одна среди своих врагов, даже без такой ненадежной охраны, которую могло подарить его присутствие.

Адель ушла. Стояла темная, жаркая летняя ночь, и маленький Адольф был более возбужден и беспокоен, чем обычно. К вечеру ему стало еще хуже; и хотя Жаннет были даны указания строго-настрого запретить мадам прикасаться к нему, она испугалась состояния мальчика; и когда мадам вошла в маленькую гостиную, чтобы предложить свою помощь, Жаннет с радостью избавилась от слишком тяжелой для нее ноши и позволила леди взять его на руки.

Сидя с ребенком на коленях, Фанни ворковала с ним и успокаивала его, напевая негромкую и нежную колыбельную. Ей показалось, что приступ боли прошел, и мальчик заснул. Но он прикусил губу и язык, и кровь сочилась у него изо рта. Он был хорошеньким мальчиком, и смертельная болезнь сделала его трогательно прекрасным. Фанни наклонила голову, поцеловала бледное неподвижное лицо — и кровь, которая была на его губах, осталась на ее.

Она продолжала склоняться над ним — ее женское сердце тронула таинственная сила и предвидение собственного будущего материнства, — и вдруг Адель в сопровождении старого Мартина и еще нескольких жителей деревни ворвалась в комнату.

— Взгляните на нее! — закричала она, схватив Фанни за руку и поднимая ее лицо за подбородок. — Смотрите, что она делает! Друзья, посмотрите на мое дитя — мертвое, мертвое у нее на руках; а на ее губах его кровь! Вам нужны еще доказательства? Она вампир, вы видите это собственными глазами!

— Да! Да! — хрипло взревела толпа. — Она вампир — существо, проклятое Богом и враг рода человеческого! Тащите ее к колодцу. Она должна умереть, как заставила умирать других!

— Умри, как обрекла на смерть моего мальчика! — сказала Адель.

И многие из тех, кто потерял родственника или ребенка во время эпидемии, повторили ее слова:

— Умри, как обрекла на смерть моего!

— Что все это значит? — спросила мадам Кабанель, поднявшись и обращаясь к толпе с храбростью истинной англичанки. — Что плохого я сделала кому-либо из вас, что вы явились ко мне, когда мой муж отсутствует, почему ваши взгляды столь сердиты, а слова дерзки?

— Что плохого ты сделала? — воскликнул старый Мартин, подходя к ней вплотную. — Ты колдунья и околдовала нашего доброго хозяина, ты вампир и питаешься нашей кровью! Разве у нас нет доказательств? Посмотри на свой рот, проклятый бруколак; и вот здесь лежит твоя жертва, которая обвиняет тебя в своей смерти!

Фанни презрительно рассмеялась:

— Я не собираюсь отвечать на ваши глупые обвинения, — сказала она, подняв голову. — Вы мужчины или дети?

— Мы мужчины, мадам, — ответил мельник Легро, — и как мужчины мы должны защищать тех, кто слабее. У нас были подозрения — и у меня больше, чем у других, ведь трое моих малышей были забраны на Небеса раньше срока, — и теперь они подтвердились.

— Я ухаживала за умирающим ребенком и делала все возможное, чтобы успокоить его! — воскликнула мадам Кабанель с невольной горячностью.

— Больше ни слова! — крикнула Адель и потащила мадам за руку, которую все это время не выпускала. — К колодцу ее, друзья мои, если не хотите увидеть, как все ваши дети умрут, как умер мой, и как умерли дети нашего доброго Легро!

Дрожь сотрясла толпу, и раздался стон, прозвучавший как проклятие.

— К колодцу! — кричали они. — Пусть демоны заберут ее!

С молниеносной быстротой Адель связала сильные белые руки, форма и красота которых так часто сводили ее с ума от ревности; и прежде чем бедная девушка успела закричать, Легро зажал ей рот своей мускулистой рукой. Хотя уничтожение монстра, по их мнению, не было убийством человека, все же они не хотели, чтобы их нервы были расшатаны криками мадам Кабанель, которые звучали так по-человечески. Безмолвный и мрачный, этот ужасный кортеж направился в лес, неся беспомощный живой груз с кляпом во рту, словно труп. За исключением Адель и старика Мартина, ими двигала не столько личная неприязнь, сколько желание защитить себя. Они были палачами, а не врагами; они свершили самосуд, а не действовали в рамках закона. Но постепенно толпа уменьшалась, пока их не осталось всего шестеро; в их числе были Легро и Лесуф, потерявший единственную сестру.

Колодец находился примерно в полутора километрах от дома Кабанелей. Темное и безлюдное место, куда не каждый храбрейший человек осмелился бы пойти один после наступления темноты даже в сопровождении кюре, но компания придает смелости, сказал старый Мартин Бриолик; и полдюжины крепких мужчин во главе с такой женщиной, как Адель, не побоялись ни лютенов, ни Белых дам.

Они несли свою ношу так быстро, как могли, и все это в полном молчании, кортеж двигался по торфянику; ночь была темна и один или двое несли факелы, путь был небезопасным. Они приближались к роковому месту, и ноша становилась все тяжелее. Она давно перестала сопротивляться и теперь лежала как мертвая в руках своих носильщиков. Но никто не говорил ни об этом, ни о чем-либо другом. Они не обменялись ни единым словом; и кое-кто из тех, кто остался, начали сомневаться, мудро ли они поступают и не лучше ли было сделать все по закону. Только Адель и Мартин оставались тверды в своем намерении, Легро тоже, но он был слаб и по-человечески сожалел о том, что ему предстояло сделать. Что касается Адель, то ревность женщины, страдания матери и суеверный страх подействовали на нее так, что она и пальцем бы не пошевелила, чтобы облегчить страдания своей жертвы или наконец понять, что она такая же женщина, как и она сама, а не вампир.

Становилось все темнее, и они приближались к месту казни, наконец они достигли края колодца, куда хотели сбросить это страшное чудовище, этого вампира — невинную бедняжку Фанни Кабанель. Когда они опустили ее, свет факелов осветил ее лицо.

— Великий боже! — воскликнул Легро и снял шляпу. — Она мертва!

— Вампир не может умереть, — сказала Адель, — это лишь видимость. Спроси отца Мартина.

— Вампир не может умереть, пока его не заберет дьявол или пока его не похоронят с колом в сердце, — наставительно сказал Мартин Бриолик.

— Мне это не нравится, — сказал Легро, и то же самое сказали и остальные.

Они вытащили кляп изо рта бедной девушки. Она лежала в мерцающем свете, ее голубые глаза были приоткрыты, а бледное лицо было белее смерти. На мгновение в жителях деревни проснулось сочувствие, словно над ними пронесся ветерок.

Вдруг они услышали стук лошадиных копыт, прогрохотавший с равнины. Они насчитали двоих, четверых, шестерых; а их было всего четверо безоружных мужчин, не считая Мартина и Адель. Им грозили человеческая месть с одной стороны и злоба злых духов — с другой. Храбрость их угасла и они потеряли присутствие духа. Легро в отчаянии бросился в темный лес, Лесуф последовал за ним, двое других побежали по равнине, а всадники в это время подъезжали все ближе и ближе. Только Адель держала факел высоко над головой, освещая себя, обуреваемую страстями и жаждой мести, и мертвое тело своей жертвы. Она не хотела ничего скрывать; она сделала свое дело и теперь наслаждалась им. Всадники устремились к ней — первым был Жюль Кабанель, за ним следовали доктор и четверо сельских полицейских.

— Негодяи! Убийцы! — сказал Жюль, спрыгнув с лошади и прижавшись своими губами к бледному лицу жены.

— Господин, — сказала Адель, — она заслуживала смерти. Она вампир, она убила нашего ребенка.

— Вздор! — воскликнул Жюль Кабанель, отбрасывая ее руку. — О, моя любимая жена! Ты, не причинившая вреда ни человеку, ни зверю, убита людьми, которые хуже животных!

— Она убивала вас, — возразила Адель. — Спросите месье доктора. Чем болел хозяин, месье?

— Не втягивайте меня в этот позор, — сказал доктор, осматривая мертвое тело. — Что бы ни случилось с месье, с ней не следовало так поступать. Вы стали ее судьей и палачом, Адель, и вы должны ответить за это перед законом.

— Вы тоже так считаете, господин? — спросила Адель.

— Я тоже так считаю, — ответил месье Кабанель. — Вы должны ответить за невинную жизнь, которую вы так жестоко отняли. Вы и все глупцы и убийцы, которые примкнули к вам.

— Неужели не нужно было отомстить за нашего ребенка?

— Вы решили сделать это вместо Бога, женщина? — грозно спросил месье Кабанель.

— А как же годы нашей любви, хозяин?

— Они лишь напоминают о ненависти, Адель, — ответил месье Кабанель и вновь повернулся к бледному лицу своей мертвой жены.

— Тогда мое место свободно, — горько зарыдала Адель. — Ах, мой маленький Адольф, как хорошо, что ты ушел раньше!

— Подождите, мадам Адель! — крикнул Мартин.

Но прежде чем он успел протянуть руку, Адель с криком бросилась в колодец, в котором надеялась похоронить мадам Кабанель, они услышали, как ее тело, пролетев большое расстояние, ударилось о воду, издав глухой всплеск.

— Против меня нет доказательств, Жан, — сказал старый Мартин стражнику, который держал его. — Я не завязывал ей рот и не нес на своих плечах. Я могильщик Пьевро, и, право, всем вам, бедным созданиям, будет худо, когда вы умрете, а меня не будет! Я буду иметь честь выкопать могилу для мадам, не сомневайтесь в этом. И, Жан, — прошептал он, — эти богатые аристократы ничего не знают и могут говорить все, что им заблагорассудится. Она вампир, и в нее нужно вонзить кол! Мне лучше знать! Если не сделать этого, она восстанет из могилы и высосет нашу кровь, так делают все вампиры.

— Молчать! — приказал стражник. — В тюрьму вместе с убийцами, и не распускай язык.

— В тюрьму с мучениками и благодетелями, — парировал старый Мартин. — Вот так вы вознаграждаете лучших граждан!

И в этой вере он жил и умер в Тулоне, до последнего утверждая, что оказал миру добрую услугу, избавив его от чудовища, которое иначе уничтожило бы всех до единого жителей Пьевро, и этим увековечил свое имя. Но Легро и его друг Лесуф серьезно сомневались в том, что поступили правильно в ту темную летнюю ночь в лесу. Хотя они всегда утверждали, что ими двигали лишь благие побуждения и их не следовало наказывать, все же со временем они перестали верить старому Мартину Бриолику и поставили под сомнение его мудрость. Они продолжали молоть муку и чинить обувь деревенских жителей и жили праведно, как учил месье кюре и их жены.

5. Создание Дракулы

«В последний раз в Лондоне у меня осталось немного свободного времени, и я побывал в библиотеке Британского музея — полистал книги по Трансильвании, посмотрел ее географические карты, понимая, что некоторые познания об этой области будут нелишними в моем общении с трансильванским аристократом… Хотел бы кое-что пояснить — потом, когда буду рассказывать Мине о своем путешествии, эти заметки помогут мне лучше все вспомнить.»

Дневник Джонатана Харкера,
глава I «Дракулы» Брэма Стокера (1897)

«Этот человек принадлежит мне»

Когда в 1983 году издательство Оксфордского университета объявило, что собирается переиздать «Дракулу» Брэма Стокера под номером сто в серии «Мировая классика», оно сделало это так, словно смотрело вниз с огромной высоты какой-то башни из слоновой кости. По словам прессы, великие признанные классики «несомненно перевернулись бы в своих могилах», если бы узнали, что в будущем им предстоит стоять на одной полке с Брэмом Стокером. И когда романист и биограф Эндрю Уилсон удостоился написать вступление к изданию, он выбрал еще более извиняющийся тон:

> Очевидно, что «Дракула»... не великое литературное произведение. Написано мощно, но рассчитано на однодневную сенсацию. Никто в здравом уме не стал бы считать Стокера «великим писателем». Допустимо ли утверждать, что кто-то, кто *не* является великим писателем, написал классику?... [Заставляя] ваши волосы вставать дыбом. А это именно то, что происходит, когда читаешь «Дракулу» с первой и до последней страницы.

Помимо всего прочего, добавляет Уилсон, Стокер даже не потрудился провести достаточно исследований в процессе создания своего magnum opus. Подразумевается, что, если бы он был ученым, он мог бы заслужить свое место среди других хотя бы на этом основании:

> Очевидно, Стокер был достаточно хорошо знаком с лучшими образцами вампирской литературы: «Вампир Варни», «Кармилла» и т. д. Похоже, что он провел некоторые — но очень незначительные — исследования для своего сочинения и, подобно Джонатану Харкеру, «посетил Британский музей и поискал в библиотеке карты и книги о Трансильвании»... Воображение [Стокера] не было уникальным и оригинальным. Вампиры — как в «Варни» и у Ле Фаню, место действия и персонаж определились спустя несколько часов, проведенных в Британском музее. Что еще можно сказать об оригинальности или достижениях Брэма Стокера?

Ответ таков: очень много. Очевидно, что Эндрю Уилсон очень мало изучал этот вопрос, иначе его вывод не был бы таким тщедушным. Более чем за десять лет до публикации его предисловия «оригинальные примечания и заметки о «Дракуле»« были приобретены «Фондом Розенбаха в Филадельфии» на аукционе «Сотбис» в Лондоне в 1970 году спустя шестьдесят лет после того, как они были впервые проданы (вероятно, ливерпульскому книготорговцу). Одной из первых публикаций о них была заметка в журнале 'Notes and Queries' за январь-февраль 1977 года, где Джозеф С. Бирман писал:

> Материалы Стокера представляют собой рукописные и машинописные заметки, датированные и недатированные, о многочисленных темах, представляющих первостепенный или второстепенный интерес для писателя, который продумывал место действия, персонажей и сюжет истории о сверхъестественном. Топографические и ландшафтные описания, обычаи и традиции, упоминаемые в работах современных путешественников по дунайским странам; заметки о теории сновидений; расшифровки надписей на надгробиях; записи бесед со старыми моряками и береговой охраной; а также примечания к самому роману.

Бирман мог бы добавить: заметки из книг по некромантии и естественной истории; библиография работ о мифах и суевериях и их анализ; материалы о травмах головы и удалении тромбов (заверенные старшим братом Брэма, Уильямом, который стал с гордостью зваться «Сэр Уильям Торнли Стокер» после его посвящения в рыцари в 1985 году); примечания о вампирах Малайзии; железнодорожное расписание; справочники о погоде.

Эти примечания и заметки, составляющие около восьмидесяти страниц рукописного и машинописного текста (собранные в три тома) — убедительное доказательство того, что, как бы ни оценивали его талант как писателя, Брэм Стокер провел много исследований, когда работал над своим шедевром. Первые заметки датированы 14 марта 1890 года (за восемь месяцев до того, как он опубликовал свой первый роман «Змеиный перевал»), а последние были написаны 5 апреля 1896 года (после того, как он опубликовал еще семь рассказов и два своих романа: «Воды Моу» и «Плечо Шасты»). Таким образом, книга, которой суждено было стать «Дракулой», занимала его мысли по меньшей мере шесть лет, а затем еще и четырнадцать месяцев до публикации в мае 1897 года.

Судя по «Заметкам», исследования Стокера, которым он уделял время в драгоценные дни или недели, свободные от его утомительных обязанностей в театре «Лицеум», охватывали ряд различных мест: Уитби, Йоркшир (где летом 1890 года он расшифровал разговоры с бывалыми моряками и записал 87 имен с надгробных плит церковного кладбища на вершине утеса, включая «Энн Суэйлс, 6 февраля 1795 года» — этим именем позже был назван пожилой моряк Суэйлс), зоопарк в Риджентс-парке (где он размышлял о том, какое влияние может оказать вампир на животных в клетке), его кабинет в Лицеум и, безусловно, библиотека Британского музея. Вероятно, что мюнхенские происшествия, с которых начинается стенографический журнал Джонатана Харкера, были основаны на воспоминаниях Стокера о его поездке в Южную Германию в середине 1880-х годов — по поручению Генри Ирвинга он отправился выяснять детали для гастролей «Фауста», новой постановки Лицеума. И мы знаем, что поездки Стокера в Порт-Эрролл (ныне

Круден-Бей) на северо-западе Шотландии, на побережье Бьюкен, к северу от Абердина в течение нескольких летних месяцев, начиная с 1893 года, обеспечили подходящую обстановку для работы над большей частью романа. Некоторые даже предполагали, что у «Дракулы» может быть шотландская фольклорная основа — близлежащий замок Слейнс, дом графов Эрролл, стал известен как «Замок Дракулы», — но доказательств этому очень мало. Комментарий Флоренс Стокер от 1927 года: «Это была уединенная часть восточного побережья Шотландии, и он, казалось, был одержим духом этого места. Он мог часами сидеть там, как огромная летучая мышь, примостившись на прибрежных камнях... в раздумьях». Излишне говорить, что Брэм Стокер никогда не посещал земли за лесом.

Обнаружение «Записок» помогло пролить свет на некоторые недоразумения, связанные с созданием «Дракулы». Вкратце они показывают, что:

1. Стокер начал планировать написание книги в 1890 году (а не в 1895-м или 1896-м, как утверждали его ранние биографы).

2. Предполагалось, что действие книги будет происходить в 1893 году (бывший государственный служащий Стокер был дотошен и даже одержим в отношении дат, расписания поездов и погодных условий, и он предпринял несколько попыток «подогнать» временны́е рамки).

3. Эпистолярная форма, ставшая популярной благодаря Уилки Коллинзу, была определена с самого начала.

4. Первоначально граф был графом, затем несколько прозаично «графом Вампиром»; первое прямое упоминание о «графе Дракуле» встречается 29 февраля 1892 года, после того как Стокер обнаружил это имя в книге Уильяма Уилкинсона летом 1890 года.

5. Первоначально (в 1890 году) действие романа должно было происходить в Австрийской Штирии; только позже (к 1892 году) Стокер решил перенести действие на восток, в Трансильванию, прочитав различные рассказы путешественников середины Викторианской эпохи о регионе, который сейчас называется Румынией.

6. С самого первого возникновения идеи и в течение нескольких последующих лет история представляла собой серию писем от юристов и от графа к этим юристам о предполагаемой покупке недвижимости в Англии (Стокер, который сам получил право стать адвокатом в 1890 году, похоже, был очарован деталями передачи имущества, а также тем, что он называет «перевозкой тел», и его герой в законченном романе узнает — как раз перед тем, как отправиться в Трансильванию, — что он сдал экзамены и стал «полноправным адвокатом»).

7. Затем с новоиспеченным адвокатом Джонатаном Харкером должно было произойти множество событий в Мюнхене по пути в графский замок: инцидент в мюнхенском морге, где Харкер впервые видит графа (хотя он осознает это гораздо позже); «приключение снежной бури и волка» (переработанная версия которого должна была превратиться позже в рассказ «Гость Дракулы», опубликованный в 1914 году); а также посещение Старой Пинакотеки (где, как можно предположить, Харкера очень поразили «Два сатира» Рубенса) и оперы, чтобы посмотреть — что же еще? — «Летучего голландца» Вагнера. Все это, по-видимому, оставалось в романе вплоть до финальной стадии разработки.

Полная версия текста, сделанного наборщиком, была опубликована в 1977 году, а на данный момент находится в частной коллекции. Она позволяет предположить, что первые три главы были вырезаны в самый последний момент.

8. Обновленные Стокером «правила» поведения вампиров — или, другими словами, его дополнения к ним — были придуманы на раннем этапе, хотя на самом деле в самых первых заметках нет явного упоминания о вампиризме.

9. Основная структура книги — Восточная Европа, Уитби, Лондон и его окрестности, — была определена с самого начала. Структура, подозрительно напоминающая «краткое описание декораций» в программе Лицеума— четыре акта, в каждом из них по семь сцен, многие из них с готовыми сюжетными линиями.

10. Окончательное название книги (важный фактор, способствовавший ее популярному успеху) было выбрано очень поздно. В своих

«Заметках» Стокер не был уверен, назвать ли ее «Нежить» или «Мертвая нежить», и мы знаем, что в его контракте с издательством «Констебл энд Компани», подписанном 20 мая 1897 года, упоминается только название «Не-мертвый». Это остается загадкой, поскольку книга была опубликована в том же месяце (таким образом, обе стороны знали о названии «Дракула» и подзаголовке «Или Не-мертвый» еще до подписания контракта).

Прежде всего, «Заметки», хранящиеся в Фонде Розенбаха, подтверждают, что сон (действительно ли это был кошмар?), из которого в конечном итоге возник роман, и в самом деле существовал.

В марте 1890 года Брэм Стокер написал на клочке бумаги почерком, который он всегда называл «на редкость плохим почерком»: «Молодой человек выходит на улицу, видит девушек, одна из них пытается поцеловать его не в губы, а в шею. Старый граф вмешивается — яростный и неистовый… Этот человек принадлежит мне, я хочу его.» Шесть дней спустя он повторил: «Одиночество, поцелуй «этот человек принадлежит мне». И снова, в феврале 1892 года, на одной из многочисленных «структур» он набросал: «Бистрица — перевал Борго — Замок — Вергилиев оракул — Принадлежит мне». И стенографически, снова и снова, в течение нескольких следующих лет: «и посетители — это сон — женщины наклоняются, чтобы поцеловать его, ужас смерти. Внезапно граф отталкивает ее: «Этот мужчина принадлежит мне»; «15 мая, понедельник, женщины целуют»; «Книга I, глава 8, принадлежит мне».

Какими бы ни были изменения, произошедшие с романом между 1890 и 1897 годами касательно его начала, персонажей, злодеев, мест действий и продолжительности, одно оставалось неизменным вплоть до дня публикации — то, что Джонатан Харкер написал в своем дневнике от 16 мая: «Вероятно, я заснул; надеюсь, заснул, однако все последовавшее было настолько реально… никак не могу поверить, что все это мне приснилось…»

Сын Брэма, Ноэль Торнли Стокер, всегда утверждал, что отец рассказывал ему, что история появилась вследствие жуткого ночного кошмара — факт, который побудил его ранних биографов Гарри Ладлэма (1962) и Дэниэла Фарсона (1975) выдвинуть предположение о «слишком щедрой порции крабов в соусе на ужин», а затем что-то о «короле вампиров, восставшем из могилы».

«Заметки», безусловно, подтверждают эту историю с кошмаром, но не так просто и безвкусно, словно он из викторианской мелодрамы. В нем участвуют три сексуально активные женщины, чьи «поцелуи» (как их образно называет Стокер) предназначены для менее сексуально активного мужчины, который в это время испытывает «некоторое влечение… и какой-то ужасный страх» — это кошмар, который внезапно обрывается, когда граф-демон шипит: «Этот человек принадлежит мне!» Затем он говорит трем женщинам-вампирам, что «тоже может любить», сразу после того, как «внимательно посмотрел на лицо [Харкера]». Недавно получивший квалификацию, но совершенно лишенный воображения, юрист вообще не знает, что с этим делать. Лучшее, что он смог придумать, это то, что Дракула «определенно оставил у меня впечатление, что из него получился бы замечательный стряпчий»! В марте 1890 года, пытаясь изгнать тот же (или похожий) кошмар, Брэм Стокер начал планировать создание «Нежити». Своевременное напоминание — по мере того, как мы изучаем его «Основные заметки и данные» — что этот роман не просто нагромождение фрагментов информации об авторе (как это обычно трактуется исследователями и в последние годы); это также структура, скрепленная воедино под поверхностью текста. Возвращаясь к предисловию А. Н. Уилсона, возможно, именно это в конечном итоге продвинуло Брэма Стокера с третьего места в высшую лигу благодаря книге «Дракула».

Рабочие документы Брэма Стокера по «Дракуле»

Большая их часть включена в том 1 Заметок Стокера Фонда Розенбаха с некоторыми начальными элементами тома 2. Они состоят из сюжетных линий, заголовков глав, списков персонажей, страниц с оглавлением, графиков и различных отметок о поведении и характеристиках вампиров. В Заметках не делается попыток расположить эти документы в хронологическом порядке; порядок предположительно тот же, что и при выставлении лота на аукцион Сотбис в понедельник 7 июля 1913 г., через четырнадцать месяцев после смерти Стокера, поскольку документы в томе 1 пронумерованы последовательно с первого по тридцать шестой.

Я расположил последовательность заметок Стокера, чтобы представить их — насколько это возможно на основе имеющихся данных — в хронологическом порядке. Я сосредоточился на происхождении глав I–III опубликованного романа, первых трех главах журнала Джонатана Харкера, от его прибытия в Бистрицу 3 мая до ночного визита «трех молодых женщин в ночь с 15 на 16 мая». Это не только самые известные главы «Дракулы» на сегодняшний день — они воссоздаются на экране в главных экранизациях романа — но они же и главы, для которых Брэм Стокер провел наиболее интересные исследования. Это изложение документов — пересказ оригинальных рукописей — призвано дать читателю возможность проследить различные «этапы», через которые проходили начальные главы «Дракулы», как сам Стокер формировал и перерабатывал их с марта 1890 по апрель 1896 года.

Первые заметки датированы «8/3/90» и представляют собой краткий набросок начальной части романа. На этом раннем этапе роман должен был начаться с письма от Графа поверенному, за которым последовала обширная юридическая переписка с участием президента Юридического общества, поверенного по имени Абрахам Ааронсон, и еще одно письмо от графа, из Штирии, с просьбой к Ааронсону приехать лично или прислать надежного агента, который, как он оговаривает, не владеет немецким языком[1].

Затем должны были быть письма от надежного агента своему принципалу и его подруге, описывающие путешествие в замок в Штирии, включая посещение Мюнхенского морга, затем поездку на поезде в Штирию, где его встречает кучер (который на самом деле является Графом) на вокзале[2].

---

[1] Авраам Ааронсон должен был стать Питером Хокинсом, стряпчим из Эксетера, а в опубликованном романе деловая операция графа — покупка поместья в Пурфлите — рассматривается во флешбэке, во второй главе дневника Харкера (записи за 5 и 7 мая). Единственный юридический документ, переживший переход от заметок к готовому тексту, — это девятистрочная выдержка из запечатанного письма Питера Хокинса, которое граф передает Харкеру. В остальном все подробности вытекают из двух разговоров между Дракулой и его гостем. В этих записках, написанных в марте 1890 года, граф, очевидно, живет в Штирии (именно там происходит действие «Кармиллы» Ле Фаню). Поскольку Штирия была в основном немецкоязычной, условие, что агент не говорит по-немецки, предположительно должно было защитить графа от сплетников-крестьян. Как отмечает историк Клайв Лезердейл, в рассказе Стокера «Гость Дракулы» Джонатан Харкер не говорит по-немецки — «трудно было спорить с человеком, — пишет Харкер, — когда я не знал его языка», — тогда как в окончательной версии «Дракулы» на первой же странице нам сообщают, что он «немного знает немецкий… более того, я не знаю, как мне без него обойтись».

[2] Этот мюнхенский инцидент Стокер развивает в последующих записках. В нем Харкер впервые видит графа возле покойницкой; только когда Харкер благополучно возвращается в Англию, а граф выглядит точно так же, как в Мюнхене, молодой адвокат осознаёт связь. Инцидент пережил смену места действия со Штирии на Трансильванию.

Далее в письмах описывается прибытие в старинный замок, первое появление графа (в образе самого себя) с его дьявольскими темными глазами, а также атмосфера, царящая в замке, где старый граф кажется живет один, но на самом деле это не так. Далее следует инцидент с девушками, которые пытаются поцеловать его не в губы, а в горло, кульминацией которого становится фраза графа: «Этот человек принадлежит мне, я хочу его». После этого молодой адвокат рассказывает, что стал пленником в замке, и, чтобы скоротать время, обращается к своему юридическому справочнику Sortes Virgilianae: ему поручено купить для графа большое поместье с освященной церковью на территории, расположенной у реки[1].

Следующие заметки — это, по сути, ранний список персонажей романа. В него (на март 1890 года) входят Абрахам Ааронсон, клерк адвоката, который отправляется в Штирию, сумасшедший доктор, сумасшедший пациент с «теорией вечной жизни», «историк-философ», немецкий профессор истории, детективный инспектор, гробовщик, девушка, которая умирает, другая девушка — яркая и скептическая сестра молодого адвоката, и двое слуг графа в Лондоне (немой мужчина и немая женщина), которые, как говорят, находятся под контролем злых сил Графа[2].

---

[1] Это самый ранний пример того, как Брэм Стокер расширяет «правила» вампирского жанра: граф, оказывается, должен покоиться в освященной земле. Таких расширений будет еще больше. Особенностью Стокера было смешение фольклора и вампирских преданий, а также его собственное воображение.

[2] В этом списке персонаж, которому предстояло стать голландским профессором Абрахамом ван Хельсингом, был не менее чем тремя отдельными персонажами: историком, немецким профессором истории и детективом-инспектором. В итоге Ван Хельсингу предстояло стать историком-философом, философом, священником, детективом и ученым. Детективный элемент истории, очевидно, должен был быть сильнее на ранних этапах: в последующих заметках есть упоминания о «выслеживании преступника» и о том, что следопыты графа оказываются в затруднительном положении, поскольку им «не хватает подсказки о местонахождении». Также в этом списке у графа есть два странных слуги в Лондоне, тогда как в «Дракуле» одним из самых атмосферных штрихов Стокера было то, что граф — потрепанный аристократ, без слуг — все домашние дела он делает сам. Хотя граф извиняется перед Харкером: «Моих людей нет»,

Далее следует полный набросок глав, написанный на почтовой бумаге театра Лицеум и датированный «14/3/90». Набросок состоит из четырех «книг» — «От Штирии до Лондона», «Трагедия», «Разоблачение» и «Наказание», каждая из которых разбита на семь глав. Он похож на страницу синопсиса театральной программы.

Первая книга начинается с переписки адвоката и поездки клерка в Штирию через Мюнхен (где он встречает «волков» и «голубое пламя»). Приехав в замок, он испытывает «одиночество, поцелуй «этот человек принадлежит мне»». Затем на смену приходит дневник доктора Сьюарда, в котором содержатся подробности о старой часовне и Sortes Virgilianae («записки в письмах»), а также о неком, ловящем мух пациенте, который, как добавляется в записках, влюблен в смерть[1].

Вторая книга начинается в Уитби, Йоркшир, с рассуждений о странных происшествиях, шторме, прибытии корабля и Люси, ходящей во сне. Затем в Лондоне проходит свадьба Мины, за которой следует ночь ужаса («волк пропал») и визит графа Дракулы в психиатрическую лечебницу. Книга заканчивается смертью Люси («трагедия» из названия книги), открытием гробницы и клятвой[2].

Третья книга открывается дневником Харкера, различными подозрениями и расспросами, и «Ужином». Мина начинает подозревать графа, и техасец отправляется с визитом в Трансильванию, где оказывается «на подхвате». Дом графа обыскивают в поисках улик и обнаруживают

молодой адвокат понимает, что у графа нет «людей», когда обнаруживает, что хозяин заправляет кровать и накрывает на стол. Персонаж Мины Харкер на этом этапе должен был стать «проницательной, скептической сестрой» молодого адвоката.

[1] Название «Штирия» было сначала написано Стокером, а затем, несколько позже, удалено, чтобы освободить место для «Трансильвании». Имена Сьюард, Люси, Мина и Харкер были написаны в первый раз. Это может означать, что между 8 и 14 марта 1890 года Брэм Стокер остановился на этих именах. Персонаж (или персонажи) Ван Хельсинг вообще не появляется в этом наброске.

[2] Имя «граф Дракула», очевидно, была добавлена позже, между главами V и VI второй книги, как и еще одно упоминание «Дракулы» в главе III третьей книги. До этого он был «графом Вампиром».

«кроваво-красную комнату». Граф исчезает, но в конце книги его видит Харкер[1].

Четвертая книга открывается очередным званым ужином и комитетом бдительности. Сеть замыкается на графе («оставшаяся земля»), и действие снова переносится в Штирию. Последняя глава, озаглавленная «Рассказ туриста», включает «одного убитого волком (wehr?)» и завершается памятной запиской «Приведите техасца». Далее следует еще один список персонажей, на этот раз под заголовком Historiae Personae, в который включены некоторые персонажи, которые должны были появиться в готовом романе: Доктор Сьюард, «девушка, обрученная с ним», Люси Вестенра, адвокат Питер Хокинс из Эксетера, его клерк Джонатан Харкер, невеста Харкера,

[1] Изначально у Брэма Стокера была идея включить в третью книгу сцену званого ужина (у доктора Сьюарда), где каждому из тринадцати обедающих дается номер и предлагается рассказать о чем-то странном, причем «порядок цифр» делает историю завершенной. В конце концов, граф должен был войти в комнату. Эта странная вариация на тему «Каждый из нас напишет историю о призраке» лорда Байрона (в конце которой, в некотором смысле, вошел Вампир) также, возможно, связана с одним из самых странных выступлений Стокера, которое было серийно опубликовано 30 января 1892 года в журнале «Джентльвумен». Это была 10-я глава «Судьбы Фенеллы», остальные девять глав были написаны «известными писателями-фантастами, не посоветовавшимися со своими соавторами, в результате чего получился… литературный курьез»; среди них были Артур Конан Дойл и Ф. Энсти. «Судьба Фенеллы» была опубликована в полном виде позднее в том же году. В конце концов Стокер отказался от идеи «ужина тринадцати». Позже, в третьей книге, техасец (пока еще безымянный) должен был самостоятельно посетить Трансильванию и, возможно, быть убитым волком-оборотнем. В окончательной версии «Дракулы» Квинси П. Моррис становится жертвой «цыганских ножей», но он имеет настолько косвенное отношение к остальному сюжету, что некоторые комментаторы даже предположили, что он тайно состоит в союзе с самим графом (в некоем американо-трансильванском нечестивом союзе). Моррис (сначала названный Брутом) также изначально был «изобретателем из Техаса», «туристом» и образцом янки-эксперта, который вооружается новейшем пулеметом «Максим» для финального штурма замка. Упоминания Стокера о «комитете бдительности» и «вечеринке в галстуках» свидетельствуют о том, что на определенном этапе роман имел большую связь с Западом в сознании автора, как и его роман «Плечо Шасты», опубликованный в октябре 1895 года.

учительница Вильгельмина Мюррей, известная как Мина, безумный пациент с «теорией получения жизни» и техасец по имени Брутус Моррис. В роман включено еще больше персонажей, не переживших процесс написания: два адвоката, их имена Артур Эббот и Вм. Янг, подруга и школьная подруга Мины по имени Кейт Рид, два английских слуги графа, детектив по имени Котфорд, агент по исследованию психики по имени Альфред Синглтон, американский изобретатель из Техаса (без имени), немецкий профессор по имени Макс Виндшоффель и художник по имени Фрэнсис Эйтун. На этом раннем этапе граф все еще назывался графом Вампиром[1].

Следующий документ, снова написанный на бумаге театра Лицеум, состоит из трех коротких списков «характеристик графа Вампира». Согласно записям Стокера, граф:

> проходит сквозь туман исключительно по инстинкту; должен пересекать потоки воды точно во время прилива или отлива; имеет влияние на крыс и на животных в зоологических садах («волки, гиены подавлены — ярость орла и льва»);
>
> абсолютно презирает смерть и мертвых;
>
> любит создавать в других злые мысли и изгонять добрые — тем самым разрушая их волю,
>
> может видеть в темноте и даже инстинктивно пробираться сквозь самые густые лондонские туманы;

---

[1] В этом списке персонаж Ван Хельсинга по-прежнему делился на три части — только на этот раз на детектива, агента психических исследований и немецкого профессора, и каждому из этих персонажей было дано имя: Котфорд, Альфред Синглтон и Макс Виндшоффель. Возможно, профессор Виндшоффель был основан на другом немецком профессоре по имени Макс из жизни Брэма Стокера в то время — профессоре Максе Миллере из Оксфорда. Появление художника Фрэнсиса Эйтуна может быть связано со следующими двумя документами. Вильгельмина впервые получает свое полное имя, как и Люси, а подруга и доверенное лицо Мины — Кейт Рид (впоследствии вычеркнутая) — впервые появляется в книге. Позднее на этом листе фраза «граф Вампир» была заменена Стокером на «граф Дракула».

невосприимчив к красотам музыки;
имеет «белые зубы» и волшебную способность делать себя то большим, то маленьким;
его нужно привести, или помочь, или каким-то образом приветствовать на пороге;
невероятно силен, хотя, по всей видимости, никогда не ест и не пьет;
амбивалентно относится к иконам религии: его могут тронуть только реликвии старше его собственного реального возраста или века (то есть времени, когда он действительно жил) — более поздние реликвии его не трогают;
всегда использует для денег свои запасы старого золота, которые в конце концов прослеживаются до «Зальцбургского банкирского дома»;
«Бессмертие — Гладстон»...

Что касается образа графа:

художники не могут создать его подобие — как бы художник ни старался, объект всегда в итоге выглядит как кто-то другой;
Точно так же невозможно его сфотографировать (или снять на «Кодак») — на отпечатке он всегда выглядит «черным или как труп скелета»;
И в доме графа нет зеркал — потому что он не отражается и не отбрасывает тень; поэтому свет в его доме должен быть специально устроен так, чтобы «не давать тени».

Что касается фольклорного происхождения графа:

длинная колючая ветка дикой розы должна быть положена в его гроб, чтобы он не покинул его;
ласточка — или «galinele lui Diew» — считается счастливой, как птица Господа;

ворона — несчастливой, особенно когда она пролетает над головой человека;

День святого Георгия отмечается 24 апреля («наше 6 мая»), а ночь перед ним, по традиции, является шабашем ведьм[1].

[1] В этих трех списках «характеристик» графа Вампира (а не вампиров в целом) есть как предсказуемые пункты, так и некоторые сюрпризы. Помимо «характеристик» фольклорного вампира, они включают в себя некоторые сюжетные элементы (граф в Лондонском зоопарке; влияние на крыс и «низшие» формы жизни; лондонский туман; любимая валюта графа — старое золото), которые относятся только к истории о Дракуле. Другие «характеристики», которые Стокер в итоге не использовал, принадлежат миру «Желтой книги» и имеют больше общего с Оскаром Уайльдом, чем с фольклором: вампир эпохи конца прошлого века невосприимчив к красотам музыки, ему нравится создавать злые мысли, а «художники не могут его нарисовать — их подобия [всегда] похожи на кого-то другого». Последняя «характеристика» наводит на мысль о близком семейном сходстве с романом Уайльда «Портрет Дориана Грея» (который в 1891 г. только что был опубликован), а также может быть связана с персонажем «Художник — Фрэнсис Эйтур» в предыдущем списке персонажей. Стокер, конечно же, был знаком с Уайльдом и дружил с его соседом по улице Чейн-Уок в Челси Джеймсом Макнилом Уистлером. Пьеса Уайльда «Саломея» была написана в Париже в 1891 году. Он решил сыграть Сару Бернар в главной роли во время вечеринки у Генри Ирвинга (на которой, вероятно, присутствовал Стокер), и когда в феврале 1893 года пьеса «Саломея» была опубликована, Уайльд сразу же послал подписанный экземпляр Флоренс Стокер (эта Саломея, особенно на знаменитой иллюстрации Бёрдслея, соблазнительная маленькая вампирша, частично вампирша и частично роковая женщина). Идея о том, что вампиров могут перемещать только реликвии, более древние, чем они сами, кажется древней и фольклорной, но, похоже, была придумана Стокером. Более современная идея о том, что вампира нельзя фотографировать (или снять на «Кодак»), потому что он будет выглядеть как труп, логична — если это правильное слово в данных обстоятельствах — но также нова. В романе «Дракула» Харкер использует свой «Кодак», чтобы сфотографировать дом в Пурфлите (точнее, «виды на него с разных точек»), но, к сожалению, он так и не опробует этот относительно новый процесс на самом графе. Упоминания о ласточке как птице Господа, вороне как несчастливой птице и датах празднования Дня святого Георгия взяты дословно из книги Эмили Джерард «Трансильванские суеверия» (см. с. 355–362). Ссылка на «Зальцбургский банкирский дом» позволяет предположить, что эти списки относятся к тому времени, когда действие книги должно было происходить в Австрийской Штирии — то есть до февраля 1892 года; в готовом

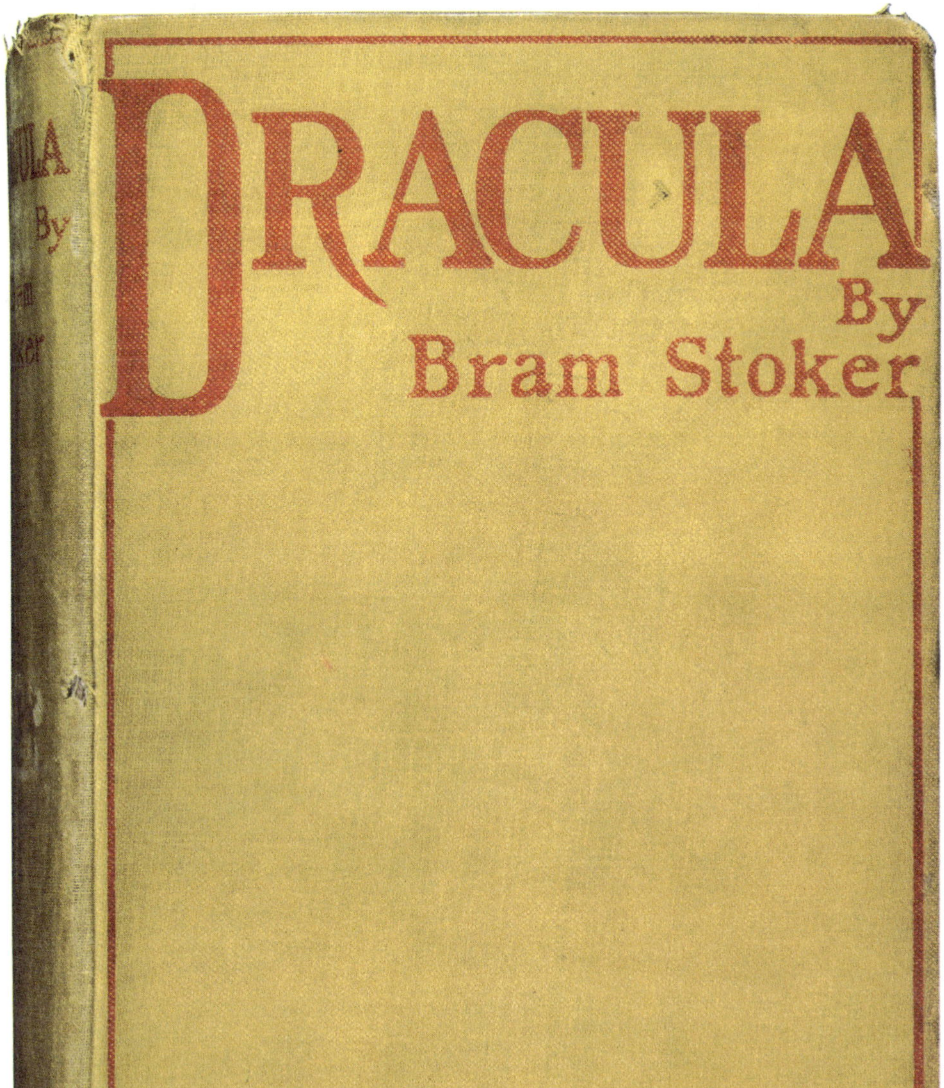
DRACULA
By
Bram Stoker

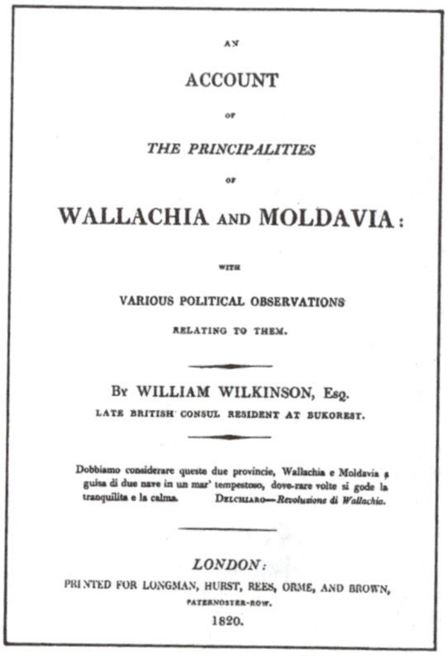

AN

ACCOUNT

OF

THE PRINCIPALITIES

OF

WALLACHIA AND MOLDAVIA:

WITH

VARIOUS POLITICAL OBSERVATIONS

RELATING TO THEM.

BY WILLIAM WILKINSON, Esq.

LATE BRITISH CONSUL RESIDENT AT BUKOREST.

Dobbiamo considerare queste due provincie, Wallachia e Moldavia a guisa di due nave in un mar' tempestoso, dove-rare volte si gode la tranquillità e la calma. DELCHIARO—*Revoluzione di Wallachia.*

LONDON:

PRINTED FOR LONGMAN, HURST, REES, ORME, AND BROWN,

PATERNOSTER-ROW.

1820.

Предыдущая страница: первое издание «Дракулы», вышедшее в июне 1897 года в узнаваемой желтой тканевой обложке с красным тиснением; стоило шесть шиллингов. **Сверху слева и справа:** Музей Уитби, абонементный отдел и баня, вид снаружи. Фотография Фрэнка Мидоу Сатклиффа, конец 1880-х. Брэм Стокер прочитал в библиотеке книгу дипломата Уильяма Уилкинсона 19 августа 1890 года и сделал множество заметок. **Внизу:** Сделанная Сатклиффом фотография русской шхуны «Дмитрий», потерпевшей крушение и выброшенной на берег во время шторма в октябре 1885 года, – прообраз «Деметры», на которой Дракула был доставлен в Уитби. **Напротив:** Три страницы рукописей самых первых рабочих заметок Брэма Стокера для «Дракулы», вероятно, от марта 1890 года: список характерных черт вампиров, заголовки глав и «персонажи истории», включая «Графа Вампира», позже измененного Стокером на «Графа Дракулу»; фотопортрет Брэма Стокера, 1890-е, как обычно, без улыбки.

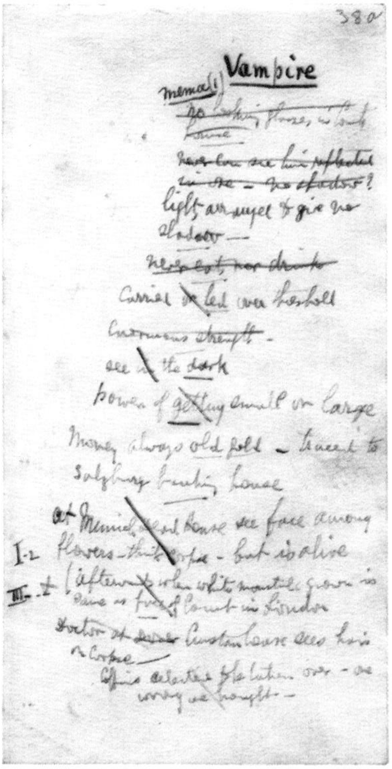
380
Vampire
see in the dark
power of getting small or large
Money always old gold

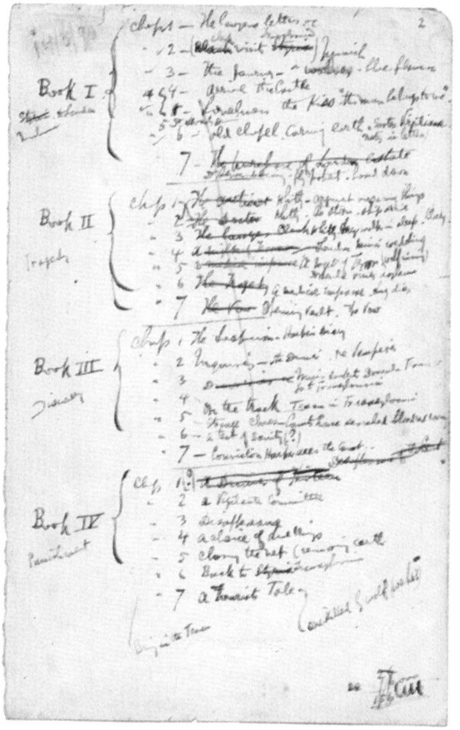
Book I
Book II
Book III
Book IV

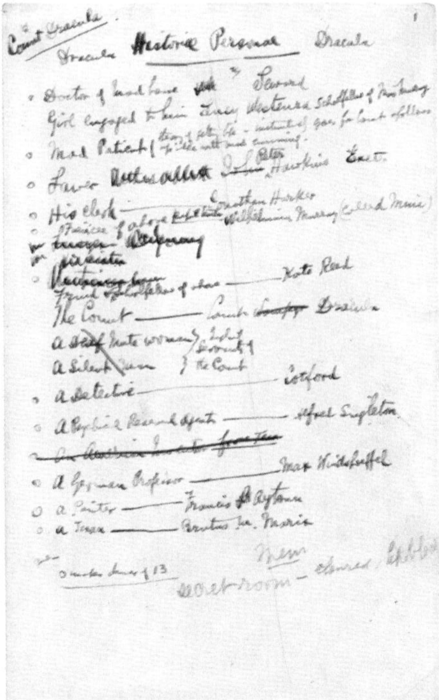
Count Dracula
Dracula Historic Personae Dracula
Mad Patient
Jonathan Harker
Kate Reed
The Count
A Detective
A Psychical Research Agent
A German Professor
Max Windshoeffel
A Painter
Francis Aytown
A Texan

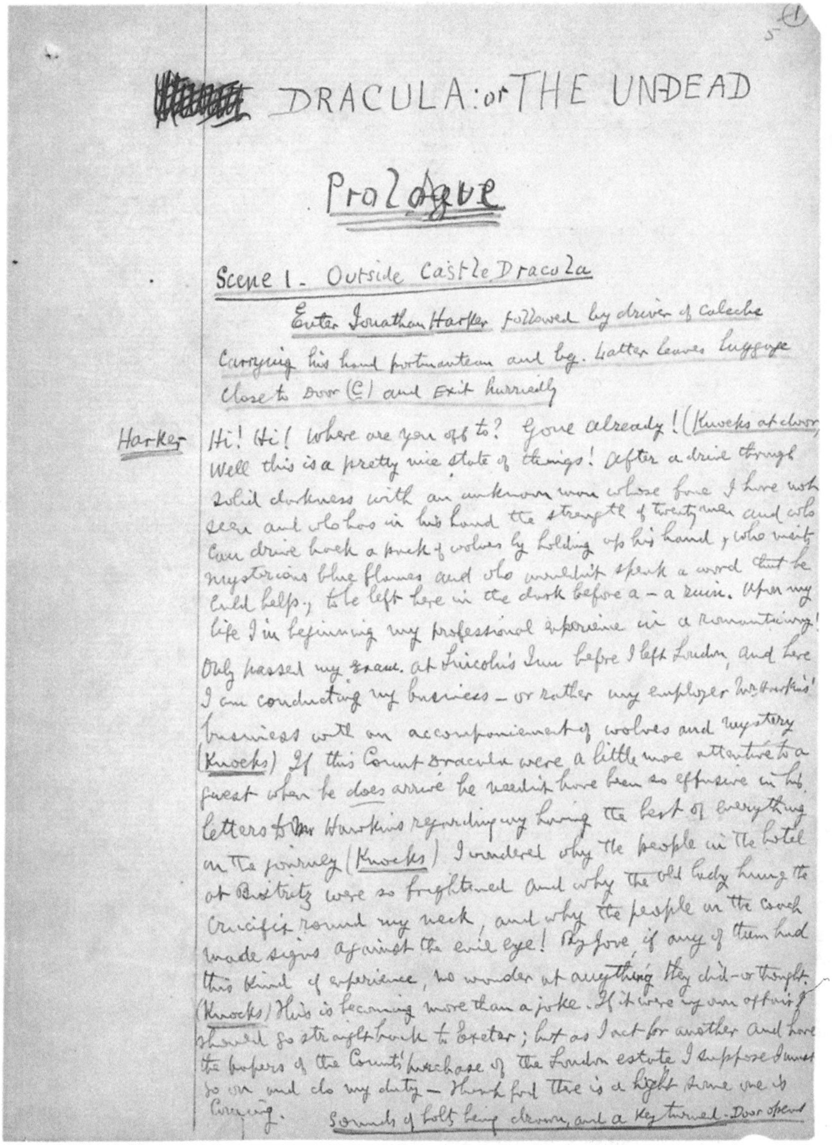
5 (1)

DRACULA: or THE UNDEAD

Prologue

Scene I – Outside Castle Dracula

Enter Jonathan Harker followed by driver of caleche carrying his hand portmanteau and bag. Latter leaves luggage close to door (C) and Exit hurriedly

Harker Hi! Hi! Where are you off to? Gone already! (Knocks at door) Well this is a pretty nice state of things! After a drive through solid darkness with an unknown man whose face I have not seen and who has in his hand the strength of twenty men and who can drive back a pack of wolves by holding up his hand, who visits mysterious blue flames and who wouldn't speak a word that he could help, to be left here in the dark before a – a ruin. Upon my life I'm beginning my professional experience in a romantic way! Only passed my exam. at Lincoln's Inn before I left London, and here I am conducting my business – or rather my employer Mr Hawkins' business with an accompaniment of wolves and mystery (Knocks) If this Count Dracula were a little more attentive to a guest when he does arrive he needn't have been so effusive in his letters to Mr Hawkins regarding my having the best of everything on the journey (Knocks) I wonder why the people in the hotel at Bistritz were so frightened and why the old lady hung the crucifix round my neck, and why the people on the coach made signs against the evil eye! By Jove, if any of them had this kind of experience, no wonder at anything they did – or thought. (Knocks) This is becoming more than a joke. If it were my own affair I should go straight back to Exeter; but as I act for another and have the papers of the Count's purchase of the London estate I suppose I must go on and do my duty – Thank God there is a light some one is coming. Sounds of bolts being drawn, and a key turned. Door opens

Сверху: Рукопись вступительной части «инсценировки» «Дракулы» Брэма Стокера, постановка состоялась 18 мая 1897 года законным образом — это единственное публичное представление за всю жизнь Стокера. **Напротив сверху слева:** Генри Ирвинг в роли Мефистофеля в захватывающей постановке «Фауста», поставленной театром «Лицеум» в 1885 году. **Напротив сверху справа:** Напечатанная обложка программы «инсценировки» «Дракулы» в «Лицеуме», создана с помощью ножниц и клея. **Напротив внизу:** Генри Ирвинг в цилиндре, за которым, отставая на пару шагов, следует его «верный слуга» Брэм Стокер, служебный вход в «Лицеум», октябрь 1902 года.

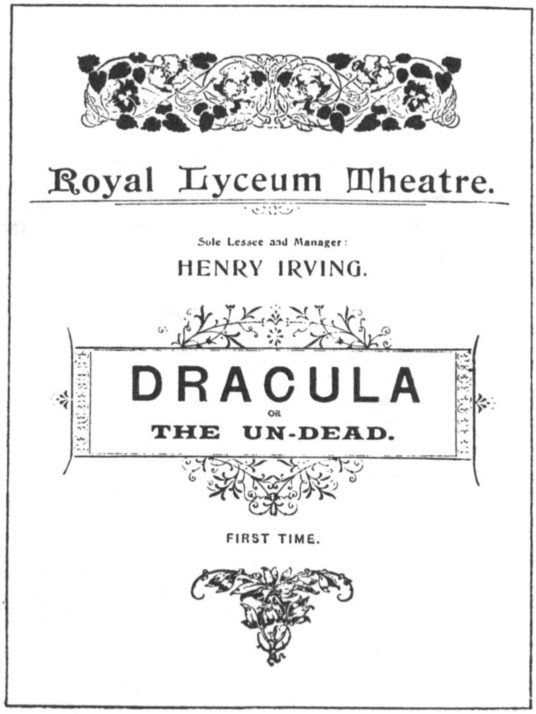

Royal Lyceum Theatre.

Sole Lessee and Manager:

HENRY IRVING.

DRACULA

OR

THE UN-DEAD.

FIRST TIME.

DRACULA

2/- Net. **BRAM STOKER** 2/- Net.

Напротив: Суперобложка популярного издания «Дракулы» издательства «Уильям Райдер и сын», Лондон, 1916 год. **Сверху:** Суперобложка первого издания посмертно опубликованного сборника рассказов Стокера под названием «Гость Дракулы», апрель 1914 года.

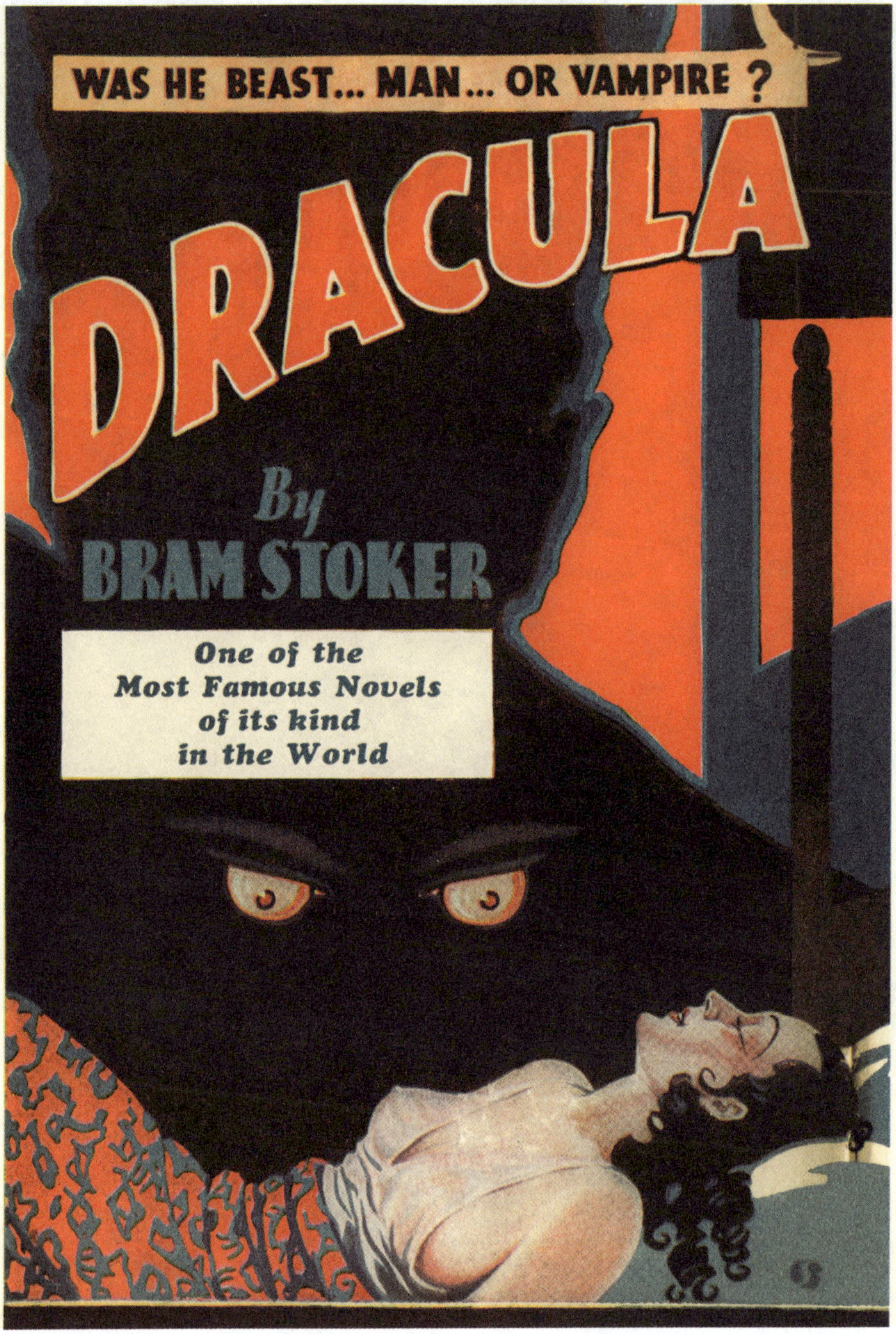

Суперобложка нью-йоркского издания 1927 года, опубликованного в связи с успешной постановкой «Дракулы».

К документу также прилагается серия коротких заметок о визите клерка адвоката в Мюнхен, направляющегося в замок. Проходя мимо морга в Мюнхене, молодой человек видит среди похоронных цветов восковое лицо. Сначала он думает, что это труп, но оказывается, что это лицо живого человека. Спустя много времени, когда граф будет в Лондоне и у него отрастут белые усы, Харкер узнает в лице графа того, кого он видел среди цветов в Мюнхене. Очевидно, лицо графа в его замке заметно отличается — возможно, оно моложе[1].

Далее следует страница с кратким содержанием, датированная 29/2/92 и описывающая структуру начала романа. Дневник Харкера с его мюнхенской интерлюдией по-прежнему составляет главу 2. Глава 1 состоит из переписки о «Приобретении поместья». Глава 3 продолжает мюнхенскую историю (поэтому она остается обширной частью повествования) и переносит нас в «Бистрицу — перевал Борго — замок». «То, что происходит там, — как загадочно добавляет Стокер, — это Вергилиев оракул. Принадлежит мне»[2].

тексте банкирами Дракулы являются Херрен Клопшток и Биллройт из Будапешта. Странная строка «Бессмертие — Гладстон», если только она не относится к сумке с этим именем, остается загадкой, независимо от даты. В романе нет упоминания о том, что вампиры — ночные существа. Возможно, Стокер решил проигнорировать это конкретное «правило»; Дракула может функционировать и днем, хотя и не в лучшем состоянии. Когда Стокер отмечает, что граф никогда не ест и не пьет, он, видимо, имеет в виду твердую пищу и марочное вино; в самом романе у графа есть предпочитаемый напиток, но он должен быть подан при температуре тела. Отметив, что он никогда не видел, чтобы граф ел или пил, Харкер здраво замечает: «Он, должно быть, очень своеобразный человек».

[1] В опубликованном романе у графа «большие белые усы» или «тяжелые усы» — как и подобает отставному военачальнику, — когда Харкер впервые встречает его в замке. Есть предположение, что Дракула становится моложе (а не древнее) по мере развития сюжета.

[2] Эта пересмотренная структура особенно значима благодаря упоминанию «Бистрица — перевал Борго». К концу февраля 1892 года Стокер решил перенести место действия из Штирии в Бистрицу в Трансильвании. Поскольку его знания о перевале Борго (и о том, как пишутся румынские географические названия) были получены из книги Чарльза Бонера «Трансильвания» (см. с. 362–367), а о местном фольклоре — из книги Жерар, похоже, что к этой дате он уже прочитал эти две книги. Он также мог знать о существовании имени «Дракула» уже летом

Другая записка представляет собой небольшое уточнение структуры наброска февраля 1892 года. Она по-прежнему открывается письмами адвокатов о «Покупке имения», но в ней более четко прописаны «Дневник Харкера — Мюнхен — Волк» и «Дневник Харкера — Мюнхен — морг», и перекрещивает путешествие Харкера из «Бистрицы в замок Дракулы» с дневниковыми записями доктора Сьюарда о «человеке-мухе», так что «человек-муха» (который позже станет Ренфилдом) возвещает о прибытии Харкера в замок, а не о прибытии графа в его английскую резиденцию, как в опубликованной версии. Кроме того, инцидент с «Принадлежит мне», по-видимому, пересекается с событиями в Уитби. Наиболее важным аспектом этой записки является то, что в ней впервые прямо упоминается «замок Дракулы».

Один из следующих документов представляет собой полностью проработанную, буква за буквой, структуру первой книги. Он начинается с письма сэра Роберта Партона, президента Юридического общества, Питеру Хокинсу с Соборной площади, Эксетер, в котором сообщается, что с ним связался некий «граф Вампир». Питер Хокинс, как мы узнаем из другого письма, страдает подагрой (как и Стокер) и решает поручить Харкеру оформление наследства графа, которое он находит в Пурфлите. Письмо 6 от Кейт Рид к Люси Вестенра, в котором она рассказывает Люси о визите Харкера в школу к ученице-учительнице Мине Мюррей; есть постскриптум, в котором Кейт рассказывает о том, «как после написания письма она подумала, что было бы неплохо спросить разрешения Мины, прежде чем рассказывать свою историю». Она продолжает эту тему: «Она знает, что все давно закончилось, и что она ездит к ней на летние каникулы в Уитби». Письмо 8 — телеграмма от «Дракулы — Хокинсу», в которой Харкеру предлагается отправиться в Мюнхен[1].

1890 года. Таким образом, к 1892 году все ключевые части пазла уже были на месте — за пять лет до публикации.

[1] Странно, но хотя в письмах 1–5 появляется имя «граф Вампир», позднее зачеркнутое Брэмом Стокером и замененное новым именем «граф Дракула», начиная с письма 8 имя «Дракула» было написано впервые — и так продолжается на протяжении всего конспекта Стокера. Возможно, ранние главы были скопированы

Затем структура меняется с формы письма на «стенографический дневник Джонатана Харкера о его первом путешествии за границу». Поскольку этот дневник пишется специально для того, чтобы показать Мине по возвращении Харкера, все деловые вопросы были намеренно опущены. Глава 2 начинается с указаний, которые прислал граф: ехать прямым рейсом до Мюнхена, а затем «остановиться в отеле «Четыре сезона» в Мариенбаде и ждать указаний». В первый же день Харкер посещает музей Пинакотека, а также Мертвый дом. Там он видит «старика на похоронных носилках» среди цветов, который сначала кажется трупом, но на самом деле им не является. Он возвращается в отель «Четыре сезона». На следующее утро он получает телеграмму из «Трансильвании. Бистрицы», в которой сообщаются подробности следующего этапа его путешествия. Глава 3 (все еще в форме дневника) описывает путешествие в Бистрицу, где Харкер поселяется в гостинице. Имя графа там хорошо известно, ведь именно хозяева гостиницы отправили телеграмму; но когда они узнают о месте назначения молодого человека, они становятся «очень грустными и загадочными». Для него приготовлены странные подарки («см. XIX век»). [Эти «подарки» — явная отсылка к статье Джерарда в журнале «Девятнадцатый век»]. Харкера высаживают на перевале Борго в Дилижансе, где его встречает «закутанный кучер» с каретой. Путешествие от перевала Борго до замка богато событиями: волки окружают карету, видны голубые языки пламени, пока среди воя волков и собак, грома и других «странных звуков» они в конце концов не прибывают в замок в полночь. В этот момент «появление графа, ужин, постель, описание комнаты и т. д.»[1].

с предыдущей версии (но после Абрахама Ааронсона). Приступ подагры у Питера Хокинса, впервые упомянутый здесь, все еще присутствует в законченном романе. «Приступ подагры, — пишет он во второй главе, — от которой я постоянно страдаю, полностью исключает любые путешествия с моей стороны». Два письма от доверенного лица Кейт Рид, кажется, подразумевают, во-первых, что у нее есть какая-то «история», которая интересует Мину, и, во-вторых, что все «давно закончилось», так что они могут оставаться друзьями. Мог ли это быть роман с Джонатаном? В опубликованной версии он очень корректен в этом вопросе.

[1] Стокеровское сокращение «введите графа» читается как сценическая ремарка для Генри Ирвинга!

Глава 4 продолжает рассказ Харкера в дневнике о его пребывании в замке. Хотя днем Харкер остается один, он чувствует себя пленником: «книги — Вергилиев оракул — посетители — сон ли это — женщина наклоняется поцеловать его — ужас смерти — внезапно граф отстраняет ее — «Этот человек принадлежит мне»[1].

Законченный набросок Брэма Стокера к ранней части романа — это, очевидно, попытка разобраться с временны́ми рамками своего повествования. Он написан на распечатанном универсальном ежедневнике, на котором нет дат — только заголовки 789 — Понедельник — Воскресенье, Утро, Вечер и Примечания.

Набросок начинается 16 марта с письма графа Дракулы Питеру Хокинсу (датированного, добавляет Стокер, 4 марта по старому стилю), а продолжается 21 марта письмом сэра Роберта Партона к Хокинсу — президента Юридического общества к старшему стряпчему. Письмо Хокинса графу написано в четверг, 23 марта, а ответ Дракулы — неделю спустя (18 марта по старому стилю). Джонатан Харкер приезжает в Пурфлит 12 апреля и начинает поиски дома в четверг, 13 апреля — в тот же день, когда граф Дракула пишет письмо метрдотелю мюнхенского отеля «Четыре сезона». Два дня спустя Харкер пишет Хокинсу, а в воскресенье, 16 апреля, он навещает Мину в школе, где она преподает[2].

На следующий день Кейт пишет Люси, а в среду, 19 апреля, Хокинс пишет еще одно письмо Дракуле.

После телеграммы от Дракулы, отправленной в понедельник, 24 апреля, Харкер покидает Лондон в ночь на 25-е в 20.05, прибывает в Париж рано утром следующего дня, покидает Париж в 8.25 утра и прибывает в Мюнхен в 20.35 вечера. Поселившись в отеле «Четыре сезона» поздно вечером в среду, 26 апреля, Харкер переживает «приключение снежной

---

[1] Позже в этой структуре, в главе 7 третьей книги, Джонатан Харкер «видит графа — встретил его, входя в мюнхенский морг»: очевидно, по какой-то причине к этому времени внешность графа стала такой же, как в главе 2 первой книги. «Ужин мести» также не исчез.

[2] Либо Стокер был невнимателен, либо Мина преподавала в школе-интернате. Иначе зачем бы ее навещали в школе в воскресенье?

бури и волка» на следующий день, возвращается в отель рано утром 28-го и проводит все 29 апреля, восстанавливая силы («весь день дома»). Вечером в воскресенье, 30 апреля, он отправляется в оперу на «Летучего голландца» Вагнера. Понедельник, 1 мая, — день происшествия в морге, а также Вальпургиева ночь. Вечером Харкер выезжает из Мюнхена на поезде в 8.35. Его цель — Вена через Зальцбург[1].

Вторник, 2 мая, проходит в дороге: утром пересадка в Вене (прибытие в 6.45, отправление в 8.25), в обед — в Будапеште (прибытие в 13.30, отправление в 14.00), затем прибытие в Клаузенбург в 10.34. После ночевки в Клаузенбурге (2–3 мая) Харкер уезжает 8-часовым поездом и через 12 часов прибывает в Бистрицу. После еще одной ночевки он покидает Бистрицу в 2 часа дня — на карете — и достигает перевала Борго спустя семь часов, в 9.00 (или на час раньше запланированных восьми часов). Наконец, в пятницу, 5 мая, рано утром Харкер добирается до замка, ведомый замаскированным кучером. Проходит два дня, прежде чем он

[1] Эта вагнеровская прелюдия к событиям в Трансильвании обеспечивает хорошую связь с миром Генри Ирвинга (который с июня 1878 года исполнял версию легенды о «летучем голландце», Вандердеккена, написанную У. Г. Уиллсом) и с личными интересами Брэма Стокера. О «Вандердеккене» Стокер отозвался так: «Главный актер не жив, а мертв... и в последнем акте... отвечает на вопрос «где мы?»: «Между живыми и мертвыми». В «Воспоминаниях» он писал, что «Ирвинг производил удивительное впечатление мертвеца, фиктивно ожившего». После премьеры Стокер помогал Ирвингу «сокращать и изменять пьесу», а в 1891-92 годах участвовал в обсуждении новой версии истории с Ирвингом и Холлом Кейном — по мнению Ирвинга, Кейн сделал характер капитана «слишком жестоким в самом начале». Стокер был большим поклонником оперной музыки Вагнера, и особенно интерпретаций Ганса Рихтера. В 1890-х годах, согласно «Личным воспоминаниям», «вместе с женой я посетил Вагнеровский цикл в Байройте... и услышал вагнеровского «Мейстерзингера» во всем его великолепном совершенстве». Стокер также должен был обсудить с Рихтером световые эффекты в «Летучем голландце» за обедом 24 октября 1900 года. События в Мюнхене, согласно этой поздней временно́й шкале Стокера, происходят в неожиданном порядке. Сначала приключение со «снежной бурей и волком», затем посещение оперы, затем Вальпургиева ночь, затем инцидент в Мертвом доме. В первой строке опубликованного «Дракулы» все это сокращено до «Покинул Мюнхен в 8.35 вечера»; от чернового варианта сохранилось только время отъезда.

понимает, что замок на самом деле «тюрьма», и во вторник, 9 мая, он пытается написать домой о своих впечатлениях («Замок — письма домой»). В среду он видит, как граф выползает из окна и спускается по стене замка (первое упоминание об этом зрелище в «Записках»), а в четверг, 11 мая, он видит «целующихся женщин». Пятницу он проводит в постели, «велев писать письма». Судя по зачеркиваниям, Стокер затем изменил свое мнение о датировке происшествий в замке. Он заменил ночь на пятницу, 12 мая, для инцидента с окном, а понедельник, 15 мая, для «целующихся женщин»[1].

К временно́й шкале было приложено расписание прибытия и отправления поездов из Лондона в Париж, из Парижа в Мюнхен, из Мюнхена в Вену через Зальцбург, из Вены в Будапешт, из Будапешта в Клаузенбург, из Клаузенбурга в Бистрицу и из Бистрицы в Перевал Борго на автобусе. Стокер просто перенес это расписание (вероятно, из Бедекера) в свой

---

[1] На рукописи этой временно́й шкалы Стокер написал — прямо перед записью за четверг, 11 мая, — «Дневник Джонатана» в качестве заголовка. Это позволяет предположить, что все предыдущие события должны были передаваться в виде подборки документов: юридические письма, письмо Кейт, телеграмма Дракулы, затем письма домой из замка. Стокер также написал «Дневник Сьюарда» напротив дат среда, 3 мая, и суббота, 6 мая, так что на каком-то этапе рассказ о путешествии из Вены в Трансильванию мог быть составлен на основе воспоминаний Харкера о докторе Сьюарде; или же он все же намеревался пересечься между путешествием и одновременными переживаниями Сьюарда. Если бы «Дневник Джонатана» начинался в четверг, 1 мая, то на первой странице было бы описано происшествие с «поцелуем женщин», что, конечно, придало бы ему еще большее значение в рассказе. В итоге он выбрал для этого инцидента ту же дату, что и в опубликованном романе, — понедельник, 15 мая. Вся эта подробная разбивка сюжета на даты и время в печатном дневнике, очевидно, была написана уже после того, как Стокер определился с деталями самой истории. Это позволяет предположить, что первоначальная юридическая переписка велась вплоть до последних этапов работы над романом, как и переписка Кейт Рид с Люси. Также пятидневная остановка Джонатана Харкера в Мюнхене (почему именно пять дней?) сохранилась до очень позднего этапа. Эти даты и дни соответствуют 1893 г. Вполне возможно, что в том же году Стокер уже прорабатывал временны́е рамки «Дракулы», возможно, во время отпуска в Шотландии, ведь известно, что он хотел, чтобы события казались «точно современными».

собственный порядок событий. Далее следует несколько списков этих мест и дат прибытия и отъезда[1].

---

[1] Очевидно, он стремился создать ауру «подлинности» вокруг своей истории, правильно указав все даты и расписания, чтобы, как он выразился в своих вступительных словах к Дракуле, его история «могла предстать как простой факт». Эту страсть разделяет и сам граф Дракула, владеющий «такими справочными книгами, как Лондонский справочник, «Красная» и «Синяя» книги, альманах Уитакера, списки армии и флота, а также... список законов». Позже Джонатан Харкер обнаруживает графа «лежащим на диване и читающим, из всех вещей на свете, английский путеводитель Брэдшоу». Будучи менеджером Генри Ирвинга, Стокер должен был заботиться о сложной логистике его национальных и международных туров, что предполагало постоянное обращение к путеводителям Брэдшоу и, для зарубежных стран, Бедекера.

Исследования, используемые Брэмом Стокером для «Дракулы»

Большинство из них включены во второй и третий тома Заметок Стокера фонда Розенбаха. Они состоят из заметок, расшифрованных отрывков, личных записок, ссылок на страницы, исходных данных или библиографий из книг и статей, которые Стокер читал, готовясь написать свой роман. Многие из этих исследовательских работ были напечатаны — либо в качестве памятной записки, либо, возможно, позже, при подготовке к продаже. Некоторые из них были напечатаны на машинке и написаны от руки. В общей сложности, это заметки или ссылки почти на сорок книг и статей, а также расшифрованные беседы и личные описания мест. Опять же, они, по-видимому, не расположены в каком-либо определенном порядке, а страницы II и III томов не пронумерованы.

Восстанавливая ход исследований Брэма Стокера по первым трем главам «Дракулы», я представил ключевые отрывки из книг или статей, которые он читал, — те, которые он решил выделить в своих заметках, — и (как и в случае с рабочими документами) расположил их, насколько это возможно, в хронологическом порядке. Иногда рабочие документы дают ключ к пониманию того, когда были прочитаны эти книги и статьи; также иногда и исследовательские работы помогают нам определить дату записей самого Стокера. Вместе они дают необычайно подробное представление о том, как работал Брэм Стокер, и, более того, о том, как работал его разум.

Рассказ о княжествах Валахии и Молдавии и т. д., У. Уилкинсон, покойный консул Букореста, Лонгманс, 1820 г. (Библиотека Уитби 0.1097)[1]

... с увеличением населения по всей стране (Валахии) строились малые города и деревни. Частые вражеские действия против венгров по причине притязаний на суверенитет последних заставили валахов привыкнуть к войне; и в 1391 году воевода Мирца (воевода — славянское звание, эквивалентно командующему князю) собрал многочисленное войско и присоединил к себе соседние владения турок, чтобы вырвать их из их рук. Султан Баязет, занятый в это время в Азии хлопотной войной с князем Кастомоны, оставил свои завоевания у Дуная без средств защиты. Но когда до него дошли вести о вторжении, он приостановил свои действия в Азии и вернулся в Адрианополь, откуда отправил многочисленную армию в Валахию. Воевода выступил навстречу туркам; после кровопролитной битвы он потерпел поражение и был вынужден стать

[1] «Удивительно, но Брэм Стокер впервые встретил имя ДРАКУЛА, читая мемуары «Покойного британского консула, проживавшего в Букоресте» в библиотеке Литературно-философского общества в Уитби, Йоркшир. Он даже записал индекс раздела классификации! Поскольку мы знаем, что Стокер отдыхал там с конца июля по конец августа 1890 года (когда он писал свои заметки к главам VI–VIII «Дракулы», в которых описываются события в Уитби между 24 июля и 18 августа), кажется, что он открыл «Дракулу» тем же летом, примерно через четыре или пять месяцев после того, как начал думать о книге. Другие отрывки, которые он скопировал у Уилкинсона, в основном касались: а) тенденции боярского сословия утверждать, что «ни один город в Европе не может похвастаться более истинным благородством»; б) богато украшенных карет, — caléches — используемых ныне обедневшими боярами, «украшенных самым вульгарным образом... которыми управляли цыгане в лохмотьях»; в) наиболее распространенного вида общественного транспорта, «вида транспортного средства... которое напоминает очень маленький ящик для глиняной посуды»; и г) состояния дорог в Карпатах. Приведенный здесь отрывок из книги Уилкинсона содержит единственное упоминание исторического Дракулы, Влада Колосажателя, во всех исследовательских работах Стокера. На основе этого упоминания были написаны целые книги с размышлениями.

данником султана. Ежегодный размер дани был определен в три тысячи пиастров [полтора пиастра равны английскому шиллингу].

Валахия продолжала платить дань до 1444 года, когда король Венгрии Ладислас, готовясь к войне с турками, предложил воеводе ДРАКУЛЕ заключить с ним союз. Венгерские войска прошли через княжество, и к ним присоединились четыре тысячи валахов под командованием сына ДРАКУЛЫ.

Когда венгры потерпели поражение в знаменитой битве под Варной, Хуньяди, их полководец и регент королевства во время несовершеннолетия Ладисласа, поспешил вернуться, чтобы предпринять новые приготовления для продолжения войны. Но воевода, опасаясь мести султана, арестовал его и держал в плену в течение года, притворяясь таким образом, что показывает туркам, что относится к нему как к врагу. Как только Хуньяди достиг Венгрии, он собрал войско, поставил себя во главе его, вернулся в Валахию, напал на воеводу, разбил его и приказал, чтобы того обезглавили в его присутствии; после этого он возвел в воеводы одного из примасов страны, по имени Дан.

В 1448 году валахи под началом этого воеводы вновь присоединились к венграм и вступили в войну с Турцией, но, потерпев полное поражение в битве при Коссове в Болгарии и не найдя больше возможности противостоять туркам, они вновь подчинились ежегодной дани, которую платили до 1460 года, когда султан Магомет II, завершающий завоевания островов Архипелага, предоставил им новую возможность сбросить с себя оковы ига. Их воевода, которого также звали ДРАКУЛА[1], не удовлетворился лишь благоразумными мерами обороны: с войском он перешел Дунай и напал на немногочисленные турецкие войска, стоявшие поблизости; но эта попытка, как и попытки его предшественников, увенчалась лишь

[1] Сноска Уилкинсона — ссылка: «ДРАКУЛА на валашском языке означает «дьявол». В те времена, как и сейчас, валахи привыкли давать эту фамилию любому человеку, отличившемуся либо храбростью, либо жестокими поступками, либо хитростью». (У. У.)

кратковременным успехом[1]. Магомет, обратив против него оружие, оттеснил его в Валахию, где преследовал и разбил. Воевода бежал в Венгрию, а на его место султан назначил своего брата Бладуса. Он заключил с Бладусом договор, по которому обязал валахов вечной данью, и заложил основы того рабства, из которого до сих пор они не могли освободиться с какой-либо эффективностью.

Трансильванские суеверия, мадам Э. де Лашовска Жерар XIX век, том XVIII, июль 1885 г., с. 1330–1350[2]

Трансильванию вполне можно назвать страной суеверий, ведь нигде больше это диковинное кривое растение заблуждений не

---

[1] В своих исследовательских заметках Стокер сократил это предложение до «Их воевода [ДРАКУЛА] пересек Дунай и атаковал турецкие войска. Успех был лишь кратковременным». Опустив слова «также названный», он намекнул на путаницу между двумя Дракулами, отцом и сыном. Именно Стокер написал это имя с большой буквы.

[2] Одной из главных причин, по которой Брэм Стокер перенес место действия I–III глав «Дракулы» из Штирии в Трансильванию, было то, что он прочитал о «целой плеяде демонов, пикси, ведьм и хобгоблинов, изгнанных из остальной Европы жезлом науки, [которые] нашли укрытие за этим горным валом». И он читал о них (между 14 марта 1890 года и 29 февраля 1892 года) в красочной статье Жерар о трансильванских суевериях, которую она позже переработала для «Земли за лесом». Эмили Жерар была замужем за командиром австро-венгерской кавалерии, который был ненадолго командирован в Трансильванию. В отличие от авторов других источников информации Стокера, она практически не интересовалась политикой и обществом, но, очевидно, была очарована странными народными сказками, чем страннее, тем лучше. Некоторые из них — почти слово в слово — нашли свое отражение в «Дракуле»: значение кануна праздника Святого Георгия, легенда о голубом пламени, зарытые сокровища, Шоломанс, или Школа дьявола, злая сила носферату и его первого кузена — вервольфа. Другие попали в рабочие заметки Стокера — в частности, в его первый список характеристик вампиров и в раздел «Бистрица» его пересмотренной структуры сюжета («см. XIX век», — писал он). После публикации «Дракулы» Брэм Стокер сам написал четыре статьи для журнала «Девятнадцатый век и после» (так он к тому времени назывался). Именно Жерар придумала слово «nosferatu» как синоним слова «вампир» — по-видимому, на основе неправильного восприятия румынского «necuratul», означающего «злой».

расцветает так упорно и в таком причудливом разнообразии. Создается впечатление, что целая плеяда демонов, пикси, ведьм и хобгоблинов, изгнанных из остальной Европы жезлом науки, укрылись за этим горным валом, прекрасно понимая, что здесь они найдут надежные убежища, откуда смогут еще некоторое время бросать вызов своим преследователям...

Дух зла (или, чтобы не вдаваться в подробности, дьявол) играет заметную роль в румынском кодексе суеверий, и такие названия, как Грегиния Дракулуй (дьявольский сад), Гания Дракулуй (дьявольская гора), Яду Дракулуй (дьявольский ад или бездна) и т. д. и т. п., которые мы часто встречаем у скал, пещер или высот, свидетельствуют о том, что эти люди считают себя окруженными со всех сторон целым легионом злых духов.

Кроме того, дьяволам помогают ведьмы и драконы, и всем этим опасным существам приписываются особые силы в определенные дни и в определенных местах...

Разным часам дня также приписывают различные влияния, благоприятные или наоборот. Так, всегда считается приносящим несчастье смотреть на себя в зеркало после захода солнца; также не стоит выметать сор за порог вечером или возвращать сито или кут, взятые у соседа.

Точный час полудня опасен из-за злого духа Приполнизы, как и полночь из-за ночного духа Миасенопте, и в эти часы безопаснее оставаться внутри. Однако если какой-нибудь заблудший крестьянин выйдет из дома в полночь и увидит в небе огненного дракона (что весьма вероятно), ему не обязательно считать, что все пропало, ведь если у него хватит ума воткнуть вилы в землю рядом с собой, огненное чудовище не сумеет его унести.

Палец, рискнувший указать на радугу, тут же будет охвачен грызущей болезнью, а радуга, появившаяся в декабре, всегда считается предзнаменованием несчастья.

У Греческий Церкви, к которой без исключения принадлежат румыны, огромное количество праздников, с которыми связаны определенные обычаи и суеверия. Здесь я попытаюсь упомянуть лишь несколько из основных...

В ночь перед Пасхальным воскресеньем ведьмы и демоны повсюду, а спрятанные сокровища, как говорят, выдают себя сияющим пламенем. Однако ни один богобоязненный крестьянин не позволит себе соблазниться надеждой на такое богатство, которое он не сможет в этот день присвоить без греха. Он ни в коем случае не должен отлучаться от полуночной церковной службы, и его преданность будет вознаграждена мистическими свойствами восковой свечи, которую он держит в руке и которая, зажженная в будущем во время грозы, не позволит молнии ударить в его дом.

Самая большая удача, которая может постигнуть смертного, — это родиться в Пасхальное воскресенье во время звона колоколов, а самая большая неудача — умереть в этот день. Ложка, которой пасхальные яйца вынимаются из кипящего котла, бережно хранится и носится пастухом на поясе; она дает ему силу различать ведьм, которые пытаются потревожить его стадо.

Пожалуй, самым важным днем в году является День святого Георгия, 23 апреля (соответствует нашему 6 мая), накануне которого до сих пор часто проводятся оккультные собрания, проходящие по ночам в одиноких пещерах или в разрушенных стенах, и где применяются все церемонии, обычные для празднования ведьминого шабаша.

Сам праздник — великий день, когда следует остерегаться ведьм, для противодействия влиянию которых перед каждой дверью и окном кладут квадратные блоки зеленого дерна. Предполагается, что это эффективно препятствует их проникновению в дом или конюшню, но для большей безопасности крестьяне обычно дежурят всю ночь у спящего скота.

Эта же ночь — лучшая для поиска сокровищ, и многие проводят ее, бродя по холмам и пытаясь нащупать в земле золото. Как ни тщетны и бесполезны подобные поиски, в этой стране они все же имеют больше оснований, чем в большинстве других мест, ведь, пожалуй, нигде больше столь много поколений народа не были вынуждены скрывать свои богатства, спасаясь от врага, не говоря уже о многочисленных жилах неразведанного золота и серебра, которые, должно быть, пронизывают страну во всех направлениях. Не проходит и года, чтобы не обнаружился какой-нибудь глиняный кувшин со старыми дакийскими монетами или золотыми украшениями римского происхождения, и все подобные открытия служат подпиткой и поддержанием национального суеверия.

В ночь на День святого Георгия (так гласят легенды) все эти сокровища начинают гореть, или, говоря мистическим языком, «расцветать на лоне земли», а испускаемый ими свет, описываемый как голубоватое пламя, напоминающее цвет зажженных духов вина, служит для того, чтобы направить благосклонных смертных к месту их сокрытия. Условия для успешного извлечения такого сокровища многообразны и трудновыполнимы. Во-первых, простому смертному, родившемуся не в воскресенье и не в полдень, когда звонят колокола, нелегко набрести на сокровища. Если же ему все же удастся увидеть пламя, подобное тому, что я описал, он должен быстро просунуть нож через одежду правой ноги, а затем бросить нож в направлении увиденного пламени. Если во время этого открытия двое людей находятся вместе, они ни в коем случае не должны нарушать молчание, пока сокровище не будет извлечено, и не должны засыпать отверстие, из которого что-либо было извлечено, так как это приведет к скорой смерти. Еще одна важная особенность, которую следует отметить: огни, увиденные до полуночи в День святого Георгия, обозначают сокровища, хранимые благосклонными духами, а те, что появляются в более поздний час, несомненно, имеют пагубную природу…

Праздник Святого Ильи, 20 июля (1 августа) — очень несчастливый день, в который можно ожидать удара молнии. Если дом, в который ударила молния, начинает гореть, тушить пламя нельзя, потому что огонь зажег Бог, и было бы самонадеянностью, если бы человек осмелился вмешиваться. В некоторых местах считается, что огонь, зажженный молнией, можно потушить только молоком.

Чтобы миновать опасность попадания молнии в жилище можно проткнуть ножом кусок хлеба, и крутить его на полу чердака в течение всего времени, пока длится гроза. Колокольный звон очень эффективен, но при условии, что колокол находился под совершенно безоблачным небом.

Раз уж я заговорил о грозе, то могу упомянуть и о Схоломантии, или школе, которая, как предполагается, существует где-то в сердце гор и где всем тайнам природы, языку животных и всем мыслимым магическим заклинаниям и чарам обучает лично дьявол.

Одновременно принимаются только десять учеников, и когда курс обучения заканчивается и девять из них отпускаются домой, дьявол удерживает десятого ученика в качестве платы. Десятый ученик, водруженный на исмеджу (дракона), становится отныне помощником дьявола и помогает ему «делать погоду, то есть готовить молнии».

Небольшое озеро, неизмеримо глубокое, лежащее высоко в горах к югу от Германштадта, считается котлом, в котором варится гром, а в хорошую погоду дракон спит под его водами. Румынские крестьяне с тревогой предупреждают путешественников, чтобы они остерегались бросать в это озеро камень, дабы не разбудить дракона и не спровоцировать грозу. Однако это не просто суеверие: летом в этом месте почти ежедневно, около полудня, случаются грозы, а многочисленные каменные курганы по берегам свидетельствуют о том, что многие люди нашли здесь свою смерть от молнии. По этой причине место это избегают, и ни один румын не решится отдохнуть здесь в полдень...

Из домашних животных румын больше всего ценит овцу, которая становится его спутником и часто советчиком, а своим поведением, как считается, часто предупреждает о приближении опасности.

Ласточка здесь, как и в других местах, является птицей, приносящей удачу, и называется galinele lui Dieu (птицы Господа). Рядом с местом, где была замечена первая ласточка, всегда можно найти сокровища».

Ворон, наоборот, считается дурным знамением, и особенно зловещим, когда он пролетает над головой человека.

Сидящая на крыше сорока предупреждает о приближении гостей, а кричащая сорока, встречающая или сопровождающая путника, означает смерть».

Кукушка — предсказатель, с которым можно советоваться по многим вопросам. Эта птица играет огромную роль в румынской поэзии, и часто считается духом несчастного любовника.

Никогда нельзя убивать паука, так как это повлечет за собой несчастье.

Жаба, поселившаяся в коровьем хлеву, несомненно, находится на службе у ведьмы и была послана туда, чтобы похитить молоко. Поэтому ее следует забить камнями до смерти; но нельзя допускать такой же вольности в отношении не менее пагубной ласки, и если эти животные поселятся в хлеву или коровнике, крестьянин должен постараться сделать их безвредными, переключив их мысли в более безопасное русло. Для этого нужно приготовить для самца ласки крошечный молотильный цеп, а для его самки — прясло, и положить их в том месте, где, как известно, часто бывают эти животные.

Череп коня над воротами двора или кости погибших животных, закопанные под порогом, охраняют от призраков.

Место, где лошадь каталась по земле, нездорово, и человек, который пройдет по нему, будет быстро поражен сыпью, фурункулами или другими кожными заболеваниями.

К черным птицам всегда относятся с подозрением, считая, что они могут находиться на службе у ведьмы, а петух Брэма, как ни странно, считается потомством дьявола от еврейской девушки…

Плохая примета, если дорогу вам перебегает заяц, а вот лиса или волк, перебегающие дорогу, — хорошая примета.

Точно так же к счастью встретить женщину с полным кувшином воды, а с пустым — к несчастью; поэтому румынская девушка, которая встретится вам на обратном пути от колодца, будет, улыбаясь, показывать свой полный кувшин, проходя мимо, с радостным сознанием, что приносит удачу; а девушка, чей кувшин пуст, проскользнет мимо с позором, как будто ей нужно скрыть преступление.

Каждая ортодоксальная румынская женщина старается отдать дань уважения духу воды — Водной Зене или Зоне, обитающему в каждом источнике, пролив несколько капель на землю, после того как опустошит свой кувшин. Она никогда не осмелится черпать воду против течения, так как это ударит по обиталищу духа и вызовет ее гнев.

Румын вообще избегает соседства с глубокими водоемами, особенно с водоворотами, потому что здесь обитает страшный Балаур, или Водна Муз, жестокий водяной, который подстерегает человеческие жертвы.

В каждом лесу также есть свой особый дух — мама-падура, или лесная мать. Эта фея, как правило, добродушна, особенно по отношению к детям, заблудившимся в лесу. Меньше доверия заслуживает Пануш (несомненно, от греческого бога Пана?), который бродит по лесным полянам и подстерегает беспомощных девиц.

Такие болезни, как мор, холера и т. д., приписываются духу под названием дшума, которому иногда придают облик свирепой девы, иногда — беззубой старой карги. Этот призрак можно отогнать только в том случае, если у входа в пострадавшую деревню вывесить красную рубашку, которую должны прясть, ткать и шить за одну ночь семь старух...

Поманы, или похоронные пиры, повторяются [румынами] через две недели, шесть недель и в каждую годовщину в течение следующих семи лет; кроме того, если покойник явился во сне кому-либо из членов семьи, это также требует проведения еще одного помана; и если эти условия не соблюдаются в точности, душа, которой пренебрегли, склонна жалобно бродить по земле и не может найти покоя. Эти беспокойные духи, называемые Стригоями, не злобны, но их появление не сулит ничего хорошего и может рассматриваться как предзнаменование болезни или несчастья.

Однозначным злом, однако, является вампир, или носферату, в которого верит каждый румынский крестьянин так же твердо, как в ад или рай. Есть два типа вампиров — живые и мертвые. Живой вампир — это, как правило, незаконнорожденный отпрыск двух людей вне брака, но даже безупречное происхождение не обязательно защитит от вторжения вампира в свой фамильный склеп, поскольку любой, кого убил носферату, также становится вампиром после смерти и продолжает высасывать кровь других невинных людей, пока его дух не изгонят. Этого можно сделать двумя способами: либо открыть гроб и вонзить кол в труп, либо выстрелить в гроб из пистолета. В тяжелых случаях рекомендуется отрезать голову, набить рот чесноком и положить ее обратно в гроб или вырезать сердце, сжечь его, а пеплом посыпать могилу.

То, что к подобным средствам лечения часто прибегают даже в наши просвещенные дни, является общеизвестным фактом, и, вероятно, найдется немного румынских деревень, где на памяти жителей такого не происходило.

Первый двоюродный брат вампира, изживший себя оборотень немцев, встречается и здесь, задерживаясь под именем Приколича. Иногда это не волк, а собака, облик которой человек принял добровольно или в наказание за свои грехи. В одной из деревень до сих пор рассказывают (и в это верят) историю о таком человеке, который, возвращаясь в воскресенье из церкви вместе с женой, вдруг почувствовал, что пришло время для его преображения. Поэтому он передал ей поводья и отошел в кусты, где, пробормотав мистическую формулу, сделал три кувырка через канаву. Вскоре после этого на женщину, тщетно ожидающую своего мужа, напала бешеная собака, с диким лаем внезапно выбежавшая из-за кустов. Собака сильно покусала женщину и изорвала ее платье. Когда час спустя женщина одна добралась до дома, ее с улыбкой встретил муж, однако в его зубах она заметила лоскуты своего платья. Осознав весь ужас происходящего, она упала в обморок...

Не нужно далеко ходить дальше, чтобы объяснить экстраординарное упорство к жизни легенды о вервольфах в такой стране, как Трансильвания, где обитает так много реальных волков. Каждая зима приносит свежие доказательства смелости и коварства этих ужасающих животных, чьи нападения на стада и фермы порой отличаются сноровкой, которой позавидует человеческий разум.

Порой один особенно смелый вожак стаи волков держит в страхе целую деревню неделями. Неудивительно, что ему крестьяне приписывают более чем животную натуру, и можно смело пророчить, что пока настоящий волк продолжает бродить по трансильванским лесам, до тех пор и его призрачный собрат будет жить в умах жителей.

Многие древние румынские легенды повествуют о том, что каждая новая церковь или другое важное здание становилось человеческой могилой, поскольку считалось, что для его устойчивости необходимо замуровать живого мужчину или женщину, чей дух впредь будет преследовать это место. В более поздние времена люди стали менее жестокими, или, что более вероятно, потому что убийство теперь сопряжено с большими неудобствами для действующих лиц, этот обычай претерпел некоторые изменения, и стало принято вместо живого человека замуровывать его тень. Для этого тень человека измеряют длинным куском шнура или лентой, сделанной из тростниковых палок, и помещают эту тень вместо самого человека, который, будучи бессознательной жертвой наложенного на него заклятия, чахнет и умирает в течение сорока дней. Непременным условием успеха этого действа является незнание выбранной жертвы о том, какую роль она играет, поэтому неосторожные прохожие вблизи места строительства часто слышат предостерегающий возглас: «Смотри, чтобы они не забрали твою тень!» Это суеверие настолько глубоко укоренилось, что не так давно еще существовали профессиональные торговцы тенями, которые занимались тем, что поставляли архитекторам необходимые жертвы для защиты стен. Конечно, человек, чью тень помещают в стену, должен умереть, рассуждает румын, но поскольку он не знает о своей участи, то не чувствует ни боли, ни тревоги, а значит, это менее жестоко, чем замуровывать живого человека...

Трансильвания, Чарльз Бонер, Лонгманс, 1865[1]

ЗЕМЛЯ ЗА ЛЕСОМ

...сразу же отправился в трактир, чей внешний вид с аккуратно выкрашенными зелеными занавесками, казалось, обещал приличное жилье. Но какая грязь и беспорядок! Чтобы позавтракать в таком месте, требовалась хорошая практика; впрочем, мне было не привыкать к подобным испытаниям, и вскоре трапеза была окончена[2]. А теперь —

---

[1] Если Эмили Жерар впервые познакомила Брэма Стокера с трансильванскими народными сказками (или, как она предпочитала их называть, «суевериями»), то Чарльз Бонер впервые познакомил Стокера с историей и географией региона, который он выбрал в качестве основного места действия своего романа, в книге «Трансильвания: ее продукты и ее люди». Поскольку Бонер был также автором книги «Охота на серну в горах Баварии», описываемые им товары часто были меховыми.

В главах «Земля за лесом», «Феры», «В Бистрицу» и «Закон и беззаконие» Стокер также читал описания деревенской жизни в Карпатах, отдаленного горного замка Терцбург к югу от Кронштадта («он мог быть обителью какого-нибудь рыцаря-разбойника, или Синей Бороды, возвышающейся высоко над перпендикулярной скалой») и города Бистрица («1836-50», — справедливо отмечает он, — пять пожаров, в результате которых было уничтожено триста двадцать пять домов»). Прекрасные карты региона помогли бы ему сориентироваться. Отношение Бонера к «местным жителям», с которыми он сталкивался, было, пожалуй, даже более покровительственным, чем у автора «Дракулы». Одна из записей, сделанных Стокером в машинописи, оказалась особенно важной: «р. 417 БОРГО ПРУНД. К Е. из Бистрицы». Позднее он вычеркнул эту запись, воспользовавшись информацией.

[2] Сноска Бонера: Поскольку все комнаты были заняты, мне разрешили пройти в спальню хозяина и хозяйки, чтобы совершить свой утренний туалет. Но как ни грязно и неопрятно там было, там все же висели стальные пяльцы для кринолина моей хозяйки. Очарование кринолина, похоже, повсюду неотразимо.

путь в Хацег! Мой человек уже у дверей с маленькой четырехколесной повозкой, набитой сеном, с расстеленными на ней коврами, на которых мне предстояло воцариться. Но эти жалкие крысы-пони! Они никогда не доберутся до Хацега к вечеру! «Разве нет? — сказал мой черноволосый кучер-еврей. — Они в отличном состоянии (они были кожа да кости, прошу заметить), и вы увидите, насколько они резвые».

И мы поехали — я на своем троне из сена, а моя маленькая лохматая упряжка понеслась вперед хорошим галопом. Некоторое время мы проезжали мимо всего населения, которое стекалось в город. Тут были и группы женщин, и повозки с крестьянами, и молодые девушки в праздничных нарядах, почти все в белоснежных рубашках с широкими полосами вышивки, красной или синей, по плечам и рукавам; на шее, над грудью, висели большие серебряные монеты. Некоторые носили на голове большой белый платок, но такой большой и длинный, что он ниспадал на них, как вуаль, и струился низко сзади. Есть что-то очень изящное и женственное в этом безупречном головном уборе с его многочисленными и развевающимися складками. У других были платки более ярких оттенков, но любимым цветом был пурпурный. Следом появилась компания болтунов в новеньких куртках из овчины без рукавов, расшитых красной, зеленой и синей кожей и имевших очень праздничный вид. Потом другие — с алыми фесками на головах; третьи — с покрывалом с двумя углами, поднимающимися спереди и напоминающими цветущий Ааронов жезл. То и дело проходил цыган, смуглый, как индус; и хотя большинство путников были чисты и одеты в воскресную одежду, были и такие, кто, как видно, и не думал веселиться, и все в них было почерневшим, грубым и грязным. Как ни приятна и живописна простая одежда этих женщин, когда она свежа и опрятна, в противоположном состоянии в ней чувствуется совершенно дикарская жизнь. Обреши, почти черные от грязи, рваные и спутанные, похожи на развевающиеся конские гривы, развешаны вокруг и имеют самый странный, неприглядный и неприятный вид[1].

Вот вдалеке показалась целая толпа молодых девушек в рубашках и головных уборах, белых, как полевые маргаритки, и, когда они обдавали утренним ветерком ярко-красные обреши, развевающиеся на ветру, можно было подумать, что над равниной проносится стая фламинго. У большинства из них за пояс были заткнуты прялки, а одна с разведенными руками сматывала красную пряжу; солнце тоже светило и освещало яркие фигуры, которые весьма выгодно оттеняли мягкий осенний пейзаж. Удивительно, как они могут прясть на ходу, ведь продвигаются они быстро, а их ноги и веселый язык не отстают друг от друга.

Какие бюсты вы видите здесь, где нет никаких ограничений, и ничто не мешает полному развитию фигуры! Льняное полотно не скрывает прекрасные очертания груди, а, скорее, подчеркивает их, обозначая то овальный бутон, то полную округлость. А драпировка ниспадает на эту прекраснейшую женскую черту резкими угловатыми линиями, словно под ней твердый мрамор; да это и есть мрамор, но он сияет страстной жизнью. По дороге мой кучер указал мне на место в горах, где однажды вечером он увидел «золотой огонь». «И что это? спросил я. «Это свет, который парит над местом, где зарыто золото». — «Конечно, вы пошли и завладели им», — сказал я, смеясь. «Да, но, находясь так далеко, я не смог найти точное место и поэтому остался ни с чем».

Две его лошади, которые все еще храбро шли вперед, обошлись ему, по его словам, в сорок флоринов. Мы встретили крестьянина, который купил корову и ее теленка и теперь вез их домой. За обоих он заплатил всего восемь флоринов; таковы были последствия голода и засухи в Венгрии.

---

[1] Сноска Бонера: Обреша — это пояс, который женщины носят поверх сорочки, из широкой полосы плетеного шнура, похожего на шпагат, с которого впереди и сзади свисает бахрома, доходящая почти до лодыжки. Это почти то же самое, что и у дикарей. Он ярко-красного цвета и сильно контрастирует с белым бельем под ним.

«Дорога была ровной, по обеим сторонам на небольшом расстоянии возвышались лесистые холмы. Деревни были аккуратно построены, дома добротные и крепкие на вид, и, если я правильно помню, часто стояли отдельно. Они стояли в ряд далеко от дороги, так что улица получалась огромной ширины. При таком способе застройки деревня разрасталась на значительную длину. Аккуратность и правильность всего этого свидетельствовали о былом военном надзоре, а дорога была широкой и ровной, как бильярдный стол.

«Вы увидите разницу, когда мы доберемся до Трансильвании, — сказал мне мой человек, — прямо на месте все будет плохо — дороги, мосты, все». Я заметил здесь, как и позже в других местах, что жители военных границ всегда превозносят свое превосходство, похоже, оценивая его по достоинству после того, как их однажды принудили к порядку и они привыкли к нему. Мы остановились у лачуги, которую кучер назвал постоялым двором, — жалкого места, где была лишь грязь, грязь да грязь. Валахские крестьяне спали на скамьях, и все вокруг выглядело жалким и разбитым. Как и доктору Джонсону и мне пришлось довольствоваться яйцами, причем я сам руководил их жаркой. Хозяева были немцами; по их словам, все трактирщики вдоль дороги были такими. И даже здесь, в этой жалкой дыре, на стене грязной комнаты висели два кринолина; вторая была миниатюрной, для маленького ребенка. Это произведение цивилизации составляло забавный контраст с группой цыган чуть дальше. Вокруг скакал совершенно голый мальчик. У одной маленькой девочки на шее была застегнута накидка, прикрывавшая плечи, но от этого она была, выражаясь языком писак, такой же «голой», как и ее спутница. Они были похожи на маленьких дикарей, как и другие дети, на которых были какие-то тряпки.

Мы так привыкли видеть место, где покоятся наши умершие, охраняемым и ухоженным с очевидной заботой, а могилы отмеченными тем, что, пусть скромно, но претендует на художественное мастерство, что было довольно странно и неприятно видеть церковный двор, огороженный барьерами, а напротив него, у дороги, другой, не огороженный, могильные холмики на котором были отмечены простыми палками из забора.

Вскоре мой маленький еврей, с чувством удовлетворения указав на сломанный мост, воскликнул: «Вот она, Трансильвания! Смотри, какая плохая дорога!», и я всеми конечностями почувствовал, что это правда. «Вы видите разницу между этой и пограничной дорогой». Однако эта дорога, ведущая в Хацег, не была столбовой, поскольку в Трансильвании они также прекрасно сохранились.

Мы приближались к перевалу Эйзерн-Тор. Справа — густой лес, слева — холмы без леса. Постепенно хребты перед вами опускаются, и вы видите седловину, через которую можно пройти. Как раз в этом месте и находится перевал. Вы спускаетесь еще ниже, и вот уже перед вами расстилается вся Хацегская долина.

Эта долина — гордость трансильванцев. Вопрос о том, видел ли я ее, всегда задавали мне, когда узнавали, что я путешествую по этой стране. Дорога проходит через плодородную равнину, покрытую кукурузными полями, а справа от вас — горы, на вершины которых падали последние лучи солнца, когда мы спешили дальше.

На склонах холмов стоят деревни с простыми церквями, а во всех направлениях, от подножия гор и до их вершин, стоят деревенские дома, усеивающие величественные склоны. Это очень похоже на долину реки Инн между Инсбруком и Куфштайном, только здесь сама долина гораздо шире...

Что делает волка таким грозным врагом для фермера, так это его привычка разрывать на куски больше животных, чем он может съесть. Он уничтожает ради того, чтобы уничтожить, а не просто для того, чтобы утолить голод. Они пугливые звери и передвигаются так быстро, что их трудно настичь. Сегодня ночью они разоряют стадо, а к утру оказываются в чащобах за много миль отсюда; так что, когда округа, вооружившись, отправляется прочесывать местность, ни одного волка не найти... Зимой они приходят в деревни по ночам, чтобы добыть все, что можно, — свинью, птицу или гуся, все равно что.

Крестьяне теряют таким образом много скота, но только в сильные холода животные решаются приблизиться к человеческим жилищам. Однажды я встретил одного из них, когда поздно возвращался домой со званого вечера, недалеко от окраины города Бистрица. Было светло, термометр показывал 27° Реомюра ниже точки замерзания. Я шел по середине дороги, где было светло как днем; дома справа от меня были в тени, и недалеко от стен мне показалось, что я увидел большую собаку. Животное кралось незаметно, обходя меня и моего спутника, затем перешло дорогу, и тут я сразу понял по его своеобразной походке, что это волк. «Смотрите, это же волк!» — воскликнул я, пораженный. «Да», — спокойно ответил другой и пошел дальше. Миновав дорогу, он удалился через поля.

В 1614 году в окрестностях Кронштадта было столько волков, причем таких необычных размеров, нападавших не только на скот, но и на людей, «что, — пишет историк, — в конце концов мы решили, что это, должно быть, львы». За семь убитых волков магистрат Шассбурга выплачивал вознаграждение в один флорин. Медведи тоже бродили по окрестностям, а некоторые обитатели гор были такими же дикими, как и они… «Погода была прекрасной, и вряд ли канадская зима может быть более яркой». К востоку от Бистрицы лежит Борге-Прунд[1], и я поехал туда, чтобы посмотреть и купить кое-что из изделий румынских женщин. Местность в этих местах сразу же напомнила мне пейзажи долины Инна. Здесь тоже есть подобие швейцарского плоскогорья — гряда невысоких холмов, поднимающихся в долину между более высокими горами. Даже сейчас их смелые формы и пологие склоны были очень привлекательны; а летом, когда леса на возвышенностях в полном цвету, а пастбища зеленеют и оживляются стадами и отарами, картина должна быть просто чудесной… Еще дальше, по направлению к перевалу в Молдавию, пейзаж становится все более живописным, и нет ничего лучше, чем дорога туда.

---

[1] Несомненно, эта информация была новой для Стокера.

А.Ф. Кросс

Вокруг Карпат, Лондон, Блэквудс, 1878[1]

Чем теснее меня сжимает кольцо цивилизации, тем более приятной оказывается попытка вернуться к примитивизму. Это чувство сделало простой факт ночевки в палатках восхитительным. Нашей первой заботой было выбрать подходящее место; мы нашли многообещающую площадку и остановились на привал. Мы разложили продукты, расстелили плащи и развели костер из сухих палок и бревен. Вскоре костер величественно затрещал, выбрасывая могучие языки пламени, которые освещали темные дали леса.

Далее следовал ужин, состоявший из жаркого по-разбойничьи и чая. Я всегда прибегаю к своему чаю как к самому освежающему напитку после долгой прогулки или поездки. Утром перед началом дня мне нравится кофе — заметьте, хороший кофе; но вечером нет ничего лучше чая.

Жаркое по-разбойничьи — отличное блюдо, заслуживающее по меньшей мере почетного упоминания: оно состоит из небольших

---

[1] Дальнейшие подробности трансильванской жизни Брэм Стокер почерпнул из мемуаров Эндрю Ф. Кросса. Кросс, самопровозглашенный «член Химического общества», проникновенно описывает, как он путешествовал по диким Карпатам, вооруженный лишь ножом-бабочкой, револьвером и двуствольным ружьем, и умудрился при этом столкнуться со старым школьным другом из Вестминстера. Большинство рецептов в «Дракуле», некоторые фразы (например, «бескрайние карпатские полукружья»), аспекты топографии и описание золотистого медяшского вина («оно приятно щиплет язык») или токайского вина (о котором Стокер заметил: «Иногда от токайского вина становится дурно весной — в то время, когда сок поднимается (в живых растениях. Записка: угадайте причину!») — все это происходило из Кросса. Упоминания о ножах-боуи, возможно, послужили источником предпочитаемого оружия Квинси Морриса, «большого ножа-боуи» в романе. Не исключено, что собственная «персона» Кросса помогла сформировать характер Джонатана Харкера (в ранних черновиках «Дракулы»). Для него это был важный источник информации о Трансильвании.

кусочков говядины, бекона и лука, нанизанных поочередно на шпажку; его приправляют щепоткой паприки и соли, а затем обжаривают на огне, причем нижний конец шпажки катают вперед-назад между ладонями, когда держат ее над раскаленными углями. Получается вкусная закуска с горбушкой хлеба…

Я узнал, что полезную ломовую лошадь можно купить примерно за шесть или семь фунтов. Смею предположить, что я мог бы выбрать несколько из них, пригодных для верховой езды, но, конечно, это были грубые животные, простые крестьянские лошади. Некоторые жеребята, которых привели вереницей с гор, были дикими, неприрученными существами; но вряд ли они были такими же дикими, как валаки, которые вели их, одетые в овчины, и за каждым следовала его дикая волкоподобная собака. Собаки в Венгрии очень грозны. Даже в окрестностях города небезопасно гулять без револьвера из-за этих диких зверей, которые, будучи преданными своим хозяевам, способны совершать самые свирепые нападения на чужаков. Собака этого особого вида на самом деле очень полезна — пастуху на одинокой опушке, хранителю виноградника в ночные часы, когда дикий кабан угрожает разорением, — короче говоря, она выполняет роль сельской полиции в целом…

Лейтерваген не имеет аналогов в Англии, а буквальное название «повозка-лестница» едва ли передает правильное представление о самой вещи. Эта длинная повозка, нет нужды говорить, не имеет рессор; но она обладает способностью удивительным образом приспосабливаться к неровностям дороги. Кроме того, она имеет змееподобную хребтовину и даже сама извивается, когда это необходимо…

Темп движения был настолько медленным, что, признаюсь, вызывал у меня нетерпение, но наш путь через лес был слишком узок и слишком крут, чтобы можно было обойтись одним шагом. Характер растительности заметно менялся по мере подъема. Мы оставили дубравы и буковые леса позади, попали в лес из сосен, и я подумал о строках:

«Это лес первозданный. Шумящие сосны и тсуги. Поросшие мхом, в зеленых одеждах, расплывчатые в сумерках».

Серый мох, свисающий такими обильными фестонами с елей, производит необычный эффект, порой почти странный. Эти древние обитатели леса с длинными седыми бородами и копной волос выглядят в сумраке очень торжественно.

Какое несметное богатство таят в себе эти величественные деревья, которые растут только для того, чтобы истлеть! Огромные стволы лежат со всех сторон: некоторые из них уже прогнили, что дает новую жизнь; и здесь грибы ярких и разнообразных оттенков, серый лишайник и зеленый мох сохранили вместе контур гигантского ствола, который, простертый и истлевший сейчас, когда-то высоко возвышался среди владык леса.

... В Трансильвании очень много «оседлых цыган». Конечно, юридически они свободны, но они привязываются к мадьярам из глубокого уважения ко всему аристократическому, и в Трансильвании название «мадьяр» служит почти отличительным термином как для класса, так и для расы. Цыгане не ассимилируются с бережливыми саксонцами, а предпочитают быть прихлебателями в замке венгерского дворянина[1]: они называют себя его именем и исповедуют ту же веру, будь то католическая или протестантская. Несмотря на это, цыгане здесь, как и везде, имеют неизлечимую привычку воровать; тем не менее им можно доверять как посыльным и перевозчикам — я не знаю, что бы люди делали без них, ведь они в любой день не уступают общей «компании по доставке посылок»; и, конечно, они вездесущи, ведь цыган обязательно зайдет в незапертую дверь, чтобы что-то украсть, чего бы это ни стоило...

---

[1] Цыгане, которые «предпочитают быть приживалками в замке венгерского дворянина», очевидно, дали Стокеру идею для его «Сганы... [которые], как правило, примыкают к какому-нибудь великому дворянину или боярину и называют себя его именем», и которые, таким образом, находятся в союзе с Дракулой.

Прежде чем завернуться в плащ на ночь, я подбросил в костер свежих дров, которые, обрушившись на раскаленные угли, взметнули вверх сноп искр, бешено скачущих по зелени. Я убедился, что с лошадьми все в порядке, положил ружье наготове, а затем предался сну.

Не знаю, как долго я спал, но я чувствовал, что меня беспокоят, и не мог сразу проснуться. Мне приснилось, что ко мне принюхивается медведь, но вместо того, чтобы удивиться или испугаться, я сказал себе во сне, как будто это было вполне обычным явлением: «Опять этот медведь, он всегда приходит, когда я сплю». Однако в следующее мгновение меня очень эффектно разбудил рывок, наполовину поднявший меня с земли. Должен заметить, что я привязал недоуздок лошади к поясу на случай тревоги ночью, так как я всегда сплю так крепко, что никакой шум или движение меня не разбудит. Я, конечно же, вскочил, одновременно позвав валаха. Что-то напугало лошадей, и они попытались убежать. Мы обнаружили, что они дрожат с головы до ног, но не смогли определить причину их испуга[1]. Я дважды выстрелил из револьвера, а валах тем временем зажег в качестве факела связку смолистых еловых веток. Он предусмотрительно скрутил ее перед сном; это отличная вещь, так как в случае необходимости она дает хороший свет.

Осмотрев все вокруг и ничего не обнаружив, мы развели яркий костер и снова улеглись отдыхать. Подушкой мне служило мое седло, и оно было не так уж плохо. Прежде чем погрузиться в сон, я прислушался и снова прислушался, но ничего не услышал, кроме уханья сов, отвечавших друг другу вдалеке. Ночь стала очень холодной, и выпала обильная роса, но, несмотря на эти неудобства, я снова хорошо выспался…

---

[1] Стокер написал себе записку по поводу этого отрывка: «Памятка. Лошади должны быть встревожены приближением графа Дракулы и почувствовать запах крови». Так инцидент с испуганными лошадьми Кросса превратился в знаменитую встречу с Дракулой (в роли кучера) на перевале Борго и реакцию лошадей на приближение к замку Дракулы в конце истории.

Дважды в день здесь проходит дилижанс, поездка занимает четырнадцать часов или около того, что зависит, конечно, от состояния дорог, которые могут быть очень плохими — немыслимо плохими. Ради экскурсии я однажды сел в почтовый вагон до Синии, где есть современный отель и очень сносные апартаменты. Пейзажи перевала очень романтичны. Местами дорога вьется вокруг обрыва, а далеко внизу — глубокая бессолнечная лощина, по которой с шумом несется горный поток по своему каменистому руслу; в других местах вы обходите поток с его зеленым лугом — пасторальный оазис среди дикого величия голых известняковых пиков и снежных вершин. Осенняя окраска нависающих лесов из дубов и буков была более яркой, чем я когда-либо видел; эффект, когда ты находишься в тени и видишь сияние солнечного света на листве по другую сторону ущелья, был самым поразительным. Над этой рубиновой горой возвышались другие высоты, опоясанные темной елью, а еще выше виднелись еще более высокие пики, одетые в ослепительную белизну свежевыпавшего снега. В Южных Карпатах нет области вечных снегов, но самые высокие вершины обычно покрываются снегом поздней весной и ранней осенью. Мне говорили, что в этом районе хорошая охота на медведей…

Во всех частях страны, где можно встретить путешественников, неизменным ответом на просьбу дать что-нибудь поесть является вопрос: «Не желает ли джентльмен куриный паприкаш?» И лучше бы он ему понравился, так как шансы получить что-либо другое невелики. Пока я присматривал за своей лошадью, хозяйка гостиницы поймала жалкую курицу, которой, я уверен, не о чем было жалеть в этой жизни; и в удивительно короткое время птица была тушена в красном перце и названа куриным паприкашем…

Полагаю, что [моего хозяина] графа М. очень позабавил тот факт, что английский джентльмен путешествует один на лошади, без слуг и прочих препятствий. Помню, мой друг рассказывал, что однажды в Италии, когда он отказался нанять у крестьянина повозку по совершенно непомерной цене и сказал, что предпочитает ходить пешком, тот окликнул его, сказав: «Мы все знаем, что вы, англичане, достаточно безумны, чтобы согласиться на что угодно!»

Не знаю, пришел ли венгерский граф к такому же выводу в моем случае, но я видел, что он был очень удивлен; не думаю, что другие люди понимают любовь англичанина к приключениям[1].

Майор Э. К. Джонсон

«По следам полумесяца», Херст и Блэкетт, 1885[2]

УЖИН В ПЕШТЕ

Вечером внимательный пожилой гид отеля, выглядевший как неумолимый «майор в отставке» в английском пансионе, повел меня в ресторан «Карл» на Йожеф-тер и заказал для меня настоящий венгерский ужин. Мадьярское меню довольно изысканно и, помимо различных загадочных рыб, заправленных маслом

---

[1] Эта фраза появляется почти дословно в конце «Гостя Дракулы» и, возможно, была частью раннего черновика «Дракулы». Граф пишет (о своем госте) метрдотелю мюнхенского отеля «Четыре сезона»: «Он англичанин, а значит, авантюрист».

[2] Судя по многочисленным сравнениям между валашскими крестьянами и «нашим другом Пэдди», между их жилищами и «скоплением хижин на Изумрудном острове», майор Э. К. Джонсон, бесстрашный и самоуверенный автор книги «По следам полумесяца: обрывочные заметки от Пирея до Пешта», должно быть, служил в Ирландии, а также на непальской границе. Независимо от того, понравилось ли Брэму Стокеру это повествование или нет, и разделял ли Стокер «клубный» подход майора к рассказыванию историй, он определенно почерпнул из книги Джонсона много информации о Румынии. Помимо длинных отрывков, которые он прокомментировал, к этой информации также относились данные о костюмах (как справедливо заметил Стокер, «цветной фартук, называемый КАТРИНЦА»; широкий пояс, называемый «ОБРЕНСКА»; «Шемизетка с открытым воротом — без застежек»), языках (Джонсону «удалось неплохо поладить с французским и немецким языками»), и о роли секлеров в истории Венгрии и Трансильвании. Стокер написал семь страниц машинописных заметок по этой книге — больше, чем по любой другой на эту тему — и позже вычеркивал данные по мере их использования.

и жиром, благородного оленя, дикого кабана, стрепетов и лягушек, в сезон, конечно же, включает в себя неизменный «биф-стек» для англичан, как называют его местные.

После долгих перешептываний между моим гидом и официантом и обычного тоскливого ожидания, сменившегося небольшой игрой с различными закусками (что-то вроде шведского стола), подали рыбу, похожую на форель, с острым густым соусом. Это был «фогас» (perca lucio perca), произносится как «фогуш», рыба, обитающая только в озере Балатон, недалеко от знаменитого источника Фюред...

За фогасом последовал мой старый испанский друг, цыпленок табака, посыпанный красным перцем. Как объяснил мой «старый джентльмен», это национальная приправа — паприка, разновидность кайенского перца, которая используется почти во всех венгерских блюдах. Впоследствии у меня возникли некоторые сомнения касательно ее мягкости, т.к. на следующее утро мое горло кричало «Берегись!». Затем я попробовал другое национальное блюдо, «толтотт капошта» — капусту, фаршированную рисом, мясом и специями, — очень вкусное, но вызывающее легкое расстройство пищеварения блюдо, после которого требуется немного содовой. В итоге я съел всенепременный арбуз, зеленый снаружи и красный внутри, с черными косточками, и запил все это бутылкой «Несмея» — что-то среднее между «Хоком» и «Шабли». Это, наряду с разнообразными сладостями, завершило трапезу, общему совершенству которой в значительной степени способствовало венгерское вино...

ЕЩЕ ОДИН УЖИН

Вскоре после моего приезда мы поужинали, и за столом с нами сидели два слуги графа Р. и его секретарь. В ходе беседы я с огорчением узнал, что графиня сильно страдала от ревматизма. Однако впоследствии это меня не удивило, потому что утром и вечером

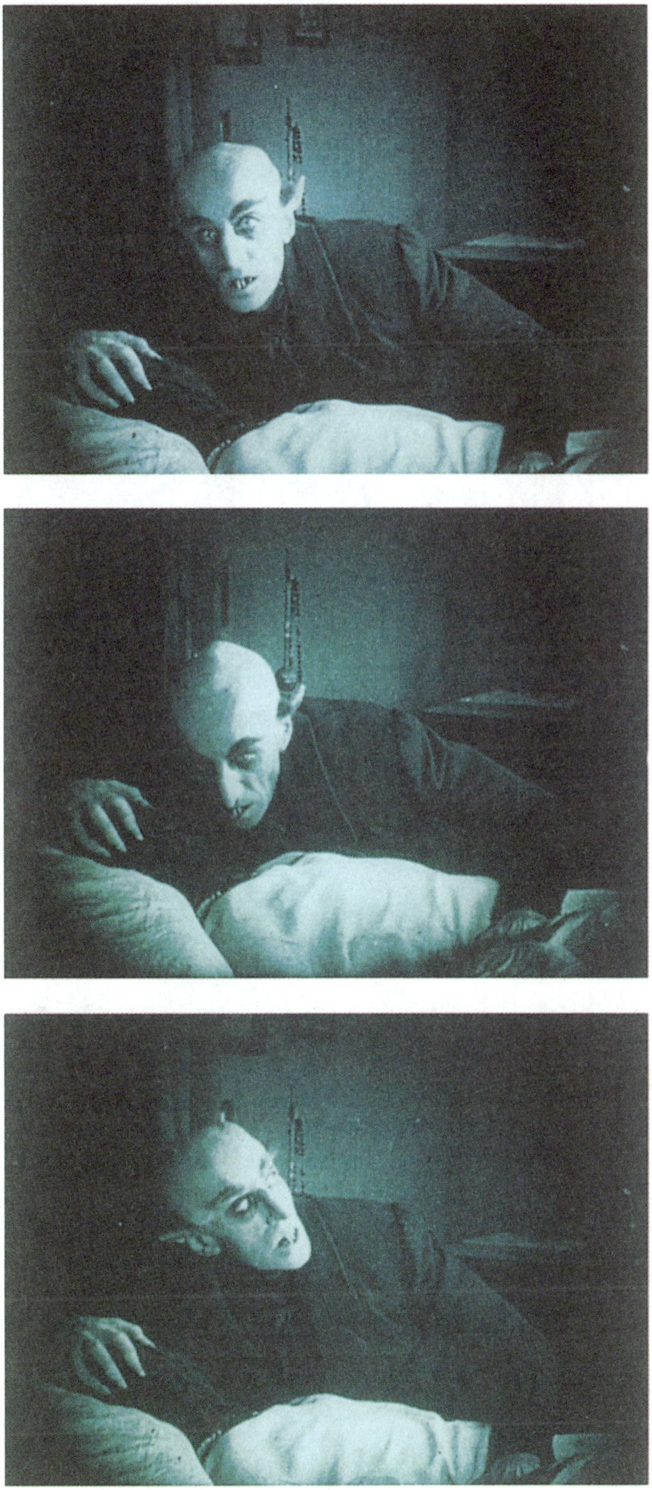

Пир графа Орлока (Макс Шрек), прерванный криком петуха, в фильме Ф. В. Мурнау «Носферату: симфония ужаса» (1922) — одном из самых известных фильме о вампирах.

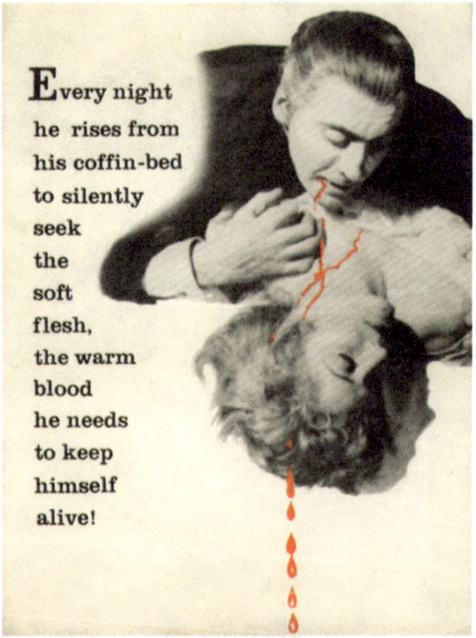

Предыдущий разворот: жертва вампира Леон (Сибилла Шмитц) в фильме Карла Дрейера «Вампир: Сон Алена Грея» (1932), снятом по мотивам «Кармиллы» Ле Фаню. **Сверху слева:** рекламное фото Белы Лугоши (графа) в вечернем костюме на широких ступенях своего замка в фильме Тода Браунинга «Дракула» (1931). **Сверху справа:** Постер фильма студии Hammer «Дракула» (он же «Ужас Дракулы», 1958), на котором Кристофер Ли в роли графа кусает Мелиссу Стриблинг в роли Мины. **Внизу:** Тод Браунинг дает указания Беле Лугоши и Кэрол Борланд (Луна) на съемочной площадке фильма «Знак вампира» (1935), ремейка фильма «Лондон после полуночи» (1927), в котором рассказывается о вампирах.

Две версии истории Ле Фаню. **Сверху:** Кармилла (Аннетт Вадим), перенесенная в Италию, соблазняет Джорджию Монтеверди (Эльза Мартинелли) в фильме Роже Вадима «Умереть от наслаждения» (1960). **Внизу:** Кармилла Карнштейн (Ингрид Питт) соблазняет Эмму Мортон (Мадлен Смит) в фильме Роя Уорда Бейкера «Любовницы вампирши» (1970).

Сверху слева: отрубленная голова Горчи (Борис Карлофф) на постере фильма Марио Бавы «Чёрная суббота, или Три лица страха» (1963), вторая часть которого основана на рассказе Алексея Толстого «Семья вурдалака». **Сверху справа:** постер в стиле ретро тщательно продуманного ремейка Вернера Херцога «Носферату: Призрак ночи» (1979), на этот раз с Клаусом Кински в роли графа и обилием меланхоличного романтизма. **Внизу:** Обращенная в вампира Люси Вестенра (Сэди Фрост) в причудливом свадебном платье, вдохновленном австралийской плащеносной ящерицей, загнана в угол в своем склепе в стильном фильме Фрэнсиса Форда Копполы «Дракула Брэма Стокера» (1992).

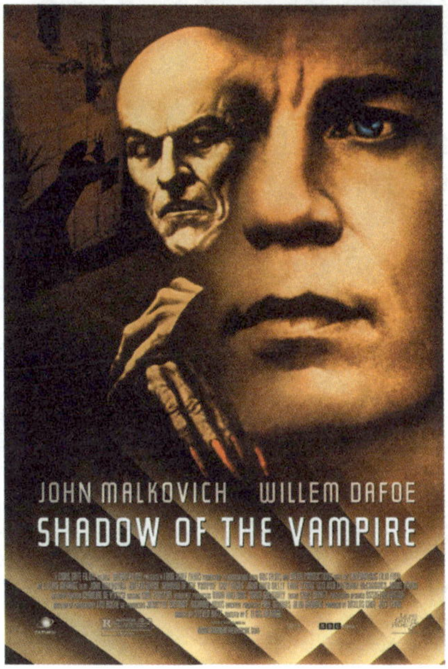

По часовой стрелке сверху вниз: Том Круз в роли Лестата де Лионкура в фильме Нила Джордана «Интервью с вампиром» (1994) по роману Энн Райс; Сара Мишель Геллар в роли Баффи Саммерс из городка Саннидейл в первом сезоне (из семи) телесериала «Баффи — истребительница вампиров» (1997); постер к фильму Э. Элиаса Мериджа «Тень вампира» (2000) о создании «Носферату» Мурнау, в которой Макс Шрек и в самом деле был настоящим вампиром; англоязычный постер к фильму Томаса Альфредсона «Впусти меня» (2008), получившему признание критиков, с Линой Леандерссон в роли бледной вампирши Эли, действие происходит в пригороде Стокгольма.

Постер фильма Кэтрин Хардвик «Сумерки» (2008) с Робертом Паттинсоном в роли Эдварда Каллена и Кристен Стюарт в роли влюбившейся по уши Беллы Свон — будут они вместе или нет?

с болот поднимался влажный туман [вдали виднелась туманная линия Карпат], а дождь был обычным явлением днем и ночью. На ужин главным блюдом, как обычно в Венгрии, был куриный паприкаш. Готовят его, даруя какому-нибудь престарелому петуху мгновенную смерть, рубят его на мелкие кусочки и опускают их в воду вместе с мукой, сливками, сливочным маслом и большим количеством паприки или красного перца. О таком блюде можно только грезить, хотя поначалу о грезах не может быть и речи, потому что «грифу[1]», впервые попробовавшему эту вкуснейшую приправу, обычно не дает уснуть боль в горле, по сравнению с которой печь для обжига извести, работающая на полную мощность, показалась бы прохладной. Таков был мой опыт, и на следующее утро граф от души посмеялся, когда я рассказал ему об этом. Он настаивал на том, чтобы я выпил рюмку с похмелья, короче говоря, вскоре я стал красным, как перец...

Однажды утром я сопровождал графиню и ее дочь с мужем, чтобы осмотреть старую церковь Святой Деметры. Церковный двор был полон жителей деревни — одни стояли на коленях и били себя в грудь, другие стояли и воздевали руки к небу, и все стонали и причитали. Одного из малышей только что положили в земную колыбель, и все добрые жители деревни собрались, чтобы выразить скорбь. Католический священник вышел вперед и поприветствовал «уважаемую компанию». Это был красивый, дородный, гладко выбритый мужчина с манерами настоящего джентльмена. Он рассказал нам, что это были четвертые похороны, на которых он присутствовал со вчерашнего утра, и что двое из умерших скончались от дифтерии, которая в то время была очень распространена в деревне. Он сопроводил нас и показал церковь, в которой не было ничего особенно интересного, за исключением очень красивого органа и нескольких ярких и гротескных изображений святых и мадонн — последние очень странно контрастировали с голыми,

[1] Недавно прибывший в Индию европеец *(прим. пер.)*.

неукрашенными стенами. Здание, однако, было расположено на небольшом холме, с которого открывался прекрасный вид на долину Мароша. Рядом с церковью находятся руины женского монастыря, от которого ничего, кроме башни, не осталось. Говорят, что в этих руинах обитают призраки их бывших обитательниц, которые в определенную ночь в году «оживают в отблесках луны» и в компании такого же количества покойных монахов устраивают бал. Один прусский офицер, который однажды гостил у графа Р., заявил, что стал свидетелем этого жуткого веселья, но признался, что до этого имел дело с бутылкой шнапса.

В полночь на кладбище взглянул часовой
Один, с вышины колокольни.
Как день, всё оно озарилось луной,
Светлеют могилы окольни....
Глядит.... расступилась гробов глубина,
Встают мертвецы — там один, там одна,
Закутаны в саванах белых.

Стряхнулись — и в пляску, и руку с рукой,
Свилися в венки, в хороводы,
И стар и богат и убог и младой;
Но в саванах нету свободы,
А жители гроба не знают стыда:
Покровы долой — и туда и сюда
Летят по могилам сорочки[1].

(«Пляска мертвецов» Гёте)

Покинув сонный городок [Регин], мы направились в северном направлении, справа от нас протекала река Марош, а впереди

[1] Перевод Ивана Петрова.

виднелись Карпаты, возвышающиеся до самых облаков. Дорога резко пошла в гору, и стало ясно, что мы приближаемся к высокогорью. Мы миновали множество семей, плотно набившихся в телеги, все мужчины снимали шляпы и кланялись. Однако я заметил, что эти знаки внимания исходили только от валахов, саксы же не обращали на нас никакого внимания — я полагаю, чтобы показать свою тевтонскую и независимую натуру. Мы встретили нескольких женщин, которые ехали верхом на коне, а у некоторых были прикрыты рты — без сомнения, это пережиток турецкой оккупации. В своих объемных головных уборах, набивных куртках и больших ботинках они походили на забавные и неуклюжие свертки.

Большой крест с грубо вырезанной фигурой нашего Спасителя сильно выделялся на обочине дороги, и все валахи относились к нему с величайшим почтением, некоторые преклоняли перед ним колени на несколько минут. Саксы, однако, обращали на крест не больше внимания, чем на нас. Подобными крестами в Тироле обычно отмечают место, где было совершено какое-нибудь кровавое деяние, и, осмелюсь сказать, в Трансильвании они имеют такое же печальное значение. Как правило, на этих распятиях, помимо фигуры Спасителя, изображена Дева Мария, у нее обнажено сердце, а в нем торчат кинжал или стрелы.

Вскоре после того, как мы миновали этот перекресток, показался величественный старый замок, к которому мы и направлялись. Расположенные на возвышенности, его хмурые зубчатые стены и мрачные старые башни являли собой идеальную картину средневековой крепости, в то время как хижины, из которых состояла деревня Век, сгрудились вокруг основания, как цыплята вокруг наседки. Подъезд к замку огибал холм, на котором он стоял, и, миновав его, мы пересекли подъемный мост, перекинутый через ров, и остановились перед парадной дверью и очаровательной террасой, обсаженной деревьями и цветами. Отсюда открывался прекрасный вид на дорогу, по которой мы приехали, и на долину до самых гор.

Мы были очень любезно приняты бароном и его очаровательной женой, и под их гостеприимным руководством мы сразу же приступили к осмотру их прекрасного дома. Часть замка, в которой жила семья, очевидно, была пристроена недавно. Она была построена в форме башни, чтобы гармонировать с основным зданием, и имела мраморную винтовую лестницу, которая вела в различные комнаты. На стенах висели бесчисленные военные и охотничьи трофеи. Головы оленей с огромными рогами смотрели на нас своими остекленевшими глазами, в то время как чучела косматых медведей зловеще ухмылялись из центра звезд, сделанных из сверкающих смертоносных лезвий. Последними, без сомнения, владели многие отважные предки барона, поскольку Кемени в былые времена оставили свой след на кровавом поле войны, как и ныне живущий представитель семьи на более мирном, но едва ли менее захватывающем поприще политики.

Верхняя площадка винтовой лестницы вела на прелестную веранду, в каждом уголке которой росли цветы, наполнявшие воздух сладостью, а мраморные дельфины, поддерживаемые купидонами, с успокаивающим журчанием изливали освежающие потоки, которые были особенно приятны после нашей жаркой поездки. С веранды мы прошли через открытые окна в большую гостиную, которая была обставлена и украшена самым роскошным образом. На стенах висели великолепные гобелены и красивые стеклянные витрины, полные старинных монет, медалей и военных орденов; инкрустированные шкафы, мозаичные столики и секретеры преграждали нам путь по турецкому ковру, толстые складки которого заглушали наши шаги; с потолка свисали красивые люстры из разноцветного стекла. Не обошлось и без искусства: в одном углу комнаты на высоком мольберте стоял незаконченный акварельный пейзаж, а в другом — рояль.

Баронесса предложила прогуляться по парку, поэтому мы спустились по другой лестнице, тоже винтовой, и вошли в длинную картинную галерею, где висели портреты множества мадьяр мрачного вида в роскошных нарядах и со свирепыми усами, загнутые кончики которых, казалось, угрожали их зрению. Оставив этих воинов, мы вышли на большую аллею, обсаженную розами. Она вела вдоль старой, покрытой мхом стены с балюстрадой — продолжения стены террасы перед замком; и отсюда, как и с фасада, открывался прекрасный вид на долину Мароша. Серые, обветренные стены старого замка на некотором расстоянии окаймляли дорожку и создавали заметный контраст с современной длинной и прямой крышей из красной черепицы.

Прямо над нами возвышалась старая башня, в которой вместо окна была длинная щель. Барон сообщил мне, что это была камера пыток, из которой несчастных узников, избитых до полусмерти и подвергнутых иным пыткам, сбрасывали через люк в полу в глубокую яму, где они коротали свои недолгие дни. Подобные отверстия в других башнях обозначали, где находились темницы для заключенных, и даже ниже уровня рва люди проводили долгие годы в сырости и темноте, без единого лучика света или надежды. Чтобы подчеркнуть почтенную древность этой башни, мне вряд ли нужно говорить, что в ней, конечно же, водятся привидения. Я уже знал о том, что когда-то существовали чудовища, способные на подобную дьявольскую жестокость по отношению к своим собратьям, поскольку я видел подобные доказательства в замке Нюрнберг и в других местах, и нет никаких сомнений в том, что в Средние века столь ужасные деяния были довольно распространены. Однако эти мрачные размышления рассеялись при мысли о том, что они больше невозможны, и при виде прекрасной сцены, открывшейся передо мной. Яркое, теплое солнце, мягкий, ухоженный газон, благоухающие цветы, воздух, кишащий всевозможными насекомыми, от ярких и вездесущих бабочек до жужжащих пчел — притягательная сила всего этого быстро овладела мной, и я полностью насладился этим зрелищем.

Пройдя через сады, мы углубились в лес, тропинка через который вела к тенистому уголку, откуда открывался вид на всю долину. Здесь мы увидели удобное место, словно созданное для отдыха — и мы с радостью приняли это приглашение. Лес покрывал склон холма, на котором был построен замок, вплоть до долины внизу, белая дорога то тут, то там выглядывала из-за деревьев, постепенно поднимаясь вверх. По этой дороге в облаке пыли гнали стадо буйволов. Они были похожи на черных жуков, а их погонщики — на крохотные пятнышки. Холм, на котором стоял замок, был настолько крут со стороны галлийской границы, что представлял собой очень мощную военную позицию, которая, если бы ее расчистили для использования современной артиллерии, осталась бы неприступна при первом же ударе. Перед нами, насколько хватало глаз, простирался бесконечный лес, вплоть до подножия горного хребта. Он переливался бесчисленными оттенками зеленого, синего и коричневого, переходящими в темно-фиолетовый по мере того, как лес становился более низкорослым и терялся в дымке, окружающей скалистые утесы. Они возвышались хребтом за хребтом, пока их не увенчал могучий «Истен-Шек» (Трон Бога)[1], обитель вечных снегов. Этот вид напомнил мне о том, как я впервые увидел Гималайский хребет с непальской границы, и вызвал то благоговейное чувство ничтожества человека, когда сталкиваешься лицом к лицу с потрясающим величием природы. Я всегда испытываю это чувство, когда вижу горы, оно напоминает мне о великой идее Канта о том, что возвышенный эффект огромных физических объектов возбуждает сознание моральной

---

[1] Стокер отметил «Множество крестов на обочинах дорог» и «Башню пыток с узкими окнами». Этот важный отрывок, возможно, указывает на внутреннюю географию и даже местоположение замка Дракулы. В финальном варианте романа Джонатан Харкер слышит, как попутчик говорит: «Смотрите! Истен-шек! Божий трон!», и замечает, что «у дороги было много крестов». К замку нужно «постоянно подниматься», и он расположен «на самом краю ужасной пропасти… это настоящая тюрьма».

силы, более могущественной, чем вся природа, и я почувствовал, насколько прав был этот великий анализатор психологических явлений.

Карпаты, возвышающиеся в своем первобытном величии, — зрелище, которое нелегко забыть. Они почти неприступны, а их крутые и скалистые склоны изрезаны многочисленными пропастями, через которые стекают воды, питающие Трансильванию. В этих горах заключены огромные запасы полезных ископаемых, но они до сих пор не добывались должным образом...

По завершении трапезы [мне показали] экипаж, который должен был отвезти меня в Коложвар. О боги! ужас! Тяжелый старый «Берлин», герметично закрытый от проникновения воздуха, в котором можно было сидеть только выпрямившись; стекла спереди и по бокам, чтобы пассажир мог хорошенько прожариться, когда солнце будет светить в полную силу в течение часа или двух; и, наконец, пружины (или что там у них было), все не так, как надо[1].

Чтобы запрячь эту допотопную карету, откуда-то были выкопаны два старых мешка с костями, которых нельзя было отнести ни к одному виду рода equus[2], известному в Западной Европе, и на их шеи были надеты какие-то «колокольчики», чтобы, я полагаю, ввести их в заблуждение, заставив думать, что они норовистые молодые жеребята. Сбруя, которой комплектовалось это снаряжение, своей долговечностью была в большей степени обязана изготовителю канатов, чем шорнику. Есть восхитительная ирония в названии, которое трансильванские немцы дали этой ужасной карете. Они называют ее Gelegenheiten — «возможности». Однако эта возможность была не призрачной богиней успеха, а весьма существенным провалом.

---

[1] Возможно, как дилижанс графа Дракулы.

[2] лошадь *(лат.)*.

Книга оборотней, С. Бэринг-Гулд, Смит Элдер, 1865[1]

В болгарском и словацком языках слово «оборотень» звучит как vrkolak, являясь родственным современному греческому слову с тем же значением — βρυκόλακας. Оборотни в Греции во многом сродни вампирам. Тамошние ликантропы впадают в каталептический транс, во время которого душа покидает тело, вселяется в волка и жаждет крови. После возвращения души ликантроп чувствует ужасную усталость, словно после тяжкого труда. Умерев, оборотни становятся вампирами. Часто они принимают облик волков или гиен и на полях сражений лишают жизни умирающих солдат. Еще эти твари могут проникать в дома и воровать малюток из колыбелей. Словом βρυκόλακας греки также называют людей странной наружности и непропорционального телосложения, особенно если те смуглы и имеют какой-нибудь значительный внешний недостаток. Видимо, именно так

[1] «Послушайте их, детей ночи. Какая музыка!» — восклицает граф Дракула, когда слышит вой волков. Дети ночи — от волков Трансильвании до огромной собаки, которая выпрыгивает на берег в Уитби, и норвежского серого волка по кличке Берсерк в Лондонском зоопарке — играют важную роль в «Дракуле» как существа и как метафоры («превращения человека в волка»). Преподобный Сабин Бэринг-Гулд был автором более 100 книг и вампирского рассказа «Марджери из Кетера» (1884), а также путеводителя по народным сказкам Дартмура и гимна «Вперед, христианские солдаты», которые и снабдили Стокера большей частью его знаний об оборотнях. Бэринг-Гулд описал истощение, которое следует за «яростью берсерка» у скандинавских оборотней; странный танец оборотней, во время которого «у каждого в руке была зеленая свеча, горевшая голубым пламенем» и он навел на идею (впоследствии отвергнутую) о том, что Квинси Моррис должен умереть от укуса оборотня, возможно, для того, чтобы «воскреснуть в будущем». Брэм Стокер больше всего был заинтересован главой «Фольклор об оборотнях». В следующей главе, «Естественные причины ликантропии», он мог прочитать о жизни и деяниях Елизаветы Батори, «кровавой венгерской графине», которая купалась в крови девственниц ради сохранения молодости, но доказательств того, что он был знаком с этим текстом, нет. Он использовал две страницы заметок из «Книги об оборотнях», но не из этой главы. Стокер расшифровывал слово ‘werewolf как ‘wehrwolf’, ‘were wolf’ или просто ‘w.w.’.

в представлении греков выглядят те, кто в любой момент может обернуться зверем.

Сербы также не проводят различий между вампирами и оборотнями и называют тех и других словом vlkoslak. Эти существа особенно активны в разгар зимы: тогда они собираются в стаю и садятся на поляне в круг, сняв шкуры и развесив их по ветвям деревьев. Если какому-нибудь смельчаку удастся украсть шкуру оборотня и сжечь, такой «волкослак» будет спасен от дальнейших превращений и навсегда останется человеком.

Чтобы стать волком, оборотню достаточно выпить воды из волчьего следа.

В белорусском фольклоре ваукалак — это человек, прогневавший дьявола и за это

превращенный в волка. Обычно белорусские оборотни возвращаются к своим близким, те узнают их, кормят и всячески заботятся о них. Вообще эти оборотни — самые дружелюбные, они никому не вредят, ни на кого не нападают, наоборот, — лижут руки своим друзьям и родным в знак любви и преданности. Вот только ваукалаки не могут долго оставаться на месте и вынуждены время от времени переселяться и отправляться в путешествия, гонимые непонятной жаждой скитаний. На самом деле данное суеверие представляется крайне странным, поскольку наделяет слугу дьявола некоторыми положительными чертами.

Словаки ругают словом vlkodlak пьяниц, по-видимому считая, что выпивка превращает людей в животных...

[Внешность оборотня] была довольно странной. Густые рыжеватые волосы, не знавшие ни гребня, ни ножниц, ниспадали на плечи и лицо. Маленькие светло-серые глазки свирепо и злобно поблескивали в глубоких глазницах. Лицо покрывал темно-оливковый загар, крупные зубы сияли белизной, причем клыки виднелись даже тогда, когда губы были сомкнуты. Большие сильные руки казались бы даже красивыми, если бы не уродливые грязные ногти, заостренные на концах, словно птичьи коготки...

Оборотня в человеческом облике узнать не так уж сложно: у него, как правило, широкие ладони, короткие пальцы, между которыми растут волосы… При свете дня оборотень ничем не отличим от человека, его можно узнать разве что по сросшимся на переносице бровям… Только когда другой человек говорит ему, что он оборотень, или упрекает его в этом, человек может быть освобожден от проклятия…[1]

Южная Германия и Австрия Бедекера, включая Венгрию и Трансильванию, 1880[2]

МЮНХЕН

Отели Четыре сезона, Максимилианс штрассе, рядом с театром Хоф…

---

[1] Эти два отрывка, возможно, дали Брэму Стокеру то, что ему было нужно для описания внешности графа Дракулы: «густые волосы, лишь немного редеющие на висках, нависшие, кустистые брови, почти сросшиеся на переносице. В рисунке рта… таилось что-то жестокое, в столь странном впечатлении были повинны и зубы — очень острые белые, они не полностью прикрывались губами… руки, лежавшие на коленях, выглядели белыми и изящными, а вблизи оказались грубыми — широкими, с короткими толстыми пальцами. Странно, на его ладонях росли волосы! Ногти…заостренные». У графа есть еще одна черта, роднящая его с оборотнями: из-за его несбалансированного питания изо рта у него «воняет».

[2] Для Брэма Стокера Бедекер был бы самым удобным источником информации о заграничных путешествиях. Хотя расписание, составленное им для Джонатана Харкера, не снабжено сносками, наиболее вероятно, что именно оно было источником информации. Одиссею Харкера мог бы совершить любой турист из поздневикторианской Британии; загадка лишь в том, почему он планировал ехать на поезде из Мюнхена в Зальцбург и Вену, когда самый прямой маршрут пролегал через Линц (без пересадок!). Отелей, упомянутых на первых страницах «Дракулы» (Отель «Ройял» в Клаузенбурге и «Золотая корона» в Бистрице), на самом деле не существовало, но был «Кениг Маттиас» в Клаузенбурге и «Золотая корона» в Зальцбурге (куда Харкер, возможно, первоначально направлялся, когда действие романа должно было происходить в Штирии). Согласно А. Ф. Кроссу, в Оравиче (Трансильвания) также существовал отель «Кроне». Одна упущенная возможность: среди «портретов знаменитостей… имеющих только историческую ценность», хранящихся в коллекции Амбраса, расположенной недалеко от Вены, был портрет маслом Влада Колосажателя, настоящего Дракулы. Стокер, очевидно, не знал об этом. Он скрупулезно записывал время поездов, пересадки и маршруты.

Мариенбад, Барерштр 4, с большим садом и банями.

Театры Хоф- и Национальный театр, на восточной стороне Макс-Йозефс…плац, самый большой в Германии, вмещающий 2500 зрителей… где оперы обычно исполняются по воскресеньям, понедельникам, четвергам и пятницам.

(закрыт в июле) …

Коллекции и т. д. Старая пинакотека (то есть «хранилище картин», с греческого) ежедневно (кроме субботы) 9–3 (зимой 9–2) . … она содержит до 1400 картин… Мюнхен предлагает путешественнику наилучшую возможность познакомиться с многогранностью Руденса.

МЮНХЕН — ЗАЛЬЦБУРГ

Железная дорога за 5–6 часов … с «далеким видом на Альпы», в путешествии, которое «затем проходит через лесистые и травянистые холмы».

ЗАЛЬЦБУРГ

Отель «Золотая крона» (напротив дома, где родился Моцарт).

ЗАЛЬЦБУРГ — ЛИНЦ/ЛИНЦ — ВЕНА

Железная дорога 7,5 часа.

ВЕНА (ВНЕШНИЕ РАЙОНЫ)

Коллекция старинных доспехов и диковинок, собранная в замке Амбрас близ Инсбрука эрцгерцогом Фердинандом Тирольским (ум. 1696) и перевезенная в Вену в 1806 году. Зал I Конные доспехи … Стефана Батория, князя Трансильвании и короля Польши (ум. 1586 г.) из стали и золота… Зал IV. На стенах висят портреты знаменитостей (всего 141) XV–XVI веков, в основном из дома Габсбургов, представляющие лишь историческую ценность.

ВЕНА — ПЕШТ

Железная дорога 7–9 часов; виды на Дунай и Карпаты постепенно становятся все более рельефными. Дорога проходит через бесчисленные виноградники, на значительной высоте над рекой. Железнодорожный вокзал в Пеште находится на северной оконечности длинной улицы Вайтцнерштрассе… С этой станции отправляются поезда в Трансильванию.

ПЕШТ — КЛАУЗЕНБУРГ

Железная дорога 12–15 часов. Вдали появляются отроги Трансильванских Карпат… затем дорога поднимается длинными виражами, открывая очаровательные виды на горы.

План тура по Трансильвании … Два главных пути туда — это … железная дорога через Клаузенбург в Кронштадт… и железная дорога через Арад и Германштадт в Кронштадт (для тех, кто едет из Пешта)… В районах, куда еще не проникли ни поезда, ни дилижансы, можно нанять очень хорошие экипажи за 6–7 фл. в день. Там, где дороги не подходят для этих транспортных средств, используются повозки для волов и верховые лошади. Седла у них, как правило, очень плохие, и чтобы сделать их удобными, требуются платки или ковры. Для поездок в горы необходимы проводники, которых можно найти в соседних деревнях… Официальный язык — венгерский… Немецкий, однако, понимают почти все, с кем турист может вступить в диалог.

КЛАУЗЕНБУРГ — БИСТРИЦА

Клаузенбург (отели «Европа»; «Националь»; «Паннония»; «Кениг Маттиас»; «Бьязини»).

Дилижанс (комфортабельный, на 12 человек), ежедневно, 12–13 часов… Среди холмов, немного левее живописные руины…

и великолепные виды. Бистриц (городская гостиница), королевский вольный город... стены и башни, которыми он до сих пор окружен, придают городу причудливый средневековый вид, но других достопримечательностей у него нет... вследствие неоднократных пожаров».

Бистрица — Сучава в Буковине, дилижанс в 23 часа. Дорога пересекает перевал Борго и ведет в Сучаву Ицкани, где находится станция Бухарестской железной дороги. [Перевал Борго, следовательно, 7–8 часов].

Книги из библиотеки Брэма Стокера, имеющие отношение к написанию «Дракулы»[1]

Ф. М. Клингер. «Фауст, его жизнь, деяния и низвержение в ад», перевод с немецкого (1825).

Роберт Блэр. «Могила», поэма, иллюстрированная Уильямом Блейком (1813).

Остин Бреретон. «Генри Ирвинг, биографический очерк» (1884).

Уоллис Бадж. «Мумия: Материалы археологических исследований египетских гробниц» (1893).

Лорд Байрон. «Паломничество Чайльд-Гарольда», песни 1–11 (1812).

[1] Когда 7 июля 1913 года на аукционе «Сотбис» были выставлены «Оригинальные примечания и заметки о «Дракуле» Стокера, была также продана «Библиотека покойного Брэма Стокера». Я включил в этот список все наиболее значимые книги из этой библиотеки, которые были опубликованы до весны 1896 года, то есть когда Стокер все еще работал над «Дракулой». Конечно, мы никогда не сможем быть уверены, что эти книги попали в его личную библиотеку до этого времени, но отрадно видеть, что на полках Брэма Стокера были Уильям Блейк, лорд Байрон, Перси и Мэри Шелли, Э. Т. А. Гофман, две книги о Фаусте, Шеридан Ле Фаню, Роберт Луис Стивенсон и «Желтая книга». Он также составил краткий список книг среди своих рукописных заметок — в основном о «примитивных суевериях», «морских чудовищах», «легковерии», а также «Письма об истинах в популярных суевериях» Герберта Мэйо.

Эдуард Дауден. «Очерк жизни Шелли», 2 тома (1886).

Э. Т. А. Гофман. «Странные истории», перевод Дж. Т. Билби, 2 тома (1885).

И. К. Лафатер .«Физиогномика», перевод Генри Хантера, 5 томов (1789).

Р. К. Лезер и Ричард ле Гальенн. «Студент и похититель тел» (1890).

Дэвид МакРитчи. «Фианы, феи и пикты» (1893).

Ф. Д. Милле. «Дунай, от Шварцвальда до Черного моря» (1893).

Уильям Шекспир. «Сочинения» — Уменьшенное факсимиле первого тома (1876). — «Сочинения» — Издание Генри Ирвинга, 8 томов. (1888-90).

М. Шелли. «Франкенштейн, или Современный человек-демон».

П. Б. Шелли. «Поэтические произведения», с мемуарами Ли Ханта, 4 тома, «Королева Мэб» (1821).

Шеридан Ле Фаню. «Наблюдатель и другие странные истории» (1894).

Уильям Вирт Сайкс. «Британские гоблины. Уэльский фольклор, волшебная мифология, легенды и традиции» (1880).

Адам Смит. «Исследование о природе и причинах богатства народов» (1778).

Р. Л. Стивенсон. «Сочинения», 30 томов (с 1894 года), «Похититель трупов» (из Pall Mall Gazette, 31 января 1895 года).

А. Теннисон. «Мод и другие стихотворения» (1855).

У. С. Уолш. «Фауст, легенда и поэма» (1888).

«Желтая книга» (различные выпуски 1890-х годов).

6. Граф Дракула

«...Я не ищу ни веселья, ни радости, ни упоения солнечными лучами и искрящимися водами, столь любимыми юными и жизнерадостными людьми. Я уже не молод, и мое сердце, измученное годами скорби по умершим, не склонно к веселью. Да и стены моего замка разрушаются; внутри сумрачно, холодный ветер дует сквозь проломы в стенах и разбитые окна. Я люблю тень и полумрак и хотел бы жить уединенно, насколько это возможно.

Почему-то его слова не соответствовали его облику. Возможно, сами черты лица этого человека придавали зловещий оттенок его улыбке.»

из «Дракулы» Брэма Стокера (1897)

Гость Дракулы

Брэм Стокер

Рассказ «Гость Дракулы» впервые был опубликован в апреле 1914 года в составе сборника «Гость Дракулы и другие странные истории» через два года после смерти Брэма Стокера и примерно через год после того, как его личные бумаги были проданы на аукционе «Сотбис». В предисловии Флоренс Стокер рассказала, что ее покойный муж планировал переиздать несколько своих рассказов, относящихся «в основном к ранним годам его напряженной жизни», но она добавила к его первоначальному списку рассказов «доселе неопубликованный эпизод из «Дракулы». Первоначально он был удален из-за объема и может оказаться интересным для многих читателей самого замечательного произведения моего мужа». Совсем недавно исследователи предположили, что Стокер, возможно, удалил его не только из-за «длины», но и потому, что история приключений Джонатана Харкера в Мюнхене слишком сильно напоминала вампирский рассказ Шеридана Ле Фаню «Кармилла». По мнению А. Н. Уилсона, «тот факт, что Стокер имел в виду этот рассказ и его штирийскую графиню, подтверждается не вошедшей в «Дракулу» главой...»

И все же «Гость Дракулы», по крайней мере, в том виде, в каком он был опубликован в сборнике Флоренс Стокер, никак не может быть главой из «Дракулы». Как отметил Клайв Лезердейл, персонаж Харкера в рассказе гораздо более уверен, даже агрессивен, чем Харкер из «Дракулы», и рассказ, похоже, не был написан в виде дневника (если только он не был значительно переработан в краткой форме), и есть другие несоответствия между рассказом и романом, например лингвистические способности молодого адвоката. «Гость Дракулы» явно имеет тесную связь с рабочими заметками Стокера к «Дракуле», но он не был просто исключен из романа по просьбе издателя и включен в сборник Флоренс.

Как видно из заметок, Брэм Стокер изначально намеревался включить различные инциденты, произошедшие во время пребывания Харкера в Мюнхене; они оставались в различных черновиках того, что должно было стать «Дракулой», до довольно поздней стадии. В его заметках от «8/3/90» есть упоминания о мюнхенском морге, а в его набросках к главе от «14/3/90» они дополнены упоминаниями о «волках» и «синем пламени». Затем в списке «характеристик графа-вампира» Стокер снова ссылается на сцену, когда Харкер проходит мимо Мертвого дома и замечает восковое лицо старика (которое сначала он принимает за лицо трупа). В некоторых заметках от «29/2/92» упоминается «Дневник Харкера — Мюнхен», а в последующих заметках добавляется «Дневник Харкера — Мюнхен — волк». В более подробной структуре и временны́х рамках, которые Стокер, вероятно, составил в 1893 году, Дракула приказывает Харкеру — телеграммой — ехать через Мюнхен, остановиться в «Четырех сезонах» (первоначально Стокер предпочитал отель «Мариенбад») и ждать указаний. Оставляя заметки, Харкер проводит один день в Мюнхене, посещая Пинакотеку и морг (где он видит «старика на носилках»). Затем, на следующее утро, он получает телеграмму из Бистрицы, в которой сообщается о следующем этапе его путешествия. Харкер проводит в Мюнхене не менее пяти дней, прежде чем отправиться поездом в 8:35 вечера: в первый день с ним случается «приключение снежной бури и волка», на второй и третий дни он приходит в себя в «Четырех сезонах», на четвертый день он смотрит «Летучего голландца» Вагнера в Хоф-театре на Макс-Йозефсплац, а на пятый день, который также приходится на Вальпургиеву ночь, он посещает морг.

Рассказ «Гость Дракулы», очевидно, посвящен инциденту с волком и снежной бурей, который Стокер задумал еще в 1890 году. Джонатан Харкер остановился в отеле «Времена года», и его приключение (а не инцидент с моргом) происходит в Вальпургиеву ночь, или, согласно расписанию Стокера, в воскресенье, 30 апреля / понедельник, 1 мая 1893 года. Кстати, фамилия метрдотеля отеля «Четыре сезона» в 1893 году на самом деле была Шимон (а не Дельбрюк); отель принадлежал семье Шимон на протяжении последних сорока лет. Цитата «мертвые путешествуют быстро» (из баллады Бюргера «Ленора») на каком-то этапе была изъята из мюнхенской части романа, чтобы ее произнес один из попутчиков Харкера на перевале Борго во вступительной части «Дракулы» — так же, как и появление «голубого пламени». Но что случилось с происшествием в морге, посещениями Пинакотеки и театра Хоф? Мы не знаем. Наиболее вероятным объяснением взаимосвязи между «Гостем Дракулы» и самим «Дракулой» является то, что рассказ был написан или переписан заново как самостоятельная история, основанная на рукописных заметках Брэма Стокера. Сделал ли это сам Стокер, остается загадкой. Если он знал, что у него на руках еще один потенциальный бестселлер, то почему не опубликовал «Гостя Дракулы» при жизни? И почему он не собирался включить его в свой сборник рассказов?

Каким бы ни было решение этой загадки и каково бы ни было ее происхождение, «Гость Дракулы» стал классикой. Флоренс Стокер была права, назвав его «странной историей».[1]

Когда мы отправились в путь, солнце ярко сияло над Мюнхеном, и воздух был напоен ароматами раннего лета. Перед самым отъездом герр Дельбрюк (метрдотель гостиницы «Четыре сезона», где я остановился) с непокрытой головой спустился к экипажу, и, пожелав мне приятной поездки, обратился к кучеру, еще придерживавшему дверцу кареты:

— Помни, что ты должен вернуться до наступления темноты. Небо выглядит безоблачным, но с севера задувает зябкий ветер, который может предвещать внезапную бурю. Но я уверен, что ты не опоздаешь, — тут он улыбнулся и добавил: — Ты же знаешь, каково бывает этой ночью.

— Ja, mein Herr![2] — выразительно отозвался Иоганн и, прикоснувшись к шляпе, быстро тронулся с места. Когда мы выехали из города, я жестом попросил его остановиться и спросил:

— Скажи, Иоганн, а какая сегодня будет ночь?

— Вальпургиева ночь, — перекрестившись, лаконично ответил он. Потом он вынул свои часы — массивную и старомодную

[1] Перевод справки об авторе и рассказе Е. Шатской

[2] Да, сударь! *(нем.)*

серебряную луковицу немецкой работы размером с брюкву — и посмотрел на циферблат. При этом он нахмурился и нетерпеливо пожал плечами. Я понял, что таким образом он выражает вежливый протест по поводу нецелесообразной задержки, и опустился на сиденье, давая понять, что можно продолжить поездку. Он быстро тронулся с места, словно пытаясь возместить потерю времени. Время от времени лошади вскидывали головы, с подозрением нюхали воздух. В таких случаях я начинал тревожно оглядываться по сторонам. Дорога была унылой, ибо мы пересекали высокое, продуваемое всеми ветрами плато. Пока мы ехали, я заметил боковую дорогу, которая выглядела мало используемой и спускалась в небольшую извилистую долину. Она имела такой привлекательный вид, что я снова велел Иоганну остановиться, даже рискуя навлечь на себя его недовольство. Когда он сделал это, я сказал, что хочу проехать по боковой дороге. Он стал придумывать всевозможные отговорки и часто крестился при разговоре. Это лишь подстегнуло мое любопытство, поэтому я стал задавать ему разные вопросы. Он отвечал уклончиво и регулярно поглядывал на часы в знак протеста.

— Ну что же, Иоганн, я хочу спуститься по этой дороге, — наконец сказал я. — Не буду предлагать тебе присоединиться ко мне, если сам не захочешь, но тогда расскажи, почему она тебе не нравится. Это все, о чем я прошу.

Вместо ответа он спрыгнул с козел, как чертик из коробки, с такой скоростью он оказался на земле. Он умоляюще протянул руки и стал упрашивать меня отказаться от этого намерения. Английские слова в его речи были так перемешаны с немецкими, что я едва мог понять его. Он как будто хотел рассказать мне о чем-то, но сама мысль о поездке настолько пугала она, что он каждый раз останавливался и начинал креститься со словами:

— Вальпургиева ночь!

Я пытался спорить с ним, но бесполезно спорить с человеком, если не знаешь его языка. Преимущество определенно было на его стороне, ибо хотя сначала он говорил по-английски, грубо коверкая слова, но потом начинал волноваться и переходил на родной язык, каждый раз при этом поглядывая на часы. Потом лошади забеспокоились и снова стали нюхать воздух. Кучер сильно побледнел, испуганно огляделся и потом вдруг устремился вперед, взял лошадей под уздцы и отвел их в сторону примерно на двадцать футов. Я пошел следом и поинтересовался, почему он это сделал. Вместо ответа он снова перекрестился, указал на место, которое мы покинули, и сказал сначала по-немецки, а потом по-английски:

— Похоронили его, того, кто убил себя.

Я вспомнил о старом обычае хоронить самоубийц на перекрестках дорог.

— А, теперь понятно. Самоубийство, как интересно! — Но я все равно не мог понять, почему лошади так испугались.

Пока мы разговаривали, то услышали странный звук: что-то среднее между визгом и лаем. Он донесся издалека, но лошади буквально вскинулись из-за этого, и Иоганну пришлось приложить все свое умение, чтобы утихомирить их.

Он был бледен и сказал:

— Похоже на волка, но сейчас здесь нет волков.

— Волки давно не появлялись так близко от города? — поинтересовался я.

— Давно, давно, — ответил он. — Весной и летом, но со снегом волки были здесь не так давно.

Пока он гладил лошадей и старался успокоить их, по небу быстро поплыли темные облака. Солнце исчезло, и нас коснулось дыхание холодного ветра. Но это было лишь касание, больше похожее на предупреждение, потому что вскоре солнце засияло снова. Иоганн посмотрел на горизонт, приложив руку козырьком ко лбу, и сказал:

— Снежная буря, она скоро придет, — потом он опять посмотрел на часы, и, крепко удерживая поводья — потому что лошади по-прежнему беспокойно переступали копытами и мотали головами, — забрался на козлы, как будто настало время продолжить нашу поездку.

Я все еще упрямствовал и не захотел сразу садиться в экипаж.

— Расскажи мне, куда ведет эта дорога, — произнес я и указал туда.

Он снова перекрестился и пробормотал молитву, прежде чем ответить.

— Это нечестивое место.

— Какое место? — спросил я.

— Деревня.

— Значит, там есть деревня?

— Нет, нет. Никто там не живет уже сотни лет.

Мое любопытство взмыло до небес.

— Но ты сказал, что там была деревня.

— Была.

— Где она теперь?

Тогда он завел длинный рассказ, настолько мешая английскую речь с немецкой, что я не вполне понимал, о чем он говорит. Но приблизительно я уловил, что давным-давно, сотни лет назад, там умерло много людей. Они были похоронены, но из-под глины доносились странные звуки, и когда могилы открыли, женщины и мужчины в гробах оказались румяными и не затронутыми тлением, а их рты были наполнены кровью. Торопясь спасти свою жизнь (и свои души, — перекрестившись, добавил он), те, кто остался, бежали в другие места, где жили люди, а мертвые были мертвецами... а не чем-то иным. Он особенно боялся произнести эти последние слова. По мере продолжения рассказа он волновался все сильнее и сильнее. Казалось, будто воображение захватило его в плен, и когда он закончил, то буквально трясся от страха — бледный, потеющий и оглядывающийся по сторонам, словно ожидая появления какого-то чудовищного существа прямо здесь, на открытой равнине под ярким солнцем. Наконец, охваченный мучительным отчаянием, он воскликнул «Вальпургиева ночь!» и указал на карету, чтобы я уселся на место. Моя английская кровь восстала против этого, так что я отступил назад и сказал:

— Ты боишься, Иоганн, ты слишком напуган. Поезжай домой, а я вернусь один; прогулка мне не повредит.

Дверь экипажа была открытой. Я взял свою дубовую прогулочную трость, лежавшую на сиденье, потому что всегда беру трость на экскурсии в отпуске, и закрыл дверь. Указав в сторону Мюнхена, я добавил:

— Отправляйся домой, Иоганн; Вальпургиева ночь не пугает англичан!

Лошади еще больше забеспокоились, и Иоганн пытался удержать их, взволнованно умоляя меня не совершать подобной глупости. Я жалел этого беднягу, который так искренне старался помочь мне, но все же не мог удержаться от смеха. В своей тревоге и расстройстве он забыл о единственном способе взаимопонимания между нами и теперь лопотал на своем родном языке. Это становилось немного утомительным.

— Домой! — велел я ему и направился к перекрестку дорог, ведущему в долину.

С отчаянным жестом Иоганн повернул лошадей к Мюнхену. Я оперся на трость и посмотрел ему вслед. Некоторое время он двигался медленно; потом на гребне холма появился высокий и худой человек — большего я не мог различить на таком расстоянии. Когда он приблизился к лошадям, те начали гарцевать на месте и лягаться, а потом заржали от ужаса. Иоганн не мог удержать их; они рванули с места, убегая как безумные. Я проводил их взглядом, потом поискал незнакомца, но он тоже исчез.

С легким сердцем я повернул на боковую дорогу и начал спускаться в долину, так пугавшую Иоганна. Насколько я мог видеть, для его протестов не было ни малейшей причины. Целых два часа я шагал, не думая о времени или расстоянии, и не заметил ни одного человека или дома. Там царило сплошное запустение. Я не обращал на это особого внимания, пока не оказался за поворотом дороги на краю леса; тогда я осознал, что глубоко впечатлен этой безлюдной пустошью.

Я присел, чтобы отдохнуть и осмотреться. Меня удивило, что здесь было гораздо холоднее, чем в начале моей прогулки. Вокруг слышались приглушенные вздохи, а потом откуда-то сверху послышался глухой рев. Посмотрев туда, я заметил плотные темные облака, быстро двигавшиеся по небу с севера на юг на большой высоте. Это был признак надвигавшейся бури. Я немного продрог, но решил, что это следствие остановки после энергичной прогулки, и продолжил ходьбу.

Местность, по которой я проходил, теперь стала гораздо более живописной. Там не было необычных объектов, привлекавших внимание, но на всем лежал отпечаток тихой красоты. Я почти не следил за временем и только в густеющих сумерках начал задумываться о том, как найду дорогу домой. Яркий день погас. Воздух был холодным, и облака над головой двигались еще быстрее, чем раньше. Они сопровождались отдаленными шорохами и тем таинственным звуком, который, по словам кучера, исходил от волков. Какое-то время я колебался. Я внушил себе, что должен увидеть заброшенную деревню, поэтому двинулся дальше и вышел на открытое место, со всех сторон окруженное холмами. Их склоны поросли деревьями, которые спускались в долину, усеянную мелкими рощами, с увалами и седловинами здесь и там. Я посмотрел вперед и увидел, что дорога изгибается возле одной из самых густых рощ и теряется за ней. Пока я смотрел, стало еще холоднее, и внезапно пошел снег. Я подумал о нескольких милях, пройденных по этой дикой местности, а потом поспешил найти укрытие в лесу перед собой. Небо становилось все темнее, а снег шел все быстрее и гуще, пока земля впереди и вокруг меня не превратилась в блестящий белый ковер, дальний край которого терялся в туманной мгле. Дорога осталась, но ее границы были размыты, и вскоре я обнаружил, что каким-то образом сошел с нее, ибо под ногами исчезла твердая поверхность и они стали погружаться в мох и траву. Потом ветер задул сильнее и превратился в буран, так что я был вынужден бежать под его натиском. Воздух стал ледяным, и, несмотря на мои усилия, я начал замерзать. Снег падал так густо и кружился передо мной такими быстрыми вихрями, что мне едва удавалось держать глаза открытыми. То и дело небосвод раскалывали пополам огромные молнии, и в свете их вспышек я видел перед собой огромную массу деревьев, в основном тисов и кипарисов, покрытых слоями снега.

Вскоре я оказался под прикрытием деревьев, и здесь, в относительной тишине, слышал свист ветра наверху. Темнота снежной бури уже смыкалась с темнотой ночи. Пурга постепенно затихала и возвращалась лишь яростными порывами и снежными зарядами. В такие моменты зловещий волчий вой как будто повторялся вместе со многими похожими звуками вокруг меня. Время от времени через темную массу плывущих облаков пробивался случайный свет луны, освещавший местность и показывавший мне, что я нахожусь на окраине густой массы тисовых и кипарисовых деревьев. Когда снег прекратился, я вышел из укрытия и приступил к исследованиям. Мне показалось, что среди множества старинных фундаментов, мимо которых я проходил, может найтись дом, хотя и полуразрушенный, где я могу на время обрести кров. Обогнув край рощи, я увидел низкую стену, окружавшую ее, следуя вдоль которой вскоре нашел проем. Здесь кипарисы образовывали аллею, ведущую к какому-то квадратному сооружению. Но когда я заметил его, облака закрыли луну, и мне пришлось искать путь в темноте. Я ежился от порывов холодного ветра, но слепо брел вперед в надежде на укрытие. Я остановился, потому что казалось, будто мир вокруг меня тоже остановился. Буря миновала, и, наверное в гармонии с тишиной природы, мое сердце почти перестало биться. Но это длилось лишь мгновение; внезапно лунный свет прорвался через облака и показал, что я нахожусь на кладбище, а квадратный объект передо мной был массивной мраморной гробницей, такой же белой, как снег, лежавший вокруг нее. С лунным светом вернулся свирепый вздох бури, которая как будто возобновилась с долгим, протяжным воем, словно стая волков. Хотя мраморная гробница по-прежнему была озарена лунным сиянием, буря не стихала. Словно побуждаемый некими чарами, я приблизился к усыпальнице, желая увидеть, что она собой представляет и почему простояла здесь столько времени. Я обошел вокруг нее и прочитал надпись на немецком языке над дверью с дорическими колоннами:

ГРАФИНЯ ДОЛИНГЕН ИЗ ГРАЦА В СТИРИИ ИСКАЛА СМЕРТЬ
И НАШЛА ЕЕ. 1801.

На вершине гробницы, состоявшей из нескольких громадных мраморных блоков, находился большой железный штык или кол, уходивший глубоко в камень. На обратной стороне я увидел надпись, выгравированную заглавными русскими буквами:

«МЕРТВЕЦЫ ДВИЖУТСЯ БЫСТРО»

В этом сооружении было нечто настолько жуткое и странное, что у меня голова пошла кругом. Я впервые пожалел, что не воспользовался советом Иоганна. Тут меня посетила мысль, которая стала ужасным потрясением: сегодня Вальпургиева ночь!

Вальпургиева ночь, когда — как верили миллионы людей — на земле воцарялась власть дьявола. Когда открывались могилы и мертвецы выходили наружу. Когда на земле, в воде и в воздухе творилось всевозможное зло. В том самом месте, которого особенно боялся мой кучер. В безлюдной деревне, покинутой сотни лет назад. Там, где лежат самоубийцы... а я был один, без оружия и дрожал от холода под снежным саваном, пока наверху ярилась буря! Я был вынужден призвать на помощь все свое мужество, все религиозные и философские убеждения, чтобы не рухнуть на месте в припадке ужаса. Теперь вокруг меня закружился настоящий смерч. Земля сотрясалась, как от тысячи лошадиных копыт, и на этот раз ветер принес на своих ледяных крылах не снег, а град, пробивавший листья и ломавший ветви с такой яростью, словно градины были камнями, выпущенными свирепыми пращниками Балеарских островов, — градинами, которые сделали мое убежище под кипарисами не более надежным, чем соломенная крыша. Вскоре я был вынужден покинуть это укрытие и устремиться к единственному месту, предлагавшему надежный кров: к дверям гробницы с дорическими колоннами. Присев у массивной бронзовой двери, я получил определенную защиту от града, но теперь градины ударяли в меня, отскакивая от земли и мраморных стен. Когда я прислонился к двери, она немного подалась и открылась внутрь. Даже гробница казалась желанным убежищем посреди такой безжалостной бури, и я был готов войти туда, когда вспышка разветвленной молнии озарила небо от края до края. В тот миг, клянусь жизнью, когда мои глаза привыкли к темноте, я увидел прекрасную женщину с округлыми щеками и алыми губами, как будто спавшую в гробу. Когда раздался раскат грома, меня словно схватила рука великана и вышвырнула из гробницы. Все произошло так внезапно, что, прежде чем испытать шок — моральный и физический, — я пострадал от града, осыпавшего меня. В то же время я испытывал странное, но властное ощущение, что рядом кто-то есть. Я посмотрел на гробницу. Тогда последовала новая ослепительная вспышка, ударившая в железный кол, воткнутый в гробницу, и проникшая в землю, кроша мрамор словно неугасимое пламя. Мертвая женщина восстала в момент агонии, когда она была объята пламенем, и ее крик боли потонул в громовых раскатах. Последним, что я слышал, было ужасающее смешение звуков, когда огромная рука снова схватила меня и потащила прочь под ударами града и звуками волчьего воя. Последнее, что я помню, — это размытая белая масса, как будто все окрестные могилы разверзлись и выпустили на волю призраков в погребальных саванах, которые наступали на меня сквозь пелену града пополам с дождем.

Постепенно ко мне вернулось смутное подобие сознания, а вместе с ним и ощущение жуткой усталости. Какое-то время я ничего не помнил, но затем постепенно пришел в чувство. Боль терзала мои ноги, но я не мог пошевелить ими. Они как будто онемели. В затылке и позвоночнике поселился ледяной холод, а уши словно отмерзли вместе с ногами, но тоже болели. При этом в моей груди разливалось тепло, и это ощущение было сладостным по сравнению с другими. Это был кошмар — физический кошмар, если можно воспользоваться таким выражением, ибо некая тяжесть, давившая мне на грудь, затрудняла дыхание. Казалось что этот период ступора продолжался долгое время, и по мере его ослабления я, должно быть, заснул или снова потерял сознание. Потом наступила какая-то тошнота, похожая на первую стадию морской болезни, и дикое желание освободиться от чего-то… правда, я не знал, от чего именно. Полная тишина объяла меня, как будто весь мир заснул или умер; ее нарушало лишь прерывистое дыхание какого-то животного рядом со мной. Я почувствовал теплое, щекочущее прикосновение к моему горлу, и тогда пришло осознание ужасной истины, от которой заледенело сердце, а кровь гулко застучала в висках. Какое-то огромное животное лежало на мне и лизало мое горло. Я боялся пошевелиться, поскольку инстинктивное благоразумие убеждало меня оставаться неподвижным, но зверь как будто почувствовал произошедшую во мне перемену, потому что он поднял голову. Через прикрытые ресницы я видел наверху два горящих глаза громадного волка. Его острые белые клыки отливали лунным светом в зияющей красной пасти, и я ощущал на себе его горячее, едкое дыхание. Еще какое-то время я ничего не помнил, а потом услышал низкое рычание, сопровождавшееся скулящими звуками. Затем издалека донеслись крики: «Эй! Эй!», как будто от нескольких голосов, зовущих в унисон. Я осторожно приподнял голову и посмотрел в том направлении, откуда исходили звуки, но кладбище закрывало обзор. Волк продолжал странно скулить и повизгивать, а в кипарисовой роще появилось красное сияние, следовавшее за звуками. По мере приближения голосов волк заскулил громче и чаще. Я боялся подать голос или пошевелиться. Потом из-за деревьев внезапно появились всадники с факелами в руках. Волк слез с моей груди и побежал к кладбищу. Я увидел, как один из всадников (солдат, судя по их фуражкам и длинным армейским плащам) вскинул карабин и прицелился. Спутник толкнул его под локоть, и пуля прожужжала у меня над головой. Очевидно, он принял мое тело за притаившегося волка. Другой всадник заметил убегавшего зверя и выстрелил ему вслед. Потом они перешли на галоп и поскакали вперед, некоторые — ко мне, а другие преследовали волка, исчезавшего среди заснеженных кипарисов. Когда они приблизились, я попытался двинуться с места, но остался бессилен, хотя мог видеть и слышать их вокруг себя. Двое или трое солдат спешились и опустились на колени рядом со мной. Один из них поднял мне голову и приложил ладонь к моему сердцу.

— Хорошая новость, друзья! — воскликнул он. — Его сердце еще бьется!

Потом мне в рот влили глоток бренди; это придало мне бодрости, так что я смог полностью открыть глаза и оглядеться вокруг. Огни и тени двигались между деревьев, и я слышал, как мужчины перекликаются друг с другом. Вскоре они собрались вместе, издавая удивленные и испуганные возгласы. Вспыхнули новые огни, когда остальные беспорядочной толпой повалили с кладбища, словно одержимые. Люди вокруг меня начали задавать вопросы:

— Ну как, вы нашли его?

— Нет, нет! — торопливо ответил он. — Нужно уходить отсюда, и побыстрее. Здесь нельзя оставаться, особенно в такую ночь!

— Что это было? — вопрос задавался на все лады, но ответы были уклончивыми и неопределенными, как будто люди хотели выговориться, но под воздействием какого-то общего испуга воздерживались от откровенного выражения своих мыслей.

— Это... это... в жизни такого не видел! — промямлил один из них, чье самообладание явно дало трещину.

— Волк, и все-таки не волк! — с содроганием произнес другой.

— Бесполезно охотиться на него без серебряных пуль, — добавил третий более сдержанным тоном.

— Хорошо, что мы выступили сегодня вечером! — воскликнул четвертый. — Теперь мы честь по чести заслужили свою тысячу марок!

— На разбитом мраморе была кровь, — произнес еще один после некоторой паузы. — Она не могла появиться от удара молнии. А он... с ним все в порядке? Посмотрите на его горло! Видите, друзья, волк лежал на нем и согревал его!

— С ним все в порядке; кожа цела, — ответил офицер, посмотрев на мое горло. — Что все это значит? Мы никогда бы не нашли его, если бы волк не скулил.

— Что стало со зверем? — спросил человек, который держал мою голову и который казался наименее затронутым общей паникой, потому что его руки были крепкими и не дрожали. На его рукаве был шеврон унтер-офицера.

— Он отправился в свое логово, — ответил человек с мертвенно-бледным узким лицом, буквально дрожавший от ужаса и нервно оглядывавшийся по сторонам. — Тут достаточно могил, куда он может залечь. Давайте поскорее уйдем отсюда, друзья! Нужно покинуть это проклятое место.

Офицер привел меня в сидячее положение, а затем по его команде несколько человек усадили меня на лошадь. Он забрался в седло у меня за спиной, обнял так, чтобы я не упал, и отдал приказ к отступлению. Отвернувшись от кипарисов, мы поскакали прочь от кладбища в армейском строю. Язык все еще отказывался служить мне, и я был вынужден хранить молчание. Должно быть, я заснул, ибо в следующий момент обнаружил себя стоящим и поддерживаемым солдатами по обе стороны от меня. Было уже почти светло, и на севере отражалась красная полоска солнечного света, похожая на пролитую кровь над заснеженной равниной. Офицер внушал своим подчиненным ничего не говорить о том, что они видели, не считая того, что они обнаружили неизвестного англичанина под охраной большой собаки.

— Собака! — фыркнул тот человек, который испугался больше остальных. — Это была не собака. Я могу узнать волка, когда вижу его.

— Я сказал «собака», — спокойно произнес молодой офицер.

— Собака! — иронично повторил другой солдат. Было очевидно, что его смелость поднимается вместе с солнцем. Он указал на меня и добавил: — Посмотрите на его горло. Разве это собачья работа, командир?

Я рефлекторно поднял руку к горлу, но когда прикоснулся к нему, то вскрикнул от боли. Люди собрались вокруг, чтобы посмотреть; некоторые спешились, но тут снова раздался голос молодого офицера:

— Как я и сказал, это была собака. Если кто-то скажет иное, над нами будут смеяться.

Потом меня усадили за всадником, и мы въехали в пригороды Мюнхена. Здесь мы нашли свободный экипаж, куда меня перенесли и отвезли в гостиницу «Четыре сезона». Молодой офицер сопровождал меня; следом ехал солдат, ведущий в поводу его лошадь, а остальные ускакали в свои казармы. По прибытии герр Дельбрюк так быстро вышел на крыльцо, чтобы встретить меня, что не оставалось сомнений: он наблюдал за нами изнутри. Он взял меня под руку и услужливо провел внутрь. Офицер отсалютовал мне и уже собирался уйти, когда я осознал его намерение и настоял на том, чтобы он поднялся в мои комнаты. За бокалом вина я тепло поблагодарил его самого и его храбрых товарищей за свое спасение. Он ответил, что очень рад этому и что герр Дельбрюк с самого начала предпринял всяческие меры для организации и обеспечения поискового отряда; при этих двусмысленных словах метрдотель улыбнулся, а офицер сослался на служебные дела и ушел.

— Герр Дельбрюк, — начал я. — Как и почему эти солдаты отправились искать меня?

Он пожал плечами, словно не одобряя свой поступок, и ответил:

— Мне повезло, что я смог обратиться к командиру полка, в котором когда-то служил, и попросить его, чтобы он поискал добровольцев.

— Но откуда вы знали, что я заблудился? — спросил я.

— Кучер вернулся сюда с остатками своего экипажа, который опрокинулся на ходу, когда лошади понесли.

— Но, разумеется, вы не стали бы отправлять военный поисковый отряд только из-за этого?

— О нет, — ответил он. — Но еще до прибытия кучера я получил телеграмму от боярина, чьим гостем вы являетесь.

С этими словами он достал из кармана телеграмму, передал ее мне, и я прочитал:

> *Bistritz*[1]
>
> Позаботьтесь о моем госте: его безопасность чрезвычайно дорога для меня. Если с ним что-то случится или он пропадет без вести, не считайтесь с расходами, чтобы найти его и обеспечить его безопасность. Он англичанин, а следовательно, имеет склонность к приключениям. Ночью путникам часто угрожает опасность от снежных буранов и волков. Не теряйте ни минуты, если подозреваете, что он попал в беду. Ваше рвение будет вознаграждено за счет моего состояния.
>
> *Дракула*

Когда я держал телеграмму в руке, комната как будто начала вращаться вокруг меня, и если бы внимательный метрдотель вовремя не подхватил меня, то я бы непременно упал. Во всем это было нечто настолько странное и невообразимое, что во мне росло

[1] Бистрица, река в Румынии *(нем.)*.

ощущение двух противоборствующих сил, сама мысль о которых как будто парализовала меня. Я определенно находился под некой таинственной защитой. Сообщение, пришедшее из далекой страны в самый последний момент, спасло меня от непробудного снежного сна и волчьих челюстей.

Перевод Кирилла Савельева

Дракула

Брэм Стокер

Первый отрывок взят из первой главы романа, где Джонатан Харкер описывает в своем стенографическом дневнике путешествие из Мюнхена (который он покидает вечером в понедельник, 1 мая 1893 года) через Клаузенбург и Бистрицу к перевалу Борго и замку Дракулы (куда он прибывает ранним утром в пятницу 5 мая 1893 года). Это именно тот раздел романа, в который Брэм Стокер включил большую часть своих исследований, касающихся истории, топографии, географии и фольклора Трансильвании; иногда он переписывал свои источники почти слово в слово. Это также самая известная и излюбленная часть во всем романе. Второй отрывок взят из третьей главы — опять же, это часть дневника Харкера. Он содержит ночные переживания молодого адвоката с пятницы 12 мая на субботу 13 мая, и с понедельника 15 мая на вторник 16 мая. Эти переживания почти наверняка являются частью ужасающего кошмара, послужившего толчком к созданию романа. Или это был ночной кошмар? Джонатан Харкер не совсем уверен — и, похоже, сам Брэм Стокер тоже. Единственное, в чем можно быть уверенным, так это в том, что от истории с невестами Дракулы кожу жертвы — и читателя — «покалывает, как это бывает с плотью, когда рука, которая собирается пощекотать ее, приближается все ближе и ближе...»[1]

ДНЕВНИК ДЖОНАТАНА ХАРКЕРА

(сохранившийся в стенографической записи)

3 мая. Бистрица. Выехал из Мюнхена в 8.35 вечера, ранним утром следующего дня был в Вене; поезд вместо 6.46 пришел на час позже. Поэтому в Будапеште время стоянки сильно сократили,

[1] Перевод справки об авторе и рассказе Е. Шатской.

и я боялся отойти далеко от вокзала; из окна же вагона и после небольшой прогулки по улицам город показался мне очень красивым. Такое чувство, будто покидаешь Запад и встречаешься с Востоком; самый западный из великолепных мостов через необычайно широкий и глубокий в этом месте Дунай перенес нас в мир, еще сохраняющий следы турецкого владычества.

Из Будапешта мы выехали почти по расписанию и с наступлением темноты прибыли в Клаузенбург, где я остановился в гостинице «Ройял». На обед, или, вернее, на ужин, подали цыпленка, оригинально приготовленного с красным перцем, очень вкусного, но после него хотелось пить. (Не забыть взять рецепт для Мины.) Официант сказал, что это национальное блюдо, «паприка хендл», и в Карпатах его подают везде. Мое скромное знание немецкого здесь очень пригодилось; просто не знаю, как бы я без него обходился.

В последний раз в Лондоне у меня осталось немного свободного времени, и я побывал в библиотеке Британского музея — полистал книги по Трансильвании, посмотрел ее географические карты, понимая, что некоторые познания об этой области будут нелишними в моем общении с трансильванским аристократом Дракулой, к которому мне надлежало вскоре выехать по делам. Я выяснил, что он живет на самом востоке страны, на границе трех областей — Трансильвании, Молдавии и Буковины, в глубине Карпат — в одном из самых труднодоступных и малоизвестных мест Европы. Однако ни по картам, ни по другим источникам не удалось установить, где именно расположен замок Дракулы, — до сих пор нет подробных карт этой области, сравнимых с картами нашего британского Государственного картографического управления. Но я узнал, что упомянутая графом Дракулой Бистрица, почтовый городок, — место довольно известное. Хотел бы кое-что пояснить — потом, когда буду рассказывать Мине о своем путешествии, эти заметки помогут мне лучше все вспомнить.

В Трансильвании живут в основном четыре народа: на юге — саксонцы вперемешку с потомками даков — валахами; на западе — мадьяры; на востоке и севере — секлеры. Я нахожусь среди секлеров, считающих себя потомками Аттилы и гуннов. Возможно, так оно и есть: когда мадьяры в XI веке завоевали эту область, она была заселена гуннами. Я читал, что все существующие на свете суеверия сосредоточились в подкове Карпатских гор, как будто эта местность — эпицентр некоего водоворота фантазии. Если это действительно так, то мне здесь будет интересно. (Не забыть поподробнее расспросить об этом графа.)

Я спал плохо, и, хотя постель была довольно удобной, сны мне снились какие-то странные. Может быть, оттого, что всю ночь под окном выла собака, или же из-за острой пищи: выпил целый графин воды и все равно хотел пить. Под утро я заснул, и, видимо, крепко, потому что проснулся от настойчивого стука в дверь — наверно, долго не могли добудиться. На завтрак вновь заказал паприку, мамалыгу — что-то вроде каши из кукурузной муки — и баклажаны, начиненные мясным фаршем, — замечательное блюдо, называется «имплетата». (Надо взять и его рецепт.) С завтраком пришлось поторопиться: поезд отправлялся около восьми; вернее, должен был отправиться в это время. Примчавшись на станцию в половине восьмого, я больше часа просидел в вагоне, прежде чем состав тронулся с места. Мне кажется, чем дальше удаляешься на Восток, тем менее точны поезда. Интересно, а как в Китае?

Весь следующий день мы бездельничали, любуясь из окна вагона прекрасными пейзажами. Мимо проносились городки и похожие на гравюры в старинных молитвенниках замки; судя по широким каменным берегам, окаймляющим реки и ручьи, тут бывали большие паводки — только мощные потоки воды могут так очертить берега. На каждой станции толпились пестро одетые люди. Некоторые из них, совсем как крестьяне на моей родине или во Франции и Германии, были в коротких куртках, круглых шляпах и домотканых штанах, другие смотрелись живописнее. Издали женщины казались красивыми, вблизи же выглядели бесформенными и неловкими в нарядах с пышными белыми рукавами разных фасонов, на многих были пояса с обилием оборок, колышущихся наподобие балетных пачек, и, конечно, на всех — нижние юбки. Но самое странное впечатление своим нецивилизованным видом производили словаки в больших ковбойских шляпах, мешковатых грязно-белых штанах, заправленных в высокие сапоги, белых холщовых рубахах и чудовищных размеров, почти в фут шириной, кожаных поясах, густо усеянных медными заклепками. Длинноволосые, с густыми темными усами, словаки, несомненно, живописны, но к себе не располагают. На сцене их можно было бы показывать как шайку восточных разбойников из давнего прошлого, однако мне говорили, они совершенно безобидны, и этот их вид, вероятно, естественная форма самоутверждения.

К вечеру мы добрались до Бистрицы, оказавшейся очень интересным старинным городком. Расположен он буквально на границе (ущелье Борго ведет прямо в Буковину) и в прошлом жил бурной жизнью, следы которой, пожалуй, видны и ныне. Пятьдесят лет назад в городе было много пожаров, в пяти случаях просто опустошивших его. В самом начале XVII века городок выдержал трехнедельную осаду и потерял тринадцать тысяч человек — убитыми и умершими от голода и болезней.

Граф Дракула в своих письмах рекомендовал мне гостиницу «Золотая крона», которая оказалась достаточно старомодной, что не могло не порадовать меня, ведь мне, конечно же, хотелось узнать как можно больше об обычаях и укладе жизни этого края. Видимо, моего приезда ждали: в дверях меня встретила приветливая, уже не молодая женщина в традиционном крестьянском платье — белой юбке с кокетливо обтягивающим ее двойным длинным передником из цветной ткани. Она поклонилась и спросила:

— Господин англичанин?

— Да, — ответил я, — Джонатан Харкер.

Женщина приветливо улыбнулась и что-то сказала стоявшему за ней пожилому человеку в белом жилете, который тут же вышел, а когда мгновение спустя вернулся, в руке его было письмо...

> «Мой друг, добро пожаловать в Карпаты. С нетерпением жду Вас. Сегодня хорошо выспитесь. Завтра в три дилижанс отправится в Буковину; в нем Вам заказано место. На перевале Борго будет ждать мой экипаж, он и доставит Вас ко мне. Надеюсь, Ваша поездка протекает благополучно и пребывание в моем прекрасном крае окажется для Вас приятным.
>
> *Ваш Дракула»*

4 мая. Хозяин гостиницы, сообщив мне, что получил письмо от графа с просьбой заказать для меня лучшее место в дилижансе, на мои расспросы не отвечал, делая вид, что не понимает моего немецкого. Какое лукавство — до этого он прекрасно понимал, по крайней мере отвечал на все мои вопросы. Теперь же он и его жена, та пожилая женщина, что встретила меня, испуганно переглядывались. Он промямлил, что с письмом получил деньги и это все, что ему известно. На вопрос, встречал ли он графа Дракулу и не может ли рассказать мне что-нибудь о его замке, он и его жена лишь перекрестились и от дальнейшего разговора постарались уклониться. Приближался час моего отъезда, и я уже не успевал расспросить еще кого-нибудь, а все выглядело загадочно и тревожило меня.

Перед самым отъездом ко мне в комнату вошла жена хозяина и с волнением спросила:

— Вам обязательно нужно ехать? О сударь, неужели это так необходимо?

Она была в таком возбуждении, что, изрядно растеряв свой и без того небольшой запас немецких слов, смешивала их со словами другого, незнакомого мне языка. Я понял ее лишь потому, что сам задавал вопросы. Когда я сказал, что должен ехать немедленно — у меня важное дело, она спросила:

— Да знаете ли вы, какой сегодня день?

Я ответил:

— Четвертое мая.

Она покачала головой:

— Да это-то ясно! Но знаете ли вы, что это за день? — И, заметив мое недоумение, пояснила: — Канун Святого Георгия. Неужели вам неизвестно, что сегодня, когда часы пробьют полночь, вся нечисть этого мира получит власть на земле? Вы хоть знаете, куда вы едете и что вас ждет?

Видно было, что она очень расстроена, и все мои попытки успокоить ее оказались безуспешными. В конце концов она упала передо мной на колени и умоляла не ехать или хотя бы отложить поездку на день-другой. Все это выглядело довольно нелепо, и тем не менее мне стало не по себе. Но дело есть дело, ничто не могло остановить меня. Я бросился к ней, чтобы помочь подняться, и, поблагодарив за заботу, как можно решительнее сказал, что должен ехать — это мой долг. Она встала, вытерла глаза и, сняв с себя крест, попросила меня надеть его. Я не знал, как мне быть: я принадлежал к англиканской церкви и привык относиться к таким проявлениям веры как к идолопоклонству, но мне не хотелось обижать отказом пожилую женщину, исполненную самых благих намерений. Видимо, почувствовав мои колебания, она сама надела крест мне на шею и, сказав: «Носите его ради вашей матери», вышла из комнаты.

Веду дневник в ожидании дилижанса, который, конечно же, опаздывает; крест так и остался у меня на шее. То ли мне передался страх хозяйки гостиницы, то ли вспомнились рассказы о привидениях в этих краях, а может быть, крест тому виной — не знаю, но на душе у меня неспокойно. Если этот дневник попадет к Мине раньше, чем мы увидимся, пусть он станет залогом нашей скорой встречи. А вот и дилижанс.

5 мая. Замок. Пасмурное утро сменилось ярким солнцем высоко над горизонтом, который выглядит зубчатым из-за деревьев или холмов — издалека не различишь. Спать не хочется, и, поскольку будить меня не станут, намерен писать, пока не усну. Произошло много странного, и чтобы читатель дневника не подумал, что я слишком плотно поужинал в Бистрице и поэтому у меня галлюцинации, подробно опишу свой ужин. Мне подали блюдо под названием «разбойничье жаркое»: куски бекона и мяса с луком, приправленные красным перцем, нанизывают на прутья и жарят прямо на огне, совсем как конину в Лондоне! Я пил вино «Золотой медиаш». Оно необычно пощипывает язык, но приятное. Выпил лишь пару бокалов, и все.

Когда я сел в дилижанс, кучера еще не было. Он разговаривал с хозяйкой гостиницы — наверное, обо мне: оба то и дело на меня поглядывали; несколько человек, сидевших у двери на скамейке (ее здесь называют «сплетницей»), подошли к ним, прислушались и стали тоже посматривать в мою сторону, в основном сочувственно. В толпе были люди разных национальностей — до меня доносилось множество повторяющихся, странно звучащих слов; я потихоньку достал из сумки свой «Полиглот» и нашел там некоторые слова. Не могу сказать, что они меня порадовали: среди них были ordog — дьявол, pokol — ад, stregoica — ведьма, vrolok и vlkoslak, означающие что-то вроде оборотня или вампира. (Нужно будет расспросить графа об этих суевериях.)

Дилижанс тронулся, все столпившиеся у входа в гостиницу — а к этому моменту народу собралось довольно много — перекрестились и указали двумя пальцами в мою сторону. С трудом я добился от одного из попутчиков, что это значит; сначала он не хотел отвечать, но, узнав, что я англичанин, объяснил: это особый жест защиты от дурного глаза. И хотя мне стало не по себе, ведь ехал я в незнакомое место к незнакомому человеку, однако доброжелательность, искреннее сочувствие этих людей меня тронули. Никогда не забуду картину: гостиничный двор, у широких ворот под аркой живописная толпа, все крестятся, а в глубине видны густые заросли олеандра и апельсиновые деревья в кадках. Потом наш кучер, заполонивший своими широкими холщовыми штанами, называемыми здесь «готца», все сиденье на козлах, щелкнул длинным кнутом над четырьмя маленькими лошадками, и те дружно взяли с места.

Вскоре, любуясь красотами природы, я совершенно забыл о своих смутных опасениях; возможно, если б мне был известен язык или, вернее, языки, на которых говорили мои попутчики, я не смог бы так отвлечься. Перед нами расстилалась зеленая, покрытая рощами и густыми лесами местность, вдали вздымались высокие холмы, увенчанные островками деревьев или фермами, белые остроконечные фронтоны которых были видны с дороги. Поражало изобилие цветущих фруктовых деревьев — яблонь, слив, груш, вишен; видно было, что трава под деревьями усыпана лепестками. Дорога, изгибаясь, теряясь в зелени, появляясь на опушках сосновых лесов, сбегавших по склонам холмов, как языки пламени, пролегала меж зеленых холмов Mittelland, как здесь ее называют. Дорога была неровная, но мы мчались по ней с лихорадочной быстротой. Тогда я не понимал причины этой гонки, но кучер явно спешил и хотел добраться до ущелья Борго как можно скорее. Очевидно, дорогу еще не успели привести в порядок после зимы, так как мне говорили, что летом она в отличном состоянии и существенно отличается от других карпатских дорог, о которых по старой традиции не слишком-то заботятся. Раньше господари предпочитали не чинить дороги, опасаясь, как бы турки не заподозрили их в намерении облегчить доступ войскам своих союзников, — это могло привести к развязыванию войны, на грани которой они постоянно находились.

За зелеными крутыми холмами Mittelland величественно возвышались Карпаты, покрытые могучими лесами. Они вздымались по обе стороны дороги, и заходящее солнце ярко освещало все великолепие красок этой прекрасной горной цепи: синие и пурпурные вершины, зеленую и коричневую траву на скалах и бесконечную вереницу зубчатых скал и острых утесов, терявшихся вдали, где царственно высились снежные вершины. Кое-где виднелись громадные расселины, и в лучах заходящего солнца серебрились струи водопадов. Один из спутников тронул меня за руку, когда мы обогнули подножие холма и после гонки по серпантинной дороге открылся вид на величественную снежную горную вершину, возникшую как бы прямо перед нами:

— Посмотрите! Isten szek! Обитель Бога!

И он благоговейно перекрестился.

Мы продолжали наше, казалось, нескончаемое путешествие по извивающейся дороге, а солнце позади нас опускалось все ниже и ниже; начали сгущаться сумерки. Они особенно ощущались по контрасту с еще освещенной заходящим солнцем снежной вершиной, окрашенной нежным розовым цветом. Время от времени мы встречали местных жителей — чехов и словаков — в живописных одеждах. Я заметил, что многие из них страдают зобом. Вдоль дороги было много крестов, и при виде их мои спутники часто крестились. Порой перед распятиями стояли на коленях крестьянин или крестьянка, так глубоко погруженные в молитву, что не реагировали на наше приближение, — казалось, они не замечали ничего вокруг. Многое здесь было мне в новинку: например, скирды сена на деревьях, дивные островки плакучих берез, их белые стволы мерцали серебром сквозь нежную зелень листвы. Нам встречались Leiterwagen — примитивные, рассчитанные на ухабы крестьянские арбы. На них размещалось довольно много крестьян: чехов — в белых и словаков — в крашеных тулупах; словаки держали, как копья, свои топорики с длиннющими топорищами.

Темнело, становилось холодно, сгущавшиеся сумерки окутывали непроглядной пеленой купы деревьев — дубов, буков, сосен, хотя в долинах, пролегавших меж отрогов холмов на нашем пути вверх по ущелью, темные ели четко вырисовывались на фоне залежавшегося снега. Иногда дорога проходила через сосновый бор, и в темноте казалось, что могучие ветви смыкаются над нами; тогда непроглядный мрак производил особенно таинственное и зловещее впечатление, вновь невольно вызывавшее жуткие мысли и фантазии, уже приходившие на ум раньше, когда в лучах заходящего солнца возникали похожие на призраки облака, бесконечной чередой несущиеся над долинами.

Холмы местами были такими крутыми, что, несмотря на все старания кучера, лошади могли двигаться только шагом. Я хотел сойти и, как это принято у меня на родине, взять их под уздцы и повести, но кучер об этом и слышать не хотел.

— Нет-нет, — возразил он, — вам не следует здесь ходить, тут полно свирепых собак. — И, обернувшись к остальным пассажирам, добавил, явно рассчитывая на одобрение своей мрачной шутки: — Сдается мне, вас ждет еще немало сюрпризов, прежде чем вы ляжете спать.

Остановился он лишь однажды — чтобы зажечь фонари.

Когда стемнело, пассажиры заволновались и один за другим стали просить кучера ехать быстрее. Безжалостными ударами длинного кнута и дикими криками он погнал лошадей, они помчались во весь опор. Потом в темноте я увидел впереди полосу серого света — будто холмы расступились. Волнение среди пассажиров возрастало; шаткая коляска подпрыгивала на высоких рессорах и раскачивалась во все стороны, как лодка в бурном море. Мне пришлось крепко держаться. Затем дорога выровнялась, мы словно летели по ней. Горы обступили нас вплотную и, казалось, излучали неприязнь; мы въехали в ущелье Борго.

Несколько пассажиров предложили мне подарки, да так настойчиво, что отказаться было невозможно; подарки эти, необычные и разнообразные, преподносились искренне и сопровождались добрым словом и жестами, которые я уже наблюдал в гостинице в Бистрице, — дарители крестились и отмахивались от дурного глаза. Мы мчались дальше, кучер подался всем телом вперед, а пассажиры, высунувшись из дилижанса, всматривались в темноту. Впереди происходило или ожидалось что-то необычайное, но, как я ни расспрашивал попутчиков, никто мне ничего не объяснил.

Всеобщее волнение нарастало до тех пор, пока мы наконец не увидели перевал, открывавший дорогу на восточную сторону. Клубившиеся над головой тучи и духота предвещали грозу. Казалось, горная цепь была границей, за которой мы попали в грозовую атмосферу.

Я вглядывался в дорогу в ожидании экипажа, который должен был отвезти меня к графу, каждую минуту надеясь увидеть свет фонарей, но вокруг было темно. Единственным источником света оставались наши собственные фонари, раскачивавшиеся из стороны в сторону, в их неверных лучах белым облаком подымался пар от загнанных лошадей. Перед нами светлела песчаная дорога — и никаких признаков экипажа на ней. Пассажиры откинулись на сиденья со вздохом явного облегчения, словно в насмешку над моим разочарованием. Я уж было призадумался, что предпринять, как вдруг кучер, посмотрев на часы и обращаясь к другим пассажирам, тихо проговорил что-то; я не расслышал, что именно; кажется, это было: «На час раньше времени». Потом повернулся ко мне и сказал на плохом немецком:

— Нет никакой кареты. Похоже, господина не встречают. Ему лучше поехать с нами на Буковину, а вернуться завтра или послезавтра; лучше послезавтра.

Пока кучер говорил, лошади начали ржать, фыркать, вставать на дыбы — он изо всех сил удерживал их. Вдруг под крики то и дело крестившихся пассажиров нас догнала коляска, запряженная четверкой лошадей и, поравнявшись с нами, остановилась вплотную к дилижансу. Свет наших фонарей упал на коляску, и я увидел великолепных, породистых вороных. На козлах сидел высокий человек с длинной бородой, в широкой черной шляпе, скрывавшей его лицо. Он повернулся к нам — я заметил лишь блеск его глаз, показавшихся мне красными в свете фонарей, — и сказал кучеру:

— Что-то ты сегодня рано, мой друг.

Кучер, запинаясь, ответил:

— Господин англичанин очень торопил.

На что незнакомец возразил:

— Поэтому ты, наверное, и советовал ему ехать на Буковину. Меня не обманешь, друг мой, слишком многое ведомо мне, да и лошади у меня быстрые.

Говоря это, он улыбался, и фонари освещали его жестко очерченный рот, ярко-красные губы и острые зубы, белые, как слоновая кость. Один из моих попутчиков прошептал соседу строку из «Леноры» Бюргера:

— Еще бы, «мертвые скачут быстро»!

Странный возница явно расслышал эти слова и взглянул на говорившего с торжествующей улыбкой. Пассажир отвернулся, осенил себя крестным знамением и оттопырил два пальца.

— Подай мне багаж господина, — бросил возница кучеру, и мои вещи с чрезмерным рвением были перенесены из дилижанса в коляску.

Она стояла бок о бок с дилижансом, и возница помог мне перебраться в нее, подхватив меня под руку стальной хваткой; должно быть, он обладал необычайной силой. Не говоря ни слова, он тряхнул поводьями, лошади повернули, и мы помчались в темноту ущелья. Оглянувшись, я увидел поднимавшийся над лошадьми пар и на этом фоне моих недавних попутчиков — они крестились. Потом наш кучер щелкнул кнутом, прикрикнул на лошадей, и они стремглав понеслись по дороге на Буковину.

Когда дилижанс канул в темноте, я ощутил легкий озноб и приступ одиночества; но на мои плечи тут же был накинут плащ, на колени — плед, а возница обратился ко мне на прекрасном немецком языке:

— Ночь холодна, сударь, а мой хозяин, граф, просил как можно лучше позаботиться о вас. Под сиденьем — фляжка со сливовицей, нашей национальной водкой, на случай если вы захотите согреться.

Я не стал пить ее, но было приятно сознавать, что живительная влага под рукой. Мне было не по себе — думаю, будь у меня хоть какой-то выбор, я бы теперь, конечно, воспользовался им и отказался от этого чреватого неизвестностью ночного путешествия.

Коляска неумолимо неслась вперед, потом мы круто развернулись и вновь помчались, никуда не сворачивая, по прямой дороге. Казалось, мы попросту кружим на месте; приметив один ориентир, я убедился, что прав. Хотел было спросить кучера, что это значит, но побоялся: в моем положении любой протест оказался бы бесполезен, если все это делалось умышленно. Вскоре я решил узнать, который час, зажег спичку и взглянул на часы — до полуночи оставалось несколько минут. Это весьма неприятно подействовало на меня; свойственный людям суеверный страх перед полночью лишь усилился после недавних впечатлений. Меня охватило неприятное предчувствие.

Где-то вдали, на ферме, завыла собака — долгий протяжный вой, будто от страха. Ее поддержала другая, затем еще одна и еще, пока их завывания, подхваченные поднявшимся в ущелье ветром, не слились в один дикий вой — казалось, выла вся огромная округа, насколько можно было представить ее себе во мраке ночи. Лошади, едва раздался вой, натянули поводья и встали на дыбы, но возница ласково заговорил с ними, и они успокоились, хотя покрылись испариной и продолжали дрожать. Потом далеко в горах по обе стороны от нас раздался еще более громкий и пронзительный вой — волчий, он подействовал и на лошадей, и на меня: я готов был выпрыгнуть из коляски и бежать куда глаза глядят, а лошади взвились на дыбы и, как обезумевшие, рванулись вперед — вознице пришлось пустить в ход всю свою недюжинную силу, чтобы сдержать их.

Однако через несколько минут вой уже не казался таким пугающим, да и лошади настолько успокоились, что возница смог сойти с коляски и встать перед ними. Он оглаживал их, успокаивал, шептал им что-то на ухо, как, я слышал, обычно поступают объездчики лошадей; эффект был поразительный — обласканные им лошади присмирели, хотя и продолжали дрожать. Возница вернулся на козлы, тронул поводья, и мы помчались вперед. На этот раз, заехав глубоко в ущелье, он вдруг свернул на узкую дорогу, которая вела резко вправо.

Вскоре мы въехали в чащу деревьев, которые нависали над дорогой, образуя арки, — мы оказались в своеобразном туннеле; а затем с двух сторон нас обступили хмурые утесы. Хотя мы были как в укрытии, до нас доносился шум разгулявшегося ветра, со стоном и свистом проносившегося по утесам, ломавшего ветви деревьев. Становилось все холоднее; наконец пошел мелкий, словно крупа, снег, покрывший нас и все вокруг белым одеялом. Сильный ветер доносил до нас вой собак, по мере нашего удаления становившийся все слабее. Зато волки выли все ближе; казалось, они нас окружали. Мне стало страшно, и лошади разделяли мой испуг. Возница же не выказывал никакой тревоги — знай себе поглядывал по сторонам, а я ничего не различал в темноте.

Вдруг слева мне привиделся слабый мерцающий голубой огонек. В тот же миг заметил его и возница; он сразу остановил лошадей и, спрыгнув на землю, исчез в темноте. Я не знал, что делать, тем более что вой волков приблизился; но, пока я недоумевал, мой провожатый вернулся и, не говоря ни слова, сел на свое место, и мы поехали дальше.

Я, должно быть, задремал, и мне все время снился этот эпизод: он повторялся много раз. И теперь, когда я вспоминаю нашу поездку, она мне кажется чудовищным кошмаром. Как-то раз голубой огонь возник так близко к дороге, что я смог в кромешной тьме, окутывавшей нас, разглядеть, что делал возница. Он быстро подошел к месту, где появился голубой огонь, видимо очень слабый, потому что почти не освещал ничего вокруг, и, собрав несколько камней, что-то соорудил из них. Другой раз наблюдался странный оптический эффект: возница, оказавшись между мной и огнем, не загородил его собой, я все так же, как бы сквозь него, видел призрачный голубой свет. Удивлению моему не было предела, но длилось это мгновение, и я решил, что тут какой-то обман зрения, вызванный напряженным всматриванием в темноту. Потом голубые огни на время исчезли, мы быстро ехали сквозь тьму под аккомпанемент воя волков, которые, казалось, преследовали нас.

Однажды кучер довольно далеко отошел от коляски, и в его отсутствие лошади начали дрожать сильнее прежнего, фыркать и тревожно ржать. Я не мог понять причины — волчий вой совсем прекратился; вдруг при свете луны, которая появилась из-за темных облаков над зубчатым гребнем поросшего соснами холма, я увидел вокруг нас кольцо волков с белыми клыками, свисающими красными языками, длинными мускулистыми лапами и грубой шерстью. В своем зловещем молчании они были во сто крат страшнее, нежели когда выли. Страх парализовал меня. Лишь испытав такой ужас сам, человек способен понять, что это такое.

Вдруг волки опять завыли — будто лунный свет как-то особенно действовал на них. Лошади брыкались, вставали на дыбы, беспомощно косились по сторонам выкатившимися из орбит глазами — на них было больно смотреть; живое кольцо ужаса окружало их со всех сторон, и вырваться они не могли. Я стал звать возницу, понимая, что единственный шанс спастись — с его помощью прорваться сквозь кольцо. Я кричал, стучал по коляске, надеясь шумом напугать волков и помочь моему провожатому пробраться к нам. Откуда он появился — не знаю: я услышал его голос, прозвучавший повелительно, потом увидел на дороге и его самого. Он простер руки вперед, как бы отстраняя невидимое препятствие, и волки начали медленно отступать. Но тут большое облако заволокло луну, и мы опять оказались в темноте.

Когда луна выглянула, я увидел возницу, взбиравшегося на сиденье; волков и след простыл. Все было так странно и жутко, что меня охватил безумный страх, я боялся говорить или двигаться. Мы мчались по дороге, теперь уже в кромешной тьме — клубящиеся облака совсем закрыли луну; казалось, конца этому не будет. Потом мы стали подниматься в гору, лишь изредка попадались спуски, но в основном дорога шла вверх. Вдруг я понял, что возница останавливает лошадей во дворе громадного полуразрушенного замка, его высокие окна были темны, а разбитые зубчатые стены неровной линией вырисовывались на фоне залитого лунным светом неба...

Второй отрывок из дневника Джонатана Харкера неделей позже, 12 мая

— Думаю, вы извините меня, но сегодня вечером я должен поработать в уединении — очень много дел. Надеюсь, вам будет удобно и вы хорошо отдохнете. — В дверях он остановился и после минутной паузы добавил: — Позвольте посоветовать вам, мой дорогой юный друг, вернее, самым серьезным образом предупредить: если вы выйдете прогуляться по замку, ни в коем случае не вздумайте прилечь поспать где-нибудь, кроме своих комнат. Замок древний, хранит в своих стенах много воспоминаний, и плохо приходится тем, кто выбирает случайное место для отдыха. Будьте осторожны! Как только захочется спать, спешите в свою спальню или в одну из этих комнат, здесь ничто не потревожит ваш сон. Но если будете неосторожны, тогда...

И со зловещим видом он показал, что умывает руки. Я принял его слова к сведению, но усомнился в возможности существования чего-то более ужасного, чем та неестественная, чудовищная и таинственная западня, в которую меня угораздило попасть.

Позднее убедился в справедливости своего последнего наблюдения; теперь уже нет никаких сомнений. Нигде не побоюсь спать, лишь бы подальше от этого человека. Я положил распятие в изголовье моей кровати — наверное, так буду спать спокойней, пусть оно там и лежит.

Когда граф ушел, я, побыв немного в своей комнате и не слыша ни звука, решил выйти — поднялся по лестнице наверх, откуда открывался вид на южную сторону. После гнетущего сумрака замкового двора от обширных, хоть и недоступных, пространств на меня повеяло свободой. Глядя на эти просторы, я особенно остро ощутил, что нахожусь в тюрьме, мне хотелось глотнуть свежего воздуха, хотя была ночь. Я почувствовал, что ночной образ жизни начинает сказываться на моих нервах: меня пугала собственная тень, мне чудились кошмарные видения. Но, видит бог, для моих жутких страхов в этом проклятом месте есть основания!

Я любовался прекрасным видом, озаренным мягким лунным сиянием, было светло почти как днем. Очертания далеких холмов смягчились, тени в долинах и бархатный мрак ущелий как будто подтаяли. Первозданная красота природы ободрила меня; с каждым глотком воздуха я, казалось, вбирал в себя спокойствие и надежду. Высунувшись из окна, я заметил какое-то движение этажом ниже, чуть левее, где, по моим расчетам, находились окна комнаты графа. Высокое окно, у которого я стоял, было заключено в амбразуру, пострадавшую от времени, но тем не менее уцелевшую, впрочем, рама, судя по всему, уже давным-давно отсутствовала. Я спрятался за каменную кладку и осторожно выглянул.

Из окна высунулась голова графа. Лица я не видел, но узнал его по затылку и движению плеч и рук. Во всяком случае, уж руки-то его я не мог не узнать — столько раз я их внимательно разглядывал. Сначала мне было любопытно и даже несколько забавно — удивительно, как мало нужно, чтобы заинтересовать и позабавить человека, находящегося в плену. Но мое любопытство быстро перешло в чувство отвращения и страха — я увидел, как он медленно вылез из окна и пополз по стене над ужасной пропастью, его плащ развевался, подобно огромным крылам.

Я не поверил своим глазам, подумал было, может, это игра лунного света или причудливое отражение теней, вгляделся внимательнее — и сомнения исчезли. Я ясно видел, как его пальцы и носки ботинок нащупывали зазоры между камнями, из которых с течением времени выветрилась штукатурка; карабкаясь по выступам и неровностям, граф, как ящерица, быстро спускался по стене.

Что это за человек или, точнее, существо в обличье человека? Чувствую, что царящий здесь ужас подавляет меня; мне страшно, очень страшно, не вижу выхода; я настолько охвачен страхом, что даже подумать не смею о...

15 мая. Опять видел графа ползущим ящерицей по стене. Он спустился наискось футов на сто и исчез в какой-то дыре или окне слева. Я высунулся и попытался проследить его дальнейший путь, но безуспешно — расстояние было слишком велико, он был вне поля моего зрения. Но я знал: в замке его уже нет, и решил воспользоваться случаем — осмотреть то, чего не видел прежде.

Вернулся в комнату, взял лампу и стал дергать все двери подряд. Разумеется, они оказались заперты, замки на них были сравнительно новыми. Тогда я спустился по каменной лестнице в зал, через который впервые попал в замок. Засовы, как выяснилось, довольно легко отодвигаются, а большие цепи нетрудно снять с крюков, но дверь была заперта, а ключ, похоже, находился в комнате графа... Надо дождаться случая, когда дверь будет открыта, взять там ключ и бежать.

Я продолжал обследовать лестницы, коридоры и пробовать двери. Одна или две маленькие комнаты близ зала оказались открыты, но в них не было ничего интересного, кроме старинной мебели, покрытой многолетней пылью и изъеденной молью. В конце концов, поднявшись по одной из лестниц на самый верх, я нашел дверь, которая хотя и была как будто заперта, однако при толчке поддалась. Толкнув сильнее, я почувствовал: она не заперта, а не открывается потому, что сошла с петель и, будучи очень массивной, просто стоит на полу. Второй раз такой возможности могло и не представиться, поэтому я напрягся изо всех сил и отодвинул ее настолько, чтобы протиснуться в образовавшуюся щель.

Я был в правом крыле замка, этажом ниже моих покоев. По расположению окон я понял: это анфилада комнат на южной стороне, а окна последней выходят на запад и юг. С обеих сторон зияла пропасть. Замок стоял на краю большого утеса, неприступного с трех сторон, и именно в этой его части, неуязвимой для пращи, лука или кулеврины , располагались большие окна, источник света и покоя, невозможные в менее защищенных местах. На западе виднелась большая долина, за ней, вершина за вершиной, уходили в небо огромные зубчатые горные твердыни; крутые склоны поросли рябиной и терновником, корни которых цеплялись за трещины и расщелины в камне.

По-видимому, в этой части замка когда-то находилась женская половина: обстановка здесь уютнее, чем в остальных его пределах. Занавесок не было, и золотистый лунный свет, свободно струившийся сквозь окна, позволял различить спокойные тона и скрадывал толстый слой пыли, скрывавшей разрушительное действие времени и моли. Моя лампа мало помогала при ярком лунном свете, но я был рад, что захватил ее, — ужасное чувство одиночества холодило сердце и натягивало нервы как струны. И все же здесь дышалось явно легче, чем в тех комнатах, которые я возненавидел из-за посещений графа. Я постарался взять себя в руки, спокойствие снизошло на меня.

И вот сижу за дубовым столиком — возможно, в былые времена к нему присаживалась прекрасная дама, чтобы, обдумывая каждое слово и краснея, написать любовное письмо с орфографическими ошибками, а теперь я стенографирую в своем дневнике все, что произошло со мной с тех пор, как мне довелось его последний раз открывать. На дворе девятнадцатый век — век науки и прогресса. И все же, если мои чувства не обманывают меня, прошедшие века имели и имеют власть над нами, которую не может уничтожить никакой прогресс

.

16 мая. Утро. Да хранит Господь мой рассудок — я в этом очень нуждаюсь. Безопасность, или хотя бы уверенность в безопасности, уже в прошлом. Сейчас у меня только одно желание — не сойти с ума, если, конечно, это уже не произошло. Если же я еще в своем уме, то, как ни досадно, следует признать, что из всех кошмаров, подстерегающих меня в этом ненавистном месте, наименее опасен для меня граф: я могу надеяться только на его помощь — по крайней мере, пока он во мне нуждается. Боже всемогущий! Боже милосердный! Помоги мне сохранить хладнокровие, иначе я сойду с ума. Кое-что прояснилось в том, что раньше озадачивало меня. До сих пор я никогда не понимал до конца, что имел в виду Шекспир, говоря устами Гамлета:

Где памятная книжка? Запишем
В ней, что можно улыбаться
И в то же время быть злодеем!..

Теперь же, чувствуя, что разум мой помутился или пережил потрясение, которое должно найти разрядку, обращаюсь к дневнику, чтобы обрести душевное равновесие. Может быть, эта привычка регулярно вести дневник поможет мне успокоиться.

В свое время таинственное предостережение графа напугало меня; теперь же оно тем более страшит меня — боюсь, его власть надо мной в будущем станет и вовсе непомерной. Скоро мне будет страшно даже сомневаться в его словах!

Кончив писать и спрятав в карман дневник и ручку, я почувствовал, что мне очень хочется спать. Я помнил предупреждение графа, но мне доставило удовольствие ослушаться его. Сон одолевал меня все сильнее, но я противился ему, так часто бывает: чем сильнее хочешь спать, тем упорнее стараешься не заснуть. Мягкий лунный свет умиротворял, а бескрайний простор за окном пробуждал чувство свободы, которое будоражило меня и придавало сил.

Я решил не возвращаться в свои мрачные комнаты этой ночью, а провести ее здесь, где в старину сиживали дамы, пели, грустили, когда мужья покидали их, погружаясь в кровавую пучину беспощадных войн. Вытащил большую кушетку из угла и, не обращая внимания на пыль, поставил ее так, чтобы наслаждаться прекрасным видом из окон, выходящих на восток и юг; вскоре веки мои смежились. Вероятно, я заснул; надеюсь, заснул, однако все последовавшее было настолько реально, что даже теперь, когда я сижу здесь средь бела дня и в окна ярко светит солнце, никак не могу поверить, что все это мне приснилось...

Я был не один. Комната нисколько не изменилась с тех пор, как я вошел в нее. В лунном свете я различал собственные следы на густом слое пыли на полу. Напротив меня стояли три молодые женщины — леди, судя по их одежде и манерам. Я подумал, они мне снятся, потому что лунный свет падал на них сзади, но на полу не было тени.

Они подошли ко мне близко, некоторое время смотрели на меня, потом начали шептаться. Две из них — брюнетки с тонкими орлиными носами, как у графа, и большими темными пронзительными глазами, почти красными на фоне бледно-желтого света луны. Третья была белокурой — ослепительная блондинка с густыми, вьющимися, золотистыми волосами и бледно-сапфировыми глазами. Ее лицо показалось мне знакомым, как будто я видел его в каком-то страшном сне, но не мог вспомнить, где и когда. У всех трех прекрасные белые зубы, сверкающие, как жемчужины, меж алых сладострастных губ. Глядя на этих нимф, я испытал двойственное чувство — вожделение и одновременно смертельный страх. У меня возникло порочное страстное желание, чтобы они поцеловали меня своими алыми губами. Нехорошо писать об этом — я могу причинить боль Мине, если записи попадутся ей на глаза, но это правда.

Дамы пошептались и рассмеялись серебристым, музыкальным и в то же время каким-то неестественно резким смехом — едва ли такой звук могли издавать мягкие человеческие губы. Он напоминал невыносимый скрип, который извлекает умелая рука, водя по краю наполненного водой стакана.

Блондинка кокетливо покачивала головой, брюнетки уговаривали ее. Одна из них сказала:

— Ну, давай! Ты — первая, а мы — за тобой. Это твое право — начать.

Другая добавила:

— Он молод и здоров; поцелуев хватит на всех.

Я лежал ни жив ни мертв и, прикрыв глаза, сквозь ресницы наблюдал за происходящим, весь в предвкушении наслаждения. Белокурая дама подошла и наклонилась надо мной — я почувствовал ее дыхание. Оно было сладким, словно мед, и так же будоражило нервы, как и ее голос, но к этой сладости примешивалась некая горечь, неприятная горечь, присущая запаху крови.

Я боялся открыть глаза, но все прекрасно видел сквозь ресницы. Блондинка встала на колени и наклонилась ко мне в вожделении. Ее ленивое сладострастие было одновременно волнующим и отталкивающим. Наклоняясь, она облизывала губы, подобно животному: при свете луны я заметил влажный блеск ее алых губ и красного языка. Она склонялась все ниже и ниже, губы ее скользнули по моему рту и замерли где-то у горла. Я слышал причмокивающий звук ее языка, облизывающего зубы и губы, чувствовал на шее горячее дыхание. Потом ощутил легкое щекотание на горле, нежное, едва уловимое касание губ, а когда два острых зуба осторожно царапнули мою кожу, я закрыл глаза в томном восторге и ждал — ждал, весь трепеща…

Но в ту же секунду меня пронзило другое, мгновенное, словно вспышка молнии, ощущение: граф здесь, и он — в бешенстве. Я невольно открыл глаза и увидел, как своей мощной рукой он схватил блондинку за тонкую шею и с силой оттащил от меня. Ее глаза сверкнули гневом, зубы заскрежетали, щеки вспыхнули. Но что было с графом! Я и представить себе не мог такой ярости и неистовства даже у бесов преисподней. Его глаза метали молнии. Красный отсвет сделался еще ярче, будто в них и вправду вспыхнуло адское пламя.

Резким взмахом руки он отшвырнул женщину и сделал знак другим, как бы отгоняя их; это был тот же повелительно-властный жест, который я наблюдал при укрощении волков. Тихо, почти шепотом, но так, что голос его, казалось, резал воздух, заполняя собой всю комнату, он сказал:

— Как вы смеете его трогать, вы?! Или даже смотреть в его сторону, раз я запретил вам? Назад, сказано вам! Этот человек принадлежит мне! Попробуйте только тронуть его — и будете иметь дело со мной.

Блондинка с каким-то вульгарным кокетством усмехнулась:

— Ты никого никогда не любил и не любишь!

При этих словах две другие женщины тоже засмеялись, и от их безрадостного, резкого, бездушного смеха я чуть не потерял сознание — казалось, веселятся ведьмы.

Граф повернулся ко мне и, пристально глядя на меня, ласково прошептал:

— Нет, я тоже могу любить; вы в прошлом и сами могли убедиться в этом. Разве не так? Ладно, обещаю, как только покончу с ним, можете сколько угодно целовать его. А теперь уходите! Прочь! Я должен разбудить его — есть дело!

— А что же, мы сегодня ночью ничего не получим? — спросила блондинка с наглым смешком, указывая на брошенный им на пол мешок, который шевелился, как будто в нем было что-то живое.

Граф кивнул. Одна из женщин тут же бросилась к мешку и открыла его. Если слух не обманул меня, оттуда раздались вздохи и тихий плач полузадушенного ребенка...

Женщины обступили мешок. Я был в ужасе. И вдруг они исчезли вместе с этим ужасным мешком, хотя я не отрывал от них глаз. Другой двери в комнате не было; чтобы выйти, им пришлось бы пройти мимо меня. Казалось, они просто растворились в лучах лунного света и исчезли в окне: какое-то мгновение я еще наблюдал их смутные, призрачные очертания, прежде чем они совершенно исчезли.

Меня охватил такой ужас, что я потерял сознание.

Проснулся я в своей спальне. Если мое ночное приключение мне не приснилось, то, наверно, граф и перенес меня сюда. Многие мелочи это подтверждают — например, моя одежда сложена не так, как обычно. Часы стоят, а я всегда завожу их на ночь... Но все это, конечно, не доказательство, а, возможно, лишь косвенное подтверждение того, что я не в себе. Нужно найти настоящее доказательство. Одно меня порадовало: если меня сюда принес и раздел граф, то он, похоже, очень спешил — карманы не тронуты. Я уверен, что дневник был бы для него загадкой, и он, конечно, забрал бы его или уничтожил. Теперь моя комната, раньше столь неприятная для меня, — мое убежище; нет ничего отвратительнее тех ужасных женщин, ждущих случая высосать мою кровь.

Перевод Татьяны Красавченко

Издание для досуга

ПОДАРОЧНОЕ ИЗДАНИЕ. ЗНАМЕНИТАЯ КЛАССИКА С ИЛЛЮСТРАЦИЯМИ

Кристофер Фрейлинг

ВАМПИРЫ

ПРОИСХОЖДЕНИЕ И ВОСКРЕШЕНИЕ. ОТ ФОЛЬКЛОРА ДО ГРАФА ДРАКУЛЫ

Ответственный редактор *Екатерина Емельянова*
Младший редактор *Анжелика Смусева*
Художественный редактор *Радий Фахрутдинов*

В оформлении переплета использован коллаж Константина Гусарева
В оформлении форзаца использована иллюстрация Елизаветы Надеждиной
В дизайне внутреннего блока использован элемент оформления::
© RODINA OLENA / Shutterstock.com / FOTODOM
Используется по лицензии от Shutterstock.com / FOTODOM

Страна происхождения: Российская Федерация
Шығарушы ел: Ресей Федерациясы

ООО «Издательство «Эксмо»
123308, Россия, г. Москва, ул. Зорге, д. 1, стр. 1, эт. 20, каб. 2013. Тел.: 8 (495) 411-68-86.
Home page: www.eksmo.ru E-mail: info@eksmo.ru
Өндіруші: «Издательство «Эксмо» ЖШҚ
123308, Ресей, Мәскеу қаласы, Зорге көшесі, 1-үй, 1-құрылыс, 20 қабат, 2013-каб.
Тел.: 8 (495) 411-68-86. Home page: www.eksmo.ru E-mail: info@eksmo.ru.
Тауар белгісі: «Эксмо»

Интернет-магазин : www.book24.ru

Интернет-магазин : www.book24.kz
Интернет-дүкен : www.book24.kz

Импортёр в Республику Казахстан ТОО «РДЦ-Алматы».
Қазақстан Республикасына импорттаушы «РДЦ-Алматы» ЖШС.

Дистрибьютор и представитель по приему претензий на продукцию
в Республике Казахстан: ТОО «РДЦ-Алматы»
Дистрибьютор және Қазақстан Республикасында өнімге шағымдар
қабылдау жөніндегі өкіл: «РДЦ-Алматы» ЖШС.

Алматы қ., Домбровский көш., 3 «а», литер Б, офис 1.
Тел.: 8 (727) 251-59-90/91/92. E-mail: RDC-Almaty@eksmo.kz

Сведения о подтверждении соответствия издания согласно законодательству РФ
о техническом регулировании можно получить на сайте Издательства «Эксмо»:
www.eksmo.ru/certification

Техникалық реттеу туралы РФ заңнамасына сай басылымның сәйкестігін растау
туралы мәліметтерді мына адрес бойынша алуға болады: http://eksmo.ru/certification/

Произведено в Российской Федерации
Ресей Федерациясында өндірілген

Сертификаттауға жатпайды

Дата изготовления / Подписано в печать 17.09.2024.
Формат 70x100 $^{1}/_{16}$. Печать офсетная. Усл. печ. л. 38,89.
Тираж 3000 экз. Заказ 7928.

Отпечатано с готовых файлов заказчика
в АО «Первая Образцовая типография»,
филиал «УЛЬЯНОВСКИЙ ДОМ ПЕЧАТИ»
432980, Россия, г. Ульяновск, ул. Гончарова, 14

16+

Издательство «Эксмо» — универсальное
издательство №1 в России, является
одним из лидеров книжного рынка Европы.

ЭКСМО

eksmo.ru

eksmo

ISBN 978-5-04-165850-2

9 785041 658502 >

Также в серии выходят:

ДРАКУЛА

Главное детище Брэма Стокера, вампир-аристократ, ставший эталоном для последующих сочинений, причина массового увлечения «вампирским» мифом и получивший массовое же воплощение – от литературы до аниме и видеоигр.

СКАЗКИ БРАТЬЕВ ГРИММ

Знаменитые сказки братьев Гримм, чудесные, ироничные, страшные — и знакомые каждому с детства. Популярные и любимые герои: Красная Шапочка, Храбрый портняжка, Гамельнский крысолов, Бременские музыканты соседствуют с не столь известными: Белой и Черной невестой, Домовыми, Чертом с тремя золотыми волосками — в книге собраны более двухсот сказок и легенд!

ФАУСТ

Легенда об ученом Иоганне Фаустусе, продавшем Мефистофелю душу в обмен на его обещание открыть секреты мироздания, давно волновала людское воображение. Так доктор Фауст, которому щедро приписывались всевозможные чудеса, стал героем немецкого народа. Настоящее издание содержит наиболее точный перевод Н. А. Холодковского, за который в 1917 г. Российской Академией наук ему была присуждена Пушкинская премия.

МАРТИН ИДЕН

«Мартин Иден» — самое известное произведение Джека Лондона. Книга, которая делит жизнь многих читателей на «до» и «после». Выдающийся роман о человеке из низов, который добился успеха. О поиске места в жизни, тяге к знаниям, муках творчества и муках любви. Историей любви и победы Мартина Идена зачитываются миллионы по всему миру, а его гибель предзнаменовала трагедию поколений начала XX века.

1984

Ужасы преступлений государственной машины зафиксировал Джордж Оруэлл в своем главном творении — «1984». Этот роман-предупреждение об опасности тоталитаризма стал одной из самых известных антиутопий XX века, которая стоит в одном ряду с «Мы» Замятина, «О дивный новый мир» Хаксли и «451° по Фаренгейту» Брэдбери.

БОЖЕСТВЕННАЯ КОМЕДИЯ

«Божественная комедия» — грандиозный памятник поэтической культуры и настоящая энциклопедия средневекового мировоззрения. В ней поэт совершает путешествие через три царства загробного мира и с удивительной наглядностью и ясностью изображения дает живую, запоминающуюся картину происходящего там.

ПРЕСТУПЛЕНИЕ И НАКАЗАНИЕ

«Преступление и наказание» стал частью мирового культурного кода, переведен на все основные языки, поставлен и экранизирован более 20 раз. Он оказал огромное влияние на западную литературу, сформировал мировоззрение и философию модернизма и экзистенциализма. Этот роман — один из ключей к русскому национальному сознанию и самоидентификации.

ИЛЛИАДА И ОДИССЕЯ

Гомер (VIII в до н.э.) — величайший поэт древности уже три тысячелетия единодушно признан духовным светочем мировой культуры, родоначальником всей европейской литературы. В это издание вошли классические переводы гомеровского эпоса — шедевры отечественного словесного искусства, созданные Н. И. Гнедичем и В. А. Жуковским. Иллюстративный ряд издания представлен работами знаменитых художников Дж. Флаксмана и Ф. Преллера.

АННА КАРЕНИНА

Лев Николаевич Толстой (1828 – 1910) называл «Анну Каренину» романом «широким и свободным». Специально отказавшись от следования четкому сюжетному плану, писатель поместил на его страницы одновременно и скандальную историю несчастливого брака главной героини, и философские размышления Левина. Перед вами масштабное полотно гениального мастера, раскрывающее тончайшие нюансы в отношениях между людьми с разными взглядами, социальным положением и устремлениями.

ТРОЕЦАРСТВИЕ

Ло Гуаньчжуна, ставшего в Китае почти легендой, считают автором 6 классических китайских романов, главный из которых — «Троецарствие». Роман, написанный в XIV веке, создан на основе летописи и народных сказаний, повествующих о событиях III века, когда Китай распался на три царства: Вэй, У и Шу, которые вели между собой непрерывные войны.

451° ПО ФАРЕНГЕЙТУ. Повести. Рассказы

Мастер мирового масштаба, совмещающий в литературе несовместимое. Создатель таких ярчайших шедевров, лауреат многочисленных премий. Это Рэй Брэдбери. Его увлекательные истории прославили автора не только как непревзойденного рассказчика, но и как философа, мыслителя и психолога. Собранные в этой книге произведения достойное тому подтверждение.

МАЛЕНЬКИЙ ПРИНЦ И ЦИТАДЕЛЬ

Появившийся 6 апреля 1943 года в издательстве «Рейнал-Хичкок» Маленький принц говорил по-английски, и только некоторое время спустя заговорил по-французски. «Цитадель» — вершина художественной философии Антуана де Сент-Экзюпери. Эта несокрушимая литературная крепость возводилась писателем в течение долгих лет с максимальной отдачей и бесконечной любовью. Оба произведения публикуются в переводе Марианны Кожевниковой.

МАЛЕНЬКИЙ ПРИНЦ И ЕГО РОЗА. Письма 1930-1944

Антуан де Сент Экзюпери жалел, что посвятил «Маленького принца» не Консуэло. Своим признанием он просит у нее прощения и кается. Встреча двух художественно одаренных натур помогла появиться произведению, которое ярко вспыхнуло в литературе двадцатого века и остается живым до сегодняшнего дня. Так что Маленький принц — это еще и личная история, завещание Антуана де Сент-Экзюпери.

КРУГ ЧТЕНИЯ

«Круг чтения» Л. Н. Толстого — одно из наиболее значительных философских произведений XX века, важное произведение последнего периода жизни и творчества писателя. Л. Толстой стремился достичь эффекта утраты авторства, как в народной литературе, фольклоре, с помощью органического слияния заимствованной мысли со своей, чтобы «дать... ежедневный круг чтения, возбуждающего лучшие мысли и чувства».

МЫСЛИ И ИЗРЕЧЕНИЯ ДРЕВНИХ

В этой книге собраны лучшие прозаические изречения древних мыслителей, писателей, ораторов и богословов. Все они приводятся с указанием источника. подробный указатель позволяет найти высказывания на самые разные темы — от «Ада» до «Ямба».

ЛЕГЕНДЫ И МИФЫ ДРЕВНЕЙ ГРЕЦИИ

История мировой культуры во многом обязана удивительному миру античной Греции, ее мифам. Каждому из нас знакомы имена, ставшие нарицательными: Геракл и Аполлон, Нарцисс и Лаокоон, Одиссей и Прекрасная Елена. Книга русского историка, писателя, педагога Николая Альбертовича Куна «Легенды и мифы Древней Греции» выдержала множество изданий на русском и основных европейских языках, но до сих пор не утратила популярности у читателей самых разных возрастов.

БОЛЬШОЕ СОБРАНИЕ ЮМОРИСТИЧЕСКИХ РАССКАЗОВ В ОДНОМ ТОМЕ

Знаменитый Антон Павлович Чехов (1860—1904) первые шаги в русской литературе делал под псевдонимами Антоша Чехонте, «Человек без селезенки», Брат моего брата. Именно первые сборники и книги А. Чехова — «Шалость», «Сказки Мельпомены», «Пестрые рассказы», а также рассказы, печатавшиеся в журналах «Осколки», «Зеркало» и др., — включены в эту книгу, раскрывающую юмористический талант признанного в мире писателя. Книга представляет наиболее полное собрание юмористических рассказов А.П. Чехова.

МАХАБХАРАТА.
Три великих сказания Древней Индии

«Махабхарата» и «Рамаяна» – важнейшие памятники древнеиндийского творчества. Авторы настоящего издания, подобно Н. А. Куну с его «Мифами Древней Греции», сделали литературное переложение эпоса, облекли в прозаическую форму и адаптировали его для современных читателей.

МАСТЕР И МАРГАРИТА

Великий и вечный роман писателя претерпел многочисленные запреты к изданию и гонения, не хуже, чем судьба романа о Понтии Пилате самого мастера. Впервые был издан в 1966 году с купюрами в журнальном варианте, а полный текст романа был опубликован только в 80-е годы XX века. До официальной публикации распространялся в перепечатанных вручную копиях и сразу приобрел невероятную популярность и любовь читателя. Феерическая сатира на быт и нравы Москвы 30-х годов, пронзительная история любви мастера и Маргариты и вечная библейская тема борьбы добра со злом, роман о Понтии Пилате внутри романа — таковы далеко не все пласты этого гениального произведения Михаила Булгакова. Подарочное издание романа с иллюстрациями художника А. Николаева.